« BEST-SELLERS »

Collection dirigée par Henriette Joël et Isabelle Laffont

DU MÊME AUTEUR

chez le même éditeur :

LE TALISMAN DES TERRITOIRES
(en collaboration avec Stephen King)

PETER STRAUB

KOKO

roman

traduit de l'américain par Bernard Ferry

ÉDITIONS ROBERT LAFFONT
PARIS

Titre original : KOKO

ISBN 2-221-05725-2
(édition originale :
ISBN 0-525-24660-6 E.P. Dutton, New York)

Pour Susan Straub et
pour Lila J. Kalinich, docteur en médecine.

Je crois qu'il est possible et même recommandé de jouer le blues sur tout.

Frank MORGAN,
saxophoniste alto.

SOMMAIRE

Première partie

LA DÉCISION

1

WASHINGTON DC

1

On était à la mi-novembre : le ciel était gris et le vent soufflait. Un pédiatre du nom de Michael Poole regardait par sa fenêtre du deuxième étage le parking de l'hôtel Sheraton. Une camionnette Volkswagen, bariolée de symboles non violents peints au pochoir, effectuait un virage à 98° entre l'entrée du parking et la première rangée de voitures garées. La camionnette devait être conduite par un cinglé ou un ivrogne, car elle bloquait une longue file de voitures qui se mirent à corner. La camionnette termina sa manœuvre en enfonçant la calandre et les phares d'une petite Camaro poussiéreuse. Tout l'avant de la Camaro fut enfoncé. Redoublement des klaxons. La camionnette faisait face à présent à une ligne de véhicules ennemis au comble de l'exaspération. Le chauffeur recula et Michael crut qu'il allait gagner la sortie de Woodley Road en marche arrière. Finalement, il réussit à garer son véhicule dans une place vide entre deux voitures. « Ce type a bousillé la Camaro pour une place de parking », se dit Michael.

Michael avait appelé deux fois la réception de l'hôtel, mais aucun de ses trois compagnons ne s'était encore présenté. Ils devaient certainement avoir pris la navette de New York, à moins que Conor Linklater n'eût décidé de faire tout le chemin en moto. Cela ne l'empêchait pas de rêver, et il s'imagina un instant voir sortir de la camionnette les seuls survivants de sa section : Harry « Beans » Beevers, « le Grand Paumé », le pire lieutenant que la terre eût jamais porté, puis Tina Pumo, Pumo le Puma, celui qu'Underhill avait surnommé Lady Pumo, et enfin Conor

Linklater, le petit dur. Évidemment, ils arriveraient séparément, en taxi, mais il n'empêche : il aurait bien aimé les voir sortir de la camionnette. Jusqu'alors, il ne s'était pas rendu compte à quel point il avait envie de les revoir; bien sûr, il avait envie de voir le monument aux morts tout seul, d'abord, mais il avait encore plus envie de le voir en leur compagnie, ensuite.

Les portières de la camionnette s'ouvrirent en coulissant. Une main tenant une bouteille fit d'abord son apparition; Michael la reconnut tout de suite : du Jack Daniels.

La bouteille de Jack Daniels fut lentement suivie par un bras épais, puis par une tête dissimulée par un chapeau de brousse aux bords flottants. Le personnage dans son entier referma violemment la portière : il faisait plus d'un mètre quatre-vingt-cinq et pesait au moins cent vingt kilos. Deux hommes plus petits, vêtus de façon identique, descendirent de la camionnette par la portière coulissante, puis un gaillard barbu en veste de treillis défraîchie gagna l'avant de la camionnette pour prendre la bouteille. Il secoua la tête en riant, but une gorgée au goulot et passa la bouteille à l'un de ses compagnons. Ils ressemblaient à ces dizaines de soldats que Michael Poole avait autrefois menés au combat. Il appuya son front contre la vitre.

Bien sûr, il ne connaissait aucun de ces hommes. Cette ressemblance était d'ordre générique. Le grand costaud n'était pas Underhill, et les autres n'étaient pas les autres.

Simplement, il avait une envie folle de revoir ceux qu'il avait connus là-bas. Il rêvait d'une grande réunion rassemblant tous ceux qu'il avait connus au Vietnam, morts ou vivants. Et il voulait aussi voir le monument aux morts... il voulait même *aimer* ce monument. Il avait vu des photos : le monument était puissant, austère, sombre et magnifique. Un monument digne d'amour. Quant à lui, le seul monument qu'il espérait pour lui était un monument à la séparation, mais cela, seuls lui et les cow-boys dehors pouvaient le comprendre, car ils étaient séparés à jamais, séparés comme le sont les morts : pour toujours. Ensemble, ils étaient tellement séparés, qu'aux yeux de Poole, ils semblaient presque former un pays secret, à part.

Il y avait des noms qu'il voulait voir sur le monument, des noms qui y figuraient à la place du sien.

Le grand cow-boy avait tiré une feuille de papier de sa poche, et écrivait, penché sur le capot de la camionnette. Les autres sortirent des sacs de paquetage du coffre. La bouteille de Jack Daniels circula à nouveau, puis après une dernière goulée, le chauffeur la glissa dans l'un des sacs.

A présent, Michael avait envie de se trouver dehors, envie de bouger. D'après le programme que Michael avait pris à la réception de l'hôtel, le défilé remontant Constitution Avenue avait déjà commencé. Le temps qu'il aille jeter un coup d'œil au monument, et les autres seraient certainement arrivés à son retour.

A moins, bien sûr, que Harry Beevers ne se soit débrouillé pour se soûler au bar du restaurant de Tina Pumo, réclamant un autre martini-vodka, un autre tout petit petit martini, et puis, bon, on prendra la navette de cinq heures au lieu de celle de quatre heures, ou celle de six heures, ou celle de sept heures. Tina Pumo, le seul de leur vieille bande qui se fût plus ou moins rangé, lui avait dit que Beevers passait parfois des après-midi entiers dans son restaurant. Au cours des quatre ou cinq années précédentes, Michael n'avait eu qu'un seul contact avec Harry Beevers : trois semaines auparavant. Ce jour-là, Beevers l'avait appelé au téléphone pour lui lire un article de *Stars and Stripes*, le journal de l'armée américaine, que lui avait envoyé son frère; l'article évoquait une série de meurtres commis au hasard, en Extrême-Orient, par quelqu'un qui s'était lui-même présenté sous le nom de Koko.

Michael s'écarta de la fenêtre. Ce n'était pas le moment de s'occuper de Koko. Le géant en veste de camouflage et chapeau de brousse glissa la petite feuille de papier sous l'un des essuie-glaces de la Camaro. Sans doute y avait-il marqué : *Je m'excuse pour les dégâts. Je vous invite à boire un verre de Jack Daniels...*

Poole s'assit au bord du lit, décrocha le combiné du téléphone, et après un instant d'hésitation, composa le numéro de Judy, à l'école.

– Je suis déjà là-bas, dit-il, mais les autres ne sont pas encore arrivés.

– Tu veux que je te plaigne? demanda Judy.

– Non, je pensais simplement que ça t'intéresserait de savoir ce qui se passait.

– Dis-moi, Michael, qu'est-ce qui te trotte dans la tête? Ton coup de téléphone est sans objet. Tu vas passer deux jours à te soûler et à évoquer le bon vieux temps avec tes copains d'armée. J'ai rien à voir là-dedans, moi. Je ne servirais qu'à te faire sentir coupable.

– J'aimerais quand même que tu sois là.

– Le passé est passé, et bien passé. Ça te rappelle quelque chose?

– Bien sûr que oui.

Un silence s'installa. Trop long. Elle ne parlerait pas tant que lui ne l'aurait pas rompu.

– Bon, d'accord, finit par dire Michael. Je vais probablement voir Beevers, Tina Pumo et Conor, ce soir, et puis demain il y a quelques cérémonies auxquelles j'aimerais assister. Je serai à la maison dimanche, vers cinq ou six heures.

– Tes patients se montrent extrêmement compréhensifs.

– L'érythème fessier du nourrisson est rarement mortel.

Judy fit entendre un petit soupir qui aurait pu passer pour un rire.
– Veux-tu que j'appelle demain ?
– Non, ne t'inquiète pas. C'est gentil, mais vraiment, ne t'inquiète pas.
– Vraiment... répéta Michael.
Et il raccrocha.

2

Michael traversa lentement le hall du Sheraton, observant les hommes alignés devant la réception : parmi eux se trouvaient le cowboy avec sa veste de camouflage et ses trois copains; un peu plus loin, des gens étaient assis sur des fauteuils et des banquettes moelleuses de couleur vert sombre. Le Sheraton était un de ces hôtels dépourvus de véritable bar. Des femmes en robes moulantes et vaporeuses servaient des boissons aux vingt ou trente tables disposées dans un salon étroit. Belles, grandes et languides, ces femmes semblaient toutes descendre d'un ancêtre commun. En temps ordinaire, ces princesses devaient servir des gin-tonics et des Perrier rondelle à des messieurs en costumes sombres, aux cheveux bien coupés, des gens comme les voisins de Michael, dans le comté de Westchester, mais aujourd'hui elles posaient des tequilas et des bouteilles de bière devant des sauvages en vestes de combat et chapeaux de brousse, en treillis bizarres et casquettes kaki plus bizarres encore.

Les propos acides échangés avec sa femme lui avaient donné soif : il avait envie de s'asseoir au milieu des durs et de commander un verre. Mais s'il s'asseyait, il serait pris au piège. Quelqu'un lui adresserait la parole. Il payerait un verre à un type qui se serait trouvé à un moment donné au même endroit que lui, au Vietnam, ou dans un endroit voisin, ou qui avait un ami qui s'était trouvé dans un de ces endroits voisins. Le type ne manquerait pas, à son tour, de lui payer un verre. On en arriverait forcément aux histoires, souvenirs, théories, présentations, vœux de fraternité. Il finirait par rejoindre le défilé au milieu d'un groupe de gars qu'il ne connaissait pas et il verrait le monument à travers le brouillard isolant et confortable de l'alcool. Michael poursuivit son chemin.

– En avant la cavalerie! beugla une voix alcoolisée derrière lui.

Il gagna le parking.

Il ne portait qu'un chandail et une veste de tweed et il faisait un peu trop froid, mais il préféra ne pas remonter chercher son manteau. Le ciel était lourd, floconneux, et la pluie menaçait de tomber, mais Michael s'en moquait.

Des voitures escaladaient la rampe du parking. Des plaques de Floride, du Texas, de l'Iowa, du Kansas et de l'Alabama; toutes sortes de marques et de genres de véhicules : des gros pick-up General Motors aux petites japonaises. Le cow-boy et ses amis venaient du New Jersey, l'État-jardin. Sous l'essuie-glace de la Camaro, le billet disait :

T'étais dans mon chemin.
Tu t'es fait mettre!!!!

Une fois dans la rue, Michael héla un taxi et demanda au chauffeur de le conduire sur Constitution Avenue.

– Vous allez participer au défilé ? lui demanda aussitôt le chauffeur.

– Oui.

– Alors vous êtes un vétéran, vous étiez là-bas ?

– Oui.

Vu de dos, le chauffeur avait l'air de ces malheureux étudiants, sérieux et un peu égarés, immanquablement destinés à échouer en première année de médecine : des lunettes en plastique transparent, des cheveux couleur d'eau de vaisselle, le teint pâle et la peau juvénile. D'après sa plaque d'identification, il se nommait Thomas Strack. Un énorme bouton percé avait laissé une trace de sang séché sur son col de chemise.

– Vous vous êtes battu ? Vous étiez au front ?

– Parfois.

– Y a quelque chose que j'ai toujours voulu demander, j'espère que vous serez pas choqué.

Michael savait ce que le chauffeur allait lui demander.

– Si vous ne voulez pas me choquer, ne me demandez rien de choquant.

Le chauffeur lui jeta un coup d'œil dans le rétroviseur puis regarda à nouveau la route.

– Bon, c'est pas la peine de le prendre mal.

– Non, je ne peux pas vous dire l'effet que ça fait de tuer quelqu'un.

– Vous voulez dire que vous l'avez jamais fait ?

– Non, je veux simplement dire que je ne peux pas l'expliquer.

Le chauffeur n'ouvrit pas la bouche tout le reste du chemin, mais on le sentait bouillir. Vous auriez pu me dire quelque chose. Me refiler un peu d'hémoglobine! M' faire voir un peu d' cette bonne culpabilité, m' faire voir un peu d' cette bonne extase. Le passé est passé, et bien passé. Vraiment, ne t'inquiète pas. T'étais dans mon chemin, tu t'es fait mettre.

Je prendrai un triple martini Finlandia, avec des glaçons; sans les olives, s'il vous plaît, sans le vermouth, s'il vous plaît, sans les glaçons, s'il vous plaît, et servez la même chose à mes quatre cents copains, là, s'il vous plaît. Ils ont peut-être l'air un peu bizarre, mais c'est ma tribu.

– Ici, ça va? demanda le chauffeur.

Une muraille humaine se dressait à côté de la voiture. On voyait des drapeaux et des hommes portant des banderoles. Il régla sa course et sortit du taxi.

Michael était un peu plus grand que la plupart des gens rassemblés sur le trottoir. La grande tribu était rassemblée. Constitution Avenue, la large avenue de Washington, était remplie d'hommes qui avaient été soldats, et dont la plupart étaient habillés comme s'ils l'étaient encore. Entre les groupes de la taille d'une compagnie jouaient des orchestres d'université. Sur les trottoirs, des gens les observaient défiler, l'air approbateur, approuvant ce qu'ils représentaient, approuvant ce qu'ils avaient fait. Ils applaudissaient. Michael se rendit alors compte que jusque-là, il s'était interdit de croire pleinement à la réalité de ce défilé.

Pour les trois quarts, les hommes devant lui étaient des combattants de la jungle, à qui il ne manquait que les cartouchières et les M-16; le quart restant était des vétérans de la Seconde Guerre mondiale, atteints d'embonpoint, et qui ressemblaient à des boxeurs à la retraite. Michael ne s'aperçut de la disparition du soleil sous l'horizon que lorsqu'il vit leurs longues ombres s'étirer devant lui dans la rue.

Il crut reconnaître aussi celle de Tim Underhill, avec son ventre en avant, enveloppé dans la fumée d'un cigare. Dans son esprit, Underhill lançait de joyeuses plaisanteries obscènes visant tout ce qui passait à sa portée; il portait son uniforme d'été : foulard à pois et pantalon de treillis. Sur son épaule gauche, on apercevait une trace de sang laissée par les moustiques. Michael aurait aimé avoir Underhill à ses côtés. Le souvenir d'Underhill l'avait littéralement hanté depuis qu'à la fin du mois d'octobre, Harry Beevers l'avait appelé pour lui lire les articles envoyés par son frère depuis Okinawa.

En deux endroits différents, un touriste anglais d'une quarantaine d'années et un couple d'Américains, plus âgés, avaient été assassinés à Singapour; à peu près au même moment, les otages américains de Téhéran rentraient aux États-Unis. Les crimes devaient avoir été commis à une semaine ou dix jours d'intervalle. Le corps de l'Anglais fut retrouvé dans les jardins de l'hôtel Goodwood Park, et ceux du couple d'Américains dans un bungalow vide dans le quartier d'Orchard Road. Les trois corps étaient mutilés, et sur deux d'entre eux l'on retrouva des cartes à jouer marquées d'un nom énigmatique : Koko. Six mois plus tard, au cours de l'été 1981, on retrouva les corps de deux journalistes français dans leur chambre d'hôtel de Bangkok : ils étaient mutilés de la même façon et l'on retrouva sur eux des cartes à jouer avec le même nom. La seule différence entre ces meurtres et ceux qui avaient eu lieu après Ia Thuc, quinze ans auparavant, c'était que les cartes n'étaient pas des cartes de l'armée, mais des cartes à jouer ordinaires, que l'on trouve dans le commerce.

Underhill devait vivre à Singapour. C'était au moins là qu'il avait toujours dit vouloir s'installer après la fin de la guerre. Mais Michael ne parvenait pas à se convaincre que l'assassin était Underhill.

Au cours de son séjour au Vietnam, Michael Poole avait connu deux êtres extraordinaires. Une unité combattante devient à la longue à la fois un cirque et un laboratoire d'étude des comportements humains : au sein de cette unité, deux hommes exceptionnels lui avaient semblé particulièrement dignes de respect et d'affection. Tim Underhill était l'un d'eux; l'autre était un garçon de Milwaukee du nom de M.O. Dengler. C'étaient les deux hommes les plus courageux qu'il eût jamais connus, et ils semblaient parfaitement à leur place au Vietnam.

Tim Underhill était retourné en Extrême-Orient aussitôt que possible après la guerre, et il avait connu un certain succès comme auteur de romans policiers. M.O. Dengler, lui, n'était jamais rentré d'Asie : il avait été tué dans une mystérieuse bagarre de rue à Bangkok, alors qu'il se trouvait en permission en compagnie d'un autre soldat, Victor Spitalny.

Tous deux lui manquaient. Énormément.

Le groupe d'anciens combattants derrière lui, aussi bigarré que celui qui se trouvait devant, avait fini par le happer. Il se retrouvait au milieu de deux types de la taille de Dengler, férocement moustachus, et d'un échantillon d'anciens combattants en complets de polyester.

Comme s'il avait lu dans ses pensées, l'un des types du gabarit de Dengler s'approcha de lui et lui murmura quelque chose. Michael se pencha vers lui, la main à l'oreille.

– Moi j'étais un combattant, un vrai! dit le petit soldat, un peu plus fort. Des larmes brillaient dans ses yeux.

– Vous savez que vous me rappelez un des meilleurs soldats que j'aie jamais connus, répondit Michael.

– Non, sans blague? Dans quelle unité vous étiez?

Poole déclina son bataillon et sa division.

– Quelle année?

La tête penchée de côté, l'homme examinait Michael.

– Soixante-huit, soixante-neuf.

– Ia Thuc! s'exclama aussitôt le type. Je m'en souviens. L'article du *Time*, tout le barouf, alors c'était vous, les gars?

Poole acquiesça.

– Super ! Y-z-auraient dû lui donner la médaille d'honneur au lieutenant Beevers, pour ce qu'il a fait, et lui retirer aussitôt après pour lui apprendre à fermer sa gueule devant ces enculés de journalistes !

Et l'homme s'évanouit dans la foule avec souplesse : se serait-il trouvé sur un tapis de branches sèches, il n'aurait pas fait plus de bruit. Deux grosses femmes aux cheveux courts et permanentés, en pantalons pastel, le visage placide en forme de vente de charité, agitaient à elles deux une bannière rouge sur laquelle se détachaient en lettres noires les mots POW-MIA. Quelques pas derrière, deux vétérans encore jeunes brandissaient une autre bannière : INDEMNISATIONS POUR L'AGENT ORANGE. L'Agent orange...

Agitant la tête, faisant claquer sa langue, Victor Spitalny avait déclaré que ce machin avait bon goût. *Allez, bande d'enfoirés, buvez-moi ça ! Ce truc-là ça va vous faire guili-guili dans les boyaux !* Washington et Spanky Burrage, ainsi que Trotman, les soldats noirs, s'écroulèrent dans l'épaisse végétation bordant la piste, pliés en deux de rire, s'administrant de grandes claques sur le dos et sur les flancs. Ils répétaient *ce truc-là ça va vous faire guili-guili dans les boyaux*, tout en sachant qu'à sa manière idiote, Spitalny n'avait cherché qu'à être drôle. Spitalny, lui, enrageait. L'odeur de l'Agent orange, à mi-chemin entre l'essence et le solvant industriel, leur collait à la peau et ne finissait par céder que devant la sueur, les produits contre les moustiques et la puanteur de la piste.

Poole se surprit à se frotter les mains l'une contre l'autre, mais il était trop tard pour faire disparaître l'Agent orange.

Quel effet ça fait de tuer quelqu'un ? Je ne peux pas vous le dire parce que c'est impossible à dire. Peut-être que moi-même j'ai été tué, mais pas avant d'avoir tué mon fils. Tu rigoles tellement, mec, que tu chies au froc.

3

Lorsque Michael atteignit le parc, le défilé s'était transformé en une gigantesque promenade, marcheurs et spectateurs réunis pour fouler l'herbe. Des groupes épars occupaient le paysage autour de lui, déambulant entre les arbres rares, bouchant la scène. Il ne le voyait pas, mais il savait que le monument était là. A une centaine de mètres devant lui, la foule descendait le long d'une pente vers une cuvette naturelle d'où lui parvenait comme l'embrasement mental de ces gens trop nombreux. Le monument gisait au fond de tous ces gens. Des fourmillements lui parcoururent la nuque.

Une escouade de chaises roulantes se propulsait à travers la longue bande herbeuse précédant la cuvette. Une des chaises se renversa de côté, et un homme décharné, les cheveux noirs, sans jambes, roula sur le sol. Son visage était effroyablement familier. Le cœur de Michael se glaça... c'était Harry Beevers. Il voulut courir pour aller l'aider. Puis il se ressaisit. L'homme était déjà entouré par ses amis, et de toute façon, ce ne pouvait être son ancien lieutenant. Deux hommes redressèrent la chaise et la maintinrent solidement tandis qu'il se redressait sur ses moignons. Puis il s'appuya sur les repose-pieds en métal, agrippa les accoudoirs et se hissa habilement sur son siège.

Les chaises roulantes ne tardèrent pas à disparaître au milieu de la foule. Michael promena le regard autour de lui. Ce n'étaient que visages familiers qui au second coup d'œil se révélaient être ceux d'inconnus. De nombreux exemplaires barbus de Tim Underhill se dirigeaient vers la cuvette gazonnée; de maigres Dengler et Spitalny. Un radieux Spanky Burrage au visage rond frappait la paume de la main d'un Noir, dont la coiffure, une afro un peu particulière, était surmontée d'un calot des forces spéciales. Michael se demanda alors ce qu'était devenu le *dap*, une série compliquée de poignées de main que les Noirs au Vietnam utilisaient entre eux. Le *dap*, c'était un merveilleux mélange de sérieux et d'hilarité impassible.

Le monument formait une longue ligne noire visible seulement par intermittence, et qui liait ensemble les têtes et les corps massés devant lui. Des hommes étaient comme alignés au sommet, foulant l'herbe taillée en brosse comme au défilé. D'autres, penchés, s'efforçaient de déchiffrer les noms gravés sur la pierre polie. Michael fit plusieurs pas en avant : la cuvette s'élargit devant ses yeux et le spectacle s'offrit totalement à lui.

La foule qui entourait le monument ne parvenait pas à engloutir tout à fait l'énorme ailc noire et brisée. Il aurait fallu pour cela plus de monde encore. Les photos ne rendaient pas bien compte de son caractère gigantesque. Sa force résidait dans sa masse. Haut de quelques centimètres seulement sur ses bords effilés, il s'élevait en son centre à plus de deux fois la hauteur d'un homme. Une allée de dalles de granit courait le long du monument, ménageant un espace d'une cinquantaine de centimètres de terre déjà recouvert de petits drapeaux, de lettres accrochées à des bâtons, de couronnes de fleurs et de photographies de soldats morts.

Là était rassemblé ce qui restait de la guerre : seulement ces noms gravés sur le monument, et cette foule de gens. Pour Michael, le Vietnam, pays bien réel, c'était ailleurs, à des milliers de kilomètres de là, un pays à l'histoire tourmentée, avec une culture bien particulière et inaccessible. Une histoire et une culture qui avaient brièvement, et désastreusement, croisé les nôtres. Mais le Vietnam bien réel ce n'était pas le *Vietnam* : ce dernier était ici, dans ces noms et dans ces visages d'Américains.

Le fantôme d'Underhill avait à nouveau fait son apparition, malaxant sa large épaule de ses doigts sanglants (la peau tannée était striée par le sang des insectes écrasés). *Ah, Lady Michael, c'est tous des braves gars, c'est la guerre qui les a pourris, c'est tout.* Un rire étouffé. *Nous on n'a pas été comme ça, hein, Lady Michael? Hein, dis-moi qu'on n'a pas été comme ça!*

Je crois que je t'ai vu bousiller une voiture pour prendre une place de parking, dit Michael à l'imaginaire Tim Underhill.

Je ne bousille les voitures que sur le papier.

Underhill, c'est toi qui as tué ces gens à Singapour et à Bangkok? C'est toi qui as mis ces cartes marquées Koko sur les corps?

Faut pas me mettre ça sur le dos, Lady Michael!

– Les paras! s'écria quelqu'un.

– En avant les paras! répondit une voix en écho.

Michael se rapprocha du monument; le visage levé, comme les autres, il semblait rechercher un nom. Puis, comme par une illusion d'optique, le vrai Michael vit des noms jaillir de la muraille noire. Donald Z. Pavel, Melvin O. Elvan, Dwight T. Pouncefoot. Il regarda le panneau suivant. Art A. McCartney, Cyril P. Downtain, Masters J. Robinson, Billy Lee Barnhart, Paul P.J. Bedrock. Howard X. Hoppe. Bruce G. Hyssop. Tous ces noms semblaient également étrangers et familiers.

Quelqu'un derrière lui lança : « Alpha, Papa, Charlie »; il sentit ses oreilles tinter et tourna la tête. La cuvette peu profonde était à présent complètement remplie par la foule qui recouvrait même l'éminence s'élevant derrière. Alpha Papa Charlie. Qui avait parlé? L'homme aux cheveux blancs, le chauve, celui avec la queue de cheval, l'homme au teint clair, au visage criblé de trous, ridé, couturé, électrisé? N'importe lequel d'entre eux aurait pu prononcer ces mots. D'un groupe de quatre ou cinq homme vêtus de treillis et coiffés de chapeaux de brousse, s'éleva une autre voix, plus rauque, « ... on l'a perdu dans les environs de Da Nang ».

Da Nang. C'était là qu'était le 1er corps d'armée, son Vietnam à lui. Pendant un instant, Michael ne put mouvoir ni bras ni jambes. En lui déferlaient les noms d'endroits auxquels il n'avait plus songé depuis quatorze ans : Chu Lai, Tam Ky. Michael voyait une étroite allée crasseuse derrière une rangée de cabanes; il sentait l'odeur des bottes de marijuana qui séchaient, accrochées au plafond d'un appentis où vivait et prospérait une mama-san portant le nom irrésistible de Si Van Vo. Mon Dieu, la vallée du Dragon. Phu Bai, LZ Sue, Hué, Quang Tri.

Alpha Papa Charlie. En face d'un groupe de cabanes recouvertes de palmes, une file de buffles d'eau traversait la plaine boueuse en direction d'un sentier de montagne. Des millions d'insectes obscurcissaient l'air humide. La Montagne de marbre. Tous ces charmants petits endroits entre la Cordillère annamitique et la mer de Chine, comme celui où Cotton, ce gars de la SP4, avait été tué par un tireur embusqué nommé Elvis, et s'était effondré paresseusement dans l'eau rose et mousseuse. La vallée de A Shau. Il revoyait M.O. Dengler escaladant avec agilité une piste étroite, lui lançant un sourire par-dessus l'épaule, grenades et cartouches en travers du dos. Devant le visage joyeux de Dengler s'étendait un paysage vert d'une profondeur et d'une délicatesse incroyables, se noyant parfois à des milliers de mètres dans les nuages, s'estompant en des dizaines de nuances de verts différents, déroulant jusqu'à l'infini ses vertes vastitudes. *Ça va pas?* demandait Dengler. *Parce que, tu sais, t'as pas à t'en faire. Oui, bien que je marche dans la vallée de A Shau...*

Michael finit par se rendre compte qu'il pleurait.

« Polonais des deux côtés, parfaitement », disait une vieille dame tout près de lui. Michael s'essuya les yeux, mais ils se remplirent à nouveau de larmes, et si rapidement qu'il ne voyait plus que des taches de couleur. « Tous les voisins étaient polonais, des deux côtés de la rue. Le père de Tom a fait la Seconde Guerre, mais il a dû rester à la maison aujourd'hui à cause de son emphysème. » Michael tira son mouchoir de sa poche et se tamponna les yeux. « J' lui ai dit, mon vieux tu fais ce que tu veux, mais moi j'irai de toute façon à Washington pour la journée des anciens combattants. Vous en faites pas, fiston, ici vous pouvez pleurer toutes les larmes de votre corps, personne vous dira rien. »

Michael mit un certain temps à comprendre que la dernière phrase s'adressait à lui. Il baissa son mouchoir. Une femme obèse d'une soixantaine d'années, aux cheveux blancs, le couvait d'un tendre regard de grand-mère. A côté d'elle se tenait un Noir vêtu d'une veste délavée des Forces spéciales, et dont l'hirsute coiffure afro était surmontée d'un chapeau de brousse des troupes australiennes et néo-zélandaises de la Première Guerre mondiale.

– Merci, dit Michael. Ce truc-là (d'un geste il indiqua le monument) a fini par m'avoir.

L'ancien soldat noir hocha la tête.

– En fait, j'ai entendu quelqu'un prononcer quelques mots, mais j'arrive pas à me souvenir ce que c'était...

– Oui, moi aussi, dit le Noir. J'ai entendu quelqu'un qui disait : « à environ vingt bornes d'An Khe », et... eh bien j'ai senti mon estomac qui se retournait.

– C'était le 2e corps d'armée, dit Michael. Vous étiez un peu au sud de là où j'étais. Je me présente, Michael Poole. Je suis heureux de vous connaître.

– Bill Pierce.

Les deux hommes se serrèrent la main.

– Cette dame ici c'est Florence Majeski. Son fils était dans mon unité.

Michael eut une envie furieuse de serrer la vieille dame dans ses bras, mais il savait qu'il éclaterait à nouveau en sanglots s'il faisait cela. Il posa alors la première question qui lui traversa l'esprit.

– Vous avez pris ce chapeau à un soldat australien ?

Pierce sourit.

– J'étais dans une Jeep, j' lui ai arraché au passage. Pauvre gars !

Il parvint alors à poser à Pierce la question qu'il voulait réellement lui poser :

– Comment vous pouvez trouver les noms que vous cherchez, au milieu de toute cette foule ?

– Il y a des *marines* aux deux extrémités du monument, dit Pierce, et ils ont des livres avec tous les noms et les murs sur lesquels ils se trouvent. Ou alors on peut demander à un de ces types en casquette jaune. Ils sont là pour aujourd'hui seulement à cause de tout le monde qui est venu. (Pierce glissa un regard en direction de Mme Majeski.)

– Tom est là, dans le livre, dit la vieille dame.

– J'en vois un là-bas, dit Pierce en indiquant un endroit à la droite de Michael. Y va vous le trouver.

Au milieu d'un petit groupe de gens, un grand gaillard barbu, blanc, coiffé d'une casquette jaune, consultait des feuilles dans un classeur puis indiquait d'un geste l'un des grands panneaux de pierre.

– Dieu vous bénisse, mon fils, dit Mme Majeski. Si jamais vous passez par Ironton, en Pennsylvanie, il faudra absolument que vous veniez nous voir.

– Bonne chance, dit Pierce.

– Bonne chance aussi à tous les deux.

Il sourit et s'éloigna.

– Je parle sérieusement ! s'écria Mme Majeski. Si vous passez là-bas, venez nous voir !

Michael fit un dernier geste et se dirigea vers l'homme à la casquette jaune. Une vingtaine de personnes faisaient cercle autour de lui, penchées en avant.

– Je ne peux répondre qu'à une personne à la fois, dit l'homme à la casquette avec un accent du Midwest. D'accord ?

Les autres devaient être arrivés à l'hôtel, à présent, se dit Michael. Ce que je fais est ridicule.

Le jeune homme à la casquette jaune consultait ses listes, indiquait les murs où se trouvaient les noms, essuyait la sueur coulant de son front. Michael se retrouva bientôt devant lui. Le garçon portait des blue-jeans et une chemise en coton largement ouverte sur un tee-shirt gris et trempé. Sa barbe aussi était luisante de sueur.

– Quel nom ?

– M.O. Dengler, dit Michael.

L'homme tourna rapidement les pages, trouva les D et promena le doigt le long d'une colonne.

– Ah, voilà. Le seul Dengler, c'est Manuel Orosco Dengler, du Wisconsin. C'est aussi l'État d'où je viens. Quatorzième panneau ouest, cinquante-deuxième ligne. Par là, tout droit.

D'un geste, il indiqua la droite. Les bords du panneau étaient hérissés de petits coquelicots rouges semblables à des têtes d'épingles ; devant, une foule immobile. PLUS JAMAIS D'AUTRES VIETNAM, proclamait une brillante banderole bleue.

Manuel Orosco Dengler? Ces noms espagnols le surprenaient. Tandis qu'il fendait la foule en direction de la bannière bleue, il lui vint à l'esprit que peut-être l'homme s'était trompé de Dengler. Puis il se rappela ce qu'il lui avait dit : c'était le seul Dengler sur sa liste. Et les initiales étaient correctes. Manuel Orosco ne pouvait être que son Dengler.

Michael se trouva à nouveau face au monument, épaule contre épaule avec un vétéran qui pleurait, les cheveux hirsutes, la moustache en guidon de vélo. A ses côtés, une femme en blue-jeans dont les cheveux blonds descendaient jusqu'à la taille tenait par la main une petite fille, également blonde. Une enfant sans père, comme il était lui, pour toujours, un père sans enfant. De l'autre côté de la bande de gazon plantée de drapeaux, de couronnes et de photographies de jeunes soldats accrochées à des bâtons, le quatorzième panneau se dressait face à lui, lugubre. Michael compta les lignes jusqu'à arriver à la 52e. Le nom de M.O. Dengler, MANUEL OROSCO DENGLER, gravé dans le marbre noir, lui sauta aux yeux. Michael admira la netteté chirurgicale de la gravure, la claire simplicité des lettres. Il fallait bien qu'un jour il se retrouvât face à ce nom, il l'avait toujours su.

Dengler aimait jusqu'aux rations de singe sur lesquelles crachaient les autres. Il prétendait que le pâté de dinde mis en boîte en 1945 était meilleur que tout ce que sa mère avait pu lui cuisiner. Dengler aimait faire les patrouilles. (*Hé, qu'est-ce tu crois? Quand j'étais gamin j'étais tout le temps en patrouille!*) Il avait peu souffert de la chaleur, du froid et de l'humidité. Dengler racontait qu'à Milwaukee, les arcs-en-ciel gelaient pendant les tempêtes de neige, et que les gamins allaient en courant arracher des morceaux de leur couleur favorite et les suçaient jusqu'à ce qu'ils deviennent blancs. Et quant à la violence, Dengler proclamait que devant les tavernes de Milwaukee, on en voyait autant quand il y avait de la bagarre; et à l'intérieur, un peu plus. Alors, la peur de la mort...

Dans la vallée du Dragon, Dengler avait ramené Trotman, blessé, à Peters, le toubib, en bavardant avec humour comme si de rien n'était, et tout cela sous le feu de l'ennemi. Dengler savait que rien ne pouvait le tuer.

Michael fit un pas en avant, prenant garde à ne pas écraser de gerbe ou de photo, et il promena ses doigts sur les bords tranchants du nom de Dengler, gravé dans la pierre froide.

En un éclair, il eut la vision désagréable de Spitalny et Dengler courant ensemble dans la fumee vers l'entrée de la grotte, à Ia Thuc.

Michael se détourna. Il avait les traits tirés. La blonde lui adressa un demi-sourire à la fois peiné et chaleureux, et tira sa petite fille en arrière, pour le laisser passer.

Michael avait besoin de voir *ses* anciens guerriers. La solitude et l'isolement semblaient l'enserrer étroitement.

2

UN MESSAGE

1

Il était tellement sûr de trouver à l'hôtel un message, qu'une fois franchie la porte à tambour, il se dirigea droit à la réception. Harry Beevers lui avait certifié qu'il arriverait avec les autres « dans l'après-midi ». Il était un peu moins de cinq heures moins dix.

Dès qu'il put distinguer le numéro des chambres, il se mit à scruter les casiers alignés contre le mur. A mi-chemin, il aperçut l'un de ces messages d'hôtel glissé dans son casier. Il se sentit aussitôt moins fatigué. Beevers et les autres étaient arrivés.

Michael accrocha le regard du réceptionniste. « Il y a un message pour moi », dit-il, « Poole, chambre 204. » Il sortit l'énorme clé de la poche de sa veste et la montra à l'employé qui se mit à inspecter le mur derrière lui avec une lenteur hallucinante. Il finit par trouver le casier et retira le message. Il jeta un coup d'œil au papier et le tendit à Michael en souriant.

Michael vérifia rapidement le nom, puis se détourna pour prendre connaissance du message. *J'ai essayé de rappeler. Est-ce que tu m'as vraiment raccroché au nez? Judy.* L'heure, 3 h 55, était tamponnée à l'encre rouge; elle avait appelé aussitôt après qu'il eut quitté la chambre.

En se retournant, il croisa le regard impassible de l'employé.

– Je voudrais savoir si des gens que j'attends sont arrivés.

Michael épela les noms.

L'employé pianota lentement sur son terminal d'ordinateur,

fronça les sourcils, hocha la tête, puis sans changer le moins du monde de position, coula un regard en biais vers Michael :

– M. Beevers et M. Pumo ne sont pas encore arrivés, quant à M. Linklater, nous n'avons pas de réservation à son nom.

Conor devait probablement économiser le prix de la chambre en dormant dans celle de Pumo.

Michael s'éloigna, fourra le message de Judy dans sa poche, et découvrit enfin ce qui s'était passé dans le hall de l'hôtel.

Des hommes en complet sombre et cravate rayée occupaient à présent les banquettes autour des tables basses. La plupart avaient le front dégarni et portaient des badges blancs à leur nom. Ils discutaient avec calme, consultaient des mémentos juridiques, tapotaient leurs calculatrices de poche. Au cours des dix-huit mois surréalistes qui avaient suivi son retour du Vietnam, Michael avait su reconnaître au premier coup d'œil un type qui était allé là-bas, simplement à la façon dont il se tenait. L'instinct lui permettant de distinguer ainsi les civils des anciens combattants s'était émoussé depuis lors, mais l'attitude des hommes de ce groupe ne laissait aucune place au doute.

– Bonjour monsieur.

Une jeune femme rayonnante, un visage fanatique auréolé de cheveux blonds, se tenait à ses côtés. Elle tenait à la main un plateau sur lequel étaient posés des verres remplis d'un liquide noir.

– Puis-je vous demander, monsieur, si vous êtes un ancien combattant de la guerre du Vietnam ?

– Oui, j'étais au Vietnam, répondit Michael.

– Eh bien la société Coca-Cola se joint au reste de l'Amérique et vous remercie pour ce que vous avez fait pendant la guerre. Nous voudrions profiter de l'occasion pour vous présenter notre nouveau produit, le Diet Coke, et nous espérons que vous l'apprécierez et partagerez votre plaisir avec vos amis et vos anciens compagnons de régiment.

En levant les yeux, Michael s'aperçut qu'une longue bannière rouge et brillante, faite dans une étoffe un peu semblable à de la toile de parachute, avait été suspendue en travers du hall. En lettres blanches, on pouvait lire : « La société Coca-Cola et le Diet Coke saluent les vétérans du Vietnam ! »

Il baissa les yeux vers la fille.

– Ça ne m'intéresse pas.

La fille augmenta l'ampérage de son sourire ; elle ressemblait de façon hallucinante à toutes les hôtesses de l'air du vol San Francisco-Vietnam. Les yeux de la fille se détournèrent de lui et elle s'éloigna.

L'employé dit alors à Michael :

– Il y a des salons de rendez-vous en bas, monsieur. Vos amis vous y attendent peut-être.

2

Les cadres en complet bleu sirotaient leurs verres, faisant semblant de ne pas reluquer les filles qui arpentaient le hall avec leurs sourires inhumains et leurs plateaux de Diet Coke. Michael toucha dans sa poche le message de Judy. Étaient-ce ses doigts ou le papier qui étaient brûlants ? S'il s'asseyait au bar pour surveiller l'entrée, au bout d'une minute on viendrait lui demander s'il était allé au Vietnam.

Michael se dirigea vers les ascenseurs ; des anciens combattants et des cadres de Coca-Cola quittaient la cabine, chaque groupe faisant mine d'ignorer l'autre. Seule une montagne humaine pénétra avec lui dans l'ascenseur : un gaillard soûl, vêtu d'un treillis de camouflage. L'homme étudia la rangée de boutons, appuya quatre ou cinq fois sur le 16 et s'adossa en titubant à la paroi du fond avant d'émettre un rot parfumé au bourbon. Michael reconnut alors le conducteur de la camionnette qui avait enfoncé la Camaro.

– Vous connaissez ça, hein ? lui demanda le géant en entonnant d'une voix de stentor une chanson que Michael, comme tous les vétérans du Vietnam, connaissait par cœur. « *Homeward bound, I wish I were homeward bound...* »

Michael se joignit à lui au deuxième vers, doucement, sans vraiment chanter l'air, puis la cabine s'immobilisa et la porte s'ouvrit. Le géant, les yeux fermés, continuait de chanter tandis que Michael quittait la moquette brune de l'ascenseur pour la moquette verte du couloir. Les portes se refermèrent en coulissant. L'ascenseur continua son ascension, et il entendit la voix de l'homme décroître lentement.

3

RÉUNION

1

Un soldat nord-vietnamien qui avait l'air d'un gamin de douze ans se tenait au-dessus de Michael, appuyant contre son cou le canon d'une mitraillette suédoise de contrebande qu'il n'avait pu se procurer qu'en tuant quelqu'un. Michael faisait le mort. Il avait les yeux fermés mais il imaginait distinctement le visage du soldat. Les cheveux noirs et raides tombant sur le front. Les yeux noirs et la bouche dure, presque sans lèvres, donnaient une manière de sérénité à son visage inexpressif. Le canon de l'arme s'enfonça douloureusement dans son cou, et il laissa choir sa tête de côté, espérant avoir bien joué son rôle de cadavre. Pourtant, il ne pouvait pas mourir : il était père, il devait vivre. De gros insectes irridescents tourbillonnaient devant son visage, et leurs ailes claquaient comme des cisailles.

Le bout du canon cessa de fourrailler dans son cou. Une énorme goutte de sueur se mit à sourdre de son sourcil droit, et coula au coin de l'œil, à la base du nez; un des insectes vrombissants se mit à arpenter ses lèvres. Le soldat nord-vietnamien n'allait pas voir les autres corps gisant près de lui : Michael comprit qu'il allait mourir. Sa vie était terminée et jamais il ne connaîtrait son fils, qui s'appelait Robert. Il était envahi par l'amour de ce fils inconnu, et aussi par une certitude immédiate : le soldat allait lui brûler la cervelle, là, dans cette étroite bande de terre déjà pleine de cadavres.

Le coup ne partait pas. Un autre de ces insectes vrombissants atterrit comme une balle perdue sur sa joue trempée de sueur, et mit un temps infini à se remettre sur ses pattes avant de s'envoler.

Puis Michael entendit un faible bruit métallique, comme si l'on sortait un objet d'une boîte. Les pieds du soldat bougèrent. Il s'agenouilla à côté de lui. Une main nonchalante, de la taille d'une main de fille, repoussa sa tête sur la terre piétinée, puis tira d'un coup sec sur son oreille droite. Il avait trop bien joué son rôle de cadavre : le Nord-Vietnamien voulait lui prendre son oreille en guise de trophée. Ses yeux s'ouvrirent malgré lui, et derrière le long couteau gris, là où aurait dû se trouver le ciel, il rencontra les yeux noirs et immobiles de l'autre soldat. Le Nord-Vietnamien poussa un petit cri. L'espace d'un instant, Michael sentit l'odeur écœurante de la sauce de poisson.

Il bondit hors de son lit et le soldat nord-vietnamien s'évanouit. Le téléphone sonnait. La première chose dont il prit conscience, ce fut de la nouvelle disparition de son fils.

Disparu avec les cadavres et les gros insectes. Il décrocha le combiné et entendit une faible voix : « Mike ? » Il aperçut alors le papier peint de couleur claire, et au-dessus du lit, une gravure représentant un paysage chinois. Il avait retrouvé son souffle.

– Michael Poole, je vous écoute.

– Mikey ! Comment vas-tu ? T'as l'air un peu bizarre, mec.

Michael finit par reconnaître la voix de Conor Linklater, qui avait éloigné un peu le micro du téléphone de son visage et disait à voix basse : « Ça y est, je l'ai eu. Il est dans sa chambre ! J' te l'avais dit, mec, qu'y serait dans sa chambre, tu te souviens ? » Puis Conor s'adressa de nouveau à lui.

– Hé, t'as pas eu notre message ?

Michael se rappela alors qu'avec Conor Linklater, les conversations étaient généralement plus hachées qu'avec d'autres.

– Non, je ne l'ai pas eu. A quelle heure vous êtes arrivés ?

Il regarda sa montre et vit qu'il avait dormi une demi-heure.

– On est arrivés vers quatre heures et demie, mec, et on t'a appelé tout de suite. Ils nous ont d'abord dit que t'étais pas là, et puis Tina leur a dit de revérifier, alors ils nous ont dit que si, t'étais là, mais que personne répondait au téléphone. Bon, voilà. Comment ça se fait que t'aies pas répondu à notre message ?

– Je suis sorti voir le monument, dit Michael. Je suis rentré un peu avant cinq heures. Tu m'as réveillé au beau milieu d'un cauchemar.

Conor ne dit pas au revoir et ne raccrocha pas. D'une voix radoucie, il lui dit :

– Dis donc, on dirait que ce cauchemar t'a drôlement secoué.

Une main brutale qui lui arrachait l'oreille ; le sol poisseux de sang. Michael revoyait la lumière brumeuse du petit matin, les hommes épuisés qui transportaient des corps à travers ce champ, vers les hélicoptères impatients. A la place des oreilles, certains de ces corps montraient des trous noircis de sang.

– Je crois que j'étais reparti pour la vallée du Dragon, dit Michael.

– Te frappe pas, dit Conor Linklater. On est pour ainsi dire à ta porte.

Et il raccrocha.

Michael alla s'asperger d'eau le visage à la salle de bains, se sécha rapidement et se regarda dans le miroir. Malgré son petit somme, il avait le teint pâle et l'air fatigué. Sur la tablette, à côté de sa brosse à dents, il avisa des mégavitamines dans un emballage de plastique occlusif. Il sortit un cachet et l'avala.

Avant d'aller chercher de la glace à la machine installée dans le couloir, il téléphona à la réception pour prendre connaissance de ses messages.

Un employé lui répondit qu'il en avait reçu deux.

– Le premier a été reçu à 3 h 55 : « J'ai essayé de rappeler... »

– Merci, j'ai déjà retiré ce message-là à la réception.

– Le deuxième porte 4 h 50. Je vous le lis : « Nous venons d'arriver. Où es-tu ? Appelle le 1315 à ton retour. » Et c'est signé « Harry ».

Ils avaient appelé alors qu'il se trouvait encore en bas, dans le hall.

2

Dès qu'il entendit l'ascenseur, Michael ouvrit la porte.

Grand et agité, Harry Beevers fit son apparition en compagnie de Conor Linklater, suivis tous deux, quelques secondes plus tard, de Tina Pumo, l'air effaré. Conor fut le premier à l'apercevoir ; il leva le poing en souriant et s'écria : « Mikey ! Salut, vieux pote ! » Conor Linklater avait changé depuis la dernière fois où Michael l'avait vu : cette fois-ci, il était rasé de près, et ses cheveux roux clair étaient taillés très court, presque à la punk. Conor, d'ordinaire vêtu de blue-jeans en accordéon et de chemises à carreaux, avait apporté ce jour-là un soin particulier à sa garde-robe. Il avait trouvé Dieu sait où un tee-shirt noir avec, imprimée en grosses lettres jaunes irrégulières, l'inscription « Agent orange » ; par-dessus, il avait enfilé une ample veste de jean noir, munie d'une infinité de poches, et d'une voyante surpiqûre blanche. Enfin, son pantalon noir portait un pli impeccable.

– Conor, c'est un vrai plaisir de te regarder, dit Michael en s'avançant dans le couloir tout en maintenant sa porte ouverte d'une main.

Conor Linklater, qui faisait quinze centimètres de moins que Michael, le prit dans ses bras et le serra contre sa poitrine.

Il l'embrassa en plaisantant et lança :

– Et toi, quel régal de te voir !

Souriant un peu gauchement devant ces effusions linklatériennes, Harry Beevers s'avança à son tour dans un nuage d'eau de Cologne et serra lui aussi Michael dans ses bras, maladroitement. Le coin d'un attaché-case lui heurta la hanche. « Ah, Michael, quel régal de te voir ! » murmura Beevers dans son oreille. Michael se détacha doucement, et aperçut en un éclair les grandes dents décolorées de Harry Beevers.

Tina Pumo, lui, se balançait d'un pied sur l'autre, un sourire féroce sous sa moustache.

– Tu dormais ? demanda-t-il. T'as pas reçu notre message ?

– Allez, vas-y, tire ! répondit Michael en souriant.

Conor et Harry se dirigèrent vers la porte. Tina pencha la tête de côté et lança : « Dis, Michael, moi aussi j'ai envie de te serrer dans mes bras. Ça fait du bien de te revoir, mec.

– Toi aussi, dit Michael.

– Rentrons avant d'être arrêtés pour attentat à la pudeur, dit Harry, qui se tenait déjà sur le seuil de la chambre.

– Ne faites pas le mystérieux, mon lieutenant, dit Conor, tout en pénétrant dans la pièce après avoir jeté un regard de côté aux deux autres.

Tina se mit à rire, administra une tape dans le dos de Michael et s'effaça pour le laisser passer.

– Bon, alors qu'est-ce que vous avez fabriqué, les gars, depuis votre arrivée ici ? demanda Michael. A part me maudire, bien sûr.

Conor, qui faisait les cent pas dans la chambre, répondit :

– Teeny-Tiny a harcelé son restaurant.

L'expression « Teeny-Tiny » évoquait le surnom de Pumo, Tina, qui avait été à l'origine Tiny *, lorsque enfant de petite taille, il vivait dans une petite ville de l'État de New York ; de Tiny on était passé à Teeny, puis finalement à Tina. Après avoir travaillé pendant dix ans dans différents restaurants, Tina Pumo avait fini par ouvrir le sien dans Soho ; on y servait de la cuisine vietnamienne, et quelques mois auparavant, il avait fait l'objet d'un article élogieux dans le magazine *New York*.

* Tiny signifie « tout petit » *(N.d.T.)*.

– Il a déjà appelé deux fois, tu te rends compte ! Entre lui et les services sanitaires de la municipalité, je sens que je vais pas dormir de la nuit, lança Conor.

– Mais c'est pas rien, protesta Tina. On quitte pas comme ça un restaurant. Il y a des tas de choses à faire, là-bas, et je voulais être sûr que c'était fait correctement.

– Et pourquoi les services sanitaires ? demanda Michael.

– Bah, rien de sérieux, dit Tina avec un sourire carnassier. Sa moustache se hérissa, et les rides aux coins de ses yeux s'allongèrent et se creusèrent.

– On se débrouille bien. On est plein la plupart des soirs.

Il s'assit au bord du lit.

– Harry peut en témoigner. Les affaires marchent très fort.

– Rien à redire, lança Harry. T'as réussi.

– Vous avez jeté un œil dans l'hôtel ? demanda Michael.

– On a regardé les salons de réception, en bas, et on a fait un petit tour, dit Tina Pumo. Y a du peuple. On peut faire quelque chose ce soir, si tu veux.

– Disons qu'y a un peu de peuple, corrigea Harry. Des tas de mecs assis sur leurs culs qui savent pas quoi foutre.

D'un mouvement d'épaules, il rejeta sa veste sur le dossier de sa chaise, révélant des bretelles rouges sur lesquelles s'ébattaient des chérubins.

– Pas d'organisation, *nada, rien*. Les seuls qui soient pas complètement nazes, c'est le 1er régiment de paras. Ils ont un stand, ils t'aident à trouver les gars de ton unité. On a regardé, mais je crois qu'on n'a vu personne de notre division. En plus, ils nous ont foutus dans une espèce d'immense pièce crasseuse qui ressemble à un gymnase de lycée. Et puis y a un stand de Diet Coke, si ça te dit.

– Un gymnase de lycée, grommela Conor.

Il avait les yeux fixés sur la lampe de chevet. Michael adressa un sourire à Tina Pumo, qui le lui rendit. Conor prit la lampe, examina avec attention l'intérieur de l'abat-jour, la reposa, puis promena le doigt le long du fil jusqu'à l'interrupteur et se mit à éteindre puis rallumer la lampe plusieurs fois de suite.

– Je t'en supplie, Conor, assieds-toi, lança Harry Beevers. Tu me rends nerveux à tout tripoter comme ça. Je sais pas si tu le sais, mais on est venus ici pour discuter de choses sérieuses.

– Je sais, je sais, soupira Conor en se détournant de la lampe. Mais y a pas d'endroit où s'asseoir, ici, parce que toi et Mike vous avez pris les chaises et Tina est déjà sur le lit.

Harry Beevers se leva, ôta sa veste du dossier de la chaise et désigna d'un grand geste du bras la place ainsi libérée.

– Si ça peut te faire tenir tranquille, je t'offre bien volontiers ma chaise. Vas-y, Conor, prends-la, je te la donne. Assieds-toi.

Il prit son verre et s'installa sur le lit, à côté de Tina Pumo.

– Tu crois que tu vas pouvoir dormir dans la même chambre que ce type ? Il doit probablement parler tout seul pendant la nuit.

– Mon lieutenant, dans ma famille, tout le monde parle tout seul, riposta Conor.

Conor rapprocha sa chaise de la table et se mit à promener ses doigts au bord, comme s'il jouait d'un piano imaginaire.

– Je crois qu'on se conduit pas comme ça à Harvard...

– Je ne suis pas allé à Harvard, répondit tranquillement Harry.

– Mikey ! s'exclama alors Conor, le visage rayonnant, comme s'il venait à peine de s'apercevoir de sa présence. Ça fait plaisir de te voir !

Et il administra une grande claque dans le dos de Michael.

– Ouais, renchérit Tina. Comment ça va, Michael ? Ça fait un bail.

Ces temps-ci, Tina vivait avec une ravissante Chinoise d'une vingtaine d'années, Maggie Lah, dont le frère travaillait comme barman au *Saigon,* le restaurant de Tina. Avant Maggie, il y avait eu une série de filles que Tina avait toutes déclaré aimer.

– Eh bien je songe à procéder à quelques changements, dit Michael. Je travaille toute la journée, mais le soir je peux à peine me rappeler ce que j'ai fait.

On frappa à la porte, très fort ; Michael se leva en disant : « c'est le garçon d'étage ». Le serveur entra en poussant un chariot devant lui, puis disposa les verres et les bouteilles sur la table. Conor ouvrit une Budweiser et Harry se versa une vodka ; l'atmosphère se détendait. Michael n'évoqua donc pas son projet : céder sa clientèle de Westerholm et aller voir ce qu'il pourrait faire dans des coins sordides comme le South Bronx, là où les gamins avaient vraiment besoin de médecins. En général, quand il commençait à évoquer le sujet, Judy quittait la pièce.

Après le départ du serveur, Conor s'allongea sur le lit, roula sur le côté et lança :

– Alors, t'as vu le nom de Dengler ? Il y était ?

– Absolument. J'ai quand même été surpris. Tu sais ce que c'était son nom en entier ?

– M.O. Dengler, répondit Conor.

– Arrête tes conneries, dit Harry. Je crois que c'était Mark.

Il lança un coup d'œil interrogatif à Tina, mais celui-ci haussa les épaules en signe d'ignorance.

– Manuel Orosco Dengler, dit Michael. J'ai été étonné de ne pas l'avoir su.

– *Manuel?* dit Conor. Dengler était mexicain?

– T'as pas trouvé le bon Dengler, dit Tina en riant.

– Que dalle! lança Michael. Il n'y avait qu'un seul Dengler, un M.O. Dengler. C'est le nôtre.

– Mexicain, répéta Conor, stupéfait.

– T'as déjà vu des Mexicains s'appeler Dengler? Ses parents ont dû lui donner des prénoms espagnols, c'est tout. Va savoir! Et puis après tout qu'est-ce qu'on en a à foutre? C'était un soldat extraordinaire, c'est tout ce que je sais. J'aimerais...

Au lieu de terminer sa phrase, Tina leva son verre à la hauteur de ses lèvres, et le silence s'installa, longtemps, comme un élastique qu'on étire.

Conor grommela quelques paroles inintelligibles, traversa la pièce et alla s'asseoir par terre.

3

Peut-être que Harry Beevers n'était allé ni à Harvard ni à Yale, se disait Conor, mais il avait dû aller dans un endroit du même genre, une université où les gens considéraient tout comme leur dû. Il avait l'impression qu'aux États-Unis quatre-vingt-quinze pour cent des gens se défonçaient pour avoir de l'argent : s'ils n'en avaient pas assez, ils devenaient fous. Ils se mettaient à picoler, se montaient le bourrichon et allaient faire des braquages : oubli, tension, oubli. Les cinq pour cent restant de la population surnageaient sur ce tourbillon comme l'écume sur la vague. Ils fréquentaient les écoles qu'avaient fréquentées leurs parents, se mariaient entre eux et divorçaient, comme Harry avait épousé Pat Caldwell avant de divorcer. Leurs boulots consistaient à remuer des papiers et à parler au téléphone. Assis derrière leurs bureaux, ils contemplaient l'argent qui rentrait à flot. Ils se refilaient même ces boulots entre eux : Harry Beevers, qui passait autant de temps au bar du restaurant de Tina Pumo qu'à son bureau, travaillait dans un cabinet juridique dirigé par le frère de Pat Caldwell.

Un jour, à South Norwalk, il était encore enfant, Conor avait enfourché sa vieille bicyclette, et, mû par une sorte de curiosité mêlée de ressentiment, il avait suivi la route 136 en direction de Mount Avenue, dans Hampstead. Les gens de Mount Avenue étaient si riches qu'ils étaient comme leurs énormes maisons : presque invisibles; de la route, on n'apercevait parfois que des pans de murs de briques ou de plâtre mouluré. Toutes ces maisons immenses ne semblaient habitées que par des serviteurs, mais de temps à autre, Conor entrevoyait un habitant. Il avait ainsi appris que ces habitants-propriétaires de Mount Avenue portaient généralement les mêmes complets gris et les mêmes vestes bleues que tous les gens de Hampstead, mais que parfois, comme Harry Beevers, ils s'affichaient en rose batailleur et vert bilieux, en drôles de nœuds papillons et en costumes croisés de teinte claire. C'était un peu comme les habits neufs de l'empereur : personne n'avait le culot de dire à ces millionnaires protestants qu'ils avaient l'air ridicule. (Conor était certain qu'aucun de ces gens ne pouvait être catholique.) Des nœuds papillons ! Des bretelles rouges avec des bébés dessus !

Conor ne put réprimer un sourire : il était fauché, et il en venait à prendre en pitié un riche avocat. La semaine précédente, il avait fait un petit boulot : monter des carreaux de plâtre dans une cuisine ; cela lui avait rapporté deux cents dollars. Harry Beevers pouvait probablement en gagner le double rien qu'à se jucher sur un tabouret de bar et à discuter avec Jimmy Lah. Conor leva les yeux, son sens de l'humour était en train de l'abandonner ; il rencontra alors le regard de Michael Poole qui semblait frappé par les mêmes pensées que lui.

Conor sourit, songeant à la façon dont Dengler appelait les gens qui ne connaissaient jamais la peur et qui croyaient que tout leur était dû : les « *toons* », comme dans *cartoons* (dessins humoristiques). A présent, les *toons* dirigeaient tout ; dans leur irrésistible ascension, ils écrasaient tout sur leur passage. Ces temps-ci, on avait l'impression qu'au Donovan, le bar favori de Conor, dans South Norwalk, tout le monde possédait une maîtrise de gestion, se gominait les cheveux et buvait des cocktails. Conor avait le sentiment que d'énormes changements s'étaient produits brutalement, que tous ces gens avaient jailli ainsi faits de leurs postes de télévision. Il en serait presque venu à les plaindre tant ces enflures étaient dépourvues de toutes qualités morales.

D'avoir pensé aux *toons* le déprimait. Il eut envie de boire plus, bien qu'il sût qu'il n'était pas loin d'avoir dépassé la limite. Mais après tout, n'étaient-ce pas des retrouvailles ? Ils étaient assis là, dans une chambre d'hôtel, comme une bande de vieillards. Il avala le reste de sa bière.

– Verse-moi un peu de cette vodka, Mikey, dit-il en jetant sa bouteille vide dans la corbeille à papier.

– Bravo ! lança Tina en levant son verre.

Michael prépara un verre et vint le lui porter.

– Allez, on porte un toast, dit Conor en se levant. Les mecs, ça fait plaisir. Je lève mon verre à M.O. Dengler. Même s'il était mexicain, ce qui m'étonnerait quand même.

Conor avala d'un trait une gorgée de vodka glacée. Instantanément il se sentit mieux, en sorte qu'il vida son verre.

– Vous savez, je me rappelle parfois le merdier qu'y avait là-bas comme si c'était hier, et ce qui s'est vraiment passé hier, j'arrive pas à m'en souvenir. Tiens... de temps en temps je repense à ce type qui tenait ce club à Camp Crandall, là où y avait cette espèce de muraille de caisses de bières.

– Manly, dit Tina Pumo en riant.

– C'est ça, Manly. C't' enculé de Manly. Et j' me demande encore comment il arrivait à trimbaler toute cette bière jusque-là. Et puis je repense à toutes les petites choses qu'y faisait, à comment y se comportait.

– Manly, sa place c'était derrière un comptoir, dit Harry.

– Ça, c'est sûr! J' parie que maintenant Manly a son petit commerce, que tout marche sur des roulettes... il a une bonne bagnole, une femme, des gosses, et un panier de basket-ball installé au-dessus de la porte de son garage...

L'espace d'un instant, Conor regarda dans le vide, imaginant la vie de Manly : la vie de banlieue ça devait lui plaire. Sans en être un, il avait une mentalité de gangster, alors il avait dû faire fortune en installant des systèmes de sécurité, ou quelque chose comme ça. Conor se rappela alors que d'une certaine façon, c'était à cause de Manly que tous leurs ennuis avaient commencé au Vietnam.

La veille de leur arrivée à Ia Thuc, Manly s'était éloigné de la colonne, et s'était retrouvé seul dans la jungle. Sans en avoir véritablement l'intention, il s'était mis à faire autant de boucan qu'un énorme bourdon pris au piège. Dans la colonne, tout le monde se figea, glacé de terreur. Un tireur embusqué qu'ils avaient baptisé « Elvis » les harcelait depuis deux jours, et l'agitation de Manly ne pouvait que lui donner l'occasion d'exercer ses talents. Conor savait bien ce qu'il aurait dû faire – il avait découvert depuis longtemps l'art de se fondre dans le décor. C'était un processus presque mystique. Conor pouvait pratiquement devenir invisible (et ça marchait, parce que deux fois, des patrouilles vietcong l'avaient regardé sans le voir). Dengler, Poole, Pumo et même Underhill pouvaient y parvenir presque aussi bien que lui, mais Manly en était incapable. Conor se fraya silencieusement un chemin à travers la jungle en direction du raffut – il était tellement furieux qu'il aurait été prêt à tuer Manly si cela avait été le seul moyen de le réduire au silence. En une fraction de seconde, comme par télépathie (car il n'avait fait aucun bruit), il sut que Dengler le suivait.

Ils trouvèrent Manly fonçant à travers le rideau vert, se frayant un passage à la machette, tenant de l'autre main son M-16 calé contre la hanche. Conor lui coula un regard meurtrier, songeant déjà au meilleur moyen de lui trancher la gorge, lorsque Dengler se matérialisa aux côtés de Manly et saisit le poignet qui maniait la machette. Pendant une seconde, ils demeurèrent tous deux immobiles. Conor se glissa en avant, craignant que Manly ne se mît à hurler, une fois passé le premier moment de stupeur. Au lieu de cela, il entendit un coup de feu sur sa droite, quelque part sous le couvert, et vit Dengler s'effondrer. Ses mains et ses pieds se glacèrent instantanément.

Manly et lui avaient ramené Dengler jusqu'à la colonne. Bien que le choc de la balle l'eût fait tomber et qu'il saignât abondamment, la blessure n'était que superficielle. Un lambeau de chair de la taille d'une souris avait été arraché de son bras gauche. Peters le fit allonger sur le sol de la jungle, pansa la blessure et le déclara apte à repartir.

Conor se disait que si Dengler n'avait pas été blessé, même aussi légèrement, Ia Thuc n'aurait pu être qu'un village vide comme les autres. La douleur de Dengler avait exaspéré tout le monde. Ravivé leur angoisse. Peut-être était-ce de la folie de croire en Dengler comme ils le faisaient tous, mais Conor avait été bouleversé de le voir ainsi blessé, saignant, étendu dans la forêt; plus bouleversé encore que si c'était lui qui avait été blessé. Après cela, ce fut tout naturellement qu'ils en vinrent à dépasser les limites à Ia Thuc. Après cela, rien ne fut plus comme avant. Même Dengler changea, peut-être à cause de tout le bruit fait autour de l'affaire, et de la cour martiale. Conor lui-même s'était tellement drogué qu'il ne parvenait plus à se souvenir de ce qui s'était passé au cours des mois séparant Ia Thuc et son non-lieu, mais il savait qu'un peu avant la cour martiale, il avait coupé les oreilles d'un soldat nord-vietnamien mort, et lui avait fourré dans la bouche une carte avec l'inscription Koko.

Conor se rendit compte qu'il risquait de resombrer dans la déprime. Pour avoir prononcé le nom de Manly.

– Encore, dit-il.

Et il s'approcha de la table pour se reservir un verre de vodka. Les trois autres regardaient en souriant leur boute-en-train... les autres comptaient toujours sur lui pour égayer les réunions.

– A la santé du 9e bataillon du 24e régiment d'infanterie.

Conor avala une nouvelle gorgée de vodka glacée, et le visage de Harlan Huebsch s'imposa à son esprit. Harlan Huebsch était un gars de l'Oregon qui avait accroché un fil de fer avec le pied et avait sauté, quelques jours après son arrivée à Camp Crandall. Conor se souvenait parfaitement de la mort de Huebsch, car au bout d'une heure environ, lorsqu'ils eurent enfin atteint l'autre bout du champ de mines, il s'était allongé contre une petite butte herbeuse, et avait découvert un long fil de fer entortillé dans les lacets de son brodequin droit. La seule différence entre lui et Huebsch, c'était que la mine de Huebsch avait fonctionné correctement. A présent, Harlan Huebsch était un nom sur le monument aux morts... Conor se promit de le retrouver une fois qu'ils seraient là-bas.

Harry Beevers voulait boire à la santé du lieutenant-colonel, mais bien que tout le monde se joignît à lui, Conor savait bien que seul Harry était sincère. Michael, lui, porta un toast à Si Van Vo, ce que Conor trouva fort drôle. Puis Conor fit boire tout le monde à la santé d'Elvis. Tina Pumo finit par porter un toast à Dawn Cucchio, une pute qu'il avait rencontrée en permission à Sydney, en Australie. Conor rit tellement à l'idée de boire à la santé de Dawn Cucchio qu'il dut s'appuyer au mur pour ne pas tomber.

Mais des pensées plus sombres l'envahirent à nouveau. Il fallait bien voir la réalité en face : il n'était qu'un ouvrier au chômage assis au milieu d'un avocat, d'un médecin et d'un propriétaire de restaurant à la mode, tellement à la mode que le restaurant était paru en photo dans les magazines.

Conor se rendit compte qu'il avait gardé les yeux rivés sur Tina, qui avait l'air sorti d'une page de *GQ*. Tina avait toujours bonne allure, surtout dans son restaurant. Conor s'y rendait une fois ou deux par an, mais dépensait la plupart de son argent au bar. Lors de sa dernière visite, il avait vu un beau brin de petite Chinoise, qui devait être Maggie.

– Hé, Tina, c'est quoi le meilleur plat que tu sers dans ton restaurant ?

Conor avait un peu insisté sur « meilleur », mais il ne pensait pas que les autres l'avaient entendu.

– Peut-être le canard à la saigonnaise, dit Tina. En tout cas c'est celui que je préfère en ce moment. C'est un canard mariné, puis rôti, accompagné de nouilles de riz grillées. Incomparable.

– Et tu mets cette espèce de sauce de poisson dessus ?

– Du Nyoc Mam ? Bien sûr!

– Je me demande comment on peut avaler une bouffe pareille, dit Conor. Tu te souviens quand on était là-bas ? On était persuadés qu'on pourrait jamais avaler cette merde.

– On avait dix-huit ans à l'époque, répondit Tina. Pour nous, un bon repas c'était un steack haché avec des frites.

Conor refusa d'avouer que l'idée qu'il se faisait d'un bon repas c'était encore un steack haché avec des frites. Il avala une autre gorgée de vodka argentée et se sentit plus déprimé que jamais.

4

Mais rapidement, ce fut à nouveau comme au bon vieux temps. Conor apprit qu'en plus de ses difficultés habituelles, Tina avait à présent à faire face aux complications que lui apportait Maggie, qui avait près de vingt ans de moins que lui et n'était pas seulement aussi folle que lui, mais aussi plus fine mouche. Lorsqu'elle s'installa chez lui, Tina commença à se sentir « étouffé ». Rien de bien nouveau. Mais au bout de quelques mois, Maggie disparut. Elle prenait Tina à son propre piège. Elle lui téléphonait mais refusait de lui dire où elle se trouvait. Parfois, elle faisait paraître des messages à son intention dans les petites annonces du *Village Voice*.

– Tu te rends compte de ce que ça veut dire pour un homme de quarante ans de lire toutes les semaines les pages annonces du *Village Voice ?* demanda Tina.

Conor secoua la tête. Il n'avait jamais lu aucune page du *Village Voice*.

– Toutes les erreurs qu'on a pu faire avec les femmes sont là, imprimées sous nos yeux. Tomber amoureux sur la seule apparence : « Belle blonde avec un tee-shirt Virginia Woolf, au 5/8 de Sedutto ; on a failli se parler et maintenant je me donnerais des gifles pour ne pas l'avoir fait. Je sais que ça pourrait être merveilleux. C'est moi qui avais le sac à dos. Appelle-moi au 581-4901. » L'idéalisation romantique : « Suki. Tu es mon étoile. Je ne peux pas vivre sans toi. Bill. » Désespoir romantique : « Je n'ai pas cessé de souffrir depuis ton départ. Je suis abandonné dans Yorkville. » Le masochisme : « Cogneuse, inutile de te sentir coupable, je te pardonne. Signé le punching-ball. » Le gâtisme : « Ma petite roudoudou. Je te fais plein de voum-voum. » L'indécision : « Mesquite. Je réfléchis encore. Margarita. » Évidemment, il y a aussi des tas d'autres trucs. Des prières à saint Jude. Des numéros qu'on peut appeler si on veut décrocher de la coke. Des traitements contre la calvitie. Et chaque semaine, les Juifs pour Jésus. Mais surtout, il y a les cœurs brisés, cette terrible détresse des gens de vingt ans. Conor, il faut que je scrute cette page d'annonces comme si c'était la pierre de Rosette. Je vais chercher cette saleté de canard dès qu'il est dans les kiosques le mercredi matin. Je lis cette page quatre ou cinq fois parce qu'on peut sauter des lignes les deux premières fois. Et il faut que je devine quel message pourrait bien être d'elle. Parfois, elle se baptise « Type A », ce qui veut dire Taïpeh, là où elle est née, mais d'autres fois, elle signe « La dame de cuir », ou « Demi-lune », à cause du tatouage qu'elle s'est fait faire l'année dernière.

– Où ça ? demanda Conor.

Il ne se sentait plus si mal à présent, seulement un petit peu ivre. En tout cas pas aussi emmerdé que Tina.

– Sur le cul ?

– Un peu en dessous du nombril, dit Tina.

Il avait l'air de regretter de s'être laissé entraîner à cette confidence.

– Maggie a une demi-lune tatouée sur la chatte ? demanda Conor. Il aurait aimé se trouver chez le tatoueur pendant l'opération. Même si Conor n'en pinçait pas particulièrement pour les Chinoises (elles lui rappelaient la femme dragon dans « Terry et les pirates ») il fallait bien reconnaître que la môme Maggie sortait de l'ordinaire. Tout chez elle semblait *rond.* Avec elle, on finissait par trouver normal de se balader avec des cheveux en brosse à la punk et des vêtements qu'on achetait déjà déchirés.

– Non, je t'ai dit, rétorqua Tina d'un ton irrité, un peu en dessous du nombril. Il est presque entièrement recouvert par un bikini.

– Alors c'est presque sur sa chatte ! dit Conor. Il y en a dans les poils ? T'étais là quand le mec a fait le tatouage ? Elle a crié ?

– Tu parles que j'étais là ! Fallait faire gaffe à ce qu'y se mette pas à penser à autre chose.

Tina avala une gorgée de son verre.

– Elle n'a même pas cillé.

– Il est grand comment ? demanda Conor. Comme une pièce d'un demi-dollar ?

– Puisque t'es tellement curieux, t'as qu'à lui demander de te le montrer.

– Bonne idée. Je m'y vois bien.

Puis Conor entendit une partie de la conversation que Michael avait avec Harry : il était question de Ia Thuc et d'un catcheur à qui Michael avait parlé au défilé.

– C'était un ancien combattant ? demandait Harry.

– Il avait l'air d'être revenu du front il y a une semaine, dit Michael avec un petit sourire.

– Alors il se souvenait vraiment de moi et il a dit que j'aurais dû recevoir la médaille d'honneur ?

– Il a dit exactement qu'on aurait dû te donner la médaille d'honneur pour ce que tu avais fait, et te l'enlever ensuite pour avoir ouvert ta gueule devant les journalistes.

C'était la première fois que Conor voyait Harry confronté à l'opinion, fort répandue à l'époque, qu'il avait été con de bavasser dans la presse à propos de Ia Thuc. Harry, bien entendu, faisait comme s'il entendait ce reproche pour la première fois.

– C'est ridicule, dit Harry. Je suis d'accord avec lui pour la médaille du Congrès, mais pas pour le reste. Je suis fier de tout ce que j'ai fait là-bas, et j'espère que vous aussi. Si ça ne tenait qu'à moi, nous aurions tous la médaille du Congrès.

Il baissa la tête, semblant s'abîmer dans la contemplation de sa chemise, puis releva vivement le menton.

– Les gens savent qu'on a eu raison ! Ça fait aussi plaisir qu'une médaille. Les gens sont d'accord avec la décision de la cour martiale, même s'ils ne se souviennent plus de ce qui s'est passé.

Comment est-ce que Harry pouvait dire des choses pareilles ? se demanda Conor. Comment les gens pouvaient-ils savoir qu'ils avaient eu raison à Ia Thuc, alors que les hommes qui y étaient ne savaient même pas exactement ce qui s'était passé.

– Vous seriez surpris de savoir le nombre de gens, je veux dire d'autres avocats, mais aussi des juges, qui connaissent mon nom à travers de ce qui s'est passé, dit Harry. A dire vrai, le fait d'être une sorte de vedette de deuxième division de base-ball m'a souvent aidé dans ma carrière.

Harry promena autour de lui un regard si candide que Conor eut envie de vomir.

– Je n'ai honte de rien de ce que j'ai fait au Vietnam, poursuivit Harry. Il faut que ce qu'on a fait nous serve d'atout.

Michael se mit à rire.

– Ça vient du fond du cœur, Harry.

– Mais c'est important, insista Harry.

L'espace d'un instant, il sembla désemparé.

– J'ai l'impression que tous les trois, vous m'accusez de quelque chose.

– Mais je ne t'ai accusé de rien, Harry, dit Michael.

– Moi non plus, dit Conor, exaspéré. Et lui non plus! dit-il en montrant du doigt Tina Pumo.

– Nous avons tout fait ensemble, reprit Harry.

Il fallut un moment à Conor pour comprendre qu'il parlait à nouveau de Ia Thuc.

– Nous nous sommes toujours aidés. Nous formions une équipe, y compris avec Spitalny.

Conor ne put plus se contenir.

– Je regrette que ce trou du cul n'ait pas été tué là-bas! Je n'ai jamais rencontré personne de plus minable. Spitalny n'aimait personne, tu m'entends! Et il prétend qu'il a été piqué par des guêpes ? Dans cette grotte ? Je crois pas qu'il y ait de guêpes au Vietnam, mec. J'ai vu des insectes gros comme des chiens, mais jamais de guêpes.

Tina l'interrompit d'un fort grognement.

– Ne me parle pas de guêpes! Ne me parle pas d'insectes! D'aucun insecte!

– Ça a quelque chose à voir avec tes ennuis ? demanda Michael.

– Les services sanitaires sont chatouilleux sur le problème des créatures à six pattes, dit Tina. Je préfère pas en discuter.

– Retournons à nos moutons, si ça ne vous fait rien, lança Harry en adressant un regard mystérieux à Michael.

– Et c'est quoi, nos moutons ? s'enquit Conor.

– Bon, et si on s'en jetait un petit ici avant de descendre manger quelque chose ? Ensuite on pourrait aller s'amuser ; Jimmy Stewart devrait être ici. J'ai toujours bien aimé Jimmy Stewart.

– Dis, Mike, est-ce que tu serais le seul à savoir à quoi je faisais allusion ? demanda Harry. Rappelle-leur pourquoi on est ici. Aide-moi un peu.

– Le lieutenant Beevers estime qu'il est temps de parler de Koko, dit Michael.

4

LE RÉPONDEUR

1

– Passe-moi ma serviette, Tina. Elle doit être par là, contre le mur.

Harry était penché au bord du lit, le bras tendu. Tina tâtonna sous la table à la recherche de la serviette.

– Prends ton temps, y a pas le feu.

– Tu as repoussé ta chaise par-dessus quand tu t'es levé, dit Tina, à présent invisible sous la table.

Il refit surface en tenant la serviette à deux mains.

Harry posa la serviette sur ses genoux et l'ouvrit.

Michael se pencha et aperçut une liasse de photocopies d'une page familière de *Stars and Stripes*, auxquelles étaient agrafées des pages d'autres journaux.

– Il y a une liasse pour chacun de vous, dit Harry. Michael connaît déjà une partie de ces articles, mais je pensais que nous devions tous avoir une photocopie de tout ce qui est paru là-dessus. Comme ça, tout le monde saura de quoi on parle.

Il tendit la première liasse à Conor.

– Tiens, calme-toi et lis ça attentivement.

– *Sieg Heil*, dit Conor en s'installant sur la chaise à côté de Michael.

Harry tendit les autres liasses à Michael et à Tina, déposa la quatrième sur le lit à côté de lui, puis referma sa serviette et la posa sur le sol.

– Te presse pas, y a pas le feu, dit Tina.

– Tranquille, tranquille.

Harry posa les papiers sur ses genoux, les prit à deux mains et les parcourut rapidement du regard. Il les remit ensuite sur ses genoux et se pencha vers sa veste de complet pour prendre les lunettes qui se trouvaient dans la poche intérieure. D'un étui il sortit une paire de lunettes aux verres très larges, et à la fine monture d'écaille. Il déposa l'étui vide sur son veston et mit ses lunettes. A nouveau, il inspecta les papiers.

Michael se demandait combien de fois par jour Harry pratiquait ce rituel d'avocat.

Harry releva le nez de ses papiers. Nœud papillon, bretelles, grosses lunettes.

– D'abord, *mes amis*, je voudrais vous dire que nous nous sommes bien marrés, et qu'avant de nous quitter nous allons nous marrer encore, mais... (il lança un regard lourd à Conor) ... nous sommes rassemblés ici parce que nous avons partagé un certain nombre d'expériences importantes. Et... si nous avons survécu, c'est que nous pouvions compter les uns sur les autres.

Harry baissa à nouveau les yeux sur ses papiers, et Tina lança :

– Viens-en au fait, Harry.

– Si tu ne comprends pas que le fait, comme tu dis, c'est le travail d'équipe, alors tu es complètement à côté de la plaque.

Il releva les yeux.

– J'aimerais que vous lisiez ces articles. Il y en a trois : un de *Stars and Stripes*, un du *Straits Times* de Singapour, et le troisième du *Bangkok Post*. Mon frère George, qui est militaire de carrière, était un peu au courant des histoires Koko, et le nom a attiré son attention dans l'article de *Stars and Stripes*, alors il me l'a envoyé. Ensuite il a demandé à mon autre frère, plus âgé, Sonny, qui est aussi sergent de carrière, mais à Manille, de chercher dans tous les journaux d'Asie qu'il pourrait se procurer. George a fait la même chose à Okinawa : à eux deux, ils ont pu parcourir presque tous les journaux de langue anglaise publiés en Extrême-Orient.

– Tu as deux frères qui sont sergents de carrière ? demanda Conor. Sonny et George, des engagés, à Manille et Okinawa ? Et vous venez d'une famille de Mount Avenue ?

Harry lui jeta un regard agacé.

– Finalement, ces deux articles sont sortis dans les journaux de Singapour et de Bangkok. J'ai aussi fait quelques recherches de mon côté, mais lisez d'abord ça. Comme vous le verrez, notre bonhomme n'a pas chômé.

Michael Poole avala une gorgée de son verre et lut attentivement le principal article. Le 21 janvier 1981, un jardinier découvrit dans un coin mal entretenu du jardin de l'hôtel Goodwood Park de Singapour, le corps d'un touriste anglais de quarante-deux ans ; l'homme, un journaliste indépendant du nom de Clive McKenna, avait eu les yeux et les oreilles arrachés, et dans sa bouche, on découvrit une carte à jouer portant le mot Koko. Le 5 février 1982, toujours à Singapour, quelqu'un venu évaluer le prix de vente d'un bungalow d'Orchard Road, qui était censé être vide, découvrit deux corps allongés sur le dos, côte à côte. Il s'agissait de M. William Martinson, de Saint Louis, âgé de soixante et un ans, cadre d'une grosse société d'équipement lourd opérant en Asie, et de Mme Barbara Martinson, également de Saint Louis, qui accompagnait son mari au cours de ce voyage d'affaires. On avait arraché les yeux et les oreilles de M. Martinson, et dans sa bouche se trouvait une carte à jouer où était griffonné le mot Koko.

L'article du *Straits Times*, daté de trois jours plus tard, précisait que les corps des époux Martinson avaient été découverts moins de quarante-huit heures après leur mort, mais qu'en revanche, la mort de Clive McKenna remontait peut-être à cinq jours au moment de la découverte du corps. Dix jours à peine séparaient les deux assassinats. La police de Singapour possédait plusieurs pistes, et l'on considérait qu'une arrestation était imminente.

L'article du *Bangkok Post*, daté du 7 juillet 1982, avait une tonalité infiniment plus sensationnelle que les autres. DES ÉCRIVAINS FRANÇAIS ASSASSINÉS, proclamait le titre. Tous les citoyens honnêtes partageaient la même horreur et la même stupeur. C'était un double outrage au tourisme et à la littérature. De telles violences étaient particulièrement préjudiciables à l'industrie touristique. L'affront fait à la morale, et par conséquent au commerce, avait des conséquences bien au-delà de l'industrie hotelière, puisqu'il affectait les taxis, les sociétés de location de voitures, les restaurants, les bijouteries, les salons de massage, les temples et les musées, les boutiques dc tatouage, le personnel d'aéroport et les porteurs, etc. Que le crime fût certainement l'œuvre d'étrangers indésirables (et commis contre des étrangers), cela, la presse l'avait non seulement souligné, mais répété. Les unités de police des différents districts faisaient un louable effort de coopération pour retrouver les assassins dans les jours à venir. Dans cette affaire, on ne pouvait pas non plus exclure des manœuvres politiques hostiles à la Thaïlande.

Perdue au milieu de cette curieuse hystérie de circonstance, une information apparaissait pourtant : Marc Guibert, quarante-huit ans, et Yves Danton, quarante-neuf ans, tous deux journalistes et domiciliés à Paris, avaient été retrouvés le matin dans leur suite du Hilton de Bangkok par la femme de chambre. Ils étaient attachés sur leur chaise, la gorge tranchée, et on leur avait arraché les yeux et les oreilles. Les deux hommes étaient arrivés en Thaïlande la veille, dans l'après-midi, et ne semblaient pas avoir reçu de messages ni accueilli d'invités. Dans la bouche des deux hommes, on avait glissé une carte à jouer, tirée d'un classique jeu malaisien, sur lequel le mot, ou le nom, Koko avait été tracé à la main.

Tina et Conor poursuivaient leur lecture : Tina avec une expression de feint détachement, et Conor avec une grande concentration. Harry Beevers, lui, était assis très droit, le regard dans le vague, se tapotant les dents avec un crayon.

Tracé à la main. Michael voyait exactement comment : les lettres appuyées si fortement qu'on en devinait le tracé de l'autre côté de la carte. Il se souvenait de la première fois où il avait vu une telle carte sortant de la bouche d'un petit homme mort, en pyjama noir : un point pour nous ! s'était-il dit alors.

– J'ai l'impression que cette saleté de guerre n'est pas encore finie, dit Tina.

Conor leva les yeux.

– Mais ça pourrait être n'importe qui. Là, dans l'article, ils disent que ça pourrait être politique. Oh, et puis de toute façon on n'en a rien à foutre !

– Tu crois vraiment, dit Harry, que c'est une coïncidence que le type écrive le nom de Koko sur une carte à jouer qu'il place dans la bouche de ses victimes ?

– Ouais, répondit Conor, parfaitement. Ou bien ça pourrait être politique, comme ils le disent dans le journal.

– Ça se pourrait... dit lentement Tina, mais en fait il est presque sûr que c'est notre Koko.

Il disposa les trois articles l'un à côté de l'autre sur la table, comme pour rendre encore plus invraisemblable toute idée de coïncidence.

– Ce sont les seuls articles que tes frères aient pu trouver ? Y a pas eu de suite ?

Harry secoua la tête. Puis il ramassa son verre sur le sol et leur porta silencieusement un toast, l'air moqueur, sans le boire.

– Ça a l'air de te réjouir, dit Tina.

– Un de ces jours, mes amis, ça va faire une histoire fabuleuse. Je plaisante pas, je vois d'ici le bouquin. Et puis les droits d'adaptation cinématographique. Mais pour être franc, je me contenterais d'un feuilleton à la télé.

Conor se prit le visage dans les mains, et Michael s'exclama :

– T'es complètement cinglé !

Harry se tourna vers eux, impassible.

– Un jour, vous vous souviendrez du premier qui a dit qu'on allait faire beaucoup de fric avec cette histoire. Mais il faut que l'affaire soit bien gérée. *Mucho dinero.*

– Alléluia! lança Conor. Le grand patron va faire de nous des millionnaires.

– Regardons les faits.

Harry leva la main pour réclamer le silence tandis qu'il avalait une gorgée de son verre.

– Un étudiant en droit qui s'occupe de rassembler de la documentation pour nous a fait à ma demande un certain nombre de recherches – sur son temps de travail, en sorte que nous n'ayons rien à débourser. Il a fouillé dans une demi-douzaine de journaux, pendant un an, et dans les dépêches d'agences de presse. Résultat des courses? A part bien sûr les journaux de Saint Louis qui racontaient des histoires sur les Martinson, on n'a jamais parlé aux États-Unis ni de ces meurtres ni de Koko. Et dans les journaux de Saint Louis on n'évoquait même pas les cartes. Pas un mot sur Koko!

– Y a-t-il des relations possibles entre les victimes? demanda Michael.

– Regardons les faits. Un touriste anglais à Singapour... notre documentaliste est allé voir un peu qui était ce McKenna : il a écrit un bouquin de voyage sur l'Australie et la Nouvelle-Zélande, deux thrillers, et un livre intitulé *Votre chien peut vivre plus vieux!* Avec un point d'exclamation. Peut-être est-ce qu'il faisait des recherches à Singapour. Va savoir! Les Martinson, eux, c'était le genre Américains moyens tout ce qu'il y a de convenables. La boîte dans laquelle il travaillait vendait des bulldozers et des grues dans tout l'Extrême-Orient. Puis on a deux journalistes français qui écrivaient dans *L'Express*. Guibert et Danton étaient venus à Bangkok pour les salons de massage. C'était des amis de longue date qui prenaient des vacances ensemble tous les deux ans. Ils ne venaient pas à Bangkok en voyage professionnel : ils venaient décompresser.

– Un Anglais, deux Français et deux Américains, dit Michael.

– Un bel exemple de loterie, dit Harry. Je crois que ces gens se sont simplement trouvés là au mauvais moment. Ils faisaient leurs courses ou bien ils étaient assis à un bar, et ils se sont mis à discuter avec un Américain tout à fait ordinaire qui avait des tas d'histoires à raconter, un type qui a fini par les emmener quelque part et les zigouiller. Tomber sur le psychopathe américain moyen : vraiment la faute à pas de chance.

– Il n'a pas mutilé la femme de Martinson, fit remarquer Michael.

– Oui, il s'est contenté de la tuer. Pourquoi, tu voudrais des mutilations à chaque fois? Peut-être qu'il ne prend que les oreilles des hommes parce que c'est contre des hommes qu'il se battait au Vietnam.

– Bon, d'accord, dit Conor. Disons que c'est notre Koko. Et alors?

Il coula un regard de biais vers Michael et haussa les épaules.

– On va quand même pas aller voir les flics. J'ai rien à leur dire, moi.

Harry se pencha en avant et fixa Conor comme un charmeur tentant d'hypnotiser un serpent.

– Par-fai-te-ment d'accord avec toi.

– Tu es d'accord avec moi ?

– On n'a rien à dire à la police. Pour l'instant, on n'est même pas totalement sûrs que ce Koko soit Tim Underhill.

Il se redressa et regarda Michael, un vague sourire aux lèvres.

– Célèbre ou à moitié célèbre auteur de romans d'aventure, et résident de Singapour.

Tous les hommes présents dans la pièce, à l'exception de Harry, fermèrent les yeux.

– Ses bouquins sont vraiment cinglés ? finit par demander Conor. Vous vous souvenez ce truc complètement dingue dont il parlait ? Ce livre ?

– *La fuite du sanglier*, dit Tina. J'arrivais pas à y croire quand j'ai appris qu'il avait publié deux romans... il en parlait tellement que je me disais qu'il le ferait jamais.

– Et pourtant il l'a fait, dit Michael.

Il était stupéfait que Tina n'eût lu aucun des romans d'Underhill.

– Ça a été publié sous le titre *Une bête en vue*.

Harry considérait Michael avec attention, les pouces glissés sous ses bretelles rouges.

– Alors tu crois vraiment que c'est Underhill ? demanda Michael.

– Regardons les faits, dit Harry. C'est visiblement la même personne qui a tué McKenna, les Martinson et les deux journalistes français. On a donc un assassin qui signe ses crimes en glissant dans la bouche de ses victimes une carte marquée Koko. Que veut dire ce nom ?

– C'est le nom d'un volcan à Hawaii, dit Tina. Bon, on peut aller voir Jimmy Stewart, maintenant ?

– Underhill m'avait dit que « Koko » c'était le nom d'une chanson, dit Conor.

– Il y a des tas de choses qui s'appellent « Koko », dont quelques pandas en captivité, un volcan de Hawaii, une princesse thaïlandaise et des thèmes de jazz de Duke Ellington et Charlie Parker. Il y avait même un chien nommé Koko dans l'affaire du meurtre du Dr Sam Sheppard. Mais tout ça, ça n'a aucun sens. « Koko », c'est nous, et rien d'autre.

Harry se croisa les bras sur la poitrine et promena le regard autour de lui.

– Et moi, l'année dernière, je n'étais ni à Singapour ni en Thaïlande. Tu y étais, toi, Michael ? Regardons les faits. McKenna a été tué aussitôt après le retour des otages d'Iran, défilés dans les rues, la une des journaux... ils ont été traités comme des héros. Est-ce que vous avez remarqué que dans l'Indiana, un ancien combattant du Vietnam a déjanté et a massacré des gens au même moment ? Hé, réveillez-vous, je suis en train de vous raconter quelque chose de nouveau ! Quel effet ça vous a fait ?

Personne ne répondit.

– Eh bien moi, poursuivit Harry, même si je m'en défendais, ça m'a fait quelque chose. Ça me faisait mal de voir comment ils étaient accueillis alors qu'ils n'avaient été que des otages. Cet ancien combattant de l'Indiana a ressenti la même chose, et il a basculé. A votre avis, comment a réagi Underhill ?

– Si c'était lui, dit Michael.

Harry lui adressa un sourire.

– Bon, cette histoire est complètement dingue, mais vous ne vous êtes pas demandé si Koko ne pouvait pas être Victor Spitalny ? Personne ne l'a vu depuis quinze ans, depuis le jour où il a faussé compagnie à Dengler à Bangkok. Il pourrait vivre encore par là-bas.

– Spitalny doit être mort, déclara Conor, à la grande surprise de Michael. Toute cette merde, il en a bouffé jusque-là.

Michael ne dit rien.

– Et il y a eu une autre histoire Koko après la disparition de Spitalny, dit Harry. Même si le Koko original avait un imitateur, je crois que le bon vieux Victor est blanc dans cette affaire. Et peu importe où il se trouve.

– J'aimerais bien parler à Underhill, dit Tina. J'ai toujours bien aimé Tim... énormément. Vous savez, si j'avais pas besoin de bosser comme un dingue dans les cuisines, je serais tenté de prendre l'avion et de partir à sa recherche. Peut-être qu'on pourrait l'aider, faire quelque chose pour lui.

– Ça, c'est une idée vachement intéressante, dit Harry.

2

– Je demande la permission de bouger, mon lieutement, aboya Conor.

Puis il se leva, administra une claque sur l'épaule de Michael et déclara :

– Tu sais ce qu'il faut faire quand il commence à faire sombre, qu'il y a plein de chauves-souris dans le ciel et que les chiens sauvages se mettent à hurler ?

Michael le considérait d'un œil à la fois amical et amusé, mais Harry ne pouvait dissimuler son agacement.

Conor se pencha vers Harry, et avec un clin d'œil :

– C'est le moment de boire une autre bière.

Il prit une bouteille dégoulinante dans le seau à glace et la décapsula. Harry ne cessait de le regarder.

– Alors le lieutenant estime que nous devrions partir à la recherche de Tim Underhill, histoire de voir à quel point il est cinglé ?

– Eh bien, puisque tu le demandes, répondit calmement Harry, disons qu'il y a de ça.

– Aller vraiment là-bas ? demanda Tina.

– C'est toi qui l'as dit en premier.

Conor avala près de la moitié de la bouteille de bière en longues goulées bruyantes, puis se lécha les lèvres. Il regagna ensuite sa chaise et prit une autre gorgée de bière. Tout fout le camp, songeait-il, il n'y avait plus qu'à s'asseoir, se détendre, et attendre que les autres s'en rendent compte aussi.

Si le Grand Paumé dit encore qu'il se considère comme le lieutenant d'Underhill, se dit Conor, moi je dégueule.

– Appelez ça responsabilité morale, ou n'importe quoi, dit Harry, mais j'estime que c'est à nous de faire face à la situation. Ce type, on le connaît, on était là-bas avec lui.

Conor ouvrit la bouche, avala une goulée d'air, dilata les poumons. Après une seconde ou deux, il émit un rot retentissant.

– Je ne te demande pas de partager mon sens de la responsabilité, dit Harry, mais j'aimerais quand même que tu cesses de faire le gamin.

– Mais comment veux-tu que j'aille à Singapour, nom de Dieu ? Je n'ai même pas suffisamment d'argent sur mon compte pour faire le tour du pâté de maisons ! J'ai dépensé tout ce que j'avais pour payer mon billet jusqu'ici. Je dors dans la chambre de Tina parce que j'ai même pas assez de fric pour me payer une chambre d'hôtel. Alors un peu de sérieux, d'accord ?

Conor se sentit immédiatement gêné d'avoir ainsi explosé devant Michael. Voilà ce qui arrivait quand il passait les limites et s'enivrait... il s'emportait trop facilement. Il voulut préciser les choses, sans pour autant agraver son cas.

– Bon... d'accord, je suis un emmerdeur, j'aurais pas dû m'emporter. Mais je ne suis pas comme vous, les gars, je ne suis pas médecin, avocat ou grand chef sioux, je suis fauché ! Maintenant il paraît que je suis un nouveau pauvre, mais avant j'étais un pauvre tout court ! J' suis ratissé comme une allée !

– Mais moi je ne suis pas milliardaire ! s'exclama Harry. En fait, ça fait quelques semaines que j'ai quitté Caldwell, Moran et Morissey.

C'est une histoire trop longue à raconter, mais le résultat est là : je suis au chômage.

– Tu t'es fait virer par ton beau-frère ? s'enquit Conor.

– J'ai démissionné, dit Harry. Quant à Pat, c'est mon ancienne femme. Charles Caldwell et moi on a eu de sérieuses divergences. De toute façon, je n'ai pas tellement plus d'argent que toi, Conor. Simplement je me suis débrouillé pour partir avec un bon paquet, et je suis tout à fait disposé à te prêter deux mille dollars, sans intérêts, que tu me rendras quand tu pourras. Ça devrait te permettre de voir venir.

– J'apporterai aussi ma contribution, dit Michael. Je ne me prononce pas encore sur le fond, Harry, mais je pense qu'il ne devrait pas être très difficile de retrouver Underhill. Il doit toucher des avances et des droits d'auteur de son éditeur. Ils lui transmettent même peut-être des lettres de lecteurs. Je parie qu'il suffirait d'un coup de téléphone pour apprendre l'adresse de Tim.

– Je n'en crois rien, dit Tina. Vous êtes complètement cinglés tous les trois.

– Tu as été le premier à dire que tu irais, lui rappela Conor.

– Je ne peux pas tout plaquer comme ça pendant un mois. J'ai un restaurant à gérer.

Tina n'avait pas repéré le moment où tout était parti à la dérive. Bon, d'accord, se dit Conor, Singapour... et alors ?

– Tina, on a besoin de toi.

– J'ai encore plus besoin de moi que vous. Ne comptez pas sur moi.

– Si tu ne viens pas, tu le regretteras toute ta vie.

– Mais tu rêves, Harry, demain matin toute cette histoire aura l'air d'un mauvais polar. Et vous croyez que vous arriverez à quoi, même si vous arrivez à le trouver ?

Tina préfère rester à New York et jouer à la poupée avec Maggie Lah, se dit Conor.

– Bon... on verra bien, répondit Harry.

Conor lança sa bouteille vide en direction de la corbeille à papier. La bouteille atterrit à un mètre de la corbeille et alla rouler sous l'armoire. Il ne se souvenait plus du moment où il était passé de la vodka à la bière. Ou bien avait-il commencé par la bière pour passer à la vodka et revenir ensuite à la bière ? Il passa en revue les verres sur la table, s'efforçant de reconnaître le sien. Les autres lui jetaient ce regard qu'il connaissait bien, celui qu'on jette au boute-en-train, et il espérait avoir tiré sa bouteille droit au but. Avec philosophie, Conor versa une longue rasade de vodka dans le verre le plus proche de lui. Il saisit une poignée de glaçons dans le seau et les enfonça dans le verre.

– Je bois aux contrées lointaines... D'abord le S... (il but une rasade). Et puis le I... le N... le G... le A...

Harry lui dit de s'asseoir et de se calmer, ce à quoi Conor ne voyait nulle objection. De toute façon, il ne se souvenait plus de ce qui venait après le A. Il renversa un peu de vodka sur son pantalon et alla se rasseoir près de Michael.

– Et maintenant on peut aller voir Jimmy Stewart ? demanda Tina.

3

Un peu plus tard, quelqu'un lui suggéra de s'allonger sur le lit de Michael et de faire un somme, mais Conor refusa... non, non, ça allait, il était avec ses potes, il fallait continuer à bouger, et puis quand on était encore capable d'épeler Singapour, on n'était pas complètement hors de combat...

Sans la moindre transition, il se retrouva dans le couloir. Il s'emmêlait les pieds, et Michael le tenait fermement par le bras gauche.

– C'est quoi mon numéro de chambre ? demanda-t-il à Michael.

– Tu es avec Tina.

– Brave vieux Tina.

Au coin du couloir, ils se retrouvèrent face à Harry et au brave vieux Tina qui attendaient l'ascenseur. Harry était occupé à se peigner devant un grand miroir.

Conor se retrouva ensuite assis sur le plancher de l'ascenseur, mais il parvint à se remettre sur ses pieds avant l'ouverture des portes.

– T'es mignon, Harry, dit-il à son compagnon qui lui tournait le dos.

Les portes de l'ascenseur s'ouvrirent, et pendant un long moment, ils marchèrent le long d'interminables couloirs lisses et pleins de monde. Conor ne cessait de bousculer des types trop pressés pour écouter ses excuses. Des gens chantaient *Homeward Bound*, la plus belle chanson du monde. *Homeward Bound* lui donnait envie de pleurer.

Michael faisait en sorte que son compagnon ne tombât point. Est-ce que Michael se rendait compte à quel point il était un chic type... non sûrement pas, et ça le rendait encore plus sympathique.

– Je me sens vraiment bien.

Il s'assit à côté de Michael dans une grande pièce plongée dans l'obscurité. Un homme aux cheveux noirs, avec une fine moustache, et qui portait sous son smoking une ceinture si large qu'elle ressemblait à une ceinture de catcheur, chantait *America The Beautiful*, et bondissait de long en large sur une scène, devant un orchestre.

– On a raté Jimmy Stewart, lui murmura Michael. Ça c'est Wayne Newton.

– Wayne Newton ? répéta Conor en écho.

Mais aussitôt il se rendit compte qu'il avait parlé trop fort, et des rires fusaient autour de lui. Conor se sentait gêné pour Michael : Wayne Newton était un gros adolescent qui chantait comme une fille. Ce dur de Las Vegas n'était pas Wayne Newton. Conor ferma les yeux, et la grande salle sombre se mit à tournoyer autour de lui. Impossible d'ouvrir les yeux. Il entendait les applaudissements, les cris, les sifflets. Il entendit aussi son premier ronflement, et moins d'une seconde plus tard, il sombrait dans l'inconscience.

4

– On n'a pas autant de groupies que les musiciens, dit Harry à Michael, mais elles sont là, dehors. C'est le genre ménagères en chaleur. Il commence à devenir lourd ? Mets-le sur ton lit et rejoins-nous ensuite au bar.

– J'ai envie d'aller me coucher, dit Michael.

Tina lui avait obligeamment légué Conor Linklater : quatre-vingts kilos de poids mort qui reposaient sur son épaule.

Harry souffla en direction de Michael une haleine chargée d'alcool :

– Les groupies du Vietnam sont compliquées, mais je crois que maintenant j'ai pigé comment elles fonctionnent. Pour elles, on est des soldats, des guerriers, mais dotés de plus de spiritualité que les autres anciens combattants ; deuxio, elles ont un petit côté assistantes sociales et elles veulent prouver que malgré tout, notre pays nous aime, et tertio elles savent pas ce qu'on a fait là-bas et ça les turlupine.

Harry le regardait, les yeux brillants.

– C'est le coin rêvé. Elles ont fait des milliers de kilomètres pour venir au bar de l'hôtel.

Michael avait le sentiment désagréable que sans le savoir, Harry Beevers était en train de décrire Pat Caldwell, son ancienne femme.

Michael installa Conor sur le côté du lit où la femme de chambre n'avait pas rabattu le couvre-lit, il ôta les chaussures de sport noires de son ami et desserra sa ceinture. Conor gémit ; un battement de paupières translucides parcourues de petites veines. Avec ses cheveux roux coupés court et son teint pâle, Conor Linklater semblait avoir dix-neuf ans, et sans sa barbe en bataille et sa moustache il avait tout à fait l'allure qu'il avait au Vietnam. Il le recouvrit avec une couverture supplémentaire trouvée dans l'armoire, puis éteignit le plafonnier et alluma la lampe de chevet de l'autre côté du lit. Il était prévu que Conor dorme avec Tina, donc celui-ci avait dû prendre une suite, mais la chambre de Michael n'était pas prévue pour accueillir un visiteur. Harry avait sans nul doute dû prendre lui aussi une suite, quoiqu'il n'eût jamais songé à offrir son lit à Conor.

Michael prit le téléphone et le posa sur la table à côté de lui. La femme de chambre avait aligné les bouteilles, empilé les uns dans les autres les verres de plastique transparent, jeté les verres usagés et enveloppé de cellophane le plateau de fromages. Dans le seau, une bouteille de bière flottait encore, enfoncée jusqu'au col, au milieu de quelques morceaux de glace épars. Michael enfonça un verre dans le seau, recueillit de l'eau et des glaçons et avala une gorgée.

Conor grommela « gougol » et enfonça son visage dans l'oreiller.

Comme mû par une soudaine impulsion, Michael composa le numéro de la ligne privée de sa femme. Il imaginait Judy dans son lit, lisant un livre comme *The One-Minute Manager*, tandis que la télévision, qu'elle avait allumée pour lui tenir compagnie, débitait un programme qu'elle ne regardait pas.

Le téléphone sonna une fois, puis il y eut un déclic comme si quelqu'un avait décroché. Un sifflement de bande magnétique, et Michael comprit que sa femme avait branché le répondeur automatique, avec son message à la troisième personne :

« Judy ne peut pas vous répondre en ce moment, mais si vous voulez bien lui laisser un message et votre numéro de téléphone après le bip sonore, elle vous rappellera dès que possible. »

Il attendit le bip.

– Judy, c'est Michael, tu es là ?

Le répondeur de Judy se trouvait à côté du téléphone, dans son bureau qui jouxtait la chambre. Si elle était dans son lit, éveillée, elle entendrait sa voix. Judy ne répondait pas ; la bande continuait de se dérouler. Il dévida alors quelques phrases mécaniques qui se terminaient par : « Je serai de retour dimanche soir tard. Au revoir. »

Dans son lit, Michael lut quelques pages du roman de Stephen King qu'il avait emporté avec lui. De l'autre côté du lit, Conor prononçait quelques mots indistincts d'une voix plaintive et nasillarde. Rien dans le roman ne semblait plus étrange ni plus menaçant que certains événements de la vie courante. La vie de tous les jours regorgeait d'étrangeté et de violence, et Stephen King le savait parfaitement.

Avant que Michael eût pu éteindre la lumière, il était trempé de sueur, *The Dead Zone* à la main, au beau milieu d'un camp militaire infiniment plus grand que Camp Crandall. Tout autour du camp, à vingt ou trente kilomètres au-delà des barbelés, s'élevaient des collines autrefois recouvertes d'arbres, et à présent si parfaitement bombardées, brûlées et défoliées, que l'on n'apercevait plus qu'une terre brune et poussiéreuse hérissée de bâtons calcinés. Il longea une rangée de tentes vides, et c'est alors qu'il fut frappé par le silence : il était seul. Ils avaient abandonné le camp et l'avaient laissé derrière. Un mât sans drapeau se dressait devant le poste de commandement de la compagnie. Dépassant le bâtiment déserté, il s'engagea dans une allée vide, et sentit l'odeur de merde brûlée. Il comprit alors que ce n'était pas un rêve, qu'il se trouvait réellement au Vietnam... c'était le reste de sa vie qui était un rêve. Dans ses rêves, il n'y avait jamais d'odeurs. La plupart du temps, ils n'étaient même pas en couleurs. A ce moment, il aperçut une vieille Vietnamienne qui le contemplait d'un regard vide ; elle se tenait à côté d'un baril d'essence dans lequel brûlaient des excréments arrosés de kérosène. Une épaisse fumée noire s'échappait du baril et venait obscurcir le ciel. Michael éprouvait un désespoir morne et sans surprise.

Une seconde, se dit-il, si ça c'est la réalité, alors nous ne sommes pas plus loin que 1969. Il ouvrit *The Dead Zone* à la page du copyright. Il lui sembla que son cœur éclatait comme un ballon crevé. 1965. Il n'avait jamais quitté le Vietnam. Tout ce qui s'était passé depuis lors n'avait été que le rêve insensé d'un garçon de dix-neuf ans.

5

BEANS BEEVERS AU MONUMENT AUX MORTS

1

En se réveillant, Michael conservait le souvenir fugace du bruit et de la fumée, du roulement de l'artillerie et d'hommes en uniforme courant comme des personnages de dessin animé à travers un village en flammes. Il repoussa cette vision dans l'oubli avec un talent parfaitement inconscient. Sa première pensée réelle fut qu'il devrait s'arrêter chez Walden Books, la librairie de Westerholm, et acheter un livre pour Stacy Talbot, sa petite patiente de douze ans, avant d'aller lui rendre visite à l'hôpital Saint Bartholomew. Il se rappela alors qu'il se trouvait à Washington. Sa deuxième pensée claire fut pour Tim Underhill : se pouvait-il qu'il fût réellement en vie ? Il se vit rapidement dans un cimetière de Singapour, contemplant avec peine et soulagement à la fois le nom d'Underhill gravé sur une pierre tombale.

Ou bien Underhill, complètement fou, n'avait-il pas quitté la guerre ?

Conor Linklater semblait s'être évanoui, laissant derrière lui un oreiller aplati et un couvre-lit chiffonné. Michael se traîna jusqu'à l'autre extrémité du lit. Conor était endormi sur le sol, recroquevillé sur lui-même comme une feuille de chou, la bouche ouverte, les paupières parfaitement immobiles.

Michael retraversa le lit et gagna la salle de bains.

– Hou, là là ! dit Conor lorsque Michael sortit de la salle de bains.

Il était assis dans l'un des fauteuils et se tenait la tête à deux mains.

– Quelle heure est-il ?
– Environ dix heures et demie.
Michael tira des chaussettes et des sous-vêtements de son sac, et se mit à s'habiller.
– C'est la purée complète, dit Conor. J'ai une de ces gueules de bois !
A travers ses doigts écartés, il regarda Michael.
– Comment est-ce que j'ai atterri ici ?
– Disons que je t'ai aidé.
– Merci, mec, grogna Conor en se replongeant la tête entre les mains. Va falloir que je reprenne le dessus. J'ai un peu trop fait la foire, ces derniers temps, je commence à me faire vieux, faut lever le pied. Hou là là !
Il s'étira et regarda autour de lui comme s'il était perdu.
– Où sont mes vêtements ?
– Dans la chambre de Pumo, répondit Michael en boutonnant sa chemise.
– Et merde ! J'ai laissé tout mon barda là-bas. J'aimerais bien qu'il vienne avec nous, pas toi ? Pumo le puma. Il devrait venir. Dis, Mikey, est-ce que je peux me servir de ta salle de bains et de ta douche avant de retourner là-haut ?
– Dis donc, j'ai déjà tout nettoyé pour la femme de chambre.
Conor se dirigea vers la salle de bains d'un pas hésitant, et Michael ne put s'empêcher de songer à ces vieillards relevant d'infarctus que l'on voit dans les services de gériatrie. Arrivé à la salle de bains, Conor s'appuya sur le bouton de la porte et se mit à tousser. Ses cheveux étaient dressés sur son crâne comme une petite haie orange.
– Je suis fou ou Beans a bien dit qu'il allait me prêter deux mille dollars ?
Michael approuva d'un signe de tête.
– Tu crois qu'il était sérieux ?
Michael approuva encore.
– Je crois que je comprendrai jamais ce mec, dit Conor.
Il pénétra dans la salle de bains et claqua la porte derrière lui.
Après avoir chaussé ses mocassins, Michael prit le téléphone et composa le numéro de Judy. Ni elle ni la machine ne répondirent. Il raccrocha.
Quelques minutes plus tard, Harry Beevers téléphona pour informer Michael et Conor qu'il offrait le petit déjeuner dans sa suite dans une demi-heure, à onze heures et demie, et que lui, Michael, ferait bien de se dépêcher s'il voulait avoir plus d'un bloody mary.
– Plus d'un ?
– Je crois que tu n'as pas pratiqué les exercices que moi j'ai prati-

qués cette nuit, gloussa Harry. Une dame adorable, du genre de celles dont je t'avais parlé, a quitté cette chambre il y a une heure ou deux, et je me sens tout ramolli comme une soirée de printemps. Michael... essaye de convaincre Pumo qu'il y a dans la vie des choses plus importantes que son restaurant. Tu veux bien ?

Et il raccrocha avant que Michael eût pu répondre.

2

La suite de Beevers ne se composait pas seulement d'un grand salon équipé de baies coulissantes donnant sur un respectable balcon : il y avait également une salle à manger où Michael, Tina et Harry s'installèrent autour d'une table ronde chargée de mets divers, paniers de petits pains, toasts empilés, pichets de bloody mary, plats de saucisses, bacon et œufs Bénédicte.

Conor, lui, était installé au salon, dans le canapé, devant une tasse de café noir.

– Je mangerai quelque chose plus tard, lança-t-il.

– *Mangia, mangia.* Prends des forces pour notre voyage.

Harry agitait une fourchette chargée d'œuf dégoulinant de sauce hollandaise. Ses cheveux noirs étaient brillants et ses yeux étincelaient. Sa chemise blanche, dont il avait roulé les manches, sortait visiblement de son emballage, et le nœud de sa cravate sobrement rayée était parfaitement noué. La veste de complet bleu marine posée sur le dossier de sa chaise était finement rayée de blanc. On eût dit qu'il s'apprêtait à plaider devant la Cour suprême, et non qu'il allait se rendre au monument aux morts de la guerre du Vietnam.

– Tu y songes toujours sérieusement ? demanda Tina.

– Pas toi ? Tina, on a besoin de toi. Comment on ferait sans toi ?

– Va pourtant falloir, répondit Tina. Mais est-ce que de toute façon cette question n'est pas un peu académique ?

– Non, pas pour moi, dit Harry. Et toi, Conor ? Tu crois que je blague ?

Les trois hommes attablés regardèrent ensemble Conor à l'autre bout du salon. Ce dernier, surpris de se voir l'objet de l'attention générale, se redressa.

– Non, pas si tu me prêtes le prix du billet d'avion.

Harry jeta alors un regard mi-sincère, mi-amusé en direction de Michael.

– Et toi ? *Was sagen Sie,* Michael ?

– J'ai pas l'impression que tu aies beaucoup blagué dans ta vie, répondit Michael, peu soucieux de jouer le rôle de pion dans le nouveau jeu de Harry.

Harry continuait de le regarder en souriant, sachant pertinemment qu'il allait obtenir plus.

– Je crois que ça me tente, Harry, finit par dire Michael en croisant le regard en biais que lui coulait Tina Pumo.

3

– Comme ça, par simple curiosité...

Harry était penché pour parler au chauffeur du taxi.

– Comment vous nous voyez, là, tous les quatre ? Quelle impression on vous fait, en tant que groupe ?

– Vous êtes sérieux ?

Le chauffeur se tourna vers Michael, assis à côté de lui sur le siège avant.

Michael approuva d'un signe de tête et Harry poursuivit :

– Allez-y, franchement. Ça m'intéresse.

Le chauffeur regarda Harry dans le rétroviseur, reporta le regard sur la route, puis jeta un rapide coup d'œil par-dessus son épaule à Tina et Conor. Le chauffeur était un homme d'une cinquantaine d'années, gras, mal rasé. Au moindre de ses mouvements, Michael humait des effluves de sueur séchée et de circuits électriques brûlés.

– Vous allez pas du tout ensemble, finit par dire le chauffeur.

Puis il jeta un regard soupçonneux à Michael.

– Dites donc, si c'est « La caméra invisible » ou un truc dans ce genre-là, vous pouvez descendre tout de suite.

– Qu'est-ce que vous voulez dire par « vous n'allez pas du tout ensemble » ? dit Harry. On forme une section.

– Bon, moi je vois les choses comme ça, dit le chauffeur en regardant à nouveau dans le rétroviseur. Vous, vous avez l'air d'un avocat, un gros bonnet, un de ces gars des lobbies, ou de ces types qui commencent dans la vie en piquant dans le tronc à l'église. Le type à côté de vous a l'air d'un maquereau, et l'autre à côté a l'air d'un prolo qu'a une gueule de bois. Celui qu'est à côté de moi, là, il a l'air d'un professeur d'université.

– Un maquereau ! s'étouffa Tina.

– Ah, c'est vous qui l'avez demandé ! riposta le chauffeur.

– Mais c'est vrai, moi je suis un prolo qu'a une gueule de bois, déclara Conor. Et toi, Tina, reconnais-le, t'es un maquereau.

– J'ai tapé juste, alors ? dit le chauffeur. Qu'est-ce que j'ai gagné ? Vous êtes de « La roue de la fortune », hein, c'est ça ?

– Vous êtes sérieux ? demanda Harry.
– C'est moi qui ai posé la question le premier !
– Non, je voulais savoir... commença Harry.
Mais Conor lui dit de la fermer.
Le chauffeur ne se départit plus d'un petit sourire narquois tout le long du trajet.
– Ça va, on est arrivés, dit Harry. Garez-vous là.
– Je croyais que vous vouliez aller au Monument.
– J'ai dit garez-vous là.
Le chauffeur se rangea le long du trottoir.
– Vous pourriez me faire rencontrer Vanna White ? demanda-t-il dans le rétroviseur.
– Allez vous faire foutre ! dit Harry en sautant à bas du taxi. Paye-le, Tina.
Il tint la portière ouverte jusqu'à ce que Tina et Conor fussent descendus, puis la claqua violemment.
– J'espère que t'as pas donné de pourboire à ce trou du cul, dit Harry.
Tina haussa les épaules.
– Alors toi aussi t'es un trou du cul.
Harry tourna les talons et se dirigea à grands pas en direction du monument aux morts.
Michael courut le rejoindre.
– Bon, et alors, qu'est-ce que j'ai dit ? aboya Harry. J'ai rien dit de mal. Ce type était un con, c'est tout. J'aurais dû lui foutre mon poing sur la gueule.
– Du calme, Harry.
– T'as entendu ce qu'il m'a dit ? Non, mais t'as entendu ?
– Il a traité Tina de maquereau, dit Michael.
– Tu parles d'un maquereau, rétorqua Harry, c'est un gargotier.
– Ralentis, sans ça on va semer les autres.
Harry se mit à faire du surplace pour permettre à Tina et à Conor, qui se trouvaient à une dizaine de mètres, de les rejoindre. Conor leur adressa un sourire.
– T'en as pas marre de pouponner ces deux-là ? murmura Harry à Michael.
Puis il s'écria à l'adresse de Tina :
– T'as donné un pourboire à cette tête de lard ?
– Bah, une aumône.
– Le chauffeur du taxi que j'ai pris hier, dit alors Michael, voulait me demander l'effet que ça faisait de tuer quelqu'un.
– Quel effet ça fait de tuer quelqu'un ? répéta Harry d'un air moqueur. Je supporte pas cette question. S'ils veulent savoir, ils n'ont qu'à tuer quelqu'un.

Il se sentait déjà mieux. Les deux autres les avaient rejoints.
– Bon, de toute façon on forme une section, pas vrai ?
– On est des tueurs sauvages, dit Tina.
– Mais, putain, qui est cette Vanna White ? demanda Conor.
Tina éclata de rire.

A quelques centaines de mètres du monument, les quatre hommes étaient pris dans la foule. Le torrent humain qui se répandait sur les pelouses devait être formé des mêmes gens que Michael avait vus la veille : des anciens combattants vêtus d'éléments d'uniformes disparates, des hommes plus vieux coiffés du calot des vétérans des Forces d'outre-mer, des femmes de l'âge de Michael agrippant par la main des enfants au visage halluciné. Avec son complet finement rayé, Harry Beevers avait, lui, l'allure d'un guide pour touristes fourvoyé dans la cohue.

4

Au dos d'une feuille American Express, Tina dressa la liste de tous les noms avec l'emplacement de leurs panneaux. Dengler, 14 ouest, ligne 52 – Michael se souvenait de celui-ci. Cotton, 13 ouest, ligne 73... Trotman, 13 ouest, ligne 18. Peters, 14 ouest, ligne 38. Et Huebsch, Hannapin, Recht. Et puis Burrage, Washington, Tiano, Rowley, et Thomas Chambers, le seul homme de leur compagnie tué à Ia Thuc. Et les victimes d'Elvis, le tourbillonnant tireur embusqué : Lowry, Montegna, Blevins. Et d'autres après eux. L'écriture fine et nette de Pumo recouvrait le dos de la feuille verte American Express.

Sur le chemin dallé, tous ensemble, ils regardaient les noms gravés dans le noir granit poli. Conor pleura devant le nom de Dengler, puis Tina et lui eurent les larmes aux yeux face au nom du médecin : Peters, Norman Charles.

– Putain, quand je pense qu'en ce moment Peters devrait être sur son tracteur à pester parce qu'il n'a pas encore assez plu ! s'exclama Conor.

La famille de Peters travaillait les mêmes terres du Kansas depuis quatre générations, et le médecin leur avait déclaré que bien que son boulot de médecin militaire lui plût, il lui arrivait la nuit de sentir l'odeur de ses champs du Kansas. (« C'est Spitalny que tu sens, pas le Kansas ! » s'était écrié Cotton.) Mais un jour, Herbert Wilson, le pilote de l'hélicoptère, s'était écrasé avec son engin ; à l'intérieur, Norman Charles Peters administrait du plasma à Recht. A présent, c'étaient ses frères qui cultivaient ses champs, tandis que ce qui était resté de lui engraissait le sol fertile d'un cimetière de campagne.

– Il serait en train de râler sur la façon dont les agriculteurs se font baiser par le gouvernement, dit Harry.

Michael aperçut un immense drapeau frangé d'or qui flottait dans la brise, sur sa droite, et il se rappela avoir vu le même drapeau la veille. Un homme de haute taille, les cheveux en bataille, tenait la hampe du drapeau fichée dans une large ceinture ; à côté de lui, à moitié dissimulé par une brillante couronne mortuaire, un écriteau circulaire proclamait, calligraphié en lettres blanches : IL N'Y A PAS DE PLUS GRAND AMOUR. Michael se souvint d'avoir lu l'information quelque part : cet ancien *marine* aux cheveux en bataille se tenait ainsi au même endroit depuis deux jours.

– Tu as lu l'histoire de ce type dans le journal de ce matin ? demanda Tina. Il tient ce drapeau en l'honneur des prisonniers et des disparus.

– Ça ne les fera pas revenir plus vite, dit Harry.

– Je crois pas que ça soit le but, lui répondit Tina.

A ce moment-là, la longue ligne noire du monument surgit devant eux ; Michael avait le sentiment qu'il s'était avancé à leur rencontre pour leur parler. Cela lui rappelait sa première visite. Il s'écarta très légèrement des autres. Sa vue se brouillait. Une fois, Michael était demeuré pendant des heures dans l'eau jusqu'à la ceinture, une eau grouillante de sangsues ; il tenait son M-16 et ses grenades hors de l'eau, et ses bras finirent par lui faire atrocement mal, par se changer en plomb... Thomas Charles Rowley se tenait à côté de lui, tenant lui aussi son arsenal hors de l'eau puante. Des nuées de moustiques tourbillonnaient autour d'eux, s'installaient à demeure sur leurs visages. A chaque instant, ils devaient souffler pour se débarrasser des moustiques qui s'étaient introduits dans leurs nez. Il était si fatigué, que si Rowley avait proposé de lui porter ses armes, il se serait endormi sur place, malgré les sangsues collées à ses cuisses.

Michael se rendit alors compte qu'il tremblait. Il s'essuya les yeux et regarda les autres. Conor pleurait aussi, et le visage de Tina, d'ordinaire impassible, trahissait son bouleversement.

Harry observait Michael. Il semblait aussi ému qu'un juré de concours agricole.

– Ça te touche, hein ?

– Parfaitement ! répondit Michael.

Une profonde irritation s'empara de lui devant la suffisance de Harry.

– Tu es immunisé, toi ?

Harry secoua la tête.

– Pas du tout, Michael, mais je garde mes sentiments pour moi. Ça vient de mon éducation. Mais je me disais qu'il faudrait ajouter quelques noms sur ce monument : McKenna, les Martinson, Danton et Guibert. Tu vois ce que je veux dire ?

Michael n'avait aucune envie de décrire ce qu'il venait de vivre. Lui aussi songeait à un nom qui aurait pu être ajouté sur ce mur.

Harry adressa presque un clin d'œil à Michael :

– Tu sais que ça va nous rendre riches, cette histoire ?

Et pour quelque raison beeverienne inconnue de Michael, il lui tapota deux fois la poitrine de son index tendu. Un index manucuré. Puis Harry se tourna vers Conor et Tina et leur dit quelque chose à propos du monument. Michael sentait encore sur sa poitrine l'index de Harry... *Le seul problème,* entendit-il Harry lancer, *c'est qu'il y manque des noms.*

Une centaine de moustiques mourants obstruaient les narines de Michael ; des sangsues agonisantes s'accrochaient encore à ses jambes lourdes et engourdies. Michael le savait : la décision était prise. Comme à dix-neuf ans, ignorants, terrifiés et insensés, ils allaient s'envoler pour l'Extrême-Orient.

Deuxième partie

PRÉPARATIFS AVANT LE DÉCOLLAGE

6

BEEVERS AU REPOS

1

– Maggie ne vient jamais ici, Maggie en avait assez.

Jimmy Lah, répondant ainsi à une question de Harry Beevers, versait un ruban argenté de vermouth sur la glace et le liquide qui se trouvaient déjà dans le verre. Il pressa un zeste de citron autour du bord du verre, puis le posa sur les glaçons.

– Assez de la vie, ou assez de Tina ? demanda Harry.

Jimmy Lah posa sur le bar un napperon de papier sur lequel on voyait la silhouette d'un homme tirant un pousse-pousse et le mot « Saigon » imprimé en lettres rouges. Il posa le verre de Harry sur le napperon, et d'un revers de main ôta le napperon humide et chiffonné qui se trouvait à côté.

– Tina est trop pépère pour Maggie.

Le barman adressa un clin d'œil à Harry, puis se recula. Harry, lui, observait les visages de démons sournois et méchants, agrémentés de moustaches de chat, que l'on avait collés au miroir. Jusque-là, Jimmy Lah les avait cachés. Harry se découvrait une surprenante familiarité avec ces démons. Il se souvenait d'avoir vu des visages de ce genre quelque part alors qu'il se trouvait dans le 1er corps d'armée, mais il ne savait plus où.

Il était quatre heures, et Harry tuait le temps avant de pouvoir appeler son ancienne épouse. Jimmy Lah versait dans un verre une concoction savonneuse à l'intention du seul client du bar à part lui, un excentrique avec une crête jaune à l'iroquoise et d'énormes lunettes roses.

Harry pivota sur son tabouret pour observer la grande salle à manger rectangulaire du restaurant de Tina. Il y avait des chaises de bambou noueux disposées devant des tables de bambou au plateau de verre fumé. Au plafond, des ventilateurs aux pales de bois poli tournaient lentement. Les murs blancs étaient recouverts de fresques représentant des arbres gigantesques et des palmiers.

Derrière un comptoir, à l'autre bout du restaurant, une porte en s'ouvrant révéla deux Vietnamiens en tablier blanc occupés à peler des légumes. Derrière eux, des casseroles mijotaient sur une cuisinière à gaz. L'espace d'un instant, Harry aperçut un rideau translucide flottant derrière la cuisinière. Il se pencha pour mieux voir et aperçut alors Vinh, le chef cuisinier, se diriger vers la porte ouverte. Vinh était originaire d'An Lat, un village contrôlé par le 1er corps d'armée, très proche de Ia Thuc.

Harry vit alors qui avait ouvert la porte.

Une Vietnamienne de petite taille, souriante, s'avançait avec précaution, mais vivement, dans le restaurant. Elle avait presque atteint le comptoir, lorsque Vinh l'attrapa par l'épaule. Un O de surprise se dessina sur les lèvres de l'enfant, et Vinh la ramena dans la cuisine. Les portes se refermèrent sur un groupe de Vietnamiens.

L'hallucination auditive était parfaite : Harry entendait derrière lui le halètement de M.O. Dengler, sur un fond lointain de coups de feu et de hurlements. Dans la pénombre, on distinguait vaguement la pâleur des visages. Il se souvint alors où il avait vu déjà ces visages de démons : c'étaient ceux de petites femmes aux cheveux noirs qui couraient en brandissant le poing. *Vous numé'o dix! Vous numé'o dix!*

Un abîme s'était ouvert devant Harry. Pendant un moment, il éprouva la terreur de ne pas exister, le sentiment écœurant de ne pas avoir existé de la façon saine et toute simple dont les autres existent.

Comme dans un rêve, il demanda ce que faisait une enfant dans la cuisine.

Jimmy s'approcha.

– C'est la petite fille de Vinh, Helen. Ils vivent ici tous les deux pour quelque temps. Helen devait chercher Maggie... ce sont de vieilles copines.

– Tina doit être fou, dit Harry qui commençait à se remettre.

– Vous regardez le *Village Voice*?

Harry secoua la tête. Il se rendit compte qu'il avait inconsciemment mis ses mains dans ses poches pour dissimuler leur tremblement. Jimmy fouilla derrière le bar et finit par dénicher le journal au milieu d'une pile de menus entassés à côté de la caisse enregistreuse; il le lui tendit, du côté de la dernière page. *Voice Bulletin Board* proclamait le titre surplombant trois colonnes denses de messages personnels imprimés en différents caractères. Deux de ces messages avaient été entourés au stylo.

Le premier disait : *Tu me manques bigrement. Serai au Mike Todd mercredi 10. L'errante.* Le deuxième message était en majuscules : INCAPABLE DE DÉCIDER. SERAI PEUT-ÊTRE AU MIKE TODD, PEUT-ÊTRE PAS. LA-LA.

– Voyez ce que je veux dire? dit Jimmy.

Il rassembla des verres sous le comptoir et se mit à les frotter vigoureusement dans l'eau d'un évier.

– C'est votre sœur qui a passé ces deux annonces?

– Oui. Toute la famille est cinglée.

– C'est triste pour Tina.

Jimmy sourit puis leva les yeux de son évier.

– Comment va le docteur en ce moment? Y a du nouveau?

– Vous le connaissez, dit Harry. Après la mort de son fils, il est devenu infréquentable. *Totalemente.*

Une seconde d'hésitation, et Jimmy demanda :

– Il est venir avec vous pour l'expédition de chasse?

– Appelez plutôt ça une mission, coupa Harry. Dites-moi, vous ne croyez pas que Tina viendrait pour prendre un peu l'air?

– Plus tard, peut-être, dit Jimmy en détournant la tête.

Tina avait deux Vietnamiens qui vivaient dans son restaurant, il retournait sa cuisine de fond en comble pour tuer quelques cafards, et il se comportait comme un adolescent avec Maggie Lah. « La-La »! Le vieux copain de Beans Beevers était lui aussi devenu un... pendant une seconde il chercha le mot qu'utilisait Dengler, puis il le retrouva : un *toon.*

– Dites-lui qu'il devrait se pointer au Mike Todd avec un couteau dans la ceinture.

– Maggie s'en foutra.

Harry regarda sa montre.

– Vous pensez aller à Taïpeh pour cette mission, Harry? demanda Jimmy, qui pour la première fois semblait manifester un vague intérêt.

Harry eut comme un pressentiment.

– Vous et Maggie vous ne seriez pas de Taïpeh?

Mais oui! Qui racontait que Tim Underhill vivait encore à Singapour? Harry était allé à Taïpeh en permission, et il imaginait bien Tim Underhill élisant domicile dans cette ville, crasseux mélange de Chinatown et de Dodge City. On avait médit de la justice divine : elle n'avait cessé de veiller sur lui. Tout était tracé d'avance, écrit. Dieu avait tout prévu.

Harry s'installa plus confortablement sur son tabouret, commanda un autre martini et repoussa à vingt minutes plus tard son entretien avec son ancienne femme; Jimmy Lah se mit alors à lui décrire par le menu la vie nocturne dans la capitale de Taiwan.

Jimmy posa devant lui une tasse de café fumant; Harry plia le napperon dans la poche de sa veste de complet et lança un coup d'œil aux démons en colère. Il vit un enfant courir vers lui le couteau levé, et son cœur se mit à battre plus vite. Il sourit et se brûla la langue avec le café chaud.

2

Quelques instants plus tard, Harry se tenait devant la cabine téléphonique située à côté des toilettes des hommes, dans un étroit corridor du sous-sol. Il tenta d'abord de joindre son ancienne femme à la galerie d'art Maria Farr, qui était installée à Soho, au rez-de-chaussée d'un ancien entrepôt. Pat Caldwell Beevers et Maria Farr avaient fait leurs études dans la même école privée, et lorsque la galerie avait semblé battre de l'aile, Pat l'avait renflouée, au titre de ses bonnes œuvres. (Lorsque sa femme avait commencé à s'occuper de cette galerie d'art, Harry avait dû supporter un certain nombre de dîners en compagnie d'artistes dont les œuvres consistaient en tuyaux rouillés disposés au hasard sur le sol, en une rangée de plaques d'aluminium posées sur chant, en colonnes roses incrustées de verrues, qui lui faisaient penser à de gigantesques érections. Il n'arrivait toujours pas à croire que ceux qui perpétraient de telles blagues d'adolescents pussent gagner véritablement de l'argent.)

Ce fut Maria Farr elle-même qui répondit au téléphone. C'était mauvais signe.

– Ah, comme ça fait plaisir d'entendre à nouveau ta voix, dit-il. C'est moi.

En réalité, le son de sa voix, toutes ces consonnes dures comme des cailloux lui rappelaient combien elle lui déplaisait.

– Je n'ai rien à te dire, Harry.

– C'est certainement mieux pour tous les deux. Pat serait-elle encore à la galerie ?

– Même si c'était le cas, je ne te le dirais pas.

Et elle raccrocha.

Un coup de fil aux Renseignements, et il obtint le numéro de *Rilke Street*, la revue littéraire, autre bénéficiaire des bonnes œuvres de Pat. Les bureaux de la rédaction, dans Duane Street, étaient en fait l'appartement du directeur, William Tharpe. Harry ayant passé moins de temps avec Tharpe et ses rédacteurs désargentés qu'avec Maria Farr et ses artistes, Tharpe avait toujours plus ou moins jugé Harry sur les apparences.

– Bonjour, William Tharpe à l'appareil.

– Billy, mon vieux, comment allez-vous ? Harry Beevers à l'appareil, l'ancien mari préféré de votre égérie. J'espérais la trouver là.

– Vous avez de la chance. Pat et moi sommes en train de mettre la dernière main au numéro trente-cinq. Ça sera un numéro magnifique. Vous venez nous rejoindre ?

– Si je suis invité. Est-ce que vous croyez que je pourrais parler à la chère Patricia ?

Une seconde plus tard, l'ancienne femme de Harry avait pris le combiné.

– Comme c'est gentil à toi d'appeler, Harry. Je pensais justement à toi. Ça se passe bien ?

Ainsi elle savait que Charles l'avait viré.

– Oui, oui, très bien, tout va très bien. Je me sens d'humeur à faire la fête. Que dirais-tu d'un verre après le dîner, après que tu auras fini de jouer au docteur avec le vieux Billy ?

Pat échangea quelques mots (inaudibles pour Harry) avec William Tharpe, puis ôta sa main du micro.

– D'accord, Harry : dans une heure.

– Décidément, je t'adorerai toujours, dit-il, et Pat raccrocha précipitamment.

3

Harry offrit une bouteille de Dom Perignon à William Tharpe, qui se confondit en remerciements, et passa cinq ou dix minutes à évoquer hypocritement la prochaine livraison de *Rilke Street*. Puis il emmena Pat Caldwell Beevers dîner au restaurant, une Pat Caldwell grisonnante, au visage ingrat, qui plus que jamais lui faisait l'effet d'un chien de berger anglais qui aurait passé sa vie à rêvasser auprès de lui ; il l'emmena dans un restaurant à la mode, un de ces endroits qu'à la suite de Tim Underhill il appelait une « pissotière BCBG ». Les murs étaient laqués de rouge. Sur chaque table, était disposée une lampe discrète avec un abat-jour en cuivre. Des serveurs empâtés rôdaient autour des tables. Harry songeait à Maggie Lah, à sa peau dorée, à ses seins menus mais sans aucun doute accueillants. En même temps, il élaborait différents scénarios nécessaires concernant sa « mission ». Pat, elle, souriait, et semblait apprécier le vin, la soupe, le poisson, mais elle devait bien se douter qu'il mentait. Comme Jimmy Lah, elle lui demanda comment allait Michael, quelle tête il avait, et Harry répondait, bien, bien, il va bien. Les sourires de Pat lui semblaient empreints de regrets : était-ce pour lui, pour Michael Poole, pour elle-même ? Il n'aurait su le dire. Lorsque le moment fut enfin venu de lui demander de l'argent, elle dit seulement : « Combien ? » Environ deux mille dollars. Elle fouilla dans son sac, en sortit son chéquier et son stylo, et, le visage parfaitement impassible, lui fit un chèque de trois mille dollars.

Elle lui tendit le chèque. De joue à joue, son visage était marbré par une bande rouge que Harry jugeait fort déplaisante.

– Je considère évidemment ça comme un prêt, dit-il. Tu fais beaucoup de bien avec cet argent, Pat, et je suis sérieux quand je te dis ça.

– Alors c'est pour le compte du gouvernement que tu pars à la recherche de cet homme, pour voir s'il est vraiment un assassin ?

– En résumé, disons que c'est ça. Bien sûr c'est aussi une opération semi-privée, ça dépendra de la façon dont je négocierai les droits pour le livre, les films, etc. Tu vois donc qu'il ne faut en parler à personne.

– Bien entendu.

– Bon, je sais que tu as toujours su lire entre les lignes, mais...

Il laissa la phrase en suspens quelques instants avant de poursuivre.

– ... je mentirais si je te disais que cette affaire est sans danger.

– Oui, oui, j'imagine.

– Peut-être vaudrait-il mieux ne pas partir dans cet état d'esprit, mais si je ne devais pas revenir vivant, je voudrais être enterré au cimetière militaire d'Arlington.

Elle hocha la tête.

Harry releva la tête et chercha des yeux le serveur.

Il fut surpris lorsqu'il l'entendit dire :

– Il y a des moments où je regrette encore que tu sois allé au Vietnam.

– Où est le problème ? Je suis comme je suis, j'ai toujours été comme ça, c'est tout.

Ils se séparèrent devant le restaurant.

Après avoir fait quelques pas sur le trottoir, Harry se retourna en souriant, sachant que Pat le regardait s'éloigner. Mais elle marchait sans se retourner, les épaules voûtées, son sac trop rempli se balançant à son côté.

Il se rendit à sa banque et pénétra dans le hall au moyen de sa carte magnétique. Puis il se servit du guichet automatique pour déposer le chèque de Pat et un autre qu'il avait obtenu le même jour, et retira également quatre cents dollars en liquide. Il acheta un numéro de

Screw dans un kiosque du coin de la rue, et le plia sous son bras de façon à ce que personne ne pût lire le titre. Puis dans le froid, il gagna son studio de la 24ᵉ Rue. Ce studio, il l'avait pris peu de temps après que Pat lui eut dit avec une détermination qu'elle n'avait jamais eue au cours de leur mariage, qu'elle allait demander le divorce.

7

CONOR AU TRAVAIL

1

C'était drôle, se disait Conor, comme les vieilles histoires ne cessaient de refaire surface, comme si le Vietnam avait été sa vraie vie et que tout ce qui s'était passé depuis n'en avait été que les dernières lueurs. Difficile pour lui de garder le présent à l'esprit... le *à l'époque* ne cessait de faire irruption, même physiquement. Quelques jours auparavant, un vieil homme lui avait montré innocemment une photo prise par Cotton, et représentant Tim Underhill, le bras passé autour des épaules d'une de ses « fleurs ».

Il était quatre heures de l'après-midi, et Conor était au lit, avec sa plus sérieuse gueule de bois depuis l'inauguration du monument aux morts. On croit en général qu'en vieillissant on devient plus capable d'encaisser les coups durs de la vie, mais l'expérience lui avait appris que c'était plutôt le contraire.

Trois jours plus tôt, Conor travaillait comme menuisier sur un chantier prévu pour durer cinq semaines : de quoi payer son loyer au moins jusqu'à ce que Harry et Michael aient organisé le voyage à Singapour. L'immense maison où il travaillait se trouvait sur Mount Avenue, dans Hampstead, à dix minutes seulement du minuscule appartement de Conor dans South Norwalk, un appartement tellement dépourvu de mobilier que cela en était presque comique. Le propriétaire de la maison de Mount Avenue, un milliardaire d'une soixantaine d'années du nom de Charles Daisy (« appelez-moi Charlie »), venait de se remarier pour la troisième fois, et pour les beaux yeux de la nouvelle épousée, il refaisait entièrement le rez-de-chaussée : cuisine, salon, salle du petit déjeuner, salle à manger, fumoir, boudoir, buanderie et appartements des domestiques. L'entrepreneur de Daisy, un vieil homme à barbe blanche du nom de Ben Roehm, avait engagé Conor lorsqu'il s'était aperçu que son équipe ne suffirait pas à la tâche. Depuis quelques années, Conor avait déjà travaillé trois ou quatre fois avec Ben Roehm. Comme de nombreux menuisiers qui traitaient le bois avec respect, Roehm s'emportait parfois, et il était sujet à des sautes d'humeur, mais on sentait que pour lui, la menuiserie ce n'était pas seulement une façon de gagner de l'argent. Pour Conor, travailler avec Ben Roehm ce n'était déjà presque plus du travail.

Le premier jour, Charlie Daisy rentra chez lui plus tôt que de coutume et trouva Conor et Ben Roehm occupés à poser un parquet en chêne dans le salon. Il les observa pendant un long moment. Conor commençait à se sentir gêné. Peut-être le client n'aimait-il pas son allure. Obligé de se tenir à quatre pattes toute la journée, Conor, pour éviter la douleur, s'était enveloppé les genoux d'épaisses couches de chiffons. En outre, pour éponger la sueur, il avait noué un bandeau autour de son front. (Le bandeau lui faisait penser à Tim Underhill et à ses « fleurs ».) Conor se disait que peut-être son allure était trop négligée pour Charlie Daisy, aussi ne fut-il pas surpris lorsque celui-ci s'approcha de lui et toussota pour attirer son attention. Conor et Roehm échangèrent un regard rapide. Les clients, surtout ceux de Mount Avenue, ont parfois de drôles de lubies.

– Dites donc, jeune homme.

Conor leva les yeux ; il était à quatre pattes, et il avait le sentiment pénible de se retrouver face au milliardaire comme un chien devant son maître.

– Vous êtes allé au Vietnam, n'est-ce pas ? Je ne me trompe pas ?

– C'est vrai, répondit Conor, qui voyait déjà venir les ennuis.

– Vous êtes un brave homme, dit-il en lui serrant la main. Je savais que je ne m'étais pas trompé.

Il apparut que le nom de son fils unique figurait sur le monument aux morts : il avait été tué à Hué au cours de l'offensive du Têt.

Pendant quinze jours, ce fut pour Conor l'un des chantiers les plus agréables de sa vie. Tous les jours ou presque, il apprenait quelque chose de Ben Roehm, de petites choses qui tenaient autant à la concentration et au respect du travail qu'à la technique proprement dite. Quelques jours après avoir serré la main de Conor, Charlie Daisy fit son entrée dans la pièce avec à la main une boîte en daim gris et un album de photos en cuir. Conor et Roehm montaient une nouvelle cloison dans la cuisine qui ressemblait à un champ de bataille : sol éventré, fils électriques et tuyaux jaillissant de partout. Daisy se fraya un chemin jusqu'à eux :

– Jusqu'à mon nouveau mariage, c'était là ma seule consolation.

Dans la boîte, se trouvaient les médailles de son fils. Couchées sur du satin on pouvait voir la Purple Heart, une Bronze Star et une Silver Star. Quant à l'album, il contenait un grand nombre de photos du Vietnam.

Le vieux Daisy se mit à bavarder, montrant de temps à autre des chars M-48 recouverts de boue, des adolescents au torse nu, les bras passés sur les épaules de leurs camarades. Le voyage dans le temps n'est pas fait de rien, se disait Conor. Il regrettait que le vieil avocat n'eût pas eu la délicatesse de se taire et de laisser les images parler d'elles-mêmes.

Parce que ces photos parlaient. Hué se trouvait dans la zone du 1er corps d'armée, celui où servait Conor, et tout ce qu'il voyait à présent lui était familier.

Là, c'était la vallée d'A Shau, des montagnes disposées en plis successifs, et une colonne d'hommes escaladant la colline, pataugeant dans une boue qu'il connaissait bien. (Dengler : *Je marche dans la vallée de A Shau, oui, mais je ne redoute rien, parce que c'est moi le plus cinglé de toute la vallée.*) Des soldats, des gamins, qui faisaient le signe de la paix dans une clairière, l'un d'entre eux qui portait un pansement crasseux autour de son bras nu. Au lieu du visage du garçon, Conor voyait celui de Dengler, rayonnant et joyeux.

Un visage mal rasé, hagard, qui s'efforçait de sourire au-dessus du canon d'une M-60 montée sur un gros Huey vert. Peters et Herb Recht étaient morts dans un hélicoptère identique à celui-là, qui avait répandu du plasma, des cartouchières et six autres hommes à flanc de colline, à vingt bornes de Camp Crandall.

Conor observait les cylindres disposés dans la cartouchière de la M-60.

– J'ai l'impression que vous reconnaissez l'hélicoptère, dit Daisy.

Conor approuva d'un signe de tête.

– Vous avez dû en voir beaucoup, à l'époque ?

C'était une question, mais une fois encore, il ne put faire autrement que hocher la tête.

Deux jeunes soldats, à l'allure si fraîche qu'ils ne devaient pas être arrivés au front depuis plus d'une semaine, étaient assis sur une petite butte herbeuse et portaient leurs gourdes à leurs lèvres.

– Ces garçons ont été tués avec mon fils, dit Daisy.

Un vent humide ébouriffait leurs cheveux courts. Des bœufs maigres erraient dans le champ dévasté derrière eux. Conor sentait le goût du plastique dans sa bouche... ce goût caillé, ce goût de mort de l'eau chaude dans la gourde en plastique.

Avec le ton inspiré et naïf d'un homme qui se parle plus à lui-même qu'il ne parle à ses auditeurs, Daisy commentait l'image d'hommes transportant sur le toit d'un bâtiment des obus de 3,5 pouces, de simples soldats paressant devant une cabane en planches qui n'allait pas tarder à devenir le quartier général du première classe Wilson Manly, de soldats fumant de l'herbe, de soldats endormis dans un terrain vague poussiéreux qui ressemblait aux banlieues de LZ Sue, de soldats nu-tête, souriants, posant aux côtés de Vietnamiennes impassibles...

– Là, il y a un type, je ne sais pas qui c'est, dit Daisy.

Lorsque Conor eut reconnu le visage, il put à peine écouter les paroles de l'avocat.

– Un grand gaillard, hein ? J'imagine bien ce qu'il va faire avec cette gamine.

L'erreur était compréhensible. Sa nouvelle femme devait avoir réveillé les ardeurs sexuelles du bonhomme, sinon pourquoi serait-il rentré chez lui à quatre heures et demie de l'après-midi ?

Tim Underhill, foulard autour du cou, était le grand soldat de la photographie. Et la « fille » était une de ses « fleurs », un jeune homme d'allure si féminine qu'il aurait aussi bien pu être une vraie femme. Souriant au photographe, ils se trouvaient dans une rue étroite encombrée de Jeeps et de pousse-pousse, dans une ville qui aurait pu être Da Nang ou Hué.

– Ça va, mon garçon ? Ça va ? demandait Daisy.

Un instant, Conor se demanda si Daisy accepterait de lui donner la photo d'Underhill.

– Vous avez l'air un peu pâle, mon garçon.

– Ne vous inquiétez pas, ça va bien.

Ce fut à peine s'il regarda les autres photographies.

– On ne connaît bien que ce qu'on a vécu, murmura Conor. Impossible d'oublier ce merdier.

Puis Ben Roehm décréta qu'il leur fallait un ouvrier de plus pour poser le Placoplâtre dans la cuisine, et il engagea Victor Spitalny.

Conor était arrivé quelques minutes en retard à son travail. Lorsqu'il pénétra dans la cuisine en chantier, il aperçut un inconnu, de longs cheveux blonds ramenés en queue de cheval, qui examinait le cadre délimitant la nouvelle cloison. L'homme portait un pull-over effiloché à col roulé sous une chemise écossaise. Un gros ventre de buveur de bière surplombait une vieille ceinture à outils. Il arborait une croûte récente en haut du nez, entre les deux sourcils, et des croûtes plus anciennes, de couleur brunâtre, sur les phalanges de la main gauche. Le blanc de ses yeux était strié de veinules rouges. Un souvenir affleura à la mémoire de Conor : l'odeur de la merde arrosée de kérosène en train de brûler.

Ben Roehm, les menuisiers et les peintres étaient assis par terre, buvant le café de leurs thermos.

– Conor, je te présente Tom Woyzak, il posera le placo avec toi, dit Ben.

Woyzak examina un instant la main de Conor avant de la serrer.

Allez, buvez-moi ça, se rappela Conor, *ça va vous faire guili-guili dans les boyaux.*

Toute la matinée, ils posèrent silencieusement leur Placoplâtre aux deux extrémités de la cuisine.

Vers onze heures, Mme Daisy fit son apparition avec un pot de café. Après son départ, Woyzak grommela :

– T'as vu comment elle m'a regardé ? Avant la fin du chantier, je parie que je la saute dans sa piaule, cette salope.

– Oui, oui, c'est sûr, dit Conor en riant.

Woyzak traversa instantanément la pièce, renversant au passage sa tasse de café fumant. Il approcha son visage de celui de Conor, babines retroussées.

– Te fous pas dans mon chemin, connard, sans ça j' t'aplatis.

– Du balai ! dit Conor en le repoussant.

Conor s'apprêtait à lancer une feinte au visage et à écraser la pomme d'Adam du cinglé d'un direct du gauche, mais l'homme lui tourna brusquement le dos, comme s'il avait risqué de se salir au contact de Conor.

A la fin de la journée, Woyzak jeta sa ceinture dans un coin de la cuisine et observa silencieusement Conor qui rassemblait ses outils pour les amener chez lui.

– Toi, t'es pas un mec très net, dit-il.

Conor referma d'un coup sec sa boîte à outils.

– Tu as beaucoup d'amis, Woyzak ?

– Tu crois que ces gens vont t'accepter ? Eh bien ! tu te trompes.

– Laisse tomber, dit Conor en se levant.

– Alors comme ça, toi aussi t'étais là-bas ? demanda Woyzak en cherchant à mettre le moins de curiosité possible dans sa question.

– Ouais.

– Employé de bureau ?

Furieux, Conor secoua la tête et se détourna.

– Dans quelle unité t'étais ? demanda Woyzak.

– 24e d'infanterie ; 9e bataillon.

Le rire de Woyzak retentit comme le vent balayant une allée de graviers. Conor ne se retourna pas avant d'être en sûreté hors de la maison.

Il demeura un long moment assis sur sa moto, le regard rivé sur les dalles de pierre noire de l'allée, s'efforçant de ne penser à rien. L'air et le ciel étaient aussi sombres que le gravier. Le vent froid lui giflait le visage. Il sentait des cailloux pointus s'enfoncer dans la semelle de ses bottes.

Pendant un moment, Conor crut qu'il allait faire démarrer sa Harley et rouler, dans un brouillard de vitesse et de distance, rouler sans s'arrêter pendant des centaines de kilomètres. La vitesse lui donnait une plaisante sensation de légèreté, de vide. Il voyait les autoroutes défiler devant lui, les enseignes au néon des motels, les hamburgers grillant sur les barbecues le long des routes.

Perché sur sa moto, dans l'air froid, il entendit les portes claquer à l'intérieur de la maison, et la voix grave de Ben Roehm.

Il aurait voulu que Mike Poole l'appelle pour lui dire : *Ça y est, on part, mon mignon, fais tes bagages et rejoins-nous à l'aéroport.*

Ben Roehm ouvrit la porte et observa Conor. Puis il s'avança sur le seuil et enfila sa lourde veste en coton fourré.

– A demain ?

– J'ai pas d'autre endroit où aller, dit Conor.

Ben Roehm hocha la tête. Conor fit bruyamment démarrer sa Harley d'un coup de démarreur et s'éloigna au moment où le reste de l'équipe franchissait la porte.

Pendant trois ou quatre jours, Woyzak et Conor s'ignorèrent. Charlie Daisy finit par deviner que Woyzak était lui aussi un vétéran, et il ressortit sa boîte de médailles et son album de photos ; Conor posa alors ses outils et partit faire un tour. Impossible de rester là tandis que Thomas Woyzak regarderait les photos de Tim Underhill.

La nuit précédant ce qui allait être son dernier jour de chantier, Conor se réveilla à quatre heures du matin : il venait de faire un cauchemar mettant en scène M.O. Dengler et Tim Underhill. A cinq heures, il se leva. Il se prépara une cafetière et la but presque entièrement avant de se rendre à son travail. Toute la matinée, des écharpes de rêve s'accrochaient à lui.

Il est tapi dans un bunker en compagnie de Dengler et ils sont soumis à un feu roulant. Underhill doit se trouver dans un coin sombre du même bunker, ou dans un autre juste à côté, car sa voix forte, qui ressemble un peu à celle de Ben Roehm, couvre en partie le bruit de la fusillade.

Il n'y avait pas de bunkers dans la vallée du Dragon.

Le corps du lieutenant est appuyé sur l'une des parois du bunker, les jambes étendues. Dégoulinant d'une blessure bien nette à la gorge, le sang a largement teinté de rouge sa poitrine.

« Dengler ! dit Conor dans son rêve. Dengler, regarde le lieutenant ! Ce salaud-là nous a foutus dans la merde, et maintenant il est mort ! »

Une nouvelle lueur illumine le ciel, et Conor aperçoit une carte Koko sortant de la bouche du lieutenant Beevers.

Conor pousse légèrement Dengler par l'épaule, et le corps de Dengler roule sur le sol : son visage est mutilé, et entre ses dents est glissée une carte Koko. Conor hurle, à la fois dans le rêve et dans la réalité, et se réveille.

Conor arriva trop tôt au chantier et dut attendre les autres dehors. Quelques minutes plus tard, Ben Roehm fit son apparition au volant de sa camionnette ; il était accompagné de deux ouvriers de l'équipe qui habitaient dans son quartier. Ces hommes avaient des enfants et un loyer à payer, mais ils étaient trop jeunes pour avoir connu le Vietnam. En les regardant descendre de la camionnette, Conor se rendit compte qu'il éprouvait une manière de sentiment paternel à l'égard de ces jeunes et robustes menuisiers ; ils n'avaient pas l'expérience qui leur aurait permis de comprendre la différence qu'il y avait entre Ben Roehm et la plupart des entrepreneurs de la région.

– Ça va, ce matin, Red ? demanda Roehm.

– Ça roule !

Woyzak arriva quelques instants plus tard dans une longue voiture recouverte d'une peinture d'apprêt noire, et de laquelle il avait ôté toute garniture extérieure, y compris les poignées de portière.

Une fois au travail, Conor s'aperçut que Woyzak, qui avait couvert deux fois plus de surface que lui, avait travaillé comme pour un patron pressé de finir un décor en carton-pâte. Ben Roehm était un perfectionniste en matière de travail, et pour lui, il fallait planter les clous correctement et de façon uniforme. Le travail de Woyzak semblait aussi rustique que sa voiture. Sur le placo, il y avait des bosses et des creux qui demeureraient visibles même après un enduit et deux couches de peinture.

Woyzak remarqua le regard critique de Conor.

– Y a quèque chose qui va pas ?

– Disons plutôt qu'y a rien qui va. Tu as déjà travaillé pour Ben avant ?

Woyzak posa ses outils et s'avança sur Conor.

– Dis donc, espèce d'enculé de rouquin, t'es en train de dire que je sais pas bosser ? En fait, tu crèves de jalousie parce que je bosse mieux que toi ! Et si t'es encore sur le chantier, c'est parce que tu t'es extasié sur les photos du vieux. Le pacha y veut que les civils y soient heureux !

Le pacha ? se dit Conor. Les civils ? Ma parole, mais il se croit encore à l'armée !

– Mais c'est son fils qui a pris ces photos, dit-il.

– Tu parles, c'est un nègre nommé Cotton qui les a prises.
– Oh, putain...
Conor eut brusquement besoin de s'asseoir.
– Cotton était dans la compagnie du fils Daisy. Le gamin s'est débrouillé pour avoir des tirages de ces photos... espèce de couillon.
– Je connaissais parfaitement Cotton, dit Conor. J'étais avec lui quand il les a achetées.
– Et moi je m'en fous de savoir qui a pris ces photos... je me fous de savoir s'il est vivant, ou mort, ou entre les deux. Et je me fous de savoir si les gens d'ici te considèrent comme une sorte de héros, parce que moi, rien que de te voir, j'ai envie de gerber !
Woyzak fit encore un pas en direction de Conor, et celui-ci lut dans les yeux de l'homme une immense misère mêlée à la rage.
– Tu m'entends ? Moi je suis resté au combat pendant vingt et un jours, mec, vint et un jours et vingt et une nuits !
– Il faudrait faire quelque chose pour rattraper les bosses sur le placo, c'est tout ce que...
Mais déjà Woyzak ne le regardait plus. Ses yeux s'étaient rétrécis à la largeur d'une fente.
– Espèce d'enculé !
– Tiens, je croyais que t'aimais bien le cul.
– Je connais mon boulot, tu entends ?
Ben Roehm interrompit la scène d'un violent coup de poing assené sur un panneau de Placoplâtre. Cafetière en main, Mme Daisy se tenait derrière l'entrepreneur.
Woyzak adressa un faible sourire à l'épouse du client.
– Ça suffit ! dit Roehm.
– Je peux pas travailler avec ce trou du cul, lança Woyzak avec un grand geste des deux mains.
– Ce type me cherche, protesta Conor.
– Charlie aurait une attaque s'il entendait un tel langage dans sa maison, dit la maîtresse des lieux. Il n'en a peut-être pas l'air, mais il est très vieux jeu.
– Bon, alors, qui sait travailler, ici ? demanda Woyzak en ramassant son cutter et sa brosse. (Son regard avait retrouvé son aspect normal.) Moi, j'ai seulement envie de travailler.
– Mais regarde comment il travaille, bon sang !
Ben Roehm dit alors à Conor, avec une certaine solennité, qu'ils devaient avoir une conversation.
Il emmena Conor dans la salle du petit déjeuner, encore dévastée. Au moment où ils quittaient la cuisine, Conor entendit Woyzak murmurer quelques mots évocateurs à Mme Daisy, qui pouffa.
Une fois arrivés dans l'autre pièce, Ben Roehm enjamba un trou dans le plancher et s'adossa à un mur nu.

– Ce garçon est le mari de ma nièce Ellen. Il a passé de mauvais moments au Vietnam, et j'essaye de l'aider. T'as pas besoin de me dire qu'il bosse comme un matelot qui aurait pas dessoûlé depuis trois jours... je le sais très bien, mais j'essaye de faire ce que je peux pour lui.

Il regarda Conor mais détourna rapidement le regard.

– T'es un bon ouvrier, Red. C'est tout ce que je peux te dire.

– Et moi, bien sûr, au Vietnam je suis allé pique-niquer, c'est ça ?

Conor hocha la tête mais n'ajouta plus un mot.

– Je vais te donner deux jours de paye supplémentaire. Et puis pour l'été, il y aura un autre chantier.

L'été, cela faisait encore loin, mais Conor répondit :

– T'inquiète pas pour moi, j'ai quelque chose en vue. Je dois aller faire un voyage.

Roehm prit gauchement congé de lui :

– Traîne pas trop dans les bars.

2

Lorsque Conor fut de retour à Water Street, dans South Norwalk, il se rendit compte qu'il ne se rappelait rien de ce qui s'était passé depuis qu'il avait quitté Ben Roehm. Il avait l'impression de s'être endormi en montant sur sa Harley et de s'être réveillé en la posant devant son immeuble. Il se sentit fatigué, vide, déprimé. Comment avait-il fait pour ne pas avoir d'accident, alors qu'il avait conduit tout ce temps en état second ? Il ne comprenait pas pourquoi il était encore en vie.

Il jeta un regard routinier dans sa boîte aux lettres. Au milieu de l'habituel courrier publicitaire adressé aux « habitants » de son immeuble, et des appels lancés par les politiciens du Connecticut, il remarqua une longue enveloppe blanche portant le tampon de New York.

Il prit tout son courrier, et une fois dans son appartement jeta la littérature à la corbeille et prit une bière dans son réfrigérateur. Au-dessus de l'évier de la cuisine, le miroir lui renvoya l'image d'un visage aux traits tirés, avec des rides sur le front et des cernes sous les yeux. Il avait l'air malade... vieux et malade. Conor alluma la télévision, jeta sa veste sur l'unique chaise de la pièce et se laissa tomber sur son lit. Il avait retardé cet instant le plus possible, mais le moment était venu : il ouvrit l'enveloppe blanche. Elle contenait un rectangle de papier bleu. Conor sortit le chèque de l'enveloppe et l'examina. Après un moment d'incrédulité, il relut le montant qui était inscrit : deux mille dollars, payables à Conor Linklater, et c'était signé Harold J. Beevers. Il reprit l'enveloppe déposée sur sa poitrine et regarda à nouveau à l'intérieur : il y avait un billet. *Tout marche bien ! Je t'avertirai pour le voyage. Amitiés, Harry (Beans !).*

3

Conor contempla le chèque longtemps, très longtemps, puis après l'avoir replacé dans l'enveloppe avec le petit mot de Harry, il chercha un endroit où le mettre en sûreté. S'il posait l'enveloppe sur la chaise, il risquait de s'asseoir dessus, et s'il la mettait dans le lit, il risquait de l'oublier dans les draps et de fourrer le tout dans la machine à laver de la laverie automatique. S'il la posait sur la télévision, il risquait, un soir de soûlerie, de la jeter négligemment à la corbeille. Finalement, Conor se décida pour le réfrigérateur. Il se leva, gagna le réfrigérateur et plaça l'enveloppe sur une étagère vide, juste au-dessous d'un pack de six Molson's Ale.

Il s'aspergea ensuite le visage d'eau, aplatit ses cheveux sur son crâne au moyen d'une brosse, puis enfila le pantalon de velours côtelé et la veste de jean noir qu'il portait à Washington.

Il se rendit ensuite chez Donovan et but quatre alcools bien raides dans le bar désert. Était-il heureux d'avoir reçu l'argent du voyage ou malheureux d'avoir perdu son travail ? A moins que la rage d'avoir perdu son travail à cause de ce trou du cul de Woyzak ne l'emportât chez lui sur la joie d'avoir reçu l'argent ? Il débattit longuement de cette question et finit par décréter qu'il était plus heureux que misérable, ce qui valait bien un cinquième verre.

Le bar finit par se remplir. Conor observa pendant un certain temps une fort jolie femme et finit par se traiter lui-même de lâche. Il descendit donc de son tabouret pour aller lui parler. Elle suivait un stage de quelque chose qui avait à voir avec les ordinateurs. (A certains moments de la soirée, soixante pour cent des femmes présentes au Donovan suivaient un stage d'informatique.) Ils prirent quelques verres ensemble, puis Conor lui demanda si elle aimerait voir son drôle de petit appartement. Elle lui répondit qu'il était un drôle de petit bonhomme et accepta.

– Toi, tu es un vrai pantouflard, on dirait, lui dit la fille lorsque Conor eut allumé la lumière de son appartement.

Après qu'ils eurent fait l'amour, la fille lui demanda ce qu'étaient toutes ces taches sur son dos et sur son ventre.

– C'est l'Agent orange. J'aurais aimé leur apprendre à se balader sur mon corps, à prononcer des mots, des trucs comme ça...

Il se réveilla, seul, avec une sérieuse gueule de bois, en songeant à Tim Underhill ; il aurait aimé parler à Michael Poole de l'Agent orange.

8

LE DR POOLE TRAVAILLE ET JOUE

1

– Bon, voilà, dit Michael. Il y a un colloque médical à Singapour en janvier prochain, et les organisateurs proposent un tarif réduit pour le voyage.

Il leva les yeux de la revue qu'il était en train de lire, *American Physician*. Pour toute réponse, Judy serra les lèvres et se concentra résolument sur l'émission « Today » qu'elle regardait à la télévision. Elle prenait son petit déjeuner debout au comptoir de la salle à manger, tandis que Michael était assis tout seul à la longue table de la cuisine. Le comptoir de la salle à manger comme la table de la cuisine affectaient tous deux la forme d'un étal de boucher. Trois ans auparavant, Judy avait déclaré que leur cuisine était vieillotte, inutilisable et dégradante, et avait exigé une rénovation. Désormais, elle prenait tous ses petits déjeuners debout, séparée de lui par deux mètres cinquante de bois précieux.

– Quel est le sujet du colloque ? demanda-t-elle sans quitter des yeux la télévision.

– Le trauma en pédiatrie. Et c'est sous-titré : « Le trauma des pédiatres ».

Judy lui lança un regard mi-amusé mi-méprisant en mordant dans un toast croustillant.

– Tout devrait bien se passer. Avec un peu de chance, on devrait retrouver Underhill et régler toute cette affaire en une semaine ou deux. Et le billet permet de prolonger le séjour d'une semaine encore.

Judy s'obstinant à garder le silence devant son téléviseur, Michael lui demanda :

– Tu as écouté le message de Conor sur mon répondeur, hier ?

– Pourquoi veux-tu que j'écoute tes messages ?

– Harry Beevers a envoyé à Conor un chèque de deux mille dollars pour couvrir ses frais.

Pas de réponse.

– Conor n'en revenait pas.

– Tu crois qu'ils ont bien fait de donner la place de Tom Brokaw à Bryant Gumble ? J'ai toujours trouvé qu'à la télévision il ne faisait pas vraiment le poids.

– Moi je l'ai toujours bien aimé.

– Eh bien ! tu es servi.

Judy alla placer son assiette presque impeccable et sa tasse de café vide dans le lave-vaisselle.

– C'est tout ce que tu as à me dire ? demanda Michael.

Judy pivota sur ses talons. Visiblement, elle faisait un effort pour se contrôler.

– Oh, excuse-moi. Je suis autorisée à en dire davantage ? Tom Brokaw me manque, le matin. Tu sais pourquoi ? Eh bien c'est que parfois le vieux Tom m'excitait.

(Judy avait mis fin au côté physique de leur mariage quatre ans auparavant, en 1978, lorsque leur fils Robert – Robbie – était mort d'un cancer.)

– ... Cette émission ne me paraît plus aussi intéressante qu'avant. Comme bien d'autres choses, d'ailleurs. Mais enfin ce sont des choses qui arrivent, n'est-ce pas ? Il arrive aussi de drôles de choses aux maris de quarante et un ans.

Elle jeta un coup d'œil à sa montre et adressa un sourire de commande à Michael.

– Il ne me reste que vingt minutes pour arriver à l'école. Toi, tu choisis toujours ton moment.

– Tu n'as toujours rien dit à propos de ce voyage.

Elle soupira.

– Où crois-tu que Harry a trouvé l'argent qu'il a envoyé à Conor ? Pat Caldwell a téléphoné la semaine dernière, et m'a dit que Harry lui avait servi une histoire invraisemblable de mission pour le compte du gouvernement.

Michael demeura silencieux quelques instants.

– Bah ! Beevers aime bien se prendre un peu pour James Bond. Mais après tout, peu importe où il a trouvé l'argent.

– J'aimerais savoir pourquoi c'est si important pour toi d'aller à Singapour avec des cinglés pour rechercher un autre cinglé.

Judy tripotait fébrilement le bas de sa veste brodée, et l'espace d'un instant, elle lui rappela Pat Caldwell. Elle n'était pas maquillée, et ses courts cheveux blonds étaient striés de fils d'un gris cendreux. Puis elle lui lança son premier regard honnête de la matinée.

– Et ta patiente préférée ?

– On verra. Je lui en parlerai cet après-midi.

– Et tes confrères s'occuperont de tous les autres, j'imagine.

– Trop contents.

– Et pendant ce temps-là, toi tu es content d'aller faire mumuse en Asie.

– Pas pour longtemps.

Judy baissa les yeux et sourit avec une telle amertume, que Michael en eut l'estomac retourné.

– J'ai besoin de voir si Tim Underhill a besoin d'aide. Le boulot n'est pas fini.

– A la guerre, on tue des gens. Y compris des enfants. La guerre c'est fait pour ça. Et quand c'est fini, c'est fini. C'est comme ça que je vois les choses.

– Je crois que de ce côté-là, les choses ne finissent jamais vraiment, dit Michael.

2

C'est vrai, Michael Poole avait tué un enfant à Ia Thuc. Les circonstances n'étaient pas très claires, mais il avait tiré sur un petit garçon qui se tenait dans l'ombre, au fond d'une cabane, et l'avait tué. Michael n'avait aucune supériorité sur Harry Beevers, il était exactement comme Harry Beevers. Il y avait Harry Beevers et l'enfant nu, et il y avait lui et le petit garçon au fond de la cabane. Tout était différent sauf la fin, mais c'était la fin qui importait.

Quelques années auparavant, Michael avait lu dans un roman tombé depuis dans l'oubli, qu'aucune histoire n'existait sans son passé, et que c'était le passé d'une histoire qui nous permettait de la comprendre. C'était vrai pour la plupart des histoires racontées dans les livres. S'il était ce qu'il était à présent, un pédiatre de quarante et un ans traversant en voiture une banlieue, avec à côté de lui, sur le siège, un exemplaire de *Jane Eyre*, c'était en partie à cause du petit garçon qu'il avait tué à Ia Thuc, mais surtout parce qu'avant d'avoir quitté l'université, il avait rencontré une jolie fille étudiante en sciences de l'éducation nommée Judith Writzmann. Après son incorporation, Judy lui avait écrit deux ou trois fois par semaine, et Michael connaissait encore certaines de ces lettres par cœur. Dans l'une de ces lettres, elle lui disait vouloir un garçon comme premier enfant, et lui donner le nom de Robert. Michael et Judy étaient tels qu'ils étaient en raison de ce qu'ils avaient fait. Il avait épousé Judy, assassiné un enfant, et s'était mis à boire. Beaucoup. Judy l'avait aidé à terminer ses études de médecine. Robert – le tendre, le stupide, le magnifique Robbie – était né à Westchester, et avait vécu sa vie d'enfant, sans événements notables mais aussi tellement inestimable, dans cette ville de banlieue que sa mère adorait et détestait son père. Robbie avait été lent à parler, lent à marcher et lent à l'école. Michael avait alors compris qu'il se fichait éperdument que son fils n'allât pas à Harvard, ou même n'aille pas du tout à l'université. Il inondait de douceur toute la vie de son père.

Et puis, à cinq ans, les maux de tête de l'enfant le conduisirent dans l'hôpital où travaillait Michael : on y décela la première tumeur cancéreuse. Plus tard, on découvrit d'autres tumeurs : à la rate, au foie, aux poumons. Michael acheta à Robbie un lapin blanc que l'enfant baptisa Ernie, d'après un personnage de « Sesame Street ». Lors de ses périodes de rémission, Robbie promenait son lapin dans toute la maison comme il l'aurait fait d'un ours en peluche. La maladie de Robbie dura trois ans – des années qui semblaient avoir leur rythme à elles, leur durée propre, détachée du monde extérieur. Rétrospectivement, elles étaient passées à grande allure ; trente-six mois qui en avaient duré douze. Mais à l'époque, chaque heure avait duré une semaine, chaque semaine une année, et ces trois ans avaient emporté avec eux toute la jeunesse de Michael.

Mais à la différence de Robbie, il avait survécu. A l'hôpital, pour la lutte paisible précédant le dernier souffle, il avait bercé son fils dans ses bras ; à la fin, Robbie avait abandonné la vie avec beaucoup de facilité. Michael avait reposé son petit enfant mort dans son lit, et, presque pour la dernière fois, avait serré sa femme dans ses bras.

– Je ne veux pas voir cette saleté de lapin quand je rentrerai à la maison, lui avait-elle dit.

Ce qui voulait dire qu'elle voulait qu'il le tue.

Et il l'avait presque fait, bien que cet ordre ressemblât à celui de la méchante reine dans le conte. Il partageait la douleur de sa femme, et aurait pu être capable d'un tel acte. Mais il emmena le lapin en voiture à la lisière nord de Westerholm, dans un champ, ouvrit la porte de la cage et le laissa s'échapper. Ernie avait regardé autour de lui avec ses yeux doux (assez semblables à ceux de Robbie), et avait filé dans les bois.

En se garant sur le parking de l'hôpital Saint Bartholomew, Michael se rendit compte qu'il avait traversé presque tout Westerholm avec des larmes dans les yeux. Il avait négocié sept virages, observé quinze signaux *Stop* et huit feux de signalisation, et conduit dans l'intense circulation du périphérique de New York sans avoir clairement distingué ce qui se passait autour de lui. Il ne se souvenait pas avoir traversé la ville. Il avait les joues sèches, mais ses yeux étaient gonflés. Il tira son mouchoir de sa poche et s'essuya le visage.

« Arrête tes conneries, Michael », se dit-il en sortant de la voiture, l'exemplaire de *Jane Eyre* à la main.

De l'autre côté du parking se dressait un bâtiment couleur de terreau, avec des tourelles, des arcs-boutants, et une façade criblée d'une centaine de petites fenêtres.

Le principal travail de Michael à l'hôpital consistait à surveiller tous les bébés nés durant la nuit. Cela faisait deux mois que Stacy Talbot avait été transférée dans une chambre particulière, et depuis deux mois, une fois par semaine, Michael faisait durer aussi longtemps qu'il le pouvait l'examen des bébés.

Après avoir examiné le dernier enfant, puis s'être rendu à la maternité pour satisfaire une légitime curiosité à propos des mères dont il venait de voir les bébés, Michael se dirigea vers l'ascenseur. Il devait à présent se rendre au neuvième étage, ou « décharge à cancéreux », comme il l'avait entendu dire une fois par un interne.

L'ascenseur s'arrêta au troisième étage, et Sam Stein, un chirurgien orthopédiste que connaissait Michael, pénétra dans la cabine. Stein avait des épaules de catcheur, une belle barbe blanche, et il faisait quinze ou seize centimètres de moins que Michael. Bien qu'il dût lever la barbe pour regarder Michael, sa massive vanité était telle qu'il était persuadé de le regarder de haut.

Une dizaine d'années auparavant, il avait réalisé une véritable boucherie en opérant de la jambe un jeune patient de Michael, puis, avec agacement, avait qualifié d'hystérie les plaintes du garçon, qui se faisaient de plus en plus insistantes. Finalement, après avoir blâmé tous les médecins qui avaient traité l'enfant, et notamment Michael Poole, l'orthopédiste avait été obligé de l'opérer à nouveau. Ni Stein ni Michael n'avaient oublié l'incident, et Michael ne lui avait plus jamais envoyé de patient.

Michael parvint à la porte de Stacy Talbot sans rencontrer aucun des quelque soixante-dix médecins de Westerholm. (Il avait le sentiment qu'environ un quart de ceux-ci ne lui adressaient pas la parole. Certains d'entre eux trouveraient même à redire à sa présence à l'étage de cancérologie. Tout cela n'était que pratique médicale habituelle.)

Sam Stein devait probablement estimer que ce qui arrivait à Stacy Talbot relevait également de la pratique médicale habituelle. Mais pour Michael, cela ne pouvait que lui rappeler ce qui était arrivé à Robbie.

La chambre était plongée dans l'obscurité et il eut quelque peine à accommoder. Elle avait les yeux fermés. Il attendit un moment avant de s'approcher d'elle. Les volets étaient tirés et les lumières éteintes. Des fleurs venues de la boutique de l'hôpital, au rez-de-chaussée, se fanaient dans l'atmosphère sombre et confinée de la pièce. A peine visible derrière un enchevêtrement de tubes, la poitrine de Stacy se soulevait et s'abaissait régulièrement. Sur le drap, près de sa main, était posé un exemplaire de *Huckleberry Finn*. D'après l'emplacement du marque-page, elle avait presque achevé sa lecture.

Michael s'avança vers le lit, et elle ouvrit les yeux. Elle mit un moment à le reconnaître, puis elle lui sourit.

– Je suis contente que ça soit vous.

En fait, Stacy n'était plus sa patiente : la maladie gagnant peu à peu tout son corps et son cerveau, elle était passée d'un spécialiste à l'autre.

– Je t'ai apporté un nouveau livre, dit-il en le posant sur sa table.

Puis il s'assit à côté d'elle et lui prit doucement la main.

La peau déshydratée de Stacy était chaude. On apercevait chaque racine de ses sourcils bruns piquée dans la peau rougie. Elle avait perdu tous ses cheveux et portait une sorte de turban aux couleurs vives qui lui donnait l'air vaguement orientale.

– Vous croyez qu'Emmaline Grangerford avait le cancer ? lui demanda-t-elle. En fait, je crois que non. J'espère lire un jour un livre dans lequel il y aura quelqu'un comme moi, mais ça n'arrive jamais.

– Tu n'es pas vraiment un enfant ordinaire, dit Michael.

– Parfois je me dis que tout ça, ça ne m'arrive pas vraiment... je me dis que c'est moi qui ai tout inventé, qu'en fait je suis sur mon lit à la maison, et que j'ai fait tout ça pour ne pas aller à l'école.

Il ouvrit son dossier et parcourut le rapport sèchement rédigé de la catastrophe qu'elle vivait.

– Ils en ont trouvé une nouvelle.

– C'est ce que je vois.

– Je crois que je vais avoir un nouveau trou dans la tête.

Elle s'efforça, en vain, de lui adresser un sourire en coin.

– Pourtant, j'aime bien aller au scanner. C'est un voyage extraordinaire. On passe devant le bureau des infirmières ! Et puis tout le long du couloir ! Et puis l'ascenseur !

– C'est un vrai voyage, pour toi.

– Je suis tout le temps très faible, et je suis obligée de rester au lit pendant des jours et des jours.

– Avec autour de toi des femmes tout de blanc vêtues pour satisfaire tes moindres désirs.

– Hélas !

Puis les yeux de l'enfant s'agrandirent, et pendant un instant elle serra plus fort ses petits doigts brûlants contre les siens. Puis elle relâcha la pression.

– En général, c'est le moment où l'une de mes tantes me dit qu'elle va prier pour moi.

Michael sourit et lui étreignit la main.

– Dans ces moments-là, je me dis que celui qui est chargé d'écouter les prières, là-haut, doit en avoir marre d'entendre répéter mon nom sans arrêt.

– Je vais voir si l'une des infirmières ne pourrait pas te sortir de ta chambre de temps en temps. Tu as l'air d'aimer les voyages en ascenseur.

Pendant une seconde, Stacy eut l'air presque heureuse.

– Je voulais te dire que moi aussi je vais faire un voyage, dit Michael. Vers la fin janvier, je vais partir deux ou trois semaines.

Le visage de Stacy reprit son masque de souffrance.

– Je dois aller à Singapour, et peut-être aussi à Bangkok.

– Seul ?

– Avec deux autres personnes.

– Tout ça est très mystérieux. Je suppose que je devrais vous remercier de m'avoir prévenue.

– Je t'enverrai des centaines de cartes postales avec des charmeurs de serpents et des éléphants traversant les rues au milieu des pousse-pousse.

– Super. Moi je visite l'ascenseur et vous vous visitez Singapour. Ne vous occupez pas de moi.

– Je m'occuperai quand même de toi si j'en ai envie.

– Non, non ne vous forcez pas...

Elle détourna la tête.

– Je suis sérieuse, ne vous occupez pas de moi.

Michael avait l'impression que cette scène s'était déjà produite, exactement de la même façon. Il se pencha vers elle et lui caressa le front. Le visage de la jeune fille se crispa.

– Je regrette que tu sois fâchée avec moi, dit Michael, mais je viendrai te voir la semaine prochaine et nous en reparlerons.

– Comment est-ce que vous pouvez savoir ce que je ressens ? Je suis tellement bête ! Vous n'avez pas la moindre idée de ce qui se passe à l'intérieur de moi.

– Tu n'es pas forcée de me croire, mais j'ai quand même ma petite idée là-dessus.

– Vous avez déjà vu un scanner de ce qu'on ressent, docteur Poole ?

Michael se leva. Lorsqu'il se pencha pour l'embrasser, elle se tourna de l'autre côté.

Lorsqu'il quitta la chambre, elle pleurait. Michael s'arrêta quelques instants au bureau des infirmières avant de fuir l'hôpital.

3

Ce soir-là, Michael appela ses compagnons pour leur parler du vol charter qu'il avait trouvé.

– Génial ! s'exclama Conor. Inscris-moi.

– Remarquable, dit Harry Beevers. Je me disais bien que tu n'allais pas tarder à nous trouver quelque chose.

– Tu connais ma réponse, Mike, dit Tina Pumo. Il faut que quelqu'un garde la boutique.

– Ma femme n'a plus que ton nom à la bouche, dit Michael. Bon... est-ce qu'au moins tu veux bien essayer de nous trouver l'adresse de Tim Underhill ? Son éditeur est Gladstone House... là-bas il doit bien y avoir quelqu'un qui la connaît.

Ils convinrent d'aller boire un verre ensemble avant son départ.

4

Une nuit de la semaine suivante, Michael Poole rentrait chez lui en voiture, doucement ; il avait laissé New York derrière lui, et la tempête de neige faisait rage. Des voitures abandonnées, la plupart bosselées ou défoncées, étaient alignées le long de l'avenue comme des cadavres après une bataille. A une centaine de mètres devant lui, le gyrophare d'une voiture de police jetait ses lueurs : rouge-jaune-bleu-jaune-rouge. Les voitures avançaient lentement sur une seule file, à peine visibles, croisaient une haute ambulance blanche et des policiers agitant des bâtons lumineux. Pendant une seconde, Michael crut voir Tim Underhill sous la forme d'un immense lapin blanc, dressé dans la tempête de neige, et agitant une lanterne. Lui faisait-il signe de s'arrêter ? Lui éclairait-il la route ? Il se rendit compte, alors, que ce n'était qu'un arbre chargé de neige. Un rayon jaune lancé par la voiture de police traversa son pare-brise et balaya le siège avant.

9

A LA RECHERCHE DE MAGGIE LAH

1

Brusquement, tout semblait aller de travers. Tout s'effondrait autour de lui. Tina Pumo détestait le Palladium et le Mike Todd Room. Il détestait aussi Area, le Roxy, le CBGB, le Magique, le Danceteria et le Ritz. Maggie ne viendrait pas au Mike Todd Rom, ni d'ailleurs dans les autres clubs. Il pouvait bien rester planté au bar pendant des heures, jusqu'à s'écrouler : tout ce qu'il récolterait ce serait d'être piétiné par des centaines de gnomes noctambules se ruant sur leur bouteille de Rolling Rock.

La première fois qu'il pénétra dans la vaste salle du Palladium réservée aux cocktails d'entreprise et aux réceptions privées, il revenait d'une réunion épuisante avec les comptables du Saigon. Il portait son unique complet de flanelle grise, acheté avant la guerre du Vietnam, et qui était suffisamment étroit pour lui comprimer la bedaine. Tina erra au milieu de la foule à la recherche de Maggie. Il finit par se rendre compte que tout le monde lui lançait un regard mauvais avant de se détourner. Alors que la salle était pleine de monde, il s'était formé un espace vide autour de lui, comme un cordon sanitaire. Il entendit alors un rire derrière lui et se retourna pour voir s'il pouvait rire lui aussi de la plaisanterie : tout le monde le regardait, pétrifié. Il se dirigea alors vers le bar et réussit à capter le regard d'un jeune barman maigrichon, les yeux bordés de mascara, et une pelote de cheveux blonds hérissés au sommet du crâne.

– Je voudrais savoir si vous connaissez une fille nommée Maggie

Lah, dit Tina. J'ai rendez-vous avec elle ici ce soir. Elle est chinoise, de petite taille, jolie...

– Oui, je la connais, dit le barman. Elle viendra peut-être plus tard.

Et il battit en retraite à l'autre bout du comptoir.

Tina éprouva soudain un sentiment de haine intense pour Maggie. *Serai peut-être au Mike Todd, peut-être pas. La-La.* Ce message était un pied de nez. Il s'éloigna du bar à grands pas et se retrouva nez à nez avec une fille de seize ans environ, blonde, des étoiles peintes sur chaque joue, vêtue d'une robe noire moulante. C'était exactement son genre de fille.

– Je voudrais vous emmener chez moi, dit-il.

La fille ouvrit ses lèvres comme des pétales et dissipa ainsi le mystère de cette soirée :

– Je ne vais pas chez les flics des stups.

Cette scène avait eu lieu une semaine après Halloween. Pendant les deux semaines qui suivirent, il mit sa cuisine sens dessus dessous, et parvint à tenir la municipalité en échec. Chaque fois que les exterminateurs et lui démolissaient une portion de mur, il en jaillissait un million de cafards. Quand on en massacrait à un endroit, ils ressurgissaient ailleurs le lendemain. Longtemps, ils semblèrent concentrés derrière le fourneau. Pour que l'insecticide ne se dépose pas sur les aliments, le personnel de cuisine et lui isolèrent le fourneau au moyen de grandes feuilles de plastique transparent. Puis ils tirèrent l'énorme engin (qui faisait près de cinq cents kilos) au milieu de la pièce. Vinh, le chef cuisinier, se plaignait que sa fille et lui ne pouvaient pas dormir à cause des grouillements qu'ils entendaient dans les murs. Ils avaient récemment emménagé dans le « bureau » du restaurant, une petite pièce située en sous-sol, car la sœur de Vinh venait d'avoir un nouveau bébé et avait besoin de leur chambre dans sa maison du Queens. Dans le bureau, l'espace était d'ordinaire occupé par un bureau, un canapé et des boîtes de dossiers. A présent, le canapé et le bureau étaient poussés dans un coin du salon de Tina, tandis que Vinh et Helen dormaient sur un matelas par terre.

Cette situation, illégale et temporaire, menaçait de devenir permanente. Non seulement Helen ne pouvait pas dormir, mais encore elle mouillait le matelas dès qu'elle s'assoupissait. Vinh prétendait que son incontinence s'était agravée après que l'enfant eut vu Harry Beevers assis au bar. Que Harry Beevers fût un démon qui jetait des sorts aux enfants, cela bien entendu n'était que de l'hystérie vietnamienne et mystique, mais ils y croyaient, alors pour eux c'était vrai. Il venait parfois à Tina l'envie d'étrangler Vinh, mais il risquait non seulement d'aller en prison, mais surtout de ne jamais retrouver de chef cuisinier.

Les maux de tête succédaient aux maux de tête. Dix jours pendant lesquels Maggie n'appela pas ni n'envoya de mot. Il rêva de Victor Spitalny courant hors de la grotte de Ia Thuc, couvert de guêpes et d'araignées.

Les services sanitaires lui signifièrent un deuxième avertissement, et l'inspecteur se mit à grommeler quelque chose à propos d'utilisation de locaux commerciaux à des fins d'habitation. Le petit bureau empestait l'urine.

La veille du jour où Maggie passa une nouvelle annonce dans le *Village Voice,* Michael Poole l'appela pour lui demander s'il aurait le temps de rechercher l'adresse de Tim Underhill chez un éditeur nommé Gladstone House. « Mais bien sûr, grommela-t-il, tu sais bien que je passe mes journées au lit à lire de la poésie. » Mais il rechercha le numéro de l'éditeur dans l'annuaire. La femme qui répondit lui passa le service littéraire. Là, une femme du nom de Corazon Fayre lui dit qu'elle ne connaissait aucun auteur nommé Timothy Underwood, et le dirigea sur une certaine Dinah Mellow, qui lui passa Sarah Good, qui lui passa elle-même une certaine Betty Flagg, qui elle avait entendu parler de Timothy Underwood. C'était bien ça ? Non ? Alors je vous passe le service de presse. Au service de presse, Jane Boot lui passa May Upshaw, qui lui passa à son tour Marjorie Fan, laquelle disparut pendant un quart d'heure et revint avec l'information suivante : dix ans auparavant, M. Underhill avait demandé par écrit que rien le concernant ne fût divulgué, sous peine de mécontenter gravement l'auteur, et de faire adresser tout son courrier, y compris les lettres de lecteurs, à son agent, M. Fenwick Throng.

– Fenwick Throng ? demanda Tina. C'est son vrai nom ?

Le lendemain était un mercredi, et après avoir expédié Vinh au marché et Helen à l'école, Tina acheta le *Village Voice* au kiosque du coin de la 8e Rue et de la Sixième Avenue. Il y avait de nombreux kiosques plus proches, mais celui-là ne se trouvait qu'à quelques blocs de La Groceria, un café aux larges vitres traversées de soleil, où de jolies serveuses mal réveillées bâillaient et s'étiraient comme des ballerines, et où il pouvait lire ligne à ligne les messages personnels du *Village Voice* en sirotant ses deux capucinos.

Il trouva un message de Maggie juste au-dessus du dessin, au centre de la page : *Chatte tonkinoise. Essaye encore, même endroit, même heure ? Ecchymoses et tatouages. Tu devrais t'envoler vers l'Orient avec les autres et emmener le frangin avec toi.* Son frère avait dû entendre parler du voyage par Harry, et ensuite lui rapporter l'histoire.

Il s'imagina partant pour Singapour avec Poole, Linklater, Beevers et Maggie. Instantanément, son estomac se contracta et son capucino prit un goût de cendre. Elle emporterait trop de bagages, pour la moitié remplis de livres de poche. Sans raison, elle exigerait de changer d'hôtel au moins deux fois. Elle flirterait avec Michael, se disputerait avec Harry et adopterait pratiquement Conor. Tina se mit à transpirer. Il demanda la note, paya et s'en fut.

Plusieurs fois dans la journée il téléphona à Fenwick Throng, mais la ligne était toujours occupée.

A onze heures, il donna des instructions inutiles pour la fermeture du restaurant, prit une douche, se changea et se précipita au Palladium, à l'entrée de derrière. Pendant un quart d'heure, il piétina, frigorifié, en compagnie de cinq ou six personnes, dans un espace entouré de grillage et guère plus grand qu'une niche à chien. Finalement, quelqu'un le reconnut et le fit entrer.

S'il n'y avait pas eu cet article dans *New York,* se dit-il, jamais il n'aurait pu entrer.

Cette fois-ci, il avait revêtu une veste Giorgio Armani qui ressemblait vaguement à une cotte de mailles, un large pantalon noir à pinces, une chemise de soie grise et une étroite cravate noire. On le prendrait peut-être pour un maquereau, mais pas pour un flic des stups.

Une bouteille de bière à la main, Tina arpenta deux fois le bar dans toute sa longueur avant de reconnaître que Maggie s'était payé sa tête une deuxième fois. A travers la foule, il se fraya un chemin jusqu'aux tables. Dans les flaques de lumière jetées par les bougies, on distinguait des jeunes gens vêtus de façon extravagante, penchés les uns contre les autres; mais Maggie n'était pas parmi eux.

Tout s'écroule, se disait Tina. Brusquement, ma vie n'a plus aucun sens.

Des jeunes tourbillonnaient autour de lui. D'invisibles haut-parleurs déversaient des flots de synthétiseur rock. L'espace d'un instant, Tina aurait aimé se retrouver chez lui, en blue-jeans, à écouter les Rolling Stones. Maggie ne viendrait jamais, ni ce soir ni un autre soir. Un de ces jours, quelque terrifiant et nouveau petit ami viendrait frapper à sa porte et repartirait avec le transistor en plastique, le petit sèche-cheveux jaune Pony Pro, et les disques de Bow Wow Wow qu'elle avait laissés chez lui.

Tina se fraya à nouveau un chemin jusqu'au bar et commanda un double martini-vodka avec des glaçons. *Sans les olives, sans le vermouth, sans les glaçons,* disait Michael Poole dans le petit club de Manly, où il n'y avait ni olives ni vermouth ni glaçons, mais seulement une carafe d'une douteuse « vodka » jaune que Manly prétendait tenir d'un colonel du 1er régiment de cavalerie aéroportée.

– Pour la première fois ce soir, tu as l'air heureux, dit une voix grave derrière lui.

Tina se retourna et vit une créature au sexe incertain, vêtue d'un treillis de camouflage. Au-dessus des oreilles, des deux côtés, son crâne était rasé. Une bande de cheveux noirs et agressifs courait depuis le sommet du crâne jusque dans le dos. Tina remarqua alors les seins de la créature gonflant la chemise de treillis, et les hanches pointant sous la large ceinture. Il se demanda l'effet que cela pouvait faire de se retrouver au lit avec une créature aux tempes rasées.

Un quart d'heure plus tard, la fille se serrait contre lui à l'arrière d'un taxi.

– Mords-moi l'oreille, lui dit-elle.

– Ici ?

Elle pencha la tête vers lui. Tina passa un bras autour de ses épaules et prit le lobe d'oreille entre ses dents. Un fin duvet noir recouvrait les tempes de la fille.

– Plus fort.

Elle se tortilla lorsqu'il enfonça ses dents dans le cartilage.

– Tu ne m'as même pas dit ton nom, dit-il.

Elle glissa la main sur l'entrejambe de Tina. Ses seins frôlèrent son bras.

– Mes amis m'appellent Dracula. Mais ça n'est pas parce que je bois du sang.

Dans l'appartement de Tina, elle refusa qu'il allume la lumière et ils gagnèrent le lit dans l'obscurité. En pouffant, elle le poussa sur le lit. Elle lui défit ensuite sa ceinture, lui ôta ses bottes et son pantalon. Il retira lui-même sa veste-cotte de mailles, et dénoua sa cravate.

– Joli petit Tina, dit-elle.

Elle se pencha vers lui et se mit à lécher son pénis érigé.

– Quand je fais ça, j'ai toujours l'impression d'être à l'église.

– Mmmm, dit Tina. Quand je pense que j'ai vécu jusqu'à maintenant sans te connaître. Où étais-tu, jusque-là ?

– Il vaudrait mieux pour toi que tu ne le saches pas.

Elle lui caressa doucement l'anus de son ongle effilé.

– Mais ne t'inquiète pas : je n'ai pas d'affreuses maladies. Je passe pratiquement toute ma vie chez le médecin.

– Pourquoi ?

– Je suis une fille et j'aime ça...

Épuisé, abruti par l'alcool, Tina la laissa faire. Lorsqu'elle s'assit sur lui à califourchon, elle avait l'air d'un guerrier apache aux sourcils épilés.

– Alors, elle te plaît, Dracula ?

– Je crois que je suis prêt à l'épouser, dit-il.

Elle ouvrit sa chemise de treillis, faisant jaillir des seins fermes et coniques.

– Mords-moi, dit-elle en les lui pressant sur le visage. Fort! Jusqu'à ce que je te dise d'arrêter.

Il mordit doucement l'un des mamelons, et elle lui enserra le crâne de ses doigts.

– Plus fort.

Cette fois, elle enfonça ses ongles dans son pénis.

– Plus fort.

Il accrut la pression des dents.

Lorsqu'il sentit le goût du sang dans sa bouche, elle cria, gémit et saisit la tête de Tina entre ses bras.

– C'est bon, c'est bon.

La main de la fille abandonna sa tête et retrouva son pénis.

– Il est encore dur ? Bravo, Tina.

Elle finit par lui laisser relever la tête. Un mince filet de sang coulait de son sein le long de sa poitrine et de son ventre.

– Et maintenant, la petite Dracula va retourner à l'église.

En riant, Tina se laissa retomber sur l'oreiller. Vinh ou Helen l'avaient-ils entendue crier ? Probablement pas : ils se trouvaient deux étages en dessous.

Après un long moment de délire, Tina projeta des giclées de sperme sur les joues de la fille, sur ses sourcils, dans l'air. En gémissant, elle s'affala contre lui, lui écrasant les bras entre ses jambes, puis elle étala à deux mains le sperme qui avait jailli sur son visage.

– Je n'avais pas joui comme ça depuis l'âge de vingt ans, dit-il, mais tu sais, tu me fais mal aux bras.

– Pauvre chéri, dit-elle en lui tapotant la joue.

– Vraiment, j'aimerais bien que tu me libères les bras.

Elle lui jeta un regard de triomphe et le frappa durement à la tempe.

Tina voulut se redresser, mais Dracula le frappa à nouveau. Pendant une seconde, il fut incapable de bouger.

Elle lui sourit, éclair d'yeux et de dents, puis le frappa à nouveau d'un coup de poing à la tempe.

Il se mit à hurler. Elle le frappa à nouveau.

– Au meurtre! hurla-t-il, mais personne ne l'entendait.

Avant le vingtième coup sur la tempe, les yeux de Tina s'ouvrirent, et il aperçut Dracula qui le regardait d'un air indifférent, les lèvres ourlées et le rouge à lèvres étalé tout autour.

2

Tina se réveilla dans l'obscurité; il n'aurait su dire combien de temps s'était écoulé depuis qu'il avait sombré dans l'inconscience. Ses lèvres étaient gonflées; « de la taille d'un steack », se dit-il. Il avait un goût de sang dans la bouche. Tout son corps était douloureux, mais la douleur irradiait plus particulièrement de la tête et de l'aine. Dans un mouvement de panique, il porta la main à son pénis et fut rassuré de le retrouver intact. Il ouvrit les yeux puis leva les mains à hauteur de son visage : elles étaient recouvertes de sang.

Il leva la tête pour examiner son corps, et une douleur fulgurante lui traversa le crâne à hauteur des tempes. Il retomba haletant sur l'oreiller trempé. Il avait froid. Il était nu sur des draps mouillés. Ses lèvres lui faisaient l'effet de deux briques rouges. Il promena ses doigts humides sur son visage.

Il voulut alors sortir du lit, et se demanda quelle heure il était. Il leva le bras droit, mais la montre avait disparu de son poignet.

Il tourna la tête de côté. Le radio-réveil digital ne se trouvait plus sur la table de nuit.

Il se glissa à bas du lit, tâtant le sol d'abord avec un seul pied, puis avec les deux genoux. Sa poitrine glissa le long des draps, et il ravala une amère gorgée de vomi. Lorsqu'il parvint à se relever, le sang se mit à cogner dans sa tête et sa vision s'obscurcit. Il se retint des deux mains au montant du lit. Une entaille sur un côté de la tête battait à tout rompre.

La tête entre les mains, Tina gagna la salle de bains. Sans allumer la lumière, il baigna son visage dans l'eau froide avant d'oser se regarder dans la glace. Un grotesque masque rouge, le visage d'Elephant Man, lui faisait face dans le miroir. Il eut un haut-le-cœur, vomit dans le lavabo et s'écroula sur le sol, inanimé.

10

RÊVES ET CONVERSATIONS

1

– Oui, je me suis planqué pendant quelque temps, et, non, je n'ai pas changé d'avis pour le voyage, dit Tina.

Il s'entretenait au téléphone avec Michael Poole.

– Tu devrais me voir, ou plutôt non, il vaudrait mieux pas. Je suis épouvantable. Je reste enfermé la plupart du temps, parce que quand je sors je fais peur aux enfants.

– C'est une de tes nouvelles blagues ?

– Pas vraiment. J'ai été passé à tabac par un fou furieux. Qui m'a également volé.

– Tu veux dire que tu as été agressé ?

Tina hésita un instant.

– D'une certaine façon. J'aimerais bien t'expliquer comment ça s'est passé, Mike, mais franchement, c'est gênant.

– Tu peux même pas me donner une petite idée ?

– Bon, eh bien ne drague jamais une fille qui se fait appeler Dracula.

Après que Michael eut rit consciencieusement, Tina ajouta :

– J'ai perdu ma montre, un radio-réveil, une paire de bottes neuves en lézard de chez McCreedy and Shreiber, mon baladeur, un briquet Dunhill qui ne marchait plus, une veste Giorgio Armani, toutes mes cartes de crédit et environ trois cents dollars en liquide. Et quand cette enculée – garçon ou fille – est partie, elle a laissé la porte d'en bas ouverte et un clodo est venu pisser dans le couloir.

– Et qu'est-ce que ça te fait ? grommela Michael. Excuse-moi, c'est une question idiote... je voulais dire comment tu vas après ça ? Tu aurais dû m'appeler tout de suite.

– Comment je vais ? Disons que je serais capable de l'étriper si cette fille ou ce mec me tombait sous la main. J'ai été salement secoué, Mike. On vit dans un monde dangereux. On n'est en sûreté nulle part. Il peut arriver des trucs terribles à n'importe qui, à tout moment. A cause de cette enculée, j'ai presque peur de mettre le nez dehors. Mais de toute façon, si on réfléchit un peu, on a toutes les raisons d'avoir peur de mettre le nez dehors. Bon, écoute... je veux que vous soyez très prudents, là-bas. Ne prenez aucun risque.

– D'accord, dit Michael.

– Si je ne t'ai pas appelé, ni toi ni personne, c'est que malgré toute cette horreur, il s'est quand même passé quelque chose de bien. Maggie à réapparu. J'avais dû la rater de peu là où j'ai rencontré Dracula. Le barman lui a dit qu'il m'avait vu partir avec une autre fille, alors elle est revenue le lendemain. Et elle m'a vu avec une tête deux fois plus grosse que d'habitude. Elle est revenue s'installer ici.

– Comme le dit Conor, même quand on prend son pied, y a toujours un truc qui coince. Ou quelque chose comme ça.

– Mais j'ai réussi à avoir l'agent d'Underhill. Ou plutôt son ancien agent.

– Allez, ne me fais pas languir...

– Bon, eh bien notre bonhomme est bien allé à Singapour, comme il l'avait toujours dit. Throng... tu me croiras ou pas, mais l'agent s'appelle Fenwick Throng, ne savait pas s'il était encore là-bas. Ils ont eu une drôle d'histoire tous les deux. Underhill faisait toujours déposer ses chèques dans une banque de Chinatown. Throng n'a jamais su son adresse : il lui écrivait à une boîte postale. De temps à autre, Underhill l'appelait pour l'engueuler, et il l'a même viré deux fois. Ça a duré cinq ou six ans, et chaque fois les coups de téléphone devenaient de plus en plus grossiers, de plus en plus violents. D'après Throng, il devait être soûl ou défoncé ou les deux à la fois. Puis il rappelait en larmes quelques jours plus tard, et suppliait Throng de travailler à nouveau pour lui. A la fin, Throng l'a trouvé trop cinglé, et il a dit à Tim qu'il ne pouvait plus s'occuper de ses intérêts. D'après lui, Tim a dû s'occuper lui-même de ses livres depuis lors.

– Donc il est probablement encore là-bas, mais il va falloir le trouver nous-mêmes.

– Et il est cinglé. Moi il me fait peur, Michael. Si j'étais à ta place, je resterais ici aussi.

– Alors l'agent t'a convaincu que Tim Underhill est probablement Koko.

– J'aurais préféré que ça soit le contraire.
– Moi aussi.
– Tu crois vraiment que ça vaut le coup de risquer ta peau pour lui ?
– Tant qu'à faire, je préfère risquer ma peau pour Tim Underhill que pour Lyndon Johnson.

2

– Je crois qu'il n'existe plus d'hommes adultes, dit Judy. Si tant est qu'il y en ait jamais eu. Ce ne sont que des gamins trop vite grandis. C'est dingue. Michael est un garçon intelligent et attentionné, et il travaille dur, mais il croit à des choses parfaitement ridicules. Arrivé à un certain niveau, ses valeurs sont celles d'un petit garçon.
– C'est déjà ça ! s'exclama Pat Caldwell. Chez Harry, j'ai parfois l'impression que ce sont celles d'un nourrisson.
(Leur conversation se déroulait au téléphone.)
– Michael croit toujours à l'armée. Il refuse de le reconnaître, mais c'est vrai. Ce jeu d'enfant, il le prend au sérieux. En fait, il adorait faire partie d'un groupe.
– Et moi je crois que pour Harry, le Vietnam a été le plus beau moment de sa vie.
– Le problème, c'est que Michael y retourne. Il a envie de se retrouver à l'armée. Il veut faire partie d'une unité.
– Et pour Harry, je crois qu'il a seulement envie de faire quelque chose.
– Faire quelque chose ? Mais il pourrait trouver un travail ! Il pourrait reprendre une activité d'avocat !
– Mmmm, oui, peut-être.
– Est-ce que tu sais que Michael veut vendre ses parts du cabinet médical ? Il veut quitter Westerholm et aller vivre dans les quartiers de taudis. Il estime qu'il n'en fait pas assez. Il a sa marotte : il faut aller exercer la médecine dans des endroits comme ça pour avoir une véritable action politique, c'est certainement très dur, mais c'est la vie !
– Alors peut-être est-ce que ce voyage lui donne le temps de réfléchir à tout ça avant de prendre une décision, suggéra Pat.
– Non. Ce voyage lui sert à jouer au petit soldat. Sans même parler de son sentiment de culpabilité à cause de Ia Thuc.
– Mais Harry, lui, je crois qu'il a toujours été fier de Ia Thuc. Un jour, il faudra que je te montre les lettres qu'il m'écrivait.

3

La nuit précédant leur départ pour Singapour, Michael rêva qu'il marchait de nuit sur un sentier de montagne en direction d'un groupe d'hommes en uniforme assis autour d'un feu. En s'approchant, il s'aperçut que ce n'étaient pas des hommes, mais des fantômes, car on apercevait vaguement les flammes à travers leurs corps. A son approche, les fantômes se retournent vers lui. Leurs uniformes sont en lambeaux, et raides de crasse. Dans son rêve, Michael est persuadé qu'il a servi avec ces hommes. Puis l'un des fantômes, Melvin O. Elvan, se lève et s'avance vers lui. *Ne va pas te fourrer avec Underhill*, dit Elvan. *On vit dans un monde dangereux.*

La même nuit, Tina Pumo rêve qu'il est étendu sur son lit tandis que Maggie Lah fait les cent pas dans la chambre. (Dans la réalité, Maggie avait à nouveau disparu, dès que son visage avait commencé de retrouver des proportions décentes.) *On ne peut pas échapper aux catastrophes*, dit Maggie. *Il faut seulement essayer de garder la tête hors de l'eau. Regarde l'éléphant, sa grâce, sa gravité, sa noblesse innée. Incendie le restaurant et recommence tout à zéro.*

11

KOKO

1

Les volets du bungalow étaient fermés à cause de la chaleur. Une fine couche de buée recouvrait les murs de plâtre rose, et dans la pièce, l'air était chaud, humide, et d'un rose sombre. Il flottait une odeur forte et brune d'excréments. Dans l'un des deux lourds fauteuils, l'homme grognait, s'agitait ou tendait ses bras contre les cordes qui l'enserraient. La femme, elle ne bougeait pas, parce qu'elle était morte. Koko était invisible, mais l'homme le suivait des yeux. Quand on sait qu'on va mourir, on est capable de voir l'invisible.

Si vous vous trouviez dans un village, disons...

Si la fumée d'un feu de cuisine s'élève à nouveau en volutes dans le ciel. Si le poulet lève une patte et s'immobilise. Si la truie dresse la tête. Si vous voyez tout cela. Si vous voyez une feuille trembler, si vous voyez la poussière suspendue dans l'air...

Alors vous verriez la veine battre au cou de Koko. Vous verriez Koko appuyé contre une cabane, la veine battant à son cou.

Koko le savait bien : il y a toujours des endroits vides. Dans des villes où les gens dorment sur le trottoir, dans des villes tellement peuplées que les gens occupent des lits à tour de rôle, dans des villes tellement peuplées que personne n'est véritablement tranquille. Dans ces villes particulièrement, il y a toujours des coins retirés, des endroits éternels, oubliés. Les riches quand ils s'en vont laissent ces endroits vides, ou bien la ville elle-même les abandonne.

Les riches emportent tout et oublient, et la nuit, l'éternité s'installe tranquillement avec Koko.

Son père s'était assis dans l'un des deux lourds fauteuils que les riches avaient laissés derrière eux. *On utilise tout*, disait son père. *Rien n'est perdu dans l'animal.*

On ne perd pas les fauteuils.

Il y avait un souvenir qu'il avait vu dans la grotte, et dans la mémoire rien n'est perdu de l'animal.

Koko le savait bien : ils trouvaient que les fauteuils n'étaient pas suffisamment bons pour eux. Partout ailleurs ils avaient de meilleurs fauteuils.

La femme ne comptait pas : Roberto Ortiz l'avait seulement amenée avec lui. Il n'y avait déjà pas suffisamment de cartes pour ceux qui comptaient, alors pour ceux qu'on amenait... Quand ils répondaient aux lettres, ils étaient censés venir seuls, mais les gens comme Roberto Ortiz croyaient qu'ils se rendaient dans un endroit sans importance, qu'ils allaient rencontrer un rien du tout, et que tout cela serait terminé en dix minutes. Ils ne pensaient jamais aux cartes, personne ne s'était penché sur eux le soir en leur disant : *Rien n'est perdu dans l'animal.* La femme était moitié indienne, moitié chinoise, quelque chose comme ça, ou peut-être seulement eurasienne, une fille que Roberto Ortiz avait ramassée, une fille que Roberto Ortiz avait l'intention de baiser comme Pumo le Puma baisait cette pute de Dawn Cucchio à Sidney, en Australie, seulement quelqu'un de mort dans un fauteuil, quelqu'un qui ne méritait même pas une carte.

Dans la poche droite de sa veste, il avait cinq cartes à l'Éléphant cabré, les seules cartes de régiment qui lui restaient, avec les noms écrits au crayon, sans appuyer, sur quatre d'entre elles. Beevers, Poole, Pumo, Linklater. Celles-là c'était pour quand il irait en Amérique.

Dans la poche gauche de sa veste, il avait un paquet ordinaire de cartes Orchid Boy, fabriquées à Taiwan.

Il avait ouvert la porte en arborant son grand sourire à la salut-comment-ça-va. Il avait alors aperçu aux côtés de Roberto Ortiz la femme qui, elle, affichait un sourire à la bonjour-ne-faites-pas-attention-à-moi. Il avait alors compris pourquoi il y avait deux fauteuils.

Dans la grotte, il n'y avait pas eu de fauteuils, pas de fauteuils pour les seigneurs de la terre. La grotte faisait frissonner Koko, son père et le diable faisaient frissonner Koko.

– Mais bien sûr, il n'y a pas de problème, avait-il dit. Il n'y a pas grand-chose ici, mais vous avez un fauteuil chacun, alors entrez, asseyez-vous ; l'endroit est un peu nu, ne m'en veuillez pas, nous faisons tout le temps des changements, et en fait je ne travaille pas ici...

Non, car ici je prie.

Mais ils prirent tout de même les fauteuils. Oui, M. Roberto Ortiz avait amené tous ses documents, et il les sortit en souriant, tout en commençant d'avoir l'air intrigué, car il commençait à remarquer la poussière. Le vide.

Koko prit les documents des mains de l'homme et se rendit aussitôt invisible.

C'était la même lettre pour eux tous.

Cher (suivait le nom)

J'ai décidé qu'il ne m'était plus possible de garder plus longtemps le silence à propos des événements survenus en 1968 dans le village de Ia Thuc, dans la zone opérationnelle du 1er corps d'armée. Justice doit finalement être rendue. Vous comprendrez que je ne peux personnellement révéler ces événements à la face du monde. J'y ai participé, et l'horreur de ces événements, je l'ai rendue à ma manière dans des œuvres de fiction. Vous êtes un représentant de la grande presse mondiale (ou vous l'avez été), vous avez visité les lieux où s'est commis un crime immense et méconnu, vous vous êtes rendu sur place en personne; à ce titre, voudriez-vous discuter de cette affaire plus avant? De mon côté, je n'ai aucun intérêt dans les profits qui pourraient être tirés des révélations sur la véritable histoire de Ia Thuc.

Si vous acceptez de vous rendre en Asie pour poursuivre votre enquête sur cette affaire, vous pouvez m'écrire à (suit l'adresse). *Je vous demande seulement, pour des raisons touchant à ma sécurité personnelle, de ne discuter de cette affaire et même de ne l'évoquer avec personne, avant notre première rencontre, de ne prendre aucune note, de ne rien écrire sur votre agenda à mon propos ou à propos de Ia Thuc avant de nous être rencontrés, et de venir à notre premier rendez-vous avec les documents suivants comme preuve de votre identité : 1) un passeport, 2) une photocopie de tous vos écrits (même en collaboration) concernant l'action de l'armée américaine dans le village de Ia Thuc. Je suis persuadé que notre rencontre sera pour vous du plus haut intérêt.*

Je vous prie d'agréer, etc.
Timothy Underhill.

Roberto Ortiz plaisait à Koko. Il lui plaisait même beaucoup. Il lui dit : je pensais vous montrer simplement mon passeport et vous laisser mes documents, car Mlle Balandran et moi avions décidé d'aller voir Lola; il se fait un peu tard pour un entretien, maintenant; Mlle Balandran tient absolument à ce que j'aille voir Lola, c'est un spectacle très couru dans cette ville; voulez-vous que nous déjeunions ensemble demain à mon hôtel ? Vous aurez eu le temps de jeter un coup d'œil au dossier...

Vous connaissez Lola ?

Non.

Koko aimait bien sa douce peau olivâtre, ses cheveux brillants et son sourire confiant. Il avait une chemise très blanche, une cravate aux couleurs très vives, un blazer très bleu. Il avait Mlle Balandran, qui avait de longues jambes dorées et des fossettes et qui connaissait la culture locale. Il était simplement venu lui laisser quelque chose et arranger une rencontre sur son propre terrain, comme l'avaient fait les Français.

Mais les deux Français étaient seuls, ils n'avaient pas Mlle Balandran qui lui souriait si plaisamment, le pressant d'accepter, avec tant de calme, tant de sensualité.

– Mais bien sûr, dit Koko, il faut écouter votre compagne, visiter la ville, mais accordez-moi seulement un instant, prenez un verre et laissez-moi seulement jeter un regard à ce que vous m'avez amené...

Roberto Ortiz ne remarqua pas que Mlle Balandran avait rougi lorsque Koko avait prononcé le mot « compagne ».

Deux passeports ?

Ils étaient assis dans leur fauteuil, lui souriant avec confiance, pleins d'assurance, beaux vêtements et belles manières, persuadés que dans quelques minutes ils seraient en route vers leur night-club, vers leurs apéritifs et leur dîner, leurs plaisirs.

– Double nationalité, dit Ortiz en coulant un regard en direction de Mlle Balandran. Je suis à la fois hondurien et américain. Outre les articles que vous connaissez déjà, vous verrez dans ce dossier un grand nombre d'articles en espagnol.

– Très intéressant, dit Koko. Vraiment très intéressant. Je reviens dans une minute avec un apéritif, et nous pourrons boire au succès de notre entreprise et de votre soirée en ville.

Il passa derrière les fauteuils, gagna la cuisine, ouvrit le robinet d'eau froide et referma bruyamment un placard.

– Il faut que je vous dise que j'ai beaucoup aimé vos livres, lança Roberto Ortiz à haute voix depuis le salon.

Sur le comptoir à côté de l'évier se trouvaient un marteau, un couperet, un pistolet automatique, un rouleau de papier adhésif fort et un petit sac de papier brun. Koko prit le marteau et le pistolet.

– Je crois que mon préféré, c'est *L'homme divisé*, lança Roberto Ortiz d'une voix forte.

Koko mit le pistolet dans sa poche et soupesa le marteau.

– Merci, dit-il.

Ils étaient assis dans leur fauteuil, et regardaient devant eux. Il se glissa sans un bruit hors de la cuisine, il était invisible. Ils attendaient leur apéritif. Il s'avança derrière Roberto Ortiz et leva le bras ; Mlle Balandran ne s'aperçut de sa présence que lorsqu'elle entendit le bruit mat du marteau contre le crâne de Roberto Ortiz.

– Tranquille, dit-il.

Roberto Ortiz se recroquevilla sur lui-même, inconscient mais pas mort. Un filet de sang coulait de son nez.

Koko jeta le marteau et se glissa rapidement entre les deux fauteuils.

Mlle Balandran agrippa les accoudoirs de son fauteuil et le fixa avec des yeux grands comme des soucoupes.

– Vous êtes jolie, dit Koko.

Il prit le pistolet dans sa poche et lui tira une balle dans le ventre.

Les gens réagissaient différemment à la douleur et à la peur. Tout ce qui avait à voir avec l'éternité leur faisait dévoiler leur être véritable. Rien n'était perdu dans l'animal. Le souvenir, tout ce qu'ils avaient été, prenait en quelque sorte le dessus. Koko s'imaginait que la fille allait se lever, s'avancer vers lui, faire quelques pas avant de se rendre compte que la moitié de ses tripes étaient restées dans le fauteuil. Elle avait l'air d'une bagarreuse, d'une guerrière. Mais elle ne put même pas se lever de son fauteuil – il ne lui vint même pas à l'idée qu'elle pouvait quitter le fauteuil. Il lui fallut même longtemps avant de bouger les mains des accoudoirs, et même alors elle ne voulut pas baisser le regard. Elle chia sous elle, comme le lieutenant Beans Beevers, dans la vallée du Dragon. Ses pieds se dérobèrent et elle se mit à secouer la tête. Brusquement, elle avait l'air d'avoir cinq ans.

– Bon Dieu ! dit Koko.

Et il lui tira une balle dans la poitrine. Le bruit lui fit mal aux oreilles ; on eût dit qu'il rebondissait sur les murs de plâtre. La fille fit une sorte de saut en arrière, et Koko eut l'impression que le bruit l'avait tuée avant la balle.

– Je n'ai qu'une seule corde, dit Koko. Vous comprenez ?

Il s'agenouilla et tira la corde de sous le fauteuil, entre les pieds de Roberto Ortiz.

Ortiz grogna un petit peu tout le temps que Koko passa à l'attacher. Lorsque la corde lui enserra étroitement la poitrine et les bras, il exhala un peu d'air qui sentait le bain de bouche. Une boule rouge, de la taille d'une balle de base-ball, était apparue sur l'un des côtés du crâne, et un filet de sang plaquait les cheveux derrière la boule, d'une façon qui rappelait à Koko une route sur une carte.

Sur l'étagère de la cuisine, il prit le couperet, le rouleau de papier adhésif et le sac en papier brun. Il posa le couperet sur le sol et sortit un chiffon propre du sac. Il pinça le nez de Roberto Ortiz entre le pouce et l'index, le souleva, et fourra le chiffon dans sa bouche. Puis il déroula une longueur de papier adhésif et fit trois fois le tour du visage d'Ortiz pour fixer le bâillon.

Koko prit alors les deux jeux de cartes dans ses poches et s'assit sur le sol en tailleur. Il plaça les cartes à côté de lui et le manche du couperet contre sa cuisse. Il observait les yeux d'Ortiz, guettant son réveil.

Le bon moment n'allait pas tarder.

Ortiz avait de petites rides au coin des yeux, et elles avaient l'air sales, pleines de saletés, à cause de la couleur olivâtre de sa peau. Il venait de se laver les cheveux, et ils étaient noirs et brillants, ondulés par vagues, des vagues qui semblaient de vraies vagues. Au premier abord on le trouvait beau, mais on ne pouvait pas, ensuite, ne pas remarquer son nez épaté de boxeur.

Ortiz finit par ouvrir les yeux. Il faut reconnaître qu'il comprit tout de suite la situation et tenta de bondir en avant. Les cordes l'immobilisèrent avant qu'il eût pu faire le moindre geste, et il se débattit un instant avant de se rendre à cette évidence-là également. Il renonça donc, se cala au fond de son siège et promena le regard de droite à gauche. Son regard s'arrêta sur Mlle Balandran recroquevillée dans son fauteuil; il regarda alors Koko et tenta à nouveau de bondir de son siège, mais en vain.

– Eh oui, vous voilà avec moi, monsieur Ortiz, dit Koko.

Il prit les cartes de régiment, les bonnes vieilles « Eléphant cabré », et en tendit une à Ortiz.

– Vous reconnaissez cet emblème?

Ortiz secoua la tête, et Koko devina la douleur qui flottait dans son regard.

– Il faut me dire la vérité à propos de tout, dit Koko. Pas de mensonge; essayez de vous rappeler de tout, ne perdez pas la tête en route. Allez, regardez.

Il vit bien que Roberto Ortiz se concentrait. Un souvenir ramené du fin fond de sa mémoire alluma une faible lueur dans ses yeux.

– Ah, je savais bien que vous vous souviendriez. Vous êtes venu avec les autres hyènes, vous avez bien dû voir ça quelque part. Vous vous êtes promené partout, et vous avez même dû craindre de salir vos belles boots bien cirées. Je vous ai fait venir ici parce que je voulais vous parler. J'ai des questions importantes à vous poser.

Roberto Ortiz grogna à travers le chiffon et le papier collant. Ses grands yeux bruns se firent suppliants.

– Vous n'aurez pas à parler. Hochez seulement la tête.

Si vous voyez une feuille trembler.

Si le poulet lève une patte et s'immobilise.

Si vous voyez tout cela, rien n'est perdu de l'animal.

– L'éléphant est l'emblème du 24e d'infanterie, n'est-ce pas?

Ortiz acquiesça.

– Et vous êtes d'accord que l'éléphant possède ces traits : noblesse, grâce, gravité, patience, persévérance, force et retenue en temps de paix, force et courroux en temps de guerre?

Ortiz avait l'air étonné, mais il acquiesça.

– Et à votre avis, y a-t-il eu des atrocités dans le village de Ia Thuc?

Ortiz hésita, puis acquiesça à nouveau.

Koko ne se trouvait pas dans un bungalow aux murs de plâtre rose, aux franges d'une grande ville tropicale, mais dans une toundra glacée sous un dur ciel bleu. Un vent constant faisait onduler la fine couche de neige recouvrant la glace épaisse de plusieurs centaines de mètres. Loin à l'ouest, se dressait une rangée de glaciers semblables à des dents cassées. La main de Dieu se dressait dans les cieux, le doigt tendu vers lui.

Koko bondit et abattit la crosse de son pistolet sur la boule apparue sur le crâne d'Ortiz. Comme dans un dessin animé, les yeux d'Ortiz se révulsèrent. Son corps s'affaissa. Koko s'assit et attendit qu'il se réveillât.

Lorsque ses paupières se mirent à battre, Koko le gifla violemment; Ortiz leva vivement la tête, à nouveau attentif.

– Mauvaise réponse, dit Koko. Même la cour martiale, aussi partiale qu'elle a été, n'a pu déclarer qu'il y avait eu des atrocités. C'était un cas de force majeure. Vous savez ce que ça veut dire?

Ortiz secoua la tête. Son regard était brouillé.

– Ça ne fait rien. Je voudrais voir si vous vous souvenez de certains noms. Est-ce que vous vous souvenez de Tina Pumo, Pumo le Puma?

Ortiz secoua la tête.

– Michael Poole?

A nouveau, Ortiz secoua faiblement la tête.

– Conor Linklater?

Nouvelle dénégation.

– Harry Beevers?

Ortiz releva la tête... et acquiesça.

– Oui. Il vous a parlé, n'est-ce pas? Et il était content de lui. Il a dit : « Les enfants peuvent tuer », n'est-ce pas? Et aussi : « L'éléphant s'occupe de lui-même. » Il a dit ça, hein : « L'éléphant s'occupe de lui-même »?

Ortiz hocha la tête affirmativement.

– Vous êtes sûr que vous ne vous souvenez pas de Tina Pumo?

Ortiz secoua la tête.

– Vous êtes un vrai con, Roberto. Vous vous souvenez de Harry Beevers, mais vous oubliez tous les autres. Tous ces gens que je dois trouver, que je dois pister... à moins qu'ils ne viennent à moi. Une grosse blague! A votre avis, qu'est-ce que je devrais faire après les avoir retrouvés ?

Ortiz pencha la tête.

– Je veux dire... vous croyez que je devrais leur parler? Ces gars-là c'étaient mes frères. Je pourrais sortir de tout ce merdier, je pourrais dire : « J'ai fait ma part de corvée de chiottes, maintenant c'est au tour d'un autre »; je pourrais dire ça, je pourrais tout recommencer à zéro, laisser la responsabilité à quelqu'un d'autre. Qu'est-ce que vous en pensez, Roberto Ortiz?

Roberto Ortiz répondit télépathiquement que c'était maintenant à un autre d'assurer la corvée de chiottes.

– Mais ça n'est pas si facile, Roberto. Poole, par exemple, était marié quand il était là-bas. Ma-ri-é! Vous ne croyez pas qu'il a parlé à sa femme de ce qui s'est passé? Pumo était avec Dawn Cucchio; vous ne croyez pas qu'à présent il a une autre petite amie, ou une femme, ou les deux? Le lieutenant Beevers, lui, écrivait à l'époque à une femme nommée Pat Caldwell! Vous voyez que ça n'en finit pas. C'est ça que ça veut dire, le mot « éternité ». Ça veut dire que Koko doit continuer inlassablement à nettoyer le monde... qu'il doit s'assurer que rien n'est perdu, que tout ce qui est passé par une oreille soit définitivement extirpé, que rien ne soit laissé, que rien ne soit perdu...

L'espace d'un instant, il vit réellement un vaste linceul de sang qui lavait tout, emportait tout avec lui, vaches et maisons, locomotives, qui nettoyait tout.

– Vous savez pourquoi je voulais que vous ameniez des photocopies de vos articles?

Ortiz secoua la tête.

Koko sourit. Il ramassa par terre l'épais dossier contenant les articles et l'ouvrit sur ses genoux.

– Ah, voilà un bon titre, Robert. TRENTE ENFANTS TUÉS ? C'est du journalisme à sensation, ou quoi? Vous avez toutes les raisons d'être fier de vous, Roberto. C'est là, en haut, avec UN BÉBÉ TIBÉTAIN DÉVORÉ PAR L'ABOMINABLE HOMME DES NEIGES. Alors, quel est votre avis? Y a-t-il eu trente enfants tués?

Ortiz ne bougea pas.

– Il n'y a pas de problème si vous ne voulez pas répondre. Les êtres sataniques se manifestent sous des formes très différentes, Roberto, très, très différentes.

Tout en parlant, Koko prit une boîte d'allumettes dans sa poche et mit le feu au dossier, puis l'agita en l'air pour que le feu ne s'éteigne pas.

Lorsque les flammes atteignirent ses doigts, Koko jeta les morceaux enflammés et les dispersa du bout du pied. Les petites flammes laissaient des traînées noires et grasses sur le plancher.

– J'ai toujours aimé l'odeur du feu, dit Koko. J'ai toujours aimé l'odeur de la poudre. J'ai toujours aimé l'odeur du sang. Ce sont des odeurs propres, vous savez.

J'ai toujours aimé l'odeur de la poudre.

J'ai toujours aimé l'odeur du sang.

Il sourit en regardant les petits flammes qui vacillaient sur le sol.

– J'aime même l'odeur de la poussière qui brûle.

Toujours souriant, il se tourna vers Ortiz.

– J'aimerais que mon travail soit déjà accompli. Mais enfin, j'ai au moins deux beaux passeports. Et peut-être que lorsque j'en aurai fini aux États-Unis, j'irai au Honduras. Tout ça me paraît parfaitement logique. Peut-être irai-je là-bas une fois que j'aurai retrouvé tous les gens que je cherche.

Les yeux fermés, il se mit à se balancer d'avant en arrière, sur le sol.

– Ah, le travail ! On en finit jamais !

Il cessa de se balancer.

– Vous voudriez que je vous détache, maintenant ?

Ortiz le regarda avec attention, puis hocha très lentement la tête.

– Vous êtes tellement bête, dit Koko.

Hochant la tête, un sourire triste aux lèvres, il prit le pistolet automatique et le braqua sur la poitrine de Roberto Ortiz. Il plongea les yeux dans ceux d'Ortiz, et, sans se départir de son sourire triste, assura son poignet de sa main gauche et tira.

Il observa ensuite Roberto Ortiz qui s'efforçait de parler, se convulsait, luttait contre la mort. Le sang obscurcissait le beau blazer, tachait la belle chemise et la coûteuse cravate.

Vigilante, l'éternité veillait avec Koko.

Lorsque tout fut fini, Koko écrivit son nom sur l'une des cartes Orchid Boy, prit le couperet et se leva pour accomplir la partie la plus salissante du travail.

Troisième partie

LOLA

12

EN MOUVEMENT

1

– Laissez-moi au moins garder les livres, dit Michael Poole à la petite femme très droite qui se tenait devant lui, cheveux noirs et fossettes profondes. Son nom était inscrit sur un badge : Pun Yin. Elle lui rendit son sac de voyage, et dans la poche ouverte sur le côté, il prit deux livres : *Une bête en vue*, et *L'homme divisé*. L'hôtesse lui sourit et poursuivit son chemin au milieu des pédiatres.

Les médecins avaient commencé à se détendre dès que l'avion avait atteint son altitude de croisière. A terre, devant leurs patients et autres profanes, les confrères de Michael ne laissaient paraître leur côté juvénile que dans l'exacte mesure autorisée par la déontologie médicale ; en vol, ils se comportaient comme des étudiants. Des pédiatres en vêtements de sport, en survêtements et chandails d'université, des pédiatres en blazers rouges et pantalons à carreaux parcouraient les couloirs du gros avion, embrassades et plaisanteries douteuses. Pun Yin n'était pas arrivée à mi-chemin de l'avant de l'appareil avec le sac de Michael, qu'un médecin grassouillet et court sur pattes, avec une tête comme une citrouille, se planta devant elle et exécuta un mouvement maladroit du bassin.

– Et voilà, on est en route ! s'exclama Harry.

– A Singapour ! dit Michael en levant son verre.

– Tu n'as pas oublié les photos, j'espère !

– Elles sont dans mon sac, dit Michael.

Il avait fait faire cinquante copies de la photo de l'auteur qui figurait au dos du *Sang de l'orchidée*, le dernier livre de Tim Underhill.

Les trois hommes regardaient le médecin se trémousser autour de Pun Yin, tandis qu'un groupe d'autres médecins beuglaient des encouragements. La jolie hôtesse tapota l'épaule de l'homme et réussit à se glisser devant lui en interposant entre eux le sac de Michael.

– Nous allons affronter l'éléphant, dit Harry. Vous vous en souvenez ?

– Comment pourrais-je l'oublier ? dit Michael.

Pendant la guerre de Sécession, époque où leur régiment avait été créé, « affronter l'éléphant » signifiait en argot militaire « aller au front ».

D'une voix forte et un peu pâteuse, Conor demanda :

– Quels traits possède l'éléphant ?

– En temps de paix ou en temps de guerre ? demanda Harry.

– Les deux. Allez, sors-nous tout le bataclan.

Harry lança un coup d'œil en direction de Michael.

– L'éléphant possède ces traits : noblesse, grâce, gravité, patience, persévérance, force et retenue en temps de paix. Et l'éléphant fait preuve de force et de courroux en temps de guerre.

Quelques pédiatres voisins le regardèrent d'un air à la fois aimable et intrigué, désireux de rire eux aussi de la plaisanterie.

Harry et Michael se mirent à rire.

– C'est ça, dit Conor. C'est tout à fait ça.

Apparition fugitive de Pun Yin vers l'avant de l'appareil. Elle tira un rideau devant elle et disparut.

2

L'avion avalait lentement les milliers de kilomètres séparant Los Angeles de Singapour, où les corps sans vie de Mlle Balandran et de Roberto Ortiz n'avaient pas encore été découverts dans le bungalow, le long de la route bordée d'arbres ; fatigués par l'alcool et le voyage, les médecins s'affalaient dans leurs sièges. Les repas arrivèrent, infiniment moins délicieux que le sourire avec lequel Pun Yin les posa devant les passagers. Après cela, les hôtesses ramassèrent les plateaux, servirent les alcools et distribuèrent des oreillers pour la longue nuit.

– Je ne t'ai pas encore dit ce que l'ancien agent de Tim avait raconté à Tina, dit Michael, penché par-dessus Conor assoupi.

Des éclairs de lumière trouaient la longue cabine du 747 plongé dans l'obscurité. On n'allait pas tarder à projeter *Savannah Smiles*, puis un deuxième film avec Karl Malden et plusieurs acteurs yougoslaves.

– Dis plutôt que tu ne voulais pas me le dire, dit Harry. Ça doit être pas mal.

– Pas mal, en effet, reconnut Michael.

Harry attendait. Au bout d'un certain temps, il déclara :

– Je crois qu'il nous reste encore vingt heures.

– Je cherche à rassembler tout ça, dit Michael en s'éclaircissant la voix. Au début, Underhill se comportait comme n'importe quel auteur. Il chipotait sur la taille des caractères, demandait où étaient passés ses droits d'auteur, des trucs comme ça. Apparemment, il se montrait plus aimable que la plupart des écrivains, ou du moins pas pire. Il avait des côtés étranges, mais ça ne semblait pas très grave. Il vivait à Singapour, et les gens de Gladstone House ne pouvaient lui écrire directement parce que même son agent ne possédait qu'un numéro de boîte postale.

– Laisse-moi deviner la suite... les choses se sont gâtées.

– Petit à petit. Il a d'abord écrit quelques lettres au service marketing et aux publicitaires. On ne dépensait pas assez d'argent pour lui, on ne le prenait pas au sérieux. Il n'aimait pas la couverture de l'édition en livre de poche. Son tirage était insuffisant. Message reçu. Gladstone a décidé de faire un petit effort supplémentaire pour son second livre, *L'homme divisé*, et cet effort s'est révélé payant. Le livre est resté dans la liste des meilleures ventes en livre de poche pendant un mois ou deux.

– Alors notre homme était heureux ? Il a envoyé des roses au service marketing de Gladstone ?

– Non, dit Michael, il a déjanté. Il leur a envoyé une longue lettre complètement dingue dès que son livre a figuré dans la liste des meilleures ventes : il aurait dû y figurer plus tôt, et en meilleure place, la campagne de publicité était médiocre, il en avait marre d'être poignardé dans le dos, etc. Le lendemain, nouvelle lettre. Gladstone a ainsi reçu une lettre par jour pendant une semaine, de longues lettres de cinq ou six pages. Dans les deux dernières, il y avait des menaces de violences physiques.

Harry sourit.

– Il les accusait souvent de le tenir à l'écart parce qu'il était ancien combattant de la guerre du Vietnam. Je crois qu'il a même évoqué Ia Thuc.

– Ha!

– Puis lorsque le livre a quitté la liste des meilleures ventes, il a entonné le couplet des poursuites judiciaires. Gladstone a commencé de recevoir d'étranges lettres d'un avocat de Singapour, nommé Ong Pin. Underhill leur réclamait deux millions de dollars, soit la somme que, selon l'avocat, son client avait perdu du fait de l'incompétence de l'éditeur. Mais si Gladstone voulait s'éviter les frais et la publicité d'un procès en justice, le client de Ong Pin était disposé à se contenter d'un arrangement à l'amiable pour un demi-million de dollars.

– Qu'ils ont refusé de payer.

– Surtout lorsqu'ils se sont rendu compte que l'adresse de Ong Pin était la même boîte postale où l'agent littéraire d'Underhill, Fenwick Throng, envoyait à son client courrier et droits d'auteur.

– Ça lui ressemble bien, ça !

– Ils lui ont répondu alors que s'il ne jugeait pas leur travail satisfaisant, il pouvait faire publier son prochain livre chez un autre éditeur. A ce moment-là, il semble qu'il se soit montré plus raisonnable. Il s'excusait même de s'être emporté. Et il a expliqué que Ong Pin avait perdu son cabinet d'avocat, et vivait provisoirement chez lui.

– Ben voyons !

– Finalement, il laissait entendre que cette menace de réclamer deux millions de dollars n'était qu'une lubie d'ivrogne. Les choses se sont calmées. Puis dès qu'il leur a proposé son livre suivant, *Le sang de l'orchidée*, il est redevenu fou et il a commencé à les menacer de poursuites judiciaires. Ong Pin a envoyé une espèce de missive complètement dingue, rédigée dans cette espèce d'anglais qu'on apprend dans les manuels japonais, tu vois le genre ? Lorsque le livre est sorti, Underhill a envoyé un paquet avec de la merde séchée au président de Gladstone, Geoffrey Penmaiden, un type que tout le monde connaissait et révérait. C'était comme envoyer de la merde à Maxwell Perkins. Le livre a été un échec. Un bide complet. Depuis lors, ils n'ont reçu aucune nouvelle de lui, et je ne crois pas qu'ils aient très envie de retravailler avec lui.

– Alors comme ça, il a envoyé un paquet avec de la merde à Geoffrey Penmaiden, le plus célèbre éditeur américain ? demanda Harry.

– Je crois que ça a plus avoir avec la haine de soi qu'avec la folie, dit Michael.

– Parce que tu crois que c'est pas la même chose ? dit Harry en tapotant affectueusement le genou de Michael.

Puis Harry se cala dans son fauteuil et ferma les yeux ; Michael alluma alors la petite lumière du plafonnier et se plongea dans la lecture d'*Une bête en vue*.

Au début du premier roman d'Underhill, un riche garçon du nom de Henry Harper est appelé sous les drapeaux et envoyé dans un camp d'entraînement dans le Sud. Harper possède un charme superficiel, il est snob et égoïste, et c'est le genre de personnage qui dément lentement mais sûrement la bonne impression que l'on a de lui au début. Les autres gens soit l'impressionnent soit le dégoûtent. Bien sûr, il a horreur de l'entraînement et toutes les recrues du camp le détestent. Finalement, il rencontre Nat Beasley, un soldat noir qui semble le prendre en amitié malgré ses défauts, et qui devine chez lui un être attachant au-delà de son snobisme et de sa rigidité. Nat Beasley défend Harper et l'aide à passer la période des classes. Au grand soulagement de Harper, son père, un juge fédéral, fait en sorte que Beasley et son fils soient affectés dans la même unité au Vietnam. Le juge se débrouille même pour que Henry et Nat prennent le même avion de San Francisco à Tan Son Hut. Au cours du vol, Henry propose un marché à Nat. Si celui-ci continue à le protéger, Henry lui promet la moitié de l'argent qu'il gagnera désormais, ou dont il héritera. Cela représente une somme d'au moins deux ou trois millions de dollars, et Beasley accepte.

Un mois après leur arrivée au Vietnam, au cours d'une patrouille, les deux soldats se retrouvent séparés de leur unité. Nat Beasley tire alors sur son compagnon avec son M-16, et lui ouvre dans la poitrine un trou de la largeur d'une Bible des familles. Il échange les plaques d'identification, s'acharne sur le corps de Harper jusqu'à le rendre méconnaissable. Puis il s'enfuit en Thaïlande.

Michael tournait les pages sous le rayon de lumière jaune, tandis que sur le petit écran devant lui, se déroulait un film incompréhensible. Des ronflements et des rots de pédiatres endormis troublaient de temps à autre le silence ronronnant de la cabine. Nat Beasley fait fortune à Bangkok grâce au trafic de haschisch, épouse une ravissante putain, Chiang Mai, et revient aux États-Unis avec un passeport au nom de Henry Harper. Pun Yin, ou une autre hôtesse, soupira vers la dernière rangée de sièges.

Nat Beasley loue une voiture à l'aéroport de Detroit, et se rend à Grosse Point avec la belle putain Chiang Mai. Michael le voyait au volant de la voiture de location, arriver devant la grande maison blanche du juge Harper, au bout d'une allée soigneusement ratissée, et montrer du doigt la maison à sa femme. Derrière ces images, les accompagnant, d'autres images apparaissaient : Michael n'avait jamais volé aussi longtemps en avion depuis 1967, et des moments de son pénible voyage vers le Vietnam s'enroulaient autour des aventures de Nat Beasley.

Comme il était étrange de partir à la guerre sur un vol régulier, et cette impression d'étrangeté ne l'avait pas quitté de toute la journée que dura le voyage. Les trois quarts des passagers étaient des appelés comme lui, et le reste se répartissait entre les officiers de carrière et les hommes d'affaires. Les hôtesses lui avaient parlé sans le regarder dans les yeux, et leurs sourires avaient semblé aussi fugitifs que des crispations du visage.

Michael se souvenait d'avoir regardé ses mains en se demandant si elles seraient flasques et mortes à son retour aux États-Unis. Pourquoi n'était-il pas parti au Canada ? Au Canada, personne pour leur tirer dessus. Pourquoi n'était-il pas resté à l'école, tout simplement ? Quel fatalisme stupide s'était emparé de sa vie ?

Conor Linklater le surprit en se dressant brusquement dans son siège. Il posa sur Michael un regard embué.

– Dis donc, t'es plongé dans ce bouquin comme si c'était la pierre de Rosette.

Puis il se renfonça dans son siège et s'endormit avant même que ses yeux se fussent refermés.

Nat Beasley furète dans la maison du juge Harper. Il détaille le contenu du réfrigérateur. Il visite les placards du juge et essaye ses complets. Sa femme est étendue sur le lit et parcourt les soixante chaînes de la télévision avec la télécommande.

Pun Yin se tenait aux côtés de Michael, et les bras angéliquement tendus, posait une couverture sur Conor endormi. En 1967, une hôtesse accompagnée d'un steward blond lui tapota le bras pour le réveiller, et lui dit en souriant de se préparer à descendre. Ses intestins annonçaient la débandade. Lorsque l'hôtesse ouvrit la porte, un air chaud et humide envahit la carlingue, et le corps entier de Michael se trempa de sueur.

Nat Beasley sort un lourd sac de plastique brun du coffre d'une Lincoln et le jette dans une fosse creusée entre deux sapins. Il en prend un deuxième, plus léger, et le jette sur le premier.

Michael savait bien que la chaleur allait lui faire pourrir ses chaussures sur les pieds.

Pun Yin éteignit la veilleuse de Michael et referma son livre.

3

Le général, désormais prédicateur des rues à Harlem, avait laissé pour quelques instants Tina seul avec Maggie. Ils se trouvaient dans un beau salon, dans un appartement au coin de Broadway et de la 125e Rue. Le général était un ami du père de Maggie, lui aussi général dans l'armée formosane, et après l'assassinat du général Lah et de sa femme, il avait emmené Maggie aux États-Unis. Fuyant l'appartement de Tina, c'était tout naturellement que Maggie s'était réfugiée dans cet appartement encombré et mal aéré. Tina était tout à la fois étonné, soulagé et exaspéré.

D'abord, il apprenait que sa petite amie était fille de général. Cela expliquait beaucoup de choses chez elle : la fierté lui était naturelle; elle avait l'habitude d'obtenir ce qu'elle voulait; elle aimait s'exprimer par communiqués; et elle croyait tout savoir sur les soldats.

– Tu ne te doutais pas que je m'inquiétais à ton sujet?

– Tu ne t'inquiétais pas, tu étais jaloux.

– Et alors?

– Mais je ne t'appartiens pas, Tina! Et ça ne t'arrive que quand je suis partie et que tu ne sais pas où je suis. Tu te comportes comme un petit garçon, tu sais!

Il ne releva pas.

– Parce que quand je vis avec toi, Tina, t'arrêtes pas de te dire que je ne suis qu'une petite punkette à moitié cinglée qui t'empêche de penser à ton travail et de sortir avec les copains.

– Là, tu prouves simplement que c'est toi qui es jalouse.

– Après tout, peut-être que tu n'es pas si bête que ça, dit Maggie en souriant. Mais tu as trop de problèmes pour moi.

Elle était assise sur un canapé orné de brocart, les jambes repliées sous elle, et enveloppée d'une sorte d'ample vêtement de laine sombre, aussi chinois que le canapé. Le sourire de Maggie donnait à Tina l'envie de la serrer dans ses bras. Sa chevelure était différente, moins rase, assez semblable à du chaume d'aspect doux et lisse. Tina connaissait la sensation de la lourde chevelure soyeuse de Maggie dans ses mains, et il aurait aimé glisser les doigts dans ses cheveux.

– Est-ce que tu es en train de dire que tu ne m'aimes pas ?

– Tu n'arrêtes pas d'aimer les gens, Tina. Mais si je revenais vivre avec toi, tu chercherais rapidement un moyen de te débarrasser de moi... Tu te sens tellement coupable, tu n'arriveras jamais à épouser une fille. Tu n'arriveras jamais à partager ta vie.

– Tu veux m'épouser ?

– Non. J'ai simplement dit que tu avais trop de problèmes pour moi. Mais le problème ça n'est pas ça. Le problème, c'est la manière dont tu te conduis.

– Bon, d'accord. Je ne suis pas parfait. C'est ça que tu veux que je dise ? Je voudrais que tu reviennes vivre avec moi, et tu le sais. Mais je pourrais aussi bien m'en aller tout de suite, et ça aussi tu le sais.

– Tu te souviens, Tina, quand je mettais toutes ces annonces pour toi dans le *Voice* ?

Il acquiesça.

– Ça ne te faisait pas plaisir de les voir ?

Il acquiesça à nouveau.

– Chaque semaine tu les cherchais ?

Tina hocha de nouveau la tête.

– Et pourtant, tu n'as jamais songé à en mettre une toi-même ?

– C'est ça, le problème ?

– Bon, heureusement que tu n'as pas dit que tu étais trop vieux pour ce genre de chose.

– Écoute, Maggie, y a des tas de choses qui vont mal en ce moment.

– Les services sanitaires ont fait fermer le Saigon ?

– C'est moi qui l'ai fermé. Il devenait impossible de faire la cuisine et de tuer les cafards en même temps. Alors j'ai décidé de me consacrer aux cafards.

– Du moment que tu te trompes pas et que tu commences pas à les cuisiner!

Il secoua la tête d'un air ennuyé.

– Ça me coûte un fric dingue, parce que je continue à payer les salaires.

– Et en plus, tu regrettes de ne pas être allé à Singapour avec tes petits copains.

– Eh bien disons que je me marrerais plus si j'étais là-bas.

– Tu veux dire maintenant, tout de suite?

– Maintenant, en général.

Il la regarda avec amour et exaspération, et elle lui rendit son regard avec un calme imperturbable.

– Je ne savais pas, dit Tina, que tu voulais que je mette moi aussi des annonces dans *Voice*... sans ça, je l'aurais fait. Je n'y ai jamais songé.

Elle leva une main en soupirant, puis la laissa retomber lentement sur ses genoux.

– N'en parlons plus. Mais souviens-toi seulement que je te connais bien mieux que tu ne me connais.

Elle lui lança encore un regard impassible.

– Tu t'inquiètes pour eux, n'est-ce pas?

– C'est vrai, je suis terriblement inquiet. C'est peut-être pour ça que j'aimerais être avec eux.

Elle secoua lentement la tête.

– J'arrive pas à croire que tu aies failli te faire tuer et que tu puisses continuer comme tu le faisais avant... comme si rien ne s'était passé.

– Mais il s'est passé plein de choses, je le reconnais parfaitement.

– Tu as peur, tu as peur, tu as peur!

– C'est vrai, j'ai peur, s'emporta-t-il. Même le jour, je n'aime pas sortir. La nuit, j'entends des bruits. J'arrête pas de penser... à des trucs bizarres. A propos du Vietnam.

– Tout le temps, ou seulement la nuit?

– Disons que je me surprends à penser à des trucs bizarres à n'importe quel moment, le jour ou la nuit.

Maggie déplia ses jambes.

– Bon, d'accord, je reviens vivre avec toi un bout de temps. Tant que tu n'auras pas oublié que tu n'es pas le seul à pouvoir t'en aller.

– Putain, comment tu veux que j'oublie un truc pareil!

Ce ne fut pas plus difficile que cela. Il n'eut même pas besoin d'avouer qu'avant de venir la rejoindre, il se trouvait dans la cuisine, une bouteille de bière à la main, et que l'espace d'une seconde il avait su au plus profond de lui-même que c'était Ba Muy Ba et que la balle qui lui était destinée, celle qui l'avait manqué des années auparavant, faisait encore le tour du monde, et se dirigeait vers lui.

Le général devenu prédicateur regardait Tina comme s'il était toujours une enflure de général, puis aboya quelques mots en chinois à l'adresse de Maggie. Celle-ci lui répondit avec un air boudeur d'adolescente, et le général prouva à Tina que décidément il ne suffisait pas, pour comprendre le cantonnais, de prendre Maggie dans ses bras, de lui caresser la nuque et de lui sourire d'un air extatique. Il serra même la main de la Tina et lui sourit d'un air ravi.

– Je crois qu'il est heureux d'être débarrassé de toi, dit Tina tandis qu'ils attendaient le lent ascenseur malodorant.

– Il est chrétien, il croit à l'amour.

Il n'arrivait pas à savoir si elle était sérieuse, ce qui était souvent le cas avec Maggie. L'ascenseur s'arrêta bruyamment à l'étage du général et ouvrit sa gueule. Une aigre odeur d'urine s'en échappa. Il ne voulait pas laisser voir à Maggie qu'il avait peur de l'ascenseur. Elle était déjà à l'intérieur et le regardait. Tina déglutit et pénétra dans la bouche fétide de l'ascenseur.

Les portes se refermèrent bruyamment derrière lui.

Il réussit à sourire à Maggie. Le plus difficile, c'était d'y entrer.

– Qu'est-ce qu'il t'a dit, avant qu'on parte ? demanda Tina.

Maggie lui tapota la main.

– Il a dit que tu étais un brave soldat et que je devrais prendre soin de toi mais pas devenir folle de toi. Je lui ai alors dit que tu n'étais qu'une enflure, et que je ne retournais avec toi que parce que mon anglais commençait à s'appauvrir.

Une fois dehors, Maggie insista pour prendre le métro ; ils filaient vers le sud de Manhattan, dans un train crasseux : Maggie Lah avec ses sentiments secrets et Tina avec les siens, tandis que parallèlement, ses amis songeaient eux aussi, sous le regard patient de Pun Yin.

Voici Tim Underhill, se disait Tina, voici Tim Underhill dans une zone de Camp Crandall connue des cinglés de l'Éléphant cabré sous le nom d'Ozone Park. Ozone Park est une sorte de terrain vague de la dimension d'environ deux pâtés de maisons, situé entre l'arrière du « club » de Manly et la ceinture de barbelés. Ses équipements se composent d'une pissotière, qui procure un soulagement certain, et d'un énorme entassement de barils de métal vides, qui offrent de l'ombre et une entêtante odeur d'essence. Ozone Park n'existe pas officiellement, on n'y craint donc pas les incursions de l'adjudant, pour qui, de façon bien militaire, *devrait* équivaut absolument à *est*. Voici Tim Underhill, en compagnie d'un certain nombre de camarades qui se défoncent au tord-boyaux de Si Van Vo, et se défoncent plus encore avec un peu de poudre blanche qu'Underhill a sortie de l'une de ses poches. Voici Underhill qui raconte à tout le monde une de ses histoires; il y a là, outre moi-même, M.O. Dengler, Spanky Burrage, Michael Poole, Norman Peters, et aussi Victor Spitalny qui rôde autour des barils, jetant de temps à autre de petites pierres sur le groupe. Underhill raconte : un jeune homme de bonne famille, fils d'un juge fédéral, est mobilisé et envoyé dans ce délicieux Fort Sill, dans cette ville magnifique de Lawton, dans l'Oklahoma...

– Le son de ta voix me donne envie de gerber, lance Spitalny, qui se trouve un peu éloigné des autres, près des barils.

Il lance une pierre à Underhill et l'atteint en pleine poitrine.

– Tu n'es qu'une pédale! ajoute Spitalny.

– Et toi t'es qu'un con! se souvient d'avoir rétorqué Tina à Spitalny, qui lui retourna le compliment en lui jetant une pierre à lui aussi.

Il fallut longtemps pour s'habituer aux « fleurs », parce qu'il fallut longtemps pour comprendre qu'Underhill ne corrompait personne, qu'il ne pouvait corrompre personne parce que lui-même n'était pas corrompu. Bien que la plupart des soldats que connaissait Tina prétendissent mépriser les filles asiatiques, presque tous utilisaient les services des putains et des filles de bar. Les seules exceptions étaient Dengler, qui s'accrochait à sa virginité dans la croyance que ce talisman lui gardait la vie sauve, et Underhill, qui draguait les jeunes gens. Tina se demandait si les autres savaient que les fleurs d'Underhill avaient plus de vingt ans, et qu'il n'y en avait eu que deux. Tina le savait parce qu'il les avait connus tous les deux. Le premier était un ancien soldat sud-vietnamien, manchot, avec un visage de fille, qui vivait chez sa mère à Hué, et vendait de la viande grillée dans la rue, jusqu'à ce qu'Underhill l'entretienne. La deuxième fleur travaillait au marché aux fleurs de Hué, et Tina avait dîné un soir avec lui, Underhill, la mère et la sœur du jeune homme. Il avait senti une telle tendresse entre ces quatre personnes, qu'il se serait volontiers fait adopter s'il avait pu. Underhill donnait aussi de l'argent à cette famille. Et à présent, d'une manière curieuse, c'était Tina qui leur donnait de l'argent, car lorsqu'en 1975, Vinh, l'ancienne fleur d'Underhill, parvint à le retrouver à New York, Tina, qui se souvenait de l'excellence du repas comme de la chaleur et de la tendresse qui régnaient dans la petite maison, l'engagea comme cuisinier au Saigon. Vinh avait beaucoup changé : il avait vieilli, semblait plus dur, moins gai. (Il avait aussi élevé un enfant, perdu sa femme, et effectué un long apprentissage dans les cuisines d'un restaurant vietnamien de Paris.) Aucun des autres ne connaissait l'histoire de Vinh. Harry Beevers devait l'avoir vu une fois en compagnie d'Underhill et l'avoir aussitôt oublié, car pour des raisons connues de lui seul,

Harry s'était persuadé que Vinh était originaire d'An Lat, un village voisin de Ia Thuc : chaque fois qu'il voyait Vinh ou sa fille, il se sentait persécuté.

– Tu as l'air presque heureux, maintenant, lui dit Maggie.

– Ça n'est pas possible qu'Underhill soit Koko, répondit Tina. Ce type-là était fou, mais il était fou de façon tout à fait raisonnable.

Maggie ne répondit rien, ne modifia pas la pression de ses doigts sur la main de Tina, ne lui adressa pas le moindre regard, en sorte qu'il n'aurait su dire si elle l'avait entendu. Peut-être se sentait-elle insultée. La rame bruyante entra dans la station et s'immobilisa dans un bruit de ferraille. Les portes s'ouvrirent en glissant, et Tina demeura pétrifié pendant une seconde. Les bruits s'estompèrent et Maggie le força à se lever. En sortant du wagon, Tina prit Maggie dans ses bras et l'étreignit avec force.

– Moi aussi je t'aime, dit-elle. Mais je ne sais pas si je suis folle de façon raisonnable ou si c'est le contraire.

Au coin de Grand Street, elle réprima un petit cri.

– J'aurais dû te prévenir dit Tina.

Devant le Saigon, sur le trottoir, s'entassaient des monceaux de briques, des planches, des sacs de plâtre et des tuyaux. Des ouvriers en parkas verts, les mains protégées par de gros gants de chantier, tête baissée pour lutter contre le vent, charriaient des brouettes de gravats et les jetaient avec difficulté dans une benne. Deux camions stationnaient en double file le long de la benne ; sur les flancs du premier on pouvait lire SCAPELLI CONSTRUCTION CO., et sur l'autre, MCLENDON EXTERMINATION. Des hommes en casques de chantier faisaient la navette entre le restaurant et les camions. Vinh s'entretenait avec une femme tenant un rouleau de plans à la main ; il adressa un signe de tête à Maggie puis fit un geste à l'intention de Tina.

– Il faut qu'on parle, lança-t-il.

– A quoi ça ressemble, à l'intérieur ? demanda Maggie.

– C'est moins terrible que vu de l'extérieur. Mais enfin toute la cuisine est détruite, ainsi qu'une grande partie de la salle de restaurant. Vinh m'a aidé, il veillait à tout quand je n'étais pas là. Il a fallu abattre tout le mur du fond, et il faut reconstruire une partie de la cave.

Tina introduisit sa clé dans la serrure de la porte blanche, à côté de la porte d'entrée du restaurant ; Vinh serra alors rapidement la main de l'architecte et se précipita vers eux avant que Tina eût pu ouvrir la porte.

– Content de vous revoir, Maggie, dit-il, et il ajouta quelques mots en vietnamien à l'adresse de Tina.

Tina grommela quelques mots en vietnamien et tourna vers Maggie un visage préoccupé.

– Le sol s'est effondré ?

– Quelqu'un s'est introduit ici ce matin. Je suis parti à huit heures pour prendre mon petit déjeuner et aller à un rendez-vous avec des fournisseurs. Malgré les travaux d'agrandissement de la cuisine, il faut bien que je fasse tout ce que je fais d'habitude, mais j'ai été interrompu quand j'ai vu cette annonce dans *Voice*.

– Mais enfin comment est-ce que quelqu'un a pu entrer avec tout ce monde ?

– Oh, mais ils ne sont pas entrés dans le restaurant. Ils ont pénétré dans l'appartement. Vinh a entendu du bruit à l'étage, mais il a cru que c'était moi. Plus tard, il est monté me demander quelque chose, et il s'est rendu compte que ça devait être un cambrioleur.

Tina regardait d'un air inquiet la volée de marches étroites conduisant à son appartement.

– Je ne pense pas que Dracula soit venue te rendre une visite de politesse, dit-elle.

– Non, moi non plus je ne le crois pas, répondit Tina d'un ton guère convaincu. Mais enfin cette salope est peut-être venue rechercher quelque chose qu'elle avait oublié.

– Mais ça n'est qu'un cambrioleur, protesta Maggie. Allez, viens, il fait froid, ici.

Elle monta deux marches, puis saisit Tina par les deux bras et l'attira à elle.

– Hé, petit Blanc ! Tu sais à quelle heure il y a le plus de cambriolages ? Vers dix heures du matin, quand les voyous savent que tout le monde est au travail.

– Je le sais, dit Tina en souriant. Non, c'est vrai, je le sais.

– Et si la petite Dracula revient te faire la peau, je la transforme... humm... (elle roula des yeux puis se planta un doigt dans la joue)... en soupe à l'œuf.

– Ou plutôt en canard Saigon. Rappelle-toi où tu es.

– Allez, montons et finissons-en.

– C'est exactement ce que je disais.

Il la suivit jusqu'à la porte de son appartement. A la différence de la porte blanche en bas, elle était fermée.

– C'est quelqu'un de plus poli que Dracula, dit Maggie.

– Elle se verrouille quand on la tire. Rien ne prouve encore que ça ne soit pas cette garce de Dracula.

Tina ouvrit la porte et pénétra dans l'appartement avant Maggie.

Ses manteaux et ses imperméables étaient toujours suspendus à leurs crochets, et ses boots alignées en dessous.

– Jusque-là ça va.

– Arrête d'être si trouillard ! dit Maggie en le poussant légèrement en avant.

La porte de la salle de bains n'était distante que de quelques pas. Rien n'avait été dérangé dans la salle de bains, mais Tina imaginait Dracula debout devant le miroir, fléchissant les genoux et faisant ainsi bouger sa crête à l'iroquoise.

La chambre à coucher. Le lit était défait et la télévision manquait sur sa table : mais il n'avait pas fait son lit avant de partir, et n'avait pas encore remplacé le téléviseur Sony que Dracula avait emporté. Mais la porte du placard était ouverte, et quelques complets pendaient de travers, encore accrochés à leurs cintres, au-dessus d'un tas de vêtements en désordre.

– Nom de Dieu, c'était bien Dracula !

Tina sentit une sueur glacée sourdre de tout son corps.

Maggie le regarda d'un air interrogateur.

– La première fois, elle m'a pris ma veste préférée et ma plus belle paire de bottes de cow-boy. Et merde ! Elle apprécie ma garde-robe.

Tina se frappa les tempes de ses deux poings.

Il ramassa les vêtements et les remit en place sur leurs cintres.

– Vinh a appelé la police ? Tu veux qu'il les appelle ?

Les bras chargés de vêtements, Tina regarda Maggie.

– A quoi ça servirait ? Même s'ils la trouvent et si par miracle ils la coffrent, elle sera dehors dans un jour ou deux. C'est comme ça qu'on fait, ici. J'imagine qu'à Taïpeh vous devez procéder de façon différente.

Maggie était appuyée contre la porte. Elle avait les bras plaqués le long du corps, et, peut-être pour la millième fois, Tina remarqua qu'elle avait de drôles de mains petites et noueuses.

– A Taïpeh, dit-elle, on leur agrafe la langue à la lèvre supérieure, et on leur coupe trois doigts de chaque main avec un couteau émoussé.

– À la bonne heure ! Ça, j'appelle ça de la justice.

– A Taïpeh, c'est ce qu'on appelle du libéralisme. Dis-moi, est-ce qu'il manque quelque chose d'autre ?

– Attends, attends, dit Tina en remettant le dernier complet sur son ceintre et en l'accrochant sur la barre. On n'est pas encore allés voir le salon. Et je ne sais pas si j'ai vraiment envie d'aller voir au salon.

– J'irai voir, si tu veux. Comme ça on pourra revenir dans la chambre, se déshabiller et faire ce qu'on avait l'intention de faire au départ.

Il la considéra avec un étonnement non feint.

– Je vais m'assurer que l'ennemi a fui le salon, ajouta-t-elle d'un ton sec.

Puis elle disparut.

– Nom de Dieu de nom de Dieu! hurla Tina quelques secondes plus tard. Je le savais!

Maggie pencha à nouveau la tête par la porte ouverte, balançant sa lourde chevelure.

– Tu as dit quelque chose?

– C'est incroyable!

Tina contemplait la table de nuit vide à côté du lit; il finit par se tourner vers Maggie.

– A quoi ressemble le salon?

– Un tout petit peu dérangé, mais à part ça, ça va. Mais je n'ai pas eu le temps de bien regarder, parce que j'ai été dérangée par les hurlements d'un cinglé.

– C'est Dracula, c'est sûr.

Tina n'aimait pas l'expression « un tout petit peu dérangé ».

– Je le savais, nom de Dieu! Elle est revenue et elle a piqué la même chose. (Du doigt, il indiqua la table de nuit.) J'ai dû acheter un nouveau réveil-radio, et il a disparu. J'ai aussi acheté un nouveau baladeur, et cette salope l'a aussi volé.

En regardant s'avancer la ravissante petite Maggie dans sa robe chinoise flottante, Tina eut une vision apocalyptique de son salon. Il voyait les coussins éventrés, les livres jetés sur le sol, son bureau retourné, la grande télévision et le répondeur téléphonique disparus, ainsi que le magnétoscope, ses chéquiers, le paravent rapporté du Vietnam, et la plupart de ses bouteilles d'alcool. Tina ne se sentait pas démesurément attaché aux biens matériels, mais il se préparait au pire. Il s'inquiétait surtout pour le canapé que Vinh avait fabriqué et tapissé pour lui.

Du bout du pied, Maggie souleva alors un coin de la couverture et découvrit le réveil-radio et le nouveau baladeur qui avaient dû tomber par terre.

Sans un mot, elle conduisit Tina dans le salon, et celui-ci dut reconnaître qu'il était presque exactement dans l'état où il l'avait laissé en partant.

Le lourd tissu bleu moucheté du canapé de Vinh n'était pas du tout froissé, les livres se trouvaient toujours sur les étagères, dans leur désordre habituel, ou bien empilés sur les tables basses; la télévision, stupide comme une idole, se dressait toujours sur son étagère, à côté du magnétoscope et de la grosse chaîne stéréo. Tina examina les disques rangés en dessous, et s'aperçut tout de suite que quelqu'un avait fouillé.

A l'extrémité de la pièce se dressait une estrade, également construite par Vinh, à laquelle on accédait par deux marches. Là se trouvaient des étagères remplies de bouteilles – deux étagères croulaient aussi sous les livres de cuisine – un évier, une glacière dissimulée, un fauteuil et une lampe. Dans un coin de l'estrade était installé le bureau de Tina avec son fauteuil en cuir; le fauteuil de bureau avait été déplacé sur le côté, comme si le visiteur avait passé quelque temps devant la table.

– Ça n'a pas l'air trop vilain, dit-il à Maggie. Elle a jeté un petit coup d'œil par ici, mais apparemment elle n'a pas fait de dégâts.

Il s'avança avec plus d'assurance et examina avec soin la table basse, les livres, les disques et les revues. Dracula avait fouillé... et très légèrement dérangé un peu tout.

– La *Newsletter* du 9ᵉ bataillon, déclara-t-il enfin.

– La quoi ?

– Elle a pris la *Newsletter* du 9ᵉ bataillon. Ça sort deux fois par an... pour dire la vérité, je la regarde à peine, mais je ne jette jamais la vieille avant d'avoir reçu la nouvelle.

– C'est une tapette à soldats.

Tina haussa les épaules et franchit les deux marches de l'estrade. Son chéquier et le chéquier du restaurant se trouvaient encore sur le bureau, mais ils avaient changé de place. Et là, à côté d'eux, se trouvait le numéro de la *Newsletter*, ouvert, laissant apparaître une photo d'une demi-page représentant le colonel Emil Ellenbogen; celui-ci prenait sa retraite et quittait donc le poste subalterne qui lui avait été confié après une période peu glorieuse au Vietnam.

– Non, la salope n'a fait que le bouger, lança-t-il à Maggie, qui se tenait au milieu de la pièce, les bras croisés sur la poitrine.

– Il ne manque rien sur ton bureau ?

– Je ne sais pas. J'ai l'impression qu'il manque quelque chose, mais je n'arrive pas à dire quoi.

Il inspecta à nouveau le bureau. Chéquiers. Téléphone. Répondeur, avec le voyant « message » qui clignotait. Il appuya sur la touche « rewind », puis « playback ». Le silence se déroula. Avait-elle appelé avant de venir pour s'assurer qu'il n'était pas là ? Plus Tina regardait son bureau et plus il avait le sentiment qu'il manquait quelque chose. Mais quoi ? A côté du répondeur se trouvait un livre intitulé *Nam*, qui se trouvait sur l'une des tables basses depuis des mois, il en était sûr... il l'avait abandonné à la moitié, mais il l'avait conservé sur la table parce que dans son esprit, c'était ouvrir la porte à toutes sortes de malheurs que de reconnaître qu'il ne le finirait jamais.

Dracula avait ramassé la *Newsletter* et *Nam* et les avait posés sur le bureau avant d'étudier ses chéquiers. Elle avait probablement touché tout ce qui se trouvait sur le bureau de ses doigts longs et forts. L'espace d'un instant, il fut la proie d'un vertige.

Au milieu de la nuit, Tina se réveilla le cœur battant, tandis qu'un rêve terrible et insensé achevait de se dissiper dans l'obscurité. Il tourna la tête et regarda Maggie profondément endormie sur l'oreiller. Il distinguait à peine son visage. Oh, comme il aimait la voir endormie. Sans l'animation que lui conférait son caractère, ses traits semblaient bien anonymes et typiquement chinois.

Il s'étira contre elle et lui effleura la main. Que faisaient ses amis à présent ? Il les imaginait marcher bras dessus, bras dessous, sur un large trottoir. Tim Underhill ne pouvait être Koko, et dès qu'ils le rencontreraient, ils s'en persuaderaient. Tina songea alors que si Underhill n'était pas Koko, quelqu'un d'autre l'était, quelqu'un qui rôdait autour d'eux, tournait autour d'eux comme la balle qui lui était destinée et qui faisait inlassablement le tour de la terre.

Au matin, il déclara à Maggie qu'il devait faire quelque chose pour aider ses copains : il allait poursuivre les recherches sur les victimes de Koko, voir si on pouvait en apprendre plus par ce biais-là.

– Ah, tu dis enfin des choses sensées ! répondit Maggie.

4

Pourquoi questions et réponses ?

Parce qu'elles vont en ligne droite. Parce qu'elles sont une porte de sortie. Parce qu'elles m'aident à réfléchir.

Sur quoi réfléchir ?

Le naufrage habituel. La fille qui s'enfuit.

Imagines-tu qu'elle était réelle ?

Exactement. J'imagine parfaitement qu'elle était réelle.

Sur quoi d'autre réfléchir ?

Sur le sujet habituel, sur mon sujet. Koko. Et maintenant plus que jamais.

Pourquoi maintenant plus que jamais ?

Parce qu'il est revenu. Parce que je crois que je l'ai vu. Je sais que je l'ai vu.

Tu as imaginé que tu l'avais vu ?

C'est la même chose.

Il avait l'apparence d'une ombre qui danse. Il ressemblait à la mort.

T'est-il apparu en rêve ?

Il est apparu, si c'est bien le mot, dans la rue. La mort est apparue dans la rue, comme la fille est apparue dans la rue. Une clameur terrible accompagnait l'apparition de la fille, tandis que la rumeur ordinaire de la rue, un bruit bien terrestre, entourait l'ombre. L'ombre était couverte, quoique de façon invisible, par le sang des autres. La fille, qui n'était visible que par moi, était couverte de son propre sang. Il émanait de tous les deux une impression d'éternité, de totalité.

C'est-à-dire ?

Le sentiment que nous n'avons que très peu de prise sur le cours de notre existence. Hal Esterhaz dans L'homme divisé. *La fille vient me parler avec sa terreur à elle, avec son désespoir, jaillie du chaos et de la nuit, elle se précipite vers moi, elle m'a choisi. Parce que je choisis Hal Esterhaz, et parce que je choisis Nat Beasley. Pas encore dit-elle, pas encore. L'histoire n'est pas encore terminée.*

Pourquoi Hal Esterhaz s'est-il suicidé ?

Parce qu'il ne pouvait plus supporter ce qu'il commençait à peine à entrevoir.

Est-ce là où l'imagination t'emporte ?

Si c'est suffisamment intéressant.

Étais-tu terrifié quand tu as vu la fille ?

Je l'ai bénie.

13

KOKO

1

Dès que l'avion décollerait, Koko serait un homme en mouvement.

Koko le savait bien : tout voyage est un voyage dans l'éternité. A trente mille pieds au-dessus du sol, les horloges tournent à l'envers, la lumière et l'obscurité échangent librement leur place.

Quand il fait noir, se disait Koko, on peut s'approcher du hublot et si l'on est prêt, si l'âme est déjà à moitié dans l'éternité, on peut apercevoir la face de Dieu, grise et armée de défenses, penchée vers soi dans l'obscurité.

Koko sourit, et la jolie hôtesse des premières classes lui rendit son sourire. Un plateau à la main, elle se pencha vers lui :

– Que préférez-vous, monsieur, champagne ou jus d'orange ?

Koko secoua la tête.

La terre tentait de l'aspirer à travers la carlingue, elle tendait ses bras vers lui, aspire, aspire, la pauvre terre aimait ce qui est éternel et l'éternel aimait la terre et la prenait en pitié.

– Va-t-on projeter un film ?

– Oui, répondit l'hôtesse. *Jamais plus jamais* : le dernier James Bond.

– Parfait, dit Koko, avec un réel sentiment d'hilarité intérieure. Moi-même, jamais je ne dis jamais.

Elle rit avec application et poursuivit son chemin.

Les autres passagers étaient installés avec leurs sacs de voyage, les sacs en plastique des boutiques de l'aéroport, des paniers en osier, des livres. Deux hommes d'affaires chinois occupaient les sièges devant Koko : dès qu'ils s'étaient assis il les avait entendus ouvrir leurs attachés-cases.

Une hôtesse blonde entre deux âges, vêtue d'un tailleur bleu, se pencha vers lui, arborant un sourire factice :

– Comment allons-nous vous appeler, hummmm ?

Et elle exhiba une planchette maintenant une liste des passagers avec leurs numéros de siège. Koko abaissa lentement son journal.

– Vous êtes... ?

Elle le regardait, attendant sa réponse.

Comment allons-nous vous appeler, hummmm ? *Dachau*, on va vous appeler *Lady Dachau.*

– Pourquoi ne pas m'appeler Bobby ?

– Eh bien dans ce cas je vous appellerai Bobby, dit la femme en inscrivant le nom *Bobby* face au chiffre 4B de sa liste.

Dans les poches de Roberto Ortiz, Koko avait trouvé un passeport, diverses cartes, ainsi que six cents dollars américains et trois cents dollars de Singapour. Une vraie fête ! Dans une des poches de son blazer, il avait également trouvé une clé de chambre de l'hôtel Shangri-La ; un jeune Américain ambitieux aurait-il pu loger ailleurs ?

Dans le sac de Mlle Balandran, Koko avait trouvé un fer à friser, un diaphragme, un tube de gelée spermicide, une petite boîte en plastique contenant un tube de dentifrice Darkie et une brosse à dents, un slip propre et un collant neuf, un tube de rouge à lèvres, un tube de mascara, une houpette, un peigne à manche, dix centimètres de paille en plastique blanc, une petite pochette en cuir contenant des poppers, un Barbara Cartland en lambeaux, une demi-douzaine de comprimés de Valium sans boîte, un grand nombre de Kleenex tout froissés, plusieurs trousseaux de clés, et une grosse liasse de billets : cent cinquante-trois dollars de Singapour.

Koko fourra l'argent dans sa poche et jeta le contenu du sac sur le sol de la salle de bains.

Après s'être lavé les mains et le visage, il prit un taxi et se rendit au Shangri-La.

Roberto Ortiz vivait sur la West End Avenue à New York.

Sur West End Avenue se rend-on compte à quel point les seigneurs de la terre, à quel point Dieu lui-même ont soif d'immortalité ? Les anges descendaient West End Avenue, leurs imperméables flottant dans le vent.

Lorsque Koko sortit du Shangri-La, il portait deux paires de pantalons, deux chemises, un chandail en coton et une veste en tweed. Dans sa main gauche, un sac avec deux complets, trois autres chemises et une paire d'excellentes chaussures noires.

En taxi, Koko suivit Grove Road, puis Orchard Road, et traversa la ville propre et ordonnée de Singapour pour se rendre jusqu'à un immeuble vide, sur une rue circulaire voisine de Bahru Road ; en chemin, il s'imaginait parcourir la Cinquième Avenue dans une limousine découverte. Les seigneurs de la terre et lui-même étaient bombardés de serpentins et de confettis, et la foule massée sur les trottoirs les applaudissait.

Qui pourrait empêcher le jour de leur triomphe, à eux tous : Beevers, Poole, Pumo, Underhill, Tattoo Tiano, Peters et le doux Spanky B., tous les seigneurs de la terre ? Car les ténèbres recouvriront la terre. Voici le jeune avocat, Ted Bundy, et Juan Corona, qui travaillait dans les champs, et celui qui à Chicago s'habillait comme un clown, John Wayne Gacy, et Son of Sam, et Wayne Williams, d'Atlanta, et le Tueur zébré, et ceux qui abandonnaient leurs victimes à flanc de colline, et le petit gars dans le film *Ten Rillington Place*, et Lucas, qui était probablement le plus grand d'eux tous. Le triomphe des guerriers du paradis. Ils suivaient leur route au milieu de tous ceux qui ne seraient jamais pris, de tous ceux qui offraient à la face du monde un visage présentable, vivaient modestement, changeaient de ville, payaient leurs dettes, au milieu de tous ces secrets incarnés.

Le feu du raffinage.

Koko gagna péniblement la fenêtre de la cave et vit son père, exaspéré, assis sur un cageot. *Espèce d'imbécile,* disait son père. *Tu rêves ? Tu crois qu'on va offrir un défilé triomphal à quelqu'un comme toi ? Rien n'est perdu dans l'animal.*

Il répandit l'argent sur le sol caillouteux, et parvint à arracher un sourire au vieil homme qui lui dit : « *Rien ne remplace le bon beurre.* » Koko ferma les yeux et vit une file d'éléphants qui avançaient péniblement et approuvaient d'un air grave.

Sur son sac de couchage déroulé, il disposa le passeport de Roberto Ortiz et les cinq cartes à l'Eléphant cabré de façon à pouvoir lire les noms. Puis il fouilla dans une boîte de papiers et en sortit un magazine américain, *New York*, qu'il avait pris dans un hall d'hôtel, deux jours après le défilé saluant le retour des otages. Sous le titre, des lettres de feu proclamaient : *dix nouveaux endroits chauds.*

Ia Thuc, Hué, Da Nang, voilà des endroits chauds. Et Saigon. Voilà un nouvel endroit chaud : Saigon. Le magazine s'ouvrit à la page où se trouvaient l'article et la photo concernant le nouvel endroit chaud. (Le maire de la ville y avait dîné.)

Koko était étendu sur le sol, vêtu de son nouveau complet, et contemplait avec intensité la photographie du nouvel endroit chaud. Des palmes d'un vert profond étaient accrochées aux murs. Des serveurs vietnamiens en chemise blanche circulaient entre les tables, si rapidement qu'ils n'étaient que des éclairs de lumière. Koko avait l'impression d'entendre le brouhaha des voix, le tintement des fourchettes et des couteaux sur la faïence. Les bouchons de champagne sautaient. A l'arrière-plan, Tina Pumo grimaçait, appuyé contre le bar; Pumo le Puma se pencha hors de la photo et s'adressa à Koko. Sur le brouhaha du restaurant, sa voix se détachait comme un saxophone solo se détache sur la sonorité d'ensemble d'un grand orchestre.

– Ne me juge pas, Koko, disait Pumo.

Pumo avait l'air d'avoir sacrément les foies.

C'est ainsi qu'on parle quand on sait se trouver face à la porte de l'éternité.

– Je comprends, Tina, dit Koko au petit homme angoissé de la photo.

D'après l'article, on servait au Saigon l'une des cuisines vietnamiennes les plus variées et les plus authentiques de tout New York. La clientèle était jeune, branchée, et bruyante. Le canard était « aux parfums du ciel » et chaque soupe était « divine ».

– Explique-moi, Tina, disait Koko. Qu'est-ce que c'est que cette connerie de « divine » ? Tu crois qu'une soupe peut être *divine* ?

Tina s'essuya le front avec un mouchoir blanc amidonné et retourna dans la photo.

Dans le doux chuchotement des italiques, se trouvaient l'adresse et le numéro de téléphone.

Un homme vint s'asseoir à côté de Koko, dans la quatrième rangée de sièges des premières classes, jeta un coup d'œil en biais et boucla sa ceinture. Koko ferma les yeux et, tombant d'un paradis glacé, la neige vint recouvrir une couche de glace épaisse de plusieurs dizaines de mètres. Au loin, à peine visible dans l'air enneigé, les glaciers alignaient leurs rangées de dents cassées. Dieu rôdait, invisible au-dessus du paysage gelé, et soufflait avec une rage impatiente.

On sait ce qu'on sait. Quarante, quarante et un ans. Des cheveux blonds et épais de gosse de riches, un visage lourd et des lunettes fines aux verres teintés. Dans ses mains de boucher, un *New York Times* du jour. Un complet à six cents dollars.

L'avion parcourut la piste et s'éleva doucement dans les airs, le nez pointé en direction de San Francisco. L'homme assis à côté de Koko est un homme d'affaires riche avec des mains de boucher.

Une sterne à tête noire figure sur le billet d'un dollar de Singapour. Un bandeau noir semblable à un masque de voleur lui recouvre les yeux, et derrière tourbillonne un chaos de cercles semblables à un cyclone. Ainsi, l'oiseau agite ses ailes par terreur, et l'obscurité recouvre le pays.

M. Lucas ? M. Bundy ?

Dans la banque, dit l'homme. Dans la banque d'investissement. Nous faisons beaucoup d'affaires à Singapour.

Moi aussi.

C'est un endroit fabuleux, Singapour. Et si on est dans la finance, c'est un endroit chaud, vraiment chaud.

L'un des nouveaux endroits chauds.

– Bobby, demande l'hôtesse, que désirez-vous comme boisson ?

Une vodka glacée.

– Et vous, monsieur Dickerson ?

M. Dickerson prendra un Miller High Life.

Au Vietnam, on disait : Une vodka-martini avec des glaçons, sans vermouth, sans olives, sans glaçons.

Ah, vous n'êtes jamais allé au Vietnam ?

Ça peut paraître curieux de dire ça, mais vous avez raté quelque chose. Pas pour dire que j'y retournerais, ça non ! Vous étiez probablement de l'autre côté, n'est-ce pas ? Y a pas de mal, on est tous du même côté à présent : les voies du Seigneur sont souvent bizarres. Mais moi, toutes mes manifestations, je les ai faites avec un M-16, ha, ha, ha.

Je m'appelle Bobby Ortiz, je travaille dans le tourisme.

Bill ? Ravi de faire votre connaissance, Bill. Oui, c'est un long voyage, autant faire connaissance.

Entendu pour une autre vodka, et donnez une autre bière à mon vieux copain Bill.

Moi j'étais dans le 1er corps d'armée, près de la DMZ, du côté de Hué.

Vous voulez voir un truc que j'ai appris au Vietnam ? Bon... mais je le garde pour plus tard, ça vous plaira mieux plus tard, vous verrez. Bobby et Bill Dickerson avalèrent leur repas en même temps mais en silence. Les horloges égrenaient leur tic-tac dans le non-temps.

– Vous jouez ? demanda Koko.

Dickerson, qui allait porter une fourchette à ses lèvres, interrompit son geste.

– De temps en temps. Jamais beaucoup d'argent.

– Ça vous intéresse, un petit pari ?

– Ça dépend du pari.

Et Dickerson fourra dans sa bouche la fourchette pleine de poulet.

– Oh, vous ne voudrez pas. C'est trop fou. Laissez tomber.

– Allez, allez, protesta Dickerson. C'est vous qui avez proposé le truc, alors ne faites pas machine arrière maintenant.

Décidément, ce Bill Dickerson plaisait bien à Koko. Une belle chemise bleue en lin, de belles lunettes à fine monture, une belle et grosse Rolex. Billy Dickerson jouait au racquetball, Billy Dickerson portait un bandeau sur le front et avait un excellent revers, très percutant.

– Disons que c'est le fait d'être en avion qui me rappelle ça. C'est quelque chose qu'on faisait au Vietnam.

Regard intéressé du bon vieux Billy.

– Quand on arrivait sur une ZD.

– Une zone de débarquement ?

– Exactement. Les ZD étaient toutes différentes. Dans certaines ça défourraillait dans tous les coins, mais dans d'autres, on avait l'impression de débarquer dans un pique-nique paroissial au Nebraska. Alors on jouait au pari de la fatalité.

– C'est-à-dire que vous preniez des paris sur le nombre de gars qui seraient tués ? Qui allaient « acheter une ferme », comme vous disiez là-bas ?

Acheter une ferme. Comme il est mignon.

– Non, plutôt sur le fait de savoir *si* il y en aurait qui seraient tués. Combien d'argent avez-vous sur vous ?

– Plus que d'habitude, dit Billy.

– Cinq cents ? Six cents ?

– Moins que ça.

– Alors parions deux cents dollars. Si quelqu'un meurt à l'aéroport de San Francisco pendant que nous sommes encore dans le terminal, vous me donnez deux cents dollars. Dans le cas contraire, je vous en donne cent.

– Vous pariez deux contre un que quelqu'un mourra dans le terminal pendant que nous passerons la douane, que nous irons récupérer les bagages, des trucs comme ça ?

– Exactement.

– J'ai jamais vu personne clamser dans un aéroport, dit Billy en secouant la tête d'un air incrédule.

Il souriait. Il allait prendre le pari.

– Moi si, dit Koko. Parfois.

– Eh bien c'est d'accord, je prends le pari.

Ils se serrèrent la main.

Quelque temps plus tard, Lady Dachau déroula l'écran de cinéma. La plupart des lumières s'éteignirent. Billy Dickerson ferma *Megatrends*, inclina son siège vers l'arrière et s'endormit.

Koko demanda une autre vodka à Lady Dachau et se cala dans son fauteuil pour voir le film.

Le bon James Bond aperçut Koko dès qu'il apparut sur l'écran.

(Le mauvais James Bond était un Anglais endormi ressemblant un peu à Peters, le toubib qui avait été tué dans l'hélicoptère. Le bon James Bond, lui, ressemblait un peu à Tina Pumo.) Il marcha droit sur la caméra et déclara : « Tout va bien, inutile de s'inquiéter, tout le monde fait ce qu'il a à faire, c'est ce qu'on apprend à la guerre. » Il adressa un demi-sourire à Koko. « Tu t'es bien débrouillé avec ton nouvel ami, fiston. Je l'ai remarqué. Et maintenant, rappelle-toi que... »

Vérifié à droite? Vérifié à gauche? Tout est paré.

Messieurs bonjour, et bienvenue dans la république du Sud-Vietnam. Nous sommes le 3 novembre 1967, et il est quinze heures vingt. Vous allez être conduits au centre de Long Binh où vous recevrez vos affectations.

Souviens-toi de l'obscurité des tentes. Souviens-toi des cantines en métal. Souviens-toi des moustiquaires sur leur armature en forme de T. Souviens-toi des sols boueux. Souviens-toi de ces tentes qui ressemblaient à des grottes humides.

Messieurs, vous faites partie d'une grande machine à tuer.

Voici votre arme. Elle peut vous sauver la vie.

Noblesse, grâce, gravité.

Koko vit un éléphant qui descendait une avenue européenne, civilisée. L'éléphant portait un élégant complet vert et soulevait son chapeau au passage de toutes les femmes charmantes. Koko sourit à James Bond ; celui-ci bondit hors de sa belle voiture, regarda Koko dans les yeux, et en de beaux italiques déclara : *Koko, le moment est venu d'affronter à nouveau l'éléphant.*

Longtemps après, ils se tenaient debout dans le couloir de l'avion, leur bagage à la main, attendant que Lady Dachau ouvrît la porte. Devant Koko, à hauteur d'yeux, se tenait la veste du complet de lin bleu de Billy Dickerson, une veste bien tissée et parcourue de grands plis nonchalants, si nonchalants qu'ils donnaient envie d'être soi-même plissé de la même façon. En levant le regard, Koko apercevait les cheveux blonds de Billy Dickerson qui bouclaient sur le col impeccable de la veste de lin. Une agréable odeur de savon et d'après-rasage émanait du bon vieux Billy, qui avait disparu pendant près d'une demi-heure dans les toilettes de l'avant, ce matin-là, tandis que le non-temps se transformait en temps de San Francisco.

Dickerson jeta un coup d'œil à Koko par-dessus son épaule.

– Dites, Bobby, si vous voulez annuler ce pari, je suis encore d'accord. C'est dingue, quand même.

– Vous prenez soin de moi, dit Koko.

Lady Dachau reçut le signal qu'elle attendait et ouvrit la porte.

Ils s'avancèrent dans un couloir de feu glacé. Des anges tenant à la main une épée enflammée leur faisaient signe d'avancer. Koko entendait au loin le grondement des mortiers : c'était signe que rien de sérieux ne se produisait ; le Vieux avait seulement envoyé quelques garçons dépenser son quota mensuel d'argent du contribuable. Le feu glacé, figé en formes semblables à des pierres, ondulait sous leurs pieds. A nouveau l'Amérique. Les anges aux épées enflammées arboraient des sourires enflammés.

– Vous vous souvenez de ce truc dont je vous avais parlé?

Dickerson hocha la tête; Koko et lui se dirigeaient vers le hall de réception des bagages. Les anges aux épées enflammées perdaient petit à petit leur luminosité et se transformaient en hôtesses tirant des chariots. Les flammes qui se tordaient dans la pierre se pétrifièrent en formes froides.

Le couloir continuait encore pendant une vingtaine de mètres, puis tournait brusquement sur la droite.

– Ah, des toilettes! s'exclama Dickerson.

Il se précipita et ouvrit la porte d'un coup d'épaule.

Souriant, Koko le suivit en imaginant une pièce vide carrelée de blanc.

Une femme vêtue d'une robe jaune et brillante passa devant lui ; elle exhalait le chaud parfum sanglant de l'éternité. Pendant un moment, une épée brillante étincela dans sa main. Il ouvrit la porte des toilettes et dut changer son sac de côté pour pousser une autre porte qui se trouvait immédiatement derrière la première.

Un homme chauve se lavait les mains dans l'un des lavabos. A côté de lui, un homme, torse nu, se raclait le visage avec un rasoir en plastique bleu. L'estomac de Koko se serra. Le bon vieux Billy avait déjà atteint la rangée d'urinoirs, dont plus de la moitié étaient occupés.

Koko aperçut son propre visage, tendu, halluciné, dans le miroir. Il se détourna rapidement.

Il se plaça devant le premier urinoir et fit semblant de pisser, attendant que tout le monde fût sorti pour se retrouver seul avec Dickerson. Quelque chose en lui se relâchait, gargouillait à l'intérieur, la tête lui tournait, il vacillait.

L'espace d'un instant, il se crut déjà au Honduras : il avait déjà accompli son travail ou bien il était prêt à tout recommencer. Sous un soleil immense, des gens petits au teint de brique se pressaient dans un aéroport comiquement provincial avec des baraquements en ruine, des policiers désœuvrés et des chiens endormis.

Dickerson remonta sa fermeture Éclair, alla se passer les mains sous l'eau puis sous l'air chaud, et se retrouva dehors avant même le retour de Koko.

Il se précipita dehors. Dans sa poitrine, quelque chose grondait douloureusement.

Dickerson se dirigeait rapidement vers une grande salle où des tapis roulants circulaires, comme des volcans noirs, charriaient des valises sur leurs dos nervurés. Koko observa Dickerson qui se frayait un passage au milieu des gens attendant leurs valises. La chose qui martelait sa poitrine descendit dans son ventre, où elle se mit à tournoyer comme une abeille en colère.

Trempé de sueur, Koko fendit la foule pour rejoindre Dickerson. Légèrement, presque avec révérence, il effleura du bout des doigts la manche de la veste en lin de Dickerson.

– Vous savez, Bobby, ça ne me plaît pas beaucoup, dit Dickerson en ramassant une grosse valise Vuitton sur le tapis roulant.

Koko le savait bien : une femme avait emporté ce sac-là.

– ... oui, cette histoire d'argent ne me plaît pas beaucoup. On laisse tomber toute cette histoire, d'accord ?

Koko acquiesça d'un air misérable. Sa propre valise défoncée se trouvait quelque part sur le tapis roulant. Les choses semblaient quelque peu brouillées sur leurs bords, comme si un léger brouillard flottait dans l'air. Une femme de haute taille, aux cheveux noirs, une épée vivante, ramassa une petite valise sur le tapis roulant et sourit à Dickerson.

– Au revoir et bonne chance, dit Dickerson.

Un homme en uniforme se dirigea sans hésiter vers Dickerson et l'accompagna vers la douane en lui posant quelques questions. Dickerson se pencha vers un guichet vitré où on lui tamponna son passeport.

Hébété, Koko regarda passer sa valise sur le tapis roulant et ne la récupéra que quelques instants plus tard. Il observa ensuite la silhouette de Dickerson qui diminuait petit à petit avant de disparaître derrière une porte au-dessus de laquelle était inscrit : EXIT-TRANSPORTATION.

A la douane, l'inspecteur l'appela « monsieur Ortiz » et fouilla dans la doublure déchirée de sa valise à la recherche de diamants ou d'héroïne.

Aux guichets de l'Immigration, il vit des ailes jaillir de la veste d'uniforme de l'homme derrière le comptoir ; l'homme tamponna son passeport, et lui souhaita la bienvenue à l'occasion de son retour au pays. Koko ramassa alors sa vieille valise, son bagage à main et se précipita vers les toilettes les plus proches. Il posa ses bagages juste derrière la porte et se rua dans la cabine la plus proche. Dès qu'il fut assis sur le siège, ses entrailles se vidèrent. Le feu jaillissait de tout son être. Pendant un moment, Koko eut l'impression qu'on lui avait percé le ventre avec une longue aiguille; puis il se pencha en avant et vomit entre ses pieds. Il demeura ainsi un long moment dans sa propre puanteur, oubliant ses bagages, ne songeant qu'à ce qu'il avait devant lui.

Puis il se leva, gagna le lavabo, se lava le visage et les mains et se plaça la tête sous le robinet d'eau froide.

Il alla ensuite attendre dehors la navette qui devait le conduire au terminal d'où partait son avion pour New York. Une odeur d'huile et de kérosène flottait dans l'air : devant lui, tout semblait en deux dimensions, fraîchement lavé, décoloré.

Au bar du second terminal, Koko commanda une bière. Il avait le sentiment que le temps s'était arrêté... qu'il attendait son retour à la vie. Il respirait rapidement, par petites goulées. Il éprouvait au front comme une sensation de légèreté, de vide, comme si quelque douleur modérée eût brusquement cessé. Il se souvenait à peine des événements de ces dernières vingt-quatre heures.

Il se souvenait de Lady Dachau.

Messieurs, vous faites partie d'une grande machine à tuer.

Dix minutes avant l'embarquement, Koko se dirigea vers sa porte et regarda par la fenêtre; lui, l'homme discret, il apercevait un éléphant en complet et chapeau, qui se cabrait au milieu d'une sombre flaque de sang. Lorsqu'on appela les passagers de première classe, il monta à bord et s'installa dans son siège. Il dit à l'hôtesse de l'appeler Bobby.

Puis tout se passa bien : la tendre douleur et le bourdonnement revinrent l'habiter, car un homme rondelet d'une trentaine d'années vint déposer une serviette sur le siège côté couloir, ôta de ses épaules un sac à dos vert et le posa à côté de la serviette, retira sa veste de complet, révélant une chemise rayée et des bretelles bleu sombre, puis d'un claquement de doigts demanda à l'hôtesse d'emporter sa veste. L'homme fourra le sac à dos dans le compartiment à bagages, ramassa sa serviette et se laissa tomber sur son siège. Il glissa un regard en direction de Koko, puis se mit à fouiller dans sa serviette.

– Je suppose que vous n'êtes pas du genre à parier, dit Koko.

14

SOUVENIRS DE LA VALLÉE DU DRAGON

1

Par la fenêtre de sa chambre d'hôtel, Michael Poole contemplait une longue étendue de la ville de Singapour ; il éprouvait un sentiment de liberté presque inquiétant. La scène qui s'offrait à lui, étonnamment verte et distincte, disparaissait vers ce qui devait être l'est. De grands immeubles de bureaux s'alignaient, blancs et propres, et donnaient à cet endroit des allures de New York. Mais pour le reste, rien du spectacle devant lui ne rappelait, même de loin, Manhattan. Des arbres aux larges couronnes qui semblaient aussi comestibles que des légumes occupaient tout l'espace entre lui et les immeubles blancs, et comme Michael se trouvait bien au-dessus de la cime des arbres, ils lui faisaient également l'effet d'un tapis. Entre les larges étendues remplies par ces arbres, couraient des avenues aux surfaces lisses. Des voitures luxueuses glissaient sur ces routes impeccables : il y avait autant de Jaguar et de Mercedes que sur Rodeo Drive. Çà et là, par des trouées entre les arbres, on apercevait des gens de petite taille se déplaçant le long des allées. Plus près de l'hôtel, les flancs des collines vertes étaient occupés par des bungalows roses ou blancs, avec de larges vérandas, des colonnes et des toits de tuiles. Certains possédaient des cours ouvertes, et dans l'une d'elles, une grosse femme en brillante robe jaune étendait sa lessive. Dans les environs immédiats, que n'obscurcissaient pas les arbres omniprésents, les piscines des hôtels (dont le sien) brillaient comme de petits lacs vus d'avion. Dans la piscine la plus éloignée, une femme accomplissait d'interminables longueurs de bassin ; sur le bord de la piscine, on apercevait un baldaquin rayé de rouge et de bleu. Dans l'enceinte d'une piscine située à mi-distance, un barman en veste noire installait son bar. Sur le bord de la piscine la plus proche de Michael, un jeune Chinois apportait une pile de gros coussins en direction d'une rangée de carcasses de fauteuils vides.

Cette luxueuse cité le surprenait, le rassurait et l'excitait bien plus qu'il n'aurait été disposé à le reconnaître. Michael s'appuyait contre la vitre comme s'il avait voulu s'envoler. En bas, tout semblait doux au toucher. Il s'imaginait auparavant Singapour comme un mélange de Hué et de Chinatown, avec des trottoirs et des rues encombrés de marchands ambulants et de tricycles. Il imaginait une manière de Saigon, ville qu'il n'avait qu'entr'aperçue et n'avait pas aimée. (La plupart des combattants que Michael connaissait et qui avaient connu Saigon ne l'avaient pas aimée.) Le simple fait de regarder le doux tapis des arbres, les toits finement découpés, les bungalows tropicaux et les piscines luisantes redonnait courage à Michael.

Le doute n'était pas permis : il était ailleurs; il était parvenu à sortir de sa vie, et jusqu'au moment présent, il n'avait pas bien mesuré à quel point cela lui était nécessaire. Il avait envie de flâner entre ces grands arbres. Il avait envie de marcher le long de ces larges allées, de retrouver l'air parfumé qu'il avait respiré à son arrivée à l'aéroport de Changi.

C'est alors que retentit la sonnerie du téléphone. Michael décrocha : ce ne pouvait être que Judy.

– Messieurs, bonjour, et bienvenue dans la république de Singapour, dit la voix de Harry Beevers. Il est à présent neuf heures et demie à mon infaillible montre Rolex. Veuillez vous présenter à la cafétéria de l'hôtel où vous recevrez chacun votre affectation... Tu sais quoi ?

Michael ne répondit pas.

– J'ai parcouru l'annuaire du téléphone de Singapour et n'ai vu nulle part de Tim Underhill.

Un petit peu moins d'une heure plus tard, ils descendaient Orchard Road. Michael emportait une enveloppe pleine de photos d'Underhill tirées de la quatrième de couverture de son livre; Harry emportait un Instamatic Kodak dans la poche de sa veste, et examinait maladroitement une carte pliée au dos du *Papineau's Guide to Singapore*; Conor Linklater, lui, déambulait les mains dans les poches. Au cours du petit déjeuner, ils avaient décidé de consacrer leur matinée au tourisme, de marcher le plus possible en ville et de « tâter l'ambiance de l'endroit », comme l'avait dit Harry.

Ce quartier de Singapour était aussi mielleux et inoffensif que leur petit déjeuner à la cafétéria. Ce que Michael n'avait pas vu de sa chambre d'hôtel, c'était que cette ville ressemblait infiniment à une zone *duty-free* de grand aéroport. Tout bâtiment qui n'était pas un hôtel était un immeuble de bureaux, une banque ou un centre commercial. Il y avait d'ailleurs surtout des centres commerciaux, et ils faisaient en général trois ou quatre étages. Au sommet d'un grand immeuble encore en construction se dressait une affiche géante montrant un homme d'affaires américain s'entretenant avec un banquier chinois de Singapour. Dans une bulle au-dessus de l'Américain, on pouvait lire : *J'ai appris avec plaisir que mes investissements à Singapour pouvaient être extraordinairement rentables!* A quoi le banquier chinois répondait : *Grâce aux mesures prises en faveur des investissements de nos amis étrangers, il n'est jamais trop tard pour participer au miracle économique de Singapour!*

On pouvait pénétrer dans le premier magasin et acheter appareils photo et matériel hi-fi ; de l'autre côté de la rue à six voies, on grimpait une volée de marches en marbre pour accéder à sept magasins vendant appareils photo, matériel hi-fi, rasoirs électriques et calculatrices électroniques. Là se trouvait le Orchard Towers Shopping Center, plus loin, de l'autre côté de la rue, affectant vaguement la forme d'une ziggourat, se trouvait le Far East Shopping Center, sur lequel se dressait une longue bannière rouge portant les mots GONG HI FA CHOY, car l'on venait de passer le Nouvel An chinois. A côté du Orchard Towers Shopping Center, se dressait le Hilton, sur la terrasse duquel on apercevait des Américains d'âge moyen prenant leur petit déjeuner. Avant cela, ils étaient passés devant le Singapura Forum, où un gros Malais au visage de William Bendix arrosait les dalles au tuyau d'arrosage. Loin sur une colline, ils avaient aperçu un jardinier s'efforçant de conserver aux pelouses de l'hôtel Shangri-La l'aspect impeccable du court central de Wimbledon. Plus loin sur Orchard Road, on découvrait le Lucky Plaza Shopping Center, l'hôtel Irana et l'hôtel Mandarin.

Les hommes portaient des complets bleus, de belles cravates, des lunettes noires, et ressemblaient au banquier chinois de la grande affiche. Les femmes étaient minces, avenantes, et vêtues de robes. Michael se rendit alors compte qu'à eux trois, Conor, Harry et lui formaient une minorité raciale. Un peu plus loin sur l'avenue, on apercevait une affiche : Chuck Norris, au milieu d'un grand nombre de Chinois, environné de flammes, faisait une grimace ; une jeune Chinoise qui se promenait passait sous l'affiche, puis regardait les vitrines des boutiques d'un air distrait. Elle était vêtue comme une collégienne : un chapeau plat de couleur blanche, un chemisier blanc avec une cravate noire et une jupe noire. Puis une rangée de filles toutes semblables, alignées comme des canards, fit son apparition derrière la première fille.

De l'autre côté de la rue, à côté d'une affiche vantant les hamburgers McDonald, on pouvait lire, sur un écriteau blanc, la phrase suivante : « Aidez votre gouvernement : parlez mandarin. » Soudain, il sembla à Michael qu'un parfum flottait dans l'air, comme si quelque fleur invisible et exotique avait éclos à côté de lui. Il se sentit heureux, de façon déraisonnable.

– On cherche bien la Boogey Street dont Underhill nous parlait, non ? demanda Michael. Alors pourquoi ne pas tout simplement prendre un taxi ? Nous sommes dans un pays civilisé.

2

Frappé par une sorte de révélation, Tina Pumo se réveilla au milieu de ce qui lui sembla d'abord être l'obscurité la plus totale. Son cœur cognait fort dans sa poitrine. Il avait l'impression d'avoir crié ou d'avoir au moins proféré un son, mais Maggie dormait tranquillement à côté de lui. Il regarda l'heure à sa montre lumineuse. Trois heures vingt-cinq.

Tina savait ce qu'on avait volé sur son bureau. Si Dracula n'avait pas tout dérangé, il s'en serait aperçu immédiatement, et s'il n'avait pas eu l'esprit tellement occupé par son travail depuis ces deux jours, il s'en serait également rendu compte en s'asseyant à sa table. Il avait passé au moins la moitié de son temps en bas avec les entrepreneurs, les ouvriers et le service de désinsectisation. Ce dernier semblait avoir réussi, finalement, à débarrasser la cuisine de ses derniers insectes, mais l'employé se trouvait dans un état proche de l'euphorie en songeant au nombre, à la variété et à la vigueur des cafards qu'il avait dû exterminer. Chaque jour, Tina avait dû aussi consacrer un certain nombre d'heures à convaincre Molly Witt, son architecte, qu'elle installait une cuisine et une salle de restaurant et non un bloc opératoire ultra-moderne. Le reste du temps, il l'avait passé avec Maggie, parlant de lui-même comme jamais il ne l'avait fait dans sa vie.

Tina avait presque l'impression que Maggie l'avait délivré. En deux jours, elle avait beaucoup fait pour le sortir d'une coquille dans laquelle il ne savait même pas qu'il était enfermé.

Il commençait seulement à comprendre que cette coquille s'était formée au Vietnam. Cette soudaine révélation l'humiliait : Dracula l'avait terrorisé en réveillant des sentiments qu'il s'imaginait, enchanté, et même fier, avoir mis au placard en même temps que son uniforme. Tina s'imaginait que c'étaient seulement les autres qui s'étaient laissé envahir par la terreur au Vietnam. Entre lui et les événements vécus là-bas, il avait mis une rassurante distance émotionnelle. En quittant l'armée, il avait recommencé sa vie. En abordant cette nouvelle vie, il avait éprouvé, comme la plupart des anciens combattants, une sorte de vide, de dislocation de son être, mais cette période avait pris fin six ans auparavant lorsqu'il avait ouvert le Saigon. Pourtant, il avait continué de voguer de fille en fille, et comme lui vieillissait, les filles devenaient de plus en plus jeunes puisqu'elles avaient toujours le même âge. Il tombait amoureux du dessin de leur bouche ou de leurs bras, ou de l'éloquente relation entre leurs cuisses et leurs chevilles ; il tombait amoureux du balancement de leur chevelure ou de la façon dont leur regard se posait sur lui. Il se disait à présent que jusqu'à ce que Maggie le foudroie sur place, il était tombé amoureux de tout ce qu'il y a chez une femme sauf de la femme elle-même.

– Crois-tu qu'il y a vraiment un moment où le passé prend fin et où le présent commence ? lui avait demandé Maggie. Tu ne sais donc pas qu'au fond de toi, les choses qui t'arrivent ne cessent jamais vraiment de t'arriver ?

L'idée qu'elle pensait ainsi parce qu'elle était chinoise lui avait traversé l'esprit, mais il avait gardé cette théorie pour lui.

– Personne ne peut échapper aux événements de la façon dont tu crois avoir échappé au Vietnam, avait-elle ajouté. Tu as vu tes amis tués à côté de toi, et tu n'étais qu'un gamin. Maintenant, après une agression somme toute pas si terrible, tu as peur des ascenseurs, du métro, des rues sombres et de Dieu sait quoi encore. Tu ne crois pas qu'il y a un rapport ?

– C'est possible, admit-il. Mais comment est-ce que l'idée t'en est venue ?

– Mais tout le monde sait ça, Tina. Sauf un nombre surprenant d'Américains d'âge moyen qui croient dur comme fer qu'on peut tout recommencer à zéro, que le passé peut mourir et que l'avenir est un nouveau commencement, et qu'on peut vivre comme ça.

Il se releva doucement. Maggie ne bougea pas et sa respiration demeurait régulière. Il fallait absolument qu'il aille vérifier sur son bureau si sa subite révélation était la bonne. Son cœur battait toujours la chamade et il avait l'impression qu'il faisait un bruit d'enfer. Il traversa avec précaution la pièce plongée dans l'obscurité. En posant la main sur le bouton de la porte, il imagina soudain que Dracula l'attendait derrière. La sueur se mit à couler sur son visage.

– Tina ?

La voix cristalline de Maggie lui parvint de la chambre.

Tina se tenait dans le couloir vide et sombre. Il n'y avait personne, comme si Maggie avait contribué à dissiper la menace.

– Je sais ce qui manque, dit-il. Il faut que j'aille voir. Désolé de t'avoir réveillée.

– C'est pas grave.

Le sang battait à ses tempes, et il se sentait les genoux encore un peu cotonneux. S'il restait plus longtemps au même endroit sans bouger, Maggie finirait par se rendre compte que quelque chose n'allait pas. Elle se lèverait même probablement pour venir l'aider. Il pénétra dans le salon et tira sur le cordon commandant l'éclairage central de la pièce. Comme la plupart des pièces que l'on utilise surtout la journée, celle-ci, vue de nuit, semblait inquiétante, comme si chaque objet avait été remplacé par sa réplique exacte. Il traversa le salon, grimpa les quelques marches de l'estrade et s'assit à son bureau.

Il ne le voyait pas. Il chercha à côté du téléphone et du répondeur. Il repoussa les chéquiers sur le côté et souleva des piles de factures et de reçus. Il regarda derrière une boîte de papier collant et déplaça une boîte de mouchoirs en papier. Rien. Il ne pouvait pas être caché derrière les flacons de vitamines qui se trouvaient à côté du taille-crayon électrique, ni derrière les deux boîtes de crayons Blackwing. Il avait donc raison : il avait disparu. On l'avait volé.

Pour s'en assurer complètement, Tina regarda sous son bureau, derrière, puis fouilla dans la corbeille à papier. Il y trouva un grand nombre de mouchoirs en papier chiffonnés, un vieux numéro de *Village Voice*, un emballage de Granola Quaker Oats, des lettres circulaires de demande d'argent envoyées par des organisations humanitaires, des tickets-cadeaux donnés par l'épicerie, plusieurs enveloppes non ouvertes proclamant qu'il avait déjà gagné un magnifique cadeau, un bouchon de flacon de vitamines, avec son tampon de coton.

Penché sur la corbeille à papier, Tina leva les yeux et aperçut Maggie qui se tenait dans l'encadrement de la porte. Elle avait les bras ballants et le visage ensommeillé.

– Je sais que j'ai l'air un peu cinglé, dit-il, mais j'avais raison.

– Qu'est-ce qui manque ?

– Je vais d'abord y réfléchir quelques minutes, et puis après je te le dis.

– C'est aussi grave que ça ?

– Je ne sais pas encore.

Il se releva. Il se sentait le corps fatigué mais l'esprit alerte. Il descendit de l'estrade et se dirigea vers elle.

– Je suis sûre que ça n'est pas si grave que ça, dit-elle.

– J'étais en train de penser à un type nommé M.O. Dengler.

– Celui qui est mort à Bangkok ?

Il saisit une des mains de Maggie et l'ouvrit comme une feuille d'arbre, dans la sienne. Vues ainsi, les mains de Maggie semblaient normales, pas du tout noueuses. Un grand nombre de petites rides striaient sa paume. Les doigts de Maggie étaient petits, fins comme des cigarettes, légèrement recourbés.

– Ça doit être horrible de mourir à Bangkok, dit-elle. Je déteste Bangkok.

– Je ne savais pas que tu y étais allée.

Il tourna la main de Maggie paume en l'air. Alors que le dos de sa main, comme le reste de son corps, avait une nuance dorée, sa paume était presque rose. Peut-être les articulations de sa main étaient plus grosses qu'on ne s'y serait attendu. Peut-être avait-elle les os du poignet un peu saillants.

– Tu ne sais pas grand-chose de moi, dit Maggie.

Tous les deux savaient bien qu'il allait lui dire ce qui avait été volé sur le bureau, et que cette conversation représentait une simple pause lui permettant de mesurer pleinement l'étendue de sa perte.

– Tu es déjà allé en Australie ? demanda-t-elle.

– Oui, souvent.

Elle lui jeta un regard qui se voulait indifférent mais ne parvint pas à dissimuler une expression de dégoût vaguement amusé.

– Je suppose que tu y es allé en permission et que tu passais plusieurs jours à te soûler et à assouvir tes pulsions sexuelles.

– Exactement, dit Tina. C'était les ordres.

– On peut éteindre la lumière, maintenant, et retourner au lit ?

Tina, qui en fut le premier surpris, se mit à bâiller. Il tira le cordon, plongeant la pièce dans l'obscurité.

Maggie l'accompagna le long du couloir jusque dans la chambre. Ils s'étendirent tous deux sur le lit ; Tina sentit plus qu'il ne vit Maggie rouler sur le côté et s'appuyer sur son coude.

– Et maintenant, parle-moi de M.O. Dengler, dit-elle.

Il hésita, puis une phrase toute formée apparut dans son esprit ; lorsqu'il l'eut prononcée, d'autres phrases suivirent, comme si elles se parlaient de leur propre volonté.

– On était dans une espèce de champ marécageux. Il était à peu près six heures du soir et on était dehors depuis peut-être cinq heures du matin. On en avait tous plein les bottes parce qu'on avait faim, qu'on avait perdu la journée pour des prunes, et qu'on voyait bien que le lieutenant faisait n'importe quoi. Il était arrivé deux jours auparavant et il essayait de faire le malin pour nous impressionner. C'était Beevers.

– Ça m'étonne pas, dit Maggie.

– Il nous avait emmenés dans la cambrousse pour une chasse au lapin. En fait, l'habitude, et c'est ce que l'ancien lieutenant aurait fait, c'était de fouiller un peu les alentours de la zone de débarquement pour voir si on pouvait faire quelques cartons, puis de reprendre ensuite tranquillement les hélicos. S'il y avait du grabuge, soit on appelait l'aviation, soit un barrage d'artillerie, soit on canardait nous-mêmes. On ripostait. Ça dépendait de ce qu'il y avait en face. On n'était là que pour riposter. On nous envoyait là-bas pour qu'on se fasse tirer dessus : comme ça on ripostait et on descendait un maximum de gusses. Au fond, quand on y réfléchit, c'était pas plus compliqué que ça.

» Mais ce nouveau type, là, Harry Beevers, il se conduisait comme un... enfin, avec lui on savait qu'on était dans la panade. Parce que pour riposter, il faut savoir ce qu'on a en face. Mais ce nouveau lieutenant, tout frais sorti de la PMS d'une université huppée, se conduisait comme s'il jouait dans un film. Dans sa tête, il se voyait déjà un héros. Il allait capturer Hô Chi Minh, écraser à lui tout seul une division ennemie, il voyait déjà la Médaille d'honneur avec son nom sur le certificat. Tu vois le genre de type.

– Et quand est-ce qu'on en arrive à M.O. Dengler? demanda doucement Maggie.

– On y arrive, on y arrive, répondit Tina en riant. En fait, notre nouveau lieutenant nous avait conduits en dehors de notre zone d'opérations sans même s'en rendre compte. Il était tellement excité qu'il avait mal lu la carte, et Michael Poole envoyait à la base des fausses coordonnées sur notre situation. On était censés retourner vers la ZD, la zone de débarquement, mais on ne reconnaissait pas le paysage autour de nous. Michael a dit : « Mon lieutenant, j'ai regardé ma carte, et je crois qu'on se trouve dans la vallée du Dragon. » Harry lui a dit qu'il se trompait et qu'il ferait bien de la boucler s'il ne voulait pas avoir des ennuis. « Fais gaffe, on pourrait t'envoyer au Vietnam », a dit alors Underhill, ce qui a eu le don d'exaspérer le lieutenant.

» Alors au lieu d'avouer qu'il s'était trompé, de sortir une blague, ce qui aurait tout sauvé, il s'est mis à gamberger. Et là, manque de pot, y avait de quoi gamberger. La semaine précédente, une compagnie entière avait été anéantie dans la vallée du Dragon, et le lieutenant-colonel était en train de mijoter une opération combinée. Beevers a alors décidé que puisqu'on était censés provoquer du grabuge et riposter, c'était l'endroit idéal pour ça. Il a annoncé qu'on allait s'avancer un peu dans la vallée; Michael a demandé s'il pouvait repérer notre emplacement exact et transmettre les coordonnées par radio. Silence radio, a décrété Beevers. Il l'a carrément fait taire. Pour lui, Michael n'était qu'un dégonflé.

» Harry espérait dénicher un petit groupe de Vietcongs, ou peut-être un petit détachement nord-vietnamien, et si on avait de la chance, leur tomber dessus, faire un bon nombre de cartons et donner comme ça le baptême du feu à notre nouveau lieutenant. Eh bien je peux te dire que pour ce qui est du baptême du feu, il a été servi! Il nous a donné l'ordre d'avancer dans la vallée, et tout le monde, sauf lui, savait que c'était de la folie. Un casse-pieds nommé Spitalny a demandé combien de temps la plaisanterie allait continuer, et Harry a répondu en gueulant : *Aussi longtemps qu'il faudra! On n'est pas chez les scouts, ici!* Dengler m'a dit : « Je l'adore ce nouveau lieutenant », et il souriait comme un gamin à qui on a donné un gros gâteau. Dengler n'avait encore jamais vu de type comme ce nouveau lieutenant.

» Finalement, on est arrivés dans cette espèce de marécage. Il commençait à faire sombre. Il y avait plein de moustiques. Finie la plaisanterie! Tout le monde était crevé. A l'autre bout du champ, il y avait un rideau d'arbres et on avait l'impression que c'était la lisière de la jungle. Il y avait quelques rondins au milieu du champ, et des gros trous d'obus remplis d'eau.

» Dès que j'ai vu ce champ, j'ai éprouvé un drôle de sentiment. Ça ressemblait à la mort. Je peux pas dire ça mieux. Ça ressemblait à un cimetière. Y avait comme une odeur de mort, je sais pas si tu vois ce que je veux dire. J'imagine qu'il doit y avoir la même odeur à la fourrière, là où on supprime les chiens errants. A ce moment-là, j'ai aperçu un casque au bord d'un trou d'obus. Et un peu plus loin, la crosse d'un M-16 à moitié bousillée.

» – Et si on allait explorer ce petit bout de terrain avant de rentrer ? dit Beevers. Ça semble correct, non ?

» – Mon lieutenant, j'ai l'impression que ce champ est miné, a répondu Michael. Évidemment, il avait vu la même chose que moi.

» – Ah bon ? Eh bien dans ce cas, pourquoi ne pas passer en premier, Poole ? Vous venez de vous porter volontaire pour être notre éclaireur.

» Heureusement, Michael et moi on n'était pas les seuls à avoir vu le casque et la crosse. On n'allait pas laisser Michael avancer tout seul dans le champ, et on n'était pas non plus prêts à y aller nous-mêmes.

» – Vous croyez que ce champ est miné ? a demandé Beevers.

Vous croyez que ce champ est miné, les mecs ? hurla le lieutenant Beevers. Vous croyez vraiment que je vais me faire avoir ? C'est une question d'autorité, et que ça vous plaise ou non, ici c'est moi qui commande.

Dengler se tourna vers Puma et lui murmura en souriant : t'aimes pas la manière dont son esprit fonctionne ?

» Dengler m'a dit quelque chose en chuchotant, et Beevers, a explosé. « D'accord, a-t-il gueulé à Dengler, si vous croyez que ce champ est miné, prouvez-le-moi. Jetez quelque chose et essayez de toucher une mine. Si rien ne saute, on avance tous dans le champ. – A vos ordres », a répondu Dengler.

Puisque c'est ce que veut le lieutenant, dit Dengler, en regardant autour de lui dans la pénombre. Jette le lieutenant, murmura Victor Spitalny. Dengler aperçut alors une grosse pierre à moitié enfouie dans la boue à côté de lui; il la dégagea du bout du pied puis la souleva avec ses deux mains.

»... Il a alors ramassé une pierre grosse comme une tête. Beevers devenait de plus en plus cinglé. Il a dit à Dengler de jeter cette saloperie dans le champ, et Michael est venu l'aider parce que la pierre était très lourde. Ils ont fait un-deux-trois, et ils ont balancé la pierre à un peu moins de vingt mètres. Tout le monde s'est jeté à terre en se couvrant le visage, sauf le lieutenant. J'ai entendu la pierre tomber avec un bruit mou. Rien. On s'attendait tous à ce qu'une mine nous balance des éclats dans toutes les directions. Comme rien n'explosait, on s'est tous relevés. Beevers nous regardait, grimaçant. « Alors, les filles, vous êtes contentes ? Y vous faut d'autres preuves ? » Et alors il a fait un truc stupéfiant... il a enlevé son casque et il l'a embrassé. « Suivez-le, il a plus de couilles que vous ! » Et il a balancé son casque dans le champ, le plus loin possible. On l'a vu s'élever dans les airs, mais on le voyait à peine quand il a commencé à redescendre.

Ils observaient le casque du lieutenant qui disparaissait dans l'air gris, au milieu des nuages de moustiques. Lorsqu'il toucha le sol, il était devenu presque invisible. L'explosion les surprit tous, sauf en cette profondeur d'eux-mêmes où plus rien ne pouvait les surprendre. A nouveau, tout le monde, sauf Beevers, se jeta à terre. Une colonne de flammes rouges jaillit dans les airs, et le sol trembla sous eux. Soit à cause des vibrations, soit qu'elle eût été mal réglée, une deuxième mine explosa aussitôt après la première, et un éclat de métal passa en sifflant si près du visage de Beevers qu'il en sentit la chaleur. Il tomba à terre, soit exprès soit étourdi, aux côtés de Poole. Il haletait. Tous les hommes de la section sentaient l'odeur âcre des deux explosions. Pendant un moment, tout demeura silencieux. S'attendant à l'explosion d'autres mines, Tina leva la tête, et à ce moment-là les moustiques reprirent leur sarabande. Pendant un instant, Tina crut voir le casque du lieutenant Beevers à l'autre bout du champ miné, près d'une branche d'arbre tordue, miraculeusement intact quoique rempli de feuilles. Puis il s'aperçut que les feuilles dessinaient la forme d'yeux et de sourcils. En fait, il s'agissait bel et bien d'yeux et de sourcils. Le casque se trouvait encore sur la tête d'un soldat mort. Et ce qu'il avait pris pour une branche était un bras coupé encore recouvert de sa manche. En explosant, la mine avait dégagé un cadavre démembré et à moitié enfoui.

De l'autre côté du champ, leur parvint une question lancée en vietnamien, d'une voix forte. Une réponse joyeuse fusa, mêlée à un éclat de rire.

« Mon lieutenant, je crois qu'on est en mauvaise posture ici », murmura Dengler. Poole avait sorti la carte de sa musette et suivait les pistes du doigt, cherchant à déterminer précisément l'endroit où ils se trouvaient.

En regardant la tête de l'Américain dans son casque, Poole aperçut à l'autre bout du champ de brusques et inexplicables mouvements : on eût dit que d'invisibles rongeurs s'agitaient, soulevant la terre, arrachant des mottes d'herbe. Quelque chose repoussa la bûche de quelques centimètres. Il finit par comprendre qu'on leur tirait dessus depuis l'arrière.

» Il y a eu quelques explosions et on a entendu des cris en vietnamien tout autour de nous... je crois qu'ils nous avaient laissés nous enfoncer sans savoir exactement où nous nous trouvions. Le silence radio de Beevers avait au moins servi à ça. Ceux qui étaient derrière nous ont commencé à tirer, mais comme ils ne connaissaient pas exactement notre position, ils ont arrosé le champ où la semaine précédente, ils avaient anéanti une compagnie entière. Et c'est comme ça qu'ils ont fait sauter peut-être quatre-vingts pour cent des mines qu'ils avaient enfouies avec les corps des Américains.

On eût dit que le champ se consumait dans les feux de l'enfer. Puis il y eut une série de doubles explosions, arythmiques : d'abord l'explosion sourde de l'obus, suivie du fracas aigu de la mine. Des éclairs jaune-rouge se fondaient dans des éclairs orange-rouge, puis tous deux disparaissaient dans une colonne de fumée et une gerbe de terre, projetant au loin une cage thoracique, une ceinture en toile, une jambe entière encore recouverte d'une jambe de pantalon, un brodequin.

– Pourquoi ils avaient piégé les corps ? demanda Maggie.

– Parce qu'ils savaient qu'on allait venir les chercher. On revient toujours chercher ses morts. C'est une des rares choses encore humaines dans la guerre. On emporte ses morts avec soi.

– Aller rechercher Tim Underhill c'est un peu ça ?

– Non, pas du tout. Enfin... oui, peut-être.

Il étendit le bras; Maggie appuya sa tête dessus et se lova contre lui.

– Deux gars ont sauté dès qu'on s'est avancés dans le champ. Beevers nous a donné l'ordre d'avancer, et il a eu raison, parce que les autres réglaient leurs tirs sur l'endroit où on se trouvait. Le premier type qui a été tué s'appelait Cal Hill : il venait de rejoindre notre section; l'autre s'appelait Tattoo Tiano. Je n'ai jamais su son vrai nom, mais c'était un bon soldat. Tattoo a été tué tout de suite. A côté de moi. Quand Tattoo a marché sur la mine, il y a eu un souffle qui a failli m'emporter la tête, et ma parole, pendant une seconde l'air a été tout rouge. Il était juste à côté de moi. J'ai cru que c'était moi qui étais tué. Je ne voyais plus rien, je n'entendais plus rien. Il n'y avait plus que ce brouillard rouge autour de moi. Et puis j'ai entendu l'autre mine sauter, et Hill qui s'est mis à hurler. « Bouge-toi le cul, Pumo! » a gueulé Dengler. « T'as encore ton cul, bouge-le! » Norm Peters, notre toubib, s'est précipité sur Hill et a tenté de l'aider. Je me suis alors rendu compte que j'étais trempé, j'étais littéralement recouvert par le sang de Tattoo. On a alors commencé à nous canarder à l'arme légère en face de nous. On a riposté. Des obus ont commencé à pleuvoir à la limite de la jungle, à l'endroit qu'on venait de quitter. Je voyais Poole qui hurlait dans sa radio. Les tirs sont devenus un peu plus nourris. On s'est dispersés dans le champ en se dissimulant derrière tout ce qu'on pouvait trouver. Avec quelques autres, je me suis aplati derrière l'arbre abattu. Je voyais Peters qui soignait Hill, qui essayait d'arrêter l'hémorragie; j'étais révulsé, j'avais l'impression qu'il le torturait, qu'il lui pompait tout son sang. Hill hurlait comme un damné. On était des démons, les autres en face étaient des démons, il n'y avait plus d'êtres humains sur terre, il n'y avait plus que des démons. On aurait dit que Hill n'avait plus de « milieu » : à la place de son ventre et de sa bite, il n'y avait plus qu'une espèce de flaque rouge. Hill voyait bien ce qui lui était arrivé, et il n'arrivait pas à y croire. Il n'était pas au Vietnam depuis suffisamment longtemps pour arriver à y croire. « Faites taire ce gars! » a hurlé Beevers. Devant nous, on a recommencé à nous tirer dessus à l'arme légère, et alors on a entendu quelqu'un qui nous criait depuis là-bas : « Rock'n roar ». « C'est Elvis », a dit Dengler, et les gars ont commencé à lui hurler des insultes et à lui balancer quelques rafales. Ce type-là c'était le tireur embusqué qui nous suivait partout, notre assassin officiel. Et j'aime autant te dire qu'il tirait bien. Je me suis levé et j'ai moi aussi tiré un coup, mais je savais bien que je n'avais rien touché. Avec nos M-16, on tirait des petites balles de 5,56 mm au lieu de munitions de 7,62, en sorte que les chargeurs étaient plus légers à transporter, trois cents grammes au lieu du double, mais les balles tournoyaient en l'air et à une certaine distance elles zigzaguaient carrément. D'une certaine façon, les vieux M-14 étaient meilleurs... non seulement ils portaient plus loin, mais avec un M-14 on pouvait viser. Alors j'ai tiré quelques cartouches, mais je suis sûr que même si j'avais vu Elvis je n'aurais pas pu le toucher. Mais au moins j'aurais eu la satisfaction de voir à quoi il ressemblait. Bon... on était là, coincés au milieu d'un champ de mines, cernés par un grand nombre de soldats nord-vietnamiens, peut-être deux compagnies qui faisaient route vers le sud pour faire leur jonction avec je ne sais quelles troupes dans la vallée d'A Shau. Sans parler d'Elvis. Et Poole ne pouvait pas signaler notre position, parce que non seulement le lieutenant nous avait perdus, mais qu'en plus la radio avait été touchée et ne fonctionnait plus. On était cloués sur place. On a passé quinze heures dans ce champ, au milieu des morts, et avec un lieutenant qui était en train de devenir fou.

« Mon Dieu, mon Dieu », répétait sans cesse le lieutenant. Calvin Hill agonisait bruyamment, hurlant comme si Peters lui enfonçait des aiguilles brûlantes dans la langue. D'autres criaient aussi. Pumo ne les voyait pas, et de toute façon, il ne voulait pas savoir qui criait ainsi. Pumo était la proie de sentiments contradictoires : se lever et se faire tuer, en finir avec tout ça, mais d'un autre côté, cette réaction en lui le terrorisait. Il fit la découverte intéressante que la terreur se dispose par strates, chacune plus froide et plus paralysante que la précédente. Des obus de mortier atterrissaient sur le champ à intervalles réguliers, et de temps à autre, des tirs de mitrailleuses se déclenchaient sur les côtés. Tina Pumo et les autres s'étaient abrités dans des trous d'obus, trous ou tranchées diverses qu'ils avaient soit trouvées soit creusées. Pumo avait fini par apercevoir le casque déchiqueté du lieutenant : il était posé contre le genou d'un Américain mort que l'explosion d'une mine avait déterré. Le genou était encore rattaché au mollet, mais le haut avait été sectionné : sous la couche de crasse, on devinait la peau blanche; le genou et son mollet reposaient à quelques centimètres de la tête et des épaules du soldat, également arrachés du reste du corps. Le soldat mort regardait Pumo. Son visage était très sale. Il avait les yeux ouverts, et il semblait bête et affamé. Chaque fois que la terre tremblait et que le ciel se déchirait dans le fracas d'une explosion, la tête bougeait un peu et les épaules rampaient sur le sol dans sa direction.

Pumo s'aplatit sur le sol. La strate de terreur la plus profonde et la plus froide lui disait que lorsque le soldat finirait par le toucher, ce serait à son tour de mourir. Puis il aperçut Tim Underhill qui rampait en direction du lieutenant. Pourquoi se préoccuper? Le ciel était strié par les balles traçantes. La nuit était tombée brusquement. Le lieutenant allait mourir. Underhill allait mourir. Tout le monde allait mourir. Tel était le grand secret. Il lui sembla entendre M.O. Dengler dire quelque chose à Poole et rire. Il riait ? Autour de lui, tout s'assombrissait, s'évanouissait et Pumo jugeait irréels le rire de Dengler comme l'odeur du sang de Tattoo Tiano. « Le lieutenant a chié dans son beau pantalon tout neuf ? demanda Underhill. Mike, répare ta radio, tu veux ? » demanda Dengler d'un ton tout à fait raisonnable.

Une énorme explosion déchira le ciel et secoua Pumo. L'air devint blanc, rouge, puis d'un noir opaque. Un soldat se mit à hurler comme une femme, et Pumo reconnut immédiatement Tony Ortega. Spacemaker Ortega, un bon soldat, mais un homme brutal, qui dans le civil était le chef d'une bande de motards dans le nord de l'État de New York, baptisés les Devilfuckers. Ortega était le seul ami de Victor Spitalny dans la section, et désormais Spitalny n'allait plus avoir d'ami. De toute façon, cela n'avait aucune importance : Spitalny allait être tué comme eux tous. Les cris de Spacemaker Ortega s'évanouirent petit à petit dans l'obscurité, comme si on l'avait emmené. « Mon Dieu, mon Dieu, mais qu'est-ce qu'on va faire ? Qu'est-ce qu'on va faire ? » se lamentait Beevers. « Mon Dieu, mon Dieu, j'ai pas envie de mourir, j'ai pas envie, c'est pas possible. »

Peters s'éloigna en rampant du cadavre d'Ortega. Grâce à la soudaine lueur d'une explosion, Pumo l'aperçut qui se dirigeait vers un homme recroquevillé sur lui-même, à une dizaine de mètres de là. Une autre mine explosa sans bruit, car le sol trembla et le soldat mort se rapprocha de quelques centimètres de Pumo.

Un soldat nommé Teddy Wallace annonça qu'il allait bousiller cet enculé d'Elvis, et un de ses amis, Tom Blevins, proposa de l'accompagner. Les deux soldats se mirent à traverser le champ, courbés en deux. Avant d'avoir fait huit pas, Wallace marcha sur une mine antipersonnelle et fut déchiqueté de l'aine au thorax. Sa jambe gauche jaillit sur le côté et alla atterrir un peu plus loin. Quant à Tom Blevins, il avança de quelques pas encore et s'écroula sur le sol comme s'il s'était pris les pieds dans une corde de piano. « Rock'n roar ! » s'écria Elvis dissimulé derrière les arbres.

Soudain, Pumo s'aperçut que Dengler se trouvait à ses côtés. Il souriait. « Tu ne crois pas que Dieu fait tout simultanément ? » demanda Dengler.

« Quoi ? » demanda-t-il. La vie n'a pas de sens, se dit Pumo, le monde n'a pas de sens, la guerre n'a pas de sens, tout n'est qu'une terrible plaisanterie. La mort était le grand secret caché au fond de la plaisanterie, et les démons observaient le monde en gambadant et en riant.

« Ce qui me plaît dans cette idée, reprit Dengler, c'est qu'assez drôlement, ça signifie qu'en fait le monde s'est créé lui-même, ce qui veut dire qu'il continue à se créer lui-même, tu me suis ? Alors la destruction fait partie de cette création qui ne cesse de se poursuivre. Mais le plus

génial dans tout ça, Pumo... c'est que la partie la plus magnifique de la création c'est la destruction. »

« Va te faire mettre », répondit Pumo. Il comprenait ce que Dengler cherchait à faire : raconter n'importe quoi pour le secouer et le forcer à agir. Dengler ne comprenait pas que c'étaient les démons qui avaient créé le monde, et que leur grand secret c'était la mort.

Tina se rendit compte qu'il était longtemps resté silencieux. Ses yeux étaient remplis de larmes. « Tu dors, Maggie ? » chuchota-t-il.

Maggie respirait doucement et régulièrement, sa jolie tête encore appuyée sur son épaule.

– Cette salope m'a volé mon carnet d'adresses, murmura Tina. Mais pourquoi est-ce qu'elle a fait ça ? Pour pouvoir aller piquer les radios-réveils et les téléviseurs portatifs de tous les gens que je connais ?

D'une voix forte, Underhill déclara : « Les démons sont partout et Dengler cherche à convaincre Pumo que la mort est la mère de la beauté...

– Non, pas du tout, chuchota Dengler, t'as pas compris, c'est pas ça, la beauté n'a pas de mère.

– Mon Dieu », s'exclama Pumo qui se demandait comment Underhill était au courant pour les démons : lui aussi devait les avoir vus.

A nouveau, une intense lueur illumina le ciel, et Pumo aperçut les membres survivants de sa section, allongés sur le sol, saisis comme par un instantané, le visage tourné vers Underhill, qui semblait aussi calme, pacifique et massif qu'une montagne. Il y avait ici un autre secret, un secret aussi profond que celui des démons, mais quel était-il ? Les morts de leur section, et les autres, les cadavres piégés de la précédente compagnie, étaient étendus un peu partout sur le champ. Non, se disait Pumo, les démons se trouvent à une plus grande profondeur, parce que ça, ça n'est pas seulement l'enfer, c'est pire que l'enfer... en enfer on est mort, tandis que dans cet enfer-ci on attend d'être tué.

Norm Peters courait un peu partout, colmatant des blessures béantes à la poitrine. Puis l'obscurité les enveloppa à nouveau. Lorsqu'une nouvelle lueur embrasa le ciel, quelques secondes plus tard, Pumo s'aperçut que Dengler l'avait quitté et accompagnait Peters, l'aidant dans sa tâche. Dengler souriait. Voyant que Pumo le regardait, son sourire s'élargit, et du doigt il indiqua le ciel. La lumière, la lumière, voulait-il dire, souviens-toi de tout, en cet instant précis, l'univers se fabrique lui-même.

Plus tard dans la nuit, des Nord-Vietnamiens se mirent à faire pleuvoir sur eux des obus de 60 mm tirés par les mortiers M-2 pris à la compagnie américaine. Plusieurs fois au cours de l'heure précédant l'aube, Pumo se rendit compte qu'il était devenu complètement fou. Les démons étaient revenus et parcouraient le champ en riant. Pumo finit par comprendre qu'ils se moquaient de lui et de Dengler, car même s'ils survivaient à cette nuit, ils ne pourraient échapper à une mort dépourvue de sens, et si toutes les choses étaient simultanées, leurs morts étaient présentes dès maintenant, et le souvenir n'était qu'une mauvaise plaisanterie. Il aperçut Victor Spitalny qui s'efforçait de couper les oreilles de Spacemaker Ortega, l'ancien chef des Devilfuckers, ce qui ne manquait pas de faire également danser et glousser les démons. « Mais qu'est-ce que tu fous ? siffla-t-il ; et il lui lança une poignée de terre. C'était ton meilleur ami !

– Il faut que je puisse montrer quelque chose de tout ça », dit Spitalny. Mais il abandonna sa tâche, glissa son poignard dans sa ceinture et s'éloigna, comme un chacal surpris au milieu de son festin.

Lorsque les hélicoptères firent enfin leur apparition, la compagnie nord-vietnamienne avait disparu dans la jungle ; les Cobras lâchèrent une demi-douzaine de roquettes dans l'épaisseur du couvert, grillant quelques singes, avant de s'élever dans les airs et de rentrer à Camp Crandall. L'autre hélicoptère descendit au-dessus de la clairière.

Il faut se retrouver à nouveau à bord d'un hélicoptère UH1-B pour se rappeler combien cet appareil est presque confortable.

3

– A dire vrai, nous sommes des policiers de New York.

Harry s'adressait au chauffeur de taxi, un Chinois émacié, édenté et vêtu d'un tee-shirt, qui leur avait demandé pourquoi ils voulaient se rendre à Boogey Street.

– Ah, dit le chauffeur, des policiers.

– Nous sommes sur une affaire.

– Sur une affaire, répéta le chauffeur. Très bon. C'est pour la télévision ?

– Nous recherchons un Américain qui aimait bien Boogey Street, expliqua Michael.

Le visage de Harry était devenu cramoisi et sa bouche ne formait plus qu'une ligne mince.

– Nous savons qu'il s'est installé à Singapour. Alors nous voudrions nous promener dans Boogey Street et montrer sa photo aux gens pour voir si quelqu'un pourrait nous renseigner.

– Boogey Street pas bon pour vous, dit le chauffeur.

– Faut que je sorte de cette voiture, dit Harry. Je ne supporte plus. Stop! Arrêtez! Nous sortons.

Le chauffeur haussa les épaules et mit son clignotant pour pouvoir franchir (dans le tournant) les trois files qui le séparaient du trottoir.

– Pourquoi avez-vous dit que Boogey Street n'est pas bon pour nous? demanda Michael.

– Il n'y a plus rien là-bas. Mister Lee a tout nettoyé.

– Nettoyé?

– Mister Lee a fait quitter Singapour à tous les filles-garçons. C'est fini... seulement les photos.

– Qu'est-ce que ça veut dire, « seulement les photos »?

– Vous marchez dans Boogey Street la nuit, expliqua patiemment le chauffeur, vous passez devant beaucoup de bars. Devant les bars vous voyez les photos. Vous achetez les photos, les emportez chez vous.

– Et merde! s'exclama Harry.

– Il y aura bien quelqu'un qui connaît Underhill dans un de ces bars, dit Michael. Il n'a peut-être pas quitté Singapour simplement parce que les travestis sont partis.

– Ah bon, tu crois? explosa Harry. Toi, tu achèterais un puzzle s'il manquait la pièce la plus importante?

– Visitez les plus belles choses de Singapour, dit le chauffeur. Ce soir, Boogey Street. Et maintenant, les jardins du Baume du Tigre.

– Je déteste les jardins, dit Harry.

– C'est pas un jardin de fleurs, dit le chauffeur. Un jardin de sculptures. Beaucoup de styles d'architecture chinoise. Des exemples du folklore chinois. Des scènes qui font peur.

– Des scènes qui font peur? répéta Harry en écho.

– Un python qui dévorer une chèvre. Un tigre prêt à l'attaque. L'ascension de l'esprit du serpent blanc. L'homme sauvage de Bornéo. So Ho Shang pris dans l'antre de l'araignée. L'esprit de l'araignée sous la forme d'une femme magnifique.

– Ça me paraît bien, dit Conor.

– Meilleure partie, beaucoup de scènes torture. On voit les pays de l'enfer où les âmes sont punies après la mort. Très beau. Très instructif. Très effrayant.

– Qu'est-ce que vous en pensez? demanda Conor.

– Moi ce qui me préoccupe, dit Michael, c'est la punition des âmes avant la mort. Mais enfin on peut toujours aller jeter un œil.

Le chauffeur retraversa instantanément les trois voies de circulation.

4

Après avoir quitté les jardins du Baume du Tigre, ils marchèrent longtemps sans savoir où ils se trouvaient ni vers où ils se dirigeaient.

– On devrait peut-être retourner aux jardins, dit Conor, on est au feu de Dieu, ici.

Ils grimpaient une route à flanc de colline, bordée de bungalows disposés de loin en loin au milieu de bouquets d'arbres et de pelouses. Depuis qu'ils avaient quitté les jardins, ils n'avaient croisé qu'un seul être humain : un chauffeur en uniforme avec des lunettes noires, seul, au volant d'une Mercedes 500 SEL noire.

– On a déjà dû faire près de deux kilomètres, dit Harry.

Il avait arraché la carte du *Papineau's Guide* et la tournait nerveusement entre ses mains.

Il s'immobilisa aussitôt et se mit à considérer un endroit de la carte trompeuse.

– Quel connard, cet Underhill !

– Pourquoi ? demanda Conor.

– Parce que c'est pas Boogey Street ! Cet abruti racontait n'importe quoi. C'est BUGIS Street. Boo-giss Street. Ça peut être que ça, parce qu'il n'y a rien d'autre dans le coin.

– Mais je croyais que le chauffeur de taxi avait...

– Et pourtant c'est Boo-giss Street, c'est marqué ici.

Il leva un œil enfiévré.

– Si Underhill ne savait même pas où il allait, comment espérait-il que nous, nous allions le trouver ?

Ils gagnèrent le haut de la colline et débouchèrent sur un carrefour dépourvu de panneaux indicateurs. Harry tourna résolument sur la droite. Conor protesta : le centre-ville et leur hôtel se trouvaient de l'autre côté, mais Hary continua d'avancer et ils furent bien forcés de lui emboîter le pas.

Une demi-heure plus tard, un chauffeur de taxi stupéfait s'arrêta pour les prendre à son bord.

– Nous allons à l'hôtel Marco Polo, dit Harry.

Il haletait et son visage était si marbré que Michael n'aurait su dire si la peau était rose tachée de blanc ou l'inverse. Une tache de sueur affectant la forme d'une torpille assombrissait le dos de sa veste d'une épaule à l'autre, et prolongeait un aileron jusqu'au creux des reins.

– J'ai besoin de prendre une douche et de me reposer.

– Pourquoi vous allez dans direction opposée ? demanda le chauffeur.

Harry refusa de répondre.

– Dites-moi, s'écria soudain Conor, on a fait un pari. Est-ce que c'est Boo-giss Street ou Boogey Street ?

– C'est même chose, dit le chauffeur.

15

UNE RENCONTRE AVEC LOLA DANS UN PARC

1

Conor trouvait toute cette histoire de Bugis Street particulièrement répugnante. Un chauffeur de taxi du restaurant les avait laissés à l'entrée de la rue, et c'était effectivement le genre d'endroit que devait affectionner un type comme Underhill. Enseignes lumineuses, néons, bars, une foule dense. Mais une fois dans la rue elle-même on se rendait compte que Tim Underhill n'aurait jamais fréquenté des gens pareils. Des dames aux cheveux blancs et aux bras ridés comme du vieux cuir déambulaient en tenant par la main d'antiques individus à tête de tortue vêtus de shorts trop larges et de chaussettes montant jusqu'aux genoux. Ils avaient cette allure d'enfants perdus qu'ont les touristes partout dans le monde, comme si ce qu'ils regardaient n'avait pas plus de réalité qu'une publicité à la télévision. Une bonne moitié des gens qui déambulaient dans Bugis Street venaient visiblement des autocars Jasmine Far East Tour garés à l'entrée de la rue. Au-dessus de toutes ces têtes, flottait un fanion bleu pâle brandi par une jeune femme blonde à l'air enjoué, vêtue d'un blazer amidonné du même bleu pâle.

Si cette bande de blaireaux se baladait dans South Norwalk, se disait Conor, il serait bien incapable de les ignorer comme le faisaient les habitants de Bugis Street. Des bonshommes à l'air louche entraient et sortaient prestement des bars et des boutiques. Ses prostituées, perruques et robes serrées, déambulaient par deux dans la rue. A Singapour, les viveurs devaient obligatoirement fréquenter cet endroit (Conor espérait pour eux qu'ils avaient réussi à developper une manière de vision sélective et qu'ils ne voyaient plus les touristes.)

Dans la rue, Conor fut assailli par la cacophonie d'un opéra chinois, mais ces voix criardes qui auraient flanqué la migraine à un chien, se mêlaient aux accents lents d'une chanson de cow-boy de Porter Waggoner, elle-même battue en brêche par le *Jumping Jack Flash* des Rolling Stones. Ce tintamarre provenait de petits haut-parleurs installés à la porte des bars, généralement juste au-dessus de la tête des portiers racoleurs. Conor en avait mal à la tête. Le cognac qu'ils avaient pris après leur dîner au Pine Court ne devait pas y être pour rien, bien que Harry prétendît qu'il s'agissait là d'or liquide. Traînant derrière Harry et Michael, Conor avait l'impression que l'on frappait des cymbales à ses oreilles.

– On pourrait aussi bien commencer ici, dit Michael en désignant le premier bar sur leur trottoir, l'Orient Song.

Le portier se redressa à leur approche et se mit à leur faire de grands gestes des deux bras.

– Orient Song c'est un bar pour vous, s'écria-t-il. Entrez à Orient Song ! Meilleur bar dans Bugis Street ! Les Américains tous venir ici !

Près de la porte, un homme âgé, de petite taille, vêtu d'une blouse crasseuse qui avait dû être blanche, se contorsionnait. Il découvrait en souriant quelques rares dents jaunes et désignait d'un geste théâtral les photos encadrées accrochées derrière lui.

Ces photos en noir et blanc, sur papier glacé, portaient des noms dans l'espace blanc ménagé en bas : Dawn, Rose, Hotlips, Raven, Billie Blue... lèvres ouvertes et nuques arquées, visages orientaux irradiants de sexualité et encadrés de doux cheveux noirs, sourcils épilés surplombant des yeux au regard dur.

– Quatre dollars, dit le vieil homme.

Harry saisit le bras de Conor et lui fit franchir la lourde porte. Conor sentit la sueur qui coulait sur son front se glacer au contact de l'air conditionné, et il se dégagea de l'étreinte de Harry. Des Américains installés au bar, par deux, comme des canards sur un étang, se tournèrent vers eux en souriant.

– On a aucune chance ici, dit Harry. C'est un rade pour voyages organisés. C'est le premier bar de la rue et c'est le seul endroit où ces gogos se sentent en sécurité.

– On demande quand même, dit Michael.

Une bonne moitié du bar était occupée par des couples d'Américains de soixante à soixante-dix ans. On entendait quelques vagues accords plaqués au piano. Dominant le brouhaha, Conor entendit une voix de femme demander à quelqu'un, en l'appelant « fiston », où se trouvait son badge d'identité. Il mit un certain temps à se rendre compte qu'elle s'adressait à lui.

– Il faut avoir l'esprit de groupe, il faut porter votre badge. On est ici pour s'amuser!

Conor aperçut alors une femme au visage bronzé et profondément ridé, qui lui souriait; elle portait un badge sur lequel on pouvait lire : « Bonjour! Je suis Ethel, le gentil jasmin. »

Conor regarda par-dessus la tête de la femme. Derrière elle, un couple de vieux garçons portant des lunettes sans monture, et qui ressemblaient aux médecins avec qui il avait fait le voyage, le dévisageaient de façon nettement moins bienveillante : il arborait son tee-shirt Agent orange, et il n'avait nullement l'allure d'un gentil jasmin.

Harry et Michael, eux, se dirigeaient vers le bar, où un gros barman costaud qui portait un nœud papillon en velours servait les consommations, lavait les verres et parlait en même temps du coin des lèvres. Conor ne put s'empêcher de songer à Jimmy Lah. Le reste du bar était un autre monde. Derrière les jasmins, des Chinois étaient assis autour de tables rondes, chargées de magnums de cognac; ils riaient bruyamment, lançaient des plaisanteries aux filles qui passaient entre les tables. Au fond du bar, un homme aux cheveux noirs, qui ne semblait ni blanc ni chinois, vêtu d'un smoking, était assis devant un piano demi-queue et chantait une chanson que Conor ne parvenait pas à entendre.

Il se faufila entre des filles qui lui adressaient joyeusement des paroles qu'il ne comprenait pas, et atteignit le bar au moment où Michael sortait une photographie de Tim Underhill de son enveloppe.

– Allez, on boit quelque chose. Pour moi ça sera une vodka avec des glaçons.

Le barman cligna de l'œil et un verre plein à ras bord apparut devant Conor. Harry, lui, était déjà servi.

– Je ne le connais pas, dit le barman. Ça fera cinq dollars.

– Peut-être l'avez-vous vu il y a des années de ça, insista Harry. Il a dû commencer à venir par ici vers 1969-1970.

– Ça fait trop longtemps. J'étais petit garçon. Encore à l'école. Avec curés.

– Regardez encore, dit Harry.

Le barman prit la photo des mains de Michael.

– C'est un curé. Il s'appelle Père Ballcock. Je ne le connais pas.

Dès qu'ils se furent retrouvés dans la rue humide, Harry avança d'un pas et fit face à ses compagnons, les mains dans les poches, les épaules levées.

– Je dois vous dire que ça m'inspire pas. Cet endroit, je ne le sens pas. Il n'y a pas une chance sur mille qu'Underhill soit encore ici. Mon petit doigt me dit qu'il faut aller à Taïpeh... c'est le genre de coin qui lui ressemble plus. Croyez-moi.

Michael se mit à rire.

– Pas si vite, on vient de commencer. Il y a au moins encore vingt bars dans cette rue. On finira bien par rencontrer quelqu'un qui le connaît.

– C'est sûr, renchérit Conor, y aura bien quelqu'un qui le connaît.

Après avoir avalé sa vodka, il se sentait plus optimiste.

– Ah bon, la piétaille a une opinion : c'est nouveau, ça, dit Harry.

– T'as du pognon à Taïpeh, c'est pour ça que tu veux aller là-bas, dit Conor, ça se voit tout de suite.

Il fit un pas de côté pour éviter de bousculer Harry. « Le meilleur bar ! Le meilleur bar ! » lançaient des portiers un peu partout autour d'eux. Conor sentait sa chemise lui coller dans le dos.

– Alors le prochain c'est le Swingtime ? demanda Harry, et Conor en éprouva une certaine satisfaction : Harry ne laissait rien au hasard.

– Allez, on essaye le Swingtime, dit Michael.

Harry fit une révérence facétieuse et les laissa pénétrer avant lui dans le bar.

Après le Swingtime, ce fut le tour du Windjammer, après le Windjammer le Ginza, le Floating Dragon et le Bucket of Blood, le « baquet de sang ». Voilà un bar qui portait bien son nom, se dit Conor qui se souvenait que son père baptisait ainsi les bouges aux tabourets bancals et aux box éventrés dont le sol disparaissait sous une couche de crasse et où des ivrognes loqueteux s'alignaient le long du comptoir. Au Bullfrog, les types assis autour des tables étaient tellement soûls qu'ils avaient l'air de statues. Aux murs, étaient accrochées d'émouvantes images de chutes d'eau. Au Cockpit, Conor finit par s'apercevoir que la moitié au moins des prostituées de l'établissement n'étaient pas des femmes. Elles avaient les genoux noueux et les épaules larges. Il se mit à rire – des hommes avec de gros seins et de jolis culs ! – et répandit de la bière sur Harry qui recula d'un air dégoûté.

– Je connais ce type, dit le barman.

Il regarda une deuxième fois le visage d'Underhill et se mit à sourire.

– Tu vois ? Tu vois ? s'écria Conor à Harry qui se détourna en essuyant sa manche.

– Il vient ici ? demanda Michael.

– Non. Dans autre bar où je travaillais avant. Un brave garçon. Payait à boire à tout le monde.

– Vous êtes sûr que c'est le même homme ?

– Sûr, c'est Undahill. Il était par là pendant quelques années dans bon vieux temps. Il dépensait beaucoup argent. Venait au Floating Dragon, avant changement du propriétaire. Je voyais lui tout le temps. Parler, parler, parler. Boire, boire, boire. Vrai écrivain ! A montré moi un livre, quelque chose avec animal...

– *Une bête en vue.*

– Une bête, c'est ça !

Michael demanda alors s'il savait où se trouvait Underhill, mais l'homme secoua la tête et répondit que tout avait changé depuis le bon vieux temps.

– Pouvez demander au Mountjoy, autre côté de la rue. Des vrais fidèles, là-bas. Peut-être quelqu'un se souvenir d'Undahill, comme moi.

– Vous l'aimiez bien, n'est-ce pas ?

– C'était longtemps, dit le barman. Bien sûr, j'aimais Undahill c'était longtemps.

2

Dès qu'ils pénétrèrent dans le Lord and Lady Mountjoy, Conor se sentit mal à l'aise, mais sans bien savoir pourquoi. L'endroit était calme. Des box occupés par des hommes discrets et élégants étaient alignés le long des murs, mais il y avait aussi quelques tables disposées au centre, sur le parquet de danse impeccablement ciré.

Nul travesti dans ce bar, mais des hommes en complet-cravate, et un personnage vêtu d'une tunique brillante, les cheveux laqués, et un nombre incalculable de foulards négligemment noués autour du cou.

– Mais enfin calme-toi, s'écria Harry à l'adresse de Conor. T'as la courante, ou quoi ?

– Je ne le connais pas, je ne l'ai jamais vu, déclara le barman.

– Le barman de l'autre côté de la rue nous a dit qu'il fréquentait ce bar, dit Harry en s'accoudant au comptoir. Nous sommes des inspecteurs de police de New York, et nous devons retrouver cet homme, c'est important pour beaucoup de gens.

– Quel barman ?

Aux mots « inspecteurs de police », un masque de plomb s'était figé sur le visage du barman chinois.

– Celui du Cockpit, dit Michael en lançant de côté un regard furieux à Harry qui haussa les épaules et se mit à jouer avec un cendrier.

Le barman haussa lui aussi les épaules.

– Il n'y a personne ici qui pourrait avoir connu cet homme ? Personne qui fréquentait Bugis Street à l'époque ?

– Si, Billy, dit le barman. Il est là depuis qu'on a goudronné la rue.

Le cœur de Conor se mit à battre la chamade. Il avait compris qui était ce Billy et il n'avait aucune envie d'aller lui parler.

– Là-bas, dans le fond, dit le barman, confirmant ainsi les craintes de Conor. Offrez-lui un verre, il est très aimable.

– Ouais, c'est vrai qu'il a l'air aimable, dit Harry.

A sa table du fond, Billy s'était redressé et se tapotait les cheveux. Lorsqu'il vit les trois hommes qui s'approchaient avec leurs verres à la main et un double Chivas pour lui, il posa les deux mains sur ses genoux et s'inclina dans leur direction.

– Oh, vous m'avez amené un verre, comme c'est gentil à vous.

Billy n'était pas chinois, mais il n'était rien d'autre non plus, se dit Conor. Ses yeux étaient peut-être taillés en amande, mais on avait du mal à les distinguer sous le maquillage. Billy avait la peau très claire et il s'exprimait avec un accent britannique. On sentait à ses gestes qu'une femme était emprisonnée dans ce corps d'homme, et qu'elle s'y sentait à l'aise. Il porta le verre à ses lèvres, but une gorgée et le reposa doucement sur la table.

– J'espère, messieurs, que vous allez vous joindre à moi.

Michael et Harry s'étant assis face à lui, il ne restait plus à Conor qu'à prendre place aux côtés de Billy, qui coula vers lui un long regard accompagné de battements de cils.

– Vous venez pour la première fois à Bugis Street, messieurs? C'est peut-être votre première nuit à Singapour. Recherchez-vous quelque distraction exotique? J'ai peur qu'il ne reste plus grand-chose de délicat dans notre ville. Mais qu'importe... si l'on sait où s'adresser, on peut toujours trouver ce que l'on recherche.

Nouveau regard appuyé en direction de Conor.

– Nous cherchons quelqu'un, expliqua Michael.

– Nous sommes... commença Harry, mais il eut la surprise de sentir que Michael lui écrasait le pied sous la table.

– Le jeune homme au bar nous a dit que vous sauriez nous renseigner, reprit Michael. La personne que nous cherchons vivait ou vit encore à Singapour, et elle a passé beaucoup de temps dans cette rue il y a de cela quinze ans.

– Cela fait longtemps, dit Billy.

Il baissa les yeux et secoua la tête.

– Cette personne a-t-elle un nom?

– Tim Underhill.

Et Michael déposa l'une des photographies près du verre de Billy.

– Il vous dit quelque chose?

– Peut-être.

Michael poussa un billet de dix dollars de Singapour vers Billy qui le fit prestement disparaître.

– Je crois que j'ai connu ce monsieur.

Il entreprit alors d'examiner la photo avec attention.

– C'était un sacré gaillard, pas vrai ?

– Nous sommes de vieux amis, expliqua Michael, et nous avons toutes les raisons de croire qu'il a besoin de notre aide. Nous vous serions très reconnaissants de toutes les informations que vous pourriez nous fournir.

– Oh, tout a changé depuis cette époque. La rue... quelqu'un qui l'aurait connue alors ne la reconnaîtrait plus.

Il reprit l'examen de la photo.

– Les fleurs... c'était un homme à fleurs, n'est-ce pas ? Des fleurs par ci, des fleurs par là. Il avait fait la guerre.

Michael acquiesça.

– Nous nous sommes connus au Vietnam.

– Ce pays était magnifique autrefois, dit Billy. Une grande liberté.

Et à la grande stupéfaction de Conor, il demanda :

– Vous connaissez Saigon, mon chéri ?

Conor acquiesça d'un signe de tête et avala une gorgée de vodka.

– Certaines de nos meilleures filles travaillaient là-bas. Elles sont presque toutes parties à présent. Dispersées aux quatre vents. Ça devenait trop dur pour elles. Difficile de le leur reprocher, n'est-ce pas ?

Aucune réponse.

– Non, bien sûr, je vois bien que vous ne songez pas à le leur reprocher, reprit Billy. Elles vivaient pour le plaisir, pour le ravissement, pour l'illusion. On ne peut pas leur reprocher d'avoir refusé de se mettre au travail. Alors elles sont parties. La plupart de nos bonnes amies sont allées à Amsterdam. Elles ont été accueillies dans des clubs à elles, très élégants... comme le Kit Kat Club. Vous connaissez le Kit Kat Club, messieurs ?

– Et Underhill dans tout ça ? demanda Harry.

– Des miroirs partout, des lustres en cristal, trois étages, le grand luxe. On m'en a souvent parlé. Il n'y a rien d'aussi beau que le Kit Kat Club de Paris.

Il avala une gorgée de whisky.

– Dites-moi, s'exclama Conor, est-ce que vous savez où on peut trouver Underhill ou on fait juste la causette ?

Un sourire soyeux apparut sur les lèvres de Billy.

– Certaines filles qui travaillaient ici sont toujours à Singapour. Vous devriez aller voir le spectacle de Lola. Elle travaille dans des clubs chics, pas dans le genre de ceux qui sont restés à Bugis Street... Elle est pétillante. Son spectacle vous plaira.

3

Quatre jours plus tôt, Tina Pumo et Maggie Lah prenaient leur petit déjeuner à La Groceria (Tina éprouvait une sorte d'attachement sentimental pour cet endroit où il avait si souvent lu et relu la dernière page de *Village Voice*). En lisant la première page du *New York Post,* Maggie se mit à rire. Ils avaient tous les deux acheté des journaux au kiosque de la Sixième Avenue, et le rire de Maggie tira Tina de la chronique gastronomique du *Times*, dans laquelle il était plongé.

– Y a quelque chose de drôle dans ce torchon ?

– C'est leurs gros titres, dit Maggie en lui montrant la une du tabloïd : « Un yuppie assassiné à l'aéroport. » On pourrait chambouler tout ça : « Un aéroport yuppie assassiné. » Ou bien : « Un yuppie assassine l'aéroport. » De toute façon, ça fait toujours plaisir de voir un yuppie en moins.

Tina finit par trouver l'histoire dans la rubrique des faits divers du *Times*. Clement W. Irwin, un financier de vingt-neuf ans, millionnaire à ce que l'on disait, et considéré par ses confrères comme une « supervedette », avait été retrouvé poignardé dans les toilettes de l'aéroport Kennedy, près de la salle des bagages de la Pan American. Dans le journal de Maggie, figurait une photographie de l'homme : un visage gras et mou, des yeux petits et très écartés derrière de grosses lunettes à monture noire. Les traits reflétaient à la fois l'avidité et l'agressivité. Sous la photo, une légende : *Clement W. Irwin, un champion de la finance et un yuppie*. Dans les pages intérieures, on découvrait les photos d'une maison de ville dans la 63e Rue est, un manoir sur Mount Avenue à Hampstead, dans le Connecticut, et une maison basse, sur une plage de l'île de Saint-Marteen. Dans le *Post,* mais non dans le *Times*, on évoquait un meurtre commis soit par un employé de l'aéroport soit par un passager du même vol que la victime, en provenance de San Francisco.

4

Le lendemain de leur tournée des bars de Bugis Street, Conor Linklater avala au réveil deux aspirines et le tiers d'une bouteille de Pepto-Bismol ; il prit une douche, enfila un jean et une chemise à manches courtes et rejoignit les autres à la cafétéria du Marco Polo.

– Pourquoi t'as mis tout ce temps ? demanda Harry.

Michael et lui étaient attablés devant le petit déjeuner le plus étrange que Conor eût jamais vu. Il y avait bien des œufs et du pain grillé, mais on distinguait également une sorte de porridge blanchâtre parsemé de machins graisseux qui auraient pu ressembler à des œufs, n'eût été leur couleur verte. Michael et Harry semblaient n'avoir goûté qu'une ou deux bouchées de l'étrange substance.

– Je suis un peu vaseux ce matin, je crois que je vais me passer de petit déjeuner, dit Conor. Et puis c'est quoi, ce truc-là ?

– Je préfère pas le savoir, répondit Harry.

– Tu es malade ou tu as seulement la gueule de bois ? demanda Michael.

– Les deux, je crois.

– Tu as la diarrhée ?

– J'ai avalé une tonne de Pepto-Bismol.

Le serveur fit son apparition et il commanda du café.

– Du café américain ! précisa-t-il.

En souriant, Harry poussa vers lui un exemplaire du *Straits Times*.

– Jette un œil et dis-moi ce que tu en penses.

Conor parcourut les titres relatifs à de nouveaux traitements pour les semences, au développement des prêts personnels accordés par les banques, aux embouteillages prévus sur les ponts à l'occasion des vacances de Nouvel An, et finit par découvrir le titre suivant en milieu de page : « Double meurtre dans un bungalow abandonné. »

Un journaliste américain du nom de Roberto Ortiz avait été découvert assassiné dans un bungalow de Plantation Road. On avait également découvert à ses côtés le corps d'une jeune prostituée malaisienne. Les cadavres avaient été retrouvés en état de putréfaction, et d'après les médecins légistes, la mort remontait à une dizaine de jours. Le bungalow appartenait au professeur Li Lau Feng, qui le laissait inoccupé depuis un an puisqu'il enseignait depuis cette époque à l'université de Djakarta. M. Ortiz, abattu de plusieurs balles, avait été également mutilé après sa mort. La jeune femme encore non identifiée avait elle aussi été abattue de plusieurs coups de feu. M. Ortiz était journaliste et auteur de deux livres : *Le jeu de bataille, ou la politique des États-Unis au Honduras ;* et *Vietnam : itinéraire d'un voyageur.* D'après la police, ces crimes seraient liés à d'autres crimes semblables commis à Singapour l'année précédente.

– Sur quoi se base la police pour dire ça ? demanda Conor.

– Je parie qu'ils ont trouvé des cartes Koko, dit Harry. Bien sûr ils sont discrets. Tu crois que si ça c'était passé à New York ils auraient révélé un détail pareil ? Faut pas rêver. Mais ils disent que le corps a été mutilé. Tu veux parier qu'on lui avait arraché les yeux et coupé les oreilles ? C'est l'ouvrage d'Underhill, ça, mes amis. On ne s'est pas trompés d'endroit.

– Mon Dieu! s'exclama Conor. Alors qu'est-ce qu'on fait? Je croyais qu'on allait à... enfin qu'on allait chercher cette...

– Mais on y va, dit Michael. J'ai pris des journaux et des guides à la boutique de l'hôtel, et on va essayer de voir où travaille cette Lola, si elle travaille encore. Les vendeuses de la boutique jurent qu'elles n'ont jamais entendu parler d'une Lola, alors il va falloir trouver tout seuls.

– Mais on s'est dit que ce matin, dit Harry, on devrait aller jeter un œil aux endroits où les autres corps ont été retrouvés. Le bungalow où on a retrouvé les Martinson, celui du journal de ce matin, et puis le Goodwood Park Hotel.

– On pourrait peut-être aller voir la police. Leur demander s'il y avait des cartes sur les deux derniers cadavres.

– Moi j'ai pas envie de balancer Underhill à la police, dit Harry. Toi oui? Tu crois qu'on est venus jusqu'ici pour ça?

– On ne sait toujours pas s'il s'agit d'Underhill, déclara Michael. On ne sait même pas s'il est encore à Singapour.

– Eh bien dis donc, t'es dur à la détente, toi! Qu'est-ce qu'il te faut, Michael?

Michael tournait lentement les pages du *Straits Times*.

– Moi, j'imagine bien Underhill, dit Conor. Il a toujours son espèce de vieux serre-tête. Il est devenu gros comme un cochon. Il est raide défoncé toutes les nuits. Il a une boutique de fleurs. Y a des jeunes garçons qui travaillent pour lui, et il les emmerde à crever en leur racontant sans arrêt ses exploits au Vietnam. C'est un vieux radoteur, mais tout le monde l'aime bien.

– Vas-y, continue à délirer, dit Harry.

Michael avait pris un autre journal et tournait les pages avec la régularité d'un métronome.

– De temps en temps, il s'enferme dans son bureau, il ferme la porte à double tour et il pond un nouveau chapitre.

– Et puis de temps en temps il s'enferme dans une maison abandonnée et il bousille quelqu'un.

– Ces œufs ont l'air de dater du siècle dernier, dit Conor qui avait pris le menu pendant que Harry parlait. C'est quoi cette espèce de truc vert?

– Du thé, dit Michael.

Dix minutes plus tard, Michael trouvait une annonce pour le spectacle de « la fabuleuse Lola » dans *Singapore After Dark*, l'un des guides bon marché sur les plaisirs de Singapour, que Michael avait acheté à la boutique de l'hôtel. Lola donnait un spectacle dans un night-club du nom de Peppermint City; le club se trouvait à une vingtaine de kilomètres, au bord d'une route trop éloignée pour figurer sur la carte de Harry.

Les trois hommes contemplèrent la photo d'un Chinois efféminé aux sourcils épilés et aux cheveux noués sur le sommet du crâne.

– Je me sens déjà malade, dit Conor.

Il était devenu aussi vert que ses œufs centenaires, et Michael lui fit promettre d'appeler le médecin de l'hôtel et de passer la journée dans sa chambre.

5

Michael ne s'attendait pas à grand-chose d'une entrevue avec Lola non plus que d'une visite des lieux des crimes, mais il espérait au moins que cette dernière visite l'aiderait à imaginer la scène.

La villa de Nassim Hill où les Martinson avaient été assassinés n'était qu'à une dizaine de minutes de marche.

– Il avait au moins choisi un endroit agréable, dit Harry.

Entourée d'arbres, la villa se dressait sur une petite éminence. Avec son toit de tuiles rouges, ses murs ocrés et ses grandes fenêtres, elle ressemblait aux jolies maisons que Michael avait vues la veille par la fenêtre de son hôtel. Rien ne suggérait que deux personnes y avaient été assassinées.

A l'ombre des arbres pour mieux reposer leurs yeux, Harry et Michael scrutèrent par la fenêtre l'intérieur d'une vaste pièce rectangulaire qui ressemblait à une grotte. Au centre de la pièce, on devinait une large tache entourée d'une multitude de taches plus petites; la tache brunâtre était entourée de grosses balles de poussière, comme si quelqu'un avait tenté de nettoyer avant d'y renoncer.

Soudain, Michael s'aperçut qu'une troisième silhouette se reflétait dans la vitre, entre Harry et lui. Il bondit en arrière comme un enfant surpris en train de voler.

– Je vous prie de m'excuser, dit l'homme, je ne voulais pas vous faire peur.

C'était un Chinois massif vêtu d'un complet de soie noire et chaussé de mocassins noirs vernis ornés de glands.

– Cette maison vous intéresse?

– Êtes-vous le propriétaire? demanda Michael.

L'homme semblait avoir surgi de nulle part, comme un fantôme élégant.

– Je ne suis pas seulement le propriétaire, je suis aussi le voisin.

Et d'un geste du bras, il indiqua une villa située à quelque distance mais que l'on distinguait à peine à cause des arbres.

– Lorsque je vous ai vus monter, j'ai tout de suite songé au vandalisme. Il y a parfois des jeunes qui viennent utiliser cette maison vide... les jeunes sont partout les mêmes, n'est-ce pas ?

Il émit quelques brefs aboiements en guise de rire.

– Mais quand je vous ai vus, j'ai compris que vous n'étiez pas des vandales.

– Mais bien sûr que nous ne sommes pas des vandales, rétorqua Harry, d'un ton un peu irrité.

Après avoir glissé un regard à Michael, il décida ne pas se présenter comme un policier de New York.

– Nous sommes des amis des gens qui ont été tués ici, et comme nous faisions un circuit touristique dans la région, nous en avons profité pour venir voir l'endroit où ça s'est passé.

– Tout cela est bien regrettable. Votre perte est aussi la mienne.

– Je suis touché par vos paroles, dit Michael.

– Je parlais d'un point de vue commercial. Depuis que ça c'est passé, personne ne veut plus visiter la maison. Et puis de toute façon, je ne pourrais pas la faire visiter à d'éventuels locataires parce que la police a posé des scellés.

Du doigt, il indiqua les sceaux et le papier jaune déjà délavé par la pluie, qui avaient été fixés sur la porte d'entrée.

– On ne peut même pas laver les taches de sang. Oh, je vous prie de m'excuser ! J'oubliais ! Je suis très attristé par ce qui est arrivé à vos amis et je partage sincèrement votre peine.

Il se redressa et fit quelques pas en arrière, embarrassé.

– Fait-il froid en ce moment à Saint Louis ? Vous devez apprécier le beau temps de Singapour.

– Vous n'avez rien entendu ? demanda Harry.

– Pas cette nuit-là. Mais les autres fois j'ai entendu des tas de choses.

– Les autres fois ? s'étonna Michael.

– Cela faisait des semaines que je l'entendais. Un adolescent. Il ne faisait jamais beaucoup de bruit. Un jeune garçon qui se faufilait dans la nuit comme une ombre. Je ne l'ai jamais attrapé.

– Mais vous l'avez vu ?

– Une seule fois. De dos. En descendant de ma maison, je l'ai vu se glisser à travers les hibiscus. Je l'ai appelé, mais il ne s'est pas arrêté. Remarquez, c'est normal. C'était un jeune garçon : il était de petite taille. J'ai appelé la police, mais ils n'ont pas pu le retrouver. Ensuite, j'ai soigneusement fermé la maison, mais il trouvait toujours un moyen d'y pénétrer.

– Il était chinois ?

– Bien sûr. Enfin, j'imagine... je ne l'ai vu que de dos.

– Croyez-vous que ce soit lui qui ait commis ces meurtres ? demanda Michael.

– Je ne sais pas. J'en doute, mais je n'en sais rien. Il semblait tellement inoffensif.

– Qu'est-ce que vous voulez dire quand vous dites que vous l'avez entendu ? demanda Harry.

– Je l'ai entendu qui chantait pour lui-même.

– Et que chantait-il ?

– Une chanson en langue étrangère. Ce n'était ni un dialecte chinois ni du français ni de l'anglais... Je me suis souvent demandé si ça n'était pas du polonais ! Ça ressemblait à peu près à ça... (il se mit à rire)... rip-a-rip-a-rip-a-lo.

Il chantait les paroles sans presque y mettre d'air, et se mit à rire à nouveau.

– C'était très mélancolique. Deux ou trois fois, alors que j'étais assis dans mon jardin, j'ai entendu cette chanson venir de la maison. Je descendais aussi silencieusement que possible, mais chaque fois il m'a entendu venir et il s'est enfui avant mon arrivée. (Il s'interrompit un instant.) Au bout d'un certain temps, j'ai fini par l'accepter.

– Vous avez accepté qu'on entre chez vous par effraction ? s'écria Harry.

– Je finissais par considérer ce garçon comme la mascotte de la maison. Après tout, il y vivait comme un petit animal familier. Il ne faisait pas de dégâts, et il chantait sa petite chanson. Rip-a-rip-a-rip-a-lo.

L'homme semblait un peu malheureux. Michael essaya d'imaginer un gros richard américain à l'air malheureux, avec un complet en soie noire et des mocassins à glands, mais il y renonça rapidement.

– Il a dû partir avant les meurtres.

L'homme regarda sa montre.

– Puis-je vous être encore utile ?

Il leur souhaita l'au revoir en agitant la main tout le temps que dura leur descente de Nassim Hill, et il était encore là tandis qu'ils tournaient le coin d'Orchard Road à la recherche d'un taxi.

Dès que le chauffeur du taxi leur eut indiqué l'hôtel Goodwood Park, ils virent l'endroit où avait été découvert le corps de Clive McKenna. L'hôtel tout blanc se dressait sur une éminence qui dominait le quartier d'affaires de la ville, en haut d'une pelouse en pente raide. Conor et Harry longèrent une rangée d'arbustes et regardèrent en contrebas. Les flancs de la colline étaient recouverts de buissons touffus, au feuillage vert sombre, semblables à des myrtes, entrecoupés de haies basses.

– Il l'a attiré ici, dit Harry. Ils se sont probablement rencontrés au bar... Et si on allait prendre l'air ? Un coup de couteau, et hop ! Adieu, Clive ! Je me demande... je me demande si on ne pourrait pas glaner quelque chose d'intéressant à la réception.

Harry semblait joyeux, comme s'il se réjouissait du meurtre qui avait eu lieu en cet endroit.

– Est-ce qu'un certain M. Underhill n'était pas inscrit ici à l'époque où M. McKenna a été tué? demanda Harry.

Dans sa main, il tenait plié un billet de dix dollars.

L'employé se mit à pianoter sur le terminal d'ordinateur installé derrière le comptoir. A la grande stupéfaction de Michael, il leur déclara que M. Timothy Underhill était attendu six jours avant la découverte du corps de M. McKenna, mais qu'il n'avait pas réclamé sa chambre.

– Dans le mille! s'exclama Harry.

L'employé tendit la main pour recevoir son billet, mais Harry recula la sienne.

– Avez-vous l'adresse de M. Underhill?

– Bien sûr, dit l'employé. 56, Grand Street, à New York.

– Comment a-t-il passé sa réservation?

– Aucune trace. Cela a dû se passer par téléphone. Nous n'avons aucun numéro de carte de crédit.

– On ne sait pas d'où il a appelé?

L'employé secoua la tête.

– Tout ça est très insuffisant, déclara Harry en fourrant le billet dans sa poche avec une drôle de mimique à l'adresse de Michael.

Ils sortirent dans la lumière du soleil.

– Pourquoi utiliser son véritable nom s'il payait en liquide? demanda Michael.

– Michael, il était gonflé à bloc, il devait se sentir au-dessus de tout ça. Il est siphonné... tuer des gens, ça n'a rien d'un comportement logique. Ce type travaille du chapeau et toi tu te demandes pourquoi il a utilisé son véritable nom! T'as vu comment j'ai économisé dix dollars?

Harry fit un signe de tête au portier qui siffla l'un des taxis rangés devant l'entrée de l'hôtel.

– Tu sais, dit Michael, j'ai l'impression d'avoir déjà entendu cette adresse quelque part... 56, Grand Street. Ça me semble familier.

– Mon Dieu, Michael!

– Quoi?

– Mais c'est l'adresse du restaurant de Pumo! Le Saigon se trouve au 56, Grand Street à New York!

Plantation Road commençait par un grand hôtel au coin d'une large artère animée, pour se transformer presque aussitôt en une paisible avenue de quartier riche, bordée de grands bungalows bas entourés de pelouses et de grilles. Lorsqu'ils furent arrivés à hauteur du numéro 72, Harry dit au chauffeur de les attendre, et les deux hommes descendirent de voiture.

Le bungalow où Roberto Ortiz et la femme étaient morts se dressait dans la lumière du soleil comme un gâteau rose. La maison était encadrée par des hibiscus en fleur qui projetaient leurs ombres sur la pelouse sombre. Un papier jaune clair était apposé sur la grille, annonçant que la police de Singapour avait apposé les scellés sur cette maison aux fins d'enquête consécutive à un meurtre. Deux voitures de police bleu foncé étaient stationnées devant l'entrée, et Michael apercevait des uniformes qui se déplaçaient derrière les vitres, à l'intérieur.

– Tu as remarqué combien les femmes policiers sont belles dans ce pays ? demanda Harry. Je me demande s'ils nous laisseraient pénétrer à l'intérieur.

– Pourquoi ne pas leur dire que tu es un inspecteur de la police new-yorkaise ? suggéra Michael.

– Parce que je suis auxiliaire de justice, voilà pourquoi.

Derrière les vitres de la maison d'en face, on apercevait une Chinoise entre deux âges qui avait passé le bras autour de la taille d'une femme plus jeune et plus grande, qui elle-même avait posé la main droite sur sa hanche. Les deux femmes avaient l'air très tendues. Avaient-elles entendu un jeune homme chanter cette chanson étrange, *rip-a-rip-a-rip-a-lo* ?

De retour au Marco Polo, Harry et Michael trouvèrent un Conor débraillé, les yeux rougis, et Michael ne put s'empêcher de songer à Dwight Frye dans *Dracula.* A la réception on lui avait donné le nom d'un docteur dans un immeuble voisin, et les deux hommes aidèrent leur ami à prendre l'ascenseur et à affronter la lumière du soleil.

– Je suis parfaitement capable de venir avec vous ce soir, dit Conor. Ça va passer.

– Ce soir, tu restes dans ta chambre, dit Michael d'un ton sans réplique.

– Moi aussi je reste là ce soir, dit Harry. Je suis trop éreinté pour m'envoyer encore un de ces bars à putes. J'en profiterai pour raconter à Conor ce qu'on a fait aujourd'hui.

Michael et Harry encadraient un Conor titubant, qui hésitait à marcher normalement.

– Dans quelques années, on sera tous installés dans une salle de projection et on se regardera faire ce qu'on est en train de faire en ce moment. La moitié de l'humanité saura que Conor Linklater avait la chiasse. Je regrette que Sean Connery n'ait pas vingt ans de moins.

C'est vraiment dommage que tous les bons acteurs soient trop vieux de nos jours.

– Oui, à mon avis, Laurence Olivier est vraiment trop vieux, dit Michael.

– Mais non, je veux dire des types comme Gregory Peck, Dick Widmark, des gars comme ça. Paul Newman est trop petit, et Robert Redford trop doucereux. Pour un rôle aussi intense, je verrais bien James Woods. Ça m'irait bien.

6

Le taxi traversa tout Singapour, traversa un boulevard circulaire et s'enfonça ensuite si loin que Michael commençait à se demander si le night-club ne se trouvait pas en Malaisie. Bientôt, les seules lumières visibles furent les lampadaires éclairant l'autoroute à six voies. Des deux côtés, c'était l'obscurité totale, trouée çà et là par une lumière isolée. Ils étaient presque seuls sur la route, et le chauffeur roulait très vite. Michael avait l'impression que les roues de la voiture ne touchaient pas le sol.

– On est encore à Singapour ? demanda-t-il.

Pas de réponse.

Finalement, la voiture s'engagea dans une bretelle menant à un centre commercial qui ressemblait à une station spatiale dans cette obscurité totale, un bâtiment plus grand et plus haut que tous les centres commerciaux d'Orchard Road. Tout autour, s'étendait un immense parking presque vide. Sur les murs, étaient accrochés d'immenses affiches verticales recouvertes de caractères chinois de la taille d'un homme. Une rangée de palmiers se dressaient, pétrifiés, dans la lumière blanche des phares.

– Vous êtes sûr que c'est Peppermint City ? demanda Michael.

Le chauffeur freina brusquement devant un palmier et demeura immobile à son volant comme une statue. Michael répéta sa question d'un ton hésitant et l'homme brailla quelque chose en chinois.

– Combien ?

L'homme redit la même chose en criant.

Michael tendit un billet dont il ne parvenait pas à lire le montant, reçut une quantité surprenante de monnaie et rendit au hasard un autre billet en guise de pourboire. Lorsque le taxi fut parti, il se retrouva seul.

Le bâtiment semblait être construit en métal gris et froid. A travers les larges baies vitrées du rez-de-chaussée, Michael apercevait deux ou trois petites silhouettes qui allaient et venaient au fond des magasins fermés.

Les portes de verre s'ouvrirent automatiquement devant lui et un tourbillon d'air froid l'enveloppa. Les portes se refermèrent derrière lui. Il eut la chair de poule.

Devant lui, une immense allée vide menait à un espace très haut de plafond. Michael avait l'impression de pénétrer dans une église vide. Des mannequins prenaient des poses dans les vitrines des boutiques fermées. D'invisibles escalators grinçaient. Dieu était rentré chez lui et la cathédrale était aussi vide qu'un cratère de bombe. En s'engageant dans le grand espace voûté, Michael aperçut quelques silhouettes qui s'agitaient sur la mezzanine, devant une rangée de boutiques aux vitrines sombres.

Michael continua d'errer au rez-de-chaussée du centre commercial, persuadé que le chauffeur s'était trompé. Il se voyait déjà déambuler sans fin devant les jouets Good Fortune, les meubles Merlion, la boutique de mode O'Day, qui habille la femme élégante, lorsqu'il découvrit l'escalator. Au coin d'un restaurant baptisé Captain Steak, il aperçut la longue visière d'une casquette de base-ball surplombant le chef d'un vieux Chinois qui flottait sur l'escalator descendant vers lui.

Au troisième niveau, il commença d'avoir mal aux pieds; le sol était fait de dalles de pierre particulièrement dures. Dans une vitrine obscure, il distingua des sweat-shirts rouges et orange et des oiseaux en cage. En soupirant, il poursuivit son chemin. Comment retrouver un taxi dans un endroit pareil ? Personne ne lui adresserait la parole et de toute façon il ne parviendrait pas à se faire comprendre. Il commençait à comprendre pourquoi George Romero avait choisi de tourner *Dawn of the Dead* dans un centre commercial.

Tel était Singapour dans sa plus stérile perfection. Hasard, saleté et vitalité avaient été impitoyablement éliminés. Michael aurait aimé se trouver au Marco Polo, à se soûler avec Harry et à regarder les émissions financières et les feuilletons à la guimauve qui constituaient l'essentiel des programmes de la télévision locale.

Au cinquième étage, découragé, il parcourait des allées plus sombres et plus désertes encore que celles de l'étage précédent. Là, plus aucune boutique ni aucun restaurant ouverts. Il avait échoué à des kilomètres du centre-ville, au cinquième étage d'un centre commercial de banlieue. Puis, au détour d'une allée, les vitrines sombres des boutiques laissèrent la place à des murs recouverts de carreaux blancs éclairés par des rampes lumineuses. A travers une ouverture dans le mur, Michael aperçut des hommes en complet, des femmes en robe de soirée, tout le monde évoluant dans la fumée bleue des cigarettes. Une jolie hôtesse l'accueillit en souriant tout en parlant au téléphone. Devant l'entrée, se dressait un arbre dépourvu de feuilles, peint en blanc et orné de petites boules blanches; au-dessus, une enseigne au néon rose proclamait : PEPPERMINT CITY !

Il pénétra dans le vestibule et le centre commercial disparut. Devant lui se déployait un univers de rêve qui évoquait irrésistiblement l'heure du thé dans quelque plantation du Mississippi. Des hôtesses conduisaient des couples entre des tables rondes en métal blanc, et les asseyaient sur des chaises en métal en forme de crèmes glacées, également blanches. Le sol et les murs étaient, eux, peints en noir. De part et d'autre d'un bar pris d'assaut, sur des allées surélevées, ainsi que sur des mezzanines, s'alignaient d'autres tables et d'autres chaises crème glacée. Au milieu, entouré de tables, dans une fontaine illuminée, un garçon faisait jaillir de l'eau par sa bouche.

La femme qui se trouvait derrière le bureau le conduisit à une petite table blanche sur une plate-forme, derrière le bar. Il commanda une bière. Devant la scène, sur une petite piste de danse, évoluaient des couples d'homosexuels vêtus de complets et qui faisaient irrésistiblement penser à des diplômés du Massachusetts Institute of Technology. La plupart des tables du club étaient occupées par des couples semblables à ceux-ci : des garçons à lunettes rondes, agrippés à des cigarettes et qui faisaient des efforts terribles pour ne pas paraître gênés. Çà et là, on apercevait aussi quelques Anglais et quelques Américains devisant le plus sérieusement du monde avec leurs compagnes chinoises et eurasiennes. La plupart des couples hétérosexuels buvaient du champagne, et la plupart des garçons de la bière.

Quelques minutes plus tard, la douce musique de danse s'interrompit. Les garçons qui dansaient devant la scène applaudirent en souriant et regagnèrent leurs tables. Une sonnerie de téléphone retentit bruyamment, on entendit le tintement d'une caisse enregistreuse, quelques voix s'élevèrent encore, puis le silence se fit.

Quatre Philippins trapus, un Eurasien et un mince et jeune Chinois bondirent sur la scène. De l'autre côté, un employé de la maison installait un gros synthétiseur près de la batterie. Tous les musiciens, sauf le Chinois, étaient vêtus de la même chemise jaune bouffante, et d'un complet très ajusté en velours rouge. Ils avaient amené avec eux leurs instruments, deux guitares, une conga et une basse électrique, et ils attaquèrent aussitôt une version molle de *Billie Jean* dès que le batteur et le joueur de claviers eurent pris place. L'Eurasien et le joueur de claviers avaient des cheveux courts et bouclés, et portaient des lunettes de soleil comme Michael Jackson, tandis que les autres portaient les cheveux plats à la John Lennon, arboraient des lunettes rondes et jetaient des regards de côté. Visiblement, les musiciens avaient l'habitude de jouer ensemble bien avant que Lola les eût engagés; Michael s'imaginait revenir vingt ans plus tard à Singapour : il verrait les mêmes musiciens, bedonnants, tout aussi mécaniques, et vêtus probablement de la même façon.

C'était l'année Michael Jackson, et Lola avait lui aussi adopté les cheveux bouclés, les lunettes de soleil, ainsi que l'unique gant blanc. Il était chaussé de hautes bottines noires vernies, et vêtu d'une blouse blanche et flottante. De lourdes boucles d'oreilles scintillaient sous les boucles, et un amoncellement de gros bracelets glisaient sur ses bras à chaque mouvement. Les garçons installés aux tables devant la scène sifflaient et applaudissaient, et Lola se lança dans une imitation énergique mais sans vie des mouvements de danse de Michael Jackson. De *Billie Jean*, ils passèrent à *Maniac* puis à *MacArthur Park*. Sifflets et applaudissements saluaient chaque changement de costume de Lola.

Michael prit la carte pliée qui se trouvait sur la table, l'aplatit d'un revers de main et écrivit : *J'aime votre spectacle. Accepteriez-vous de me parler d'un de vos vieux amis de Bugis Street?* D'un geste, il appela la serveuse qui vint prendre son message et se fraya un chemin entre les tables pour aller le porter à Lola.

Lola était à présent vêtu d'une tunique rouge à manches longues et arborait au cou un collier de lourdes perles de verre rouge sang ; tout en continuant de chanter *Cross My Heart*, il cueillit le carton au bout des doigts de la serveuse et joua avec quelques instants avant de l'ouvrir. Michael aperçut son visage quelques secondes encore, puis Lola fit une pirouette, frappa le sol du talon, écarta les bras en faisant tinter ses bracelets et s'écria une dernière fois : *Cross my heart!*

Une heure plus tard, Lola quitta la scène en s'inclinant et en soufflant des baisers du bout des doigts. L'orchestre se leva et s'inclina d'une façon presque moqueuse.

Après que les lumières se furent rallumées, Michael demanda sa note. Un certain nombre de jeunes Chinois s'étaient rassemblés autour de la porte voisine de la scène, et de temps en temps, l'un d'eux sortait, laissant le passage à un autre.

Lorsque les garçons furent partis ou retournés à leurs tables, Michael alla frapper lui aussi à la porte noire. Elle s'ouvrit devant lui. La loge était petite, enfumée, et les musiciens étaient installés par terre et sur un vieux canapé. La pièce sentait le tabac, la sueur et le maquillage. Installé devant un miroir, Lola se tourna aux trois quarts à son entrée et le dévisagea sous la serviette qui lui recouvrait la tête. Il tenait une boîte plate de poudre noire dans une main et une brosse à sourcils dans l'autre.

Michael s'avança.

– Fermez la porte derrière vous, dit l'un des musiciens.

– Vous vouliez me voir ? demanda Lola.

– J'ai beaucoup aimé votre spectacle, dit Michael.

Le gros joueur de conga replia une jambe pour permettre à Michael de passer. Lola sourit et retira la serviette qui lui recouvrait la tête.

Il était plus petit et plus vieux qu'il ne paraissait sur scène. Sous le maquillage, apparaissait un réseau de petites rides comme creusées au couteau. Il avait un visage de fille et un regard las et méfiant. De la sueur perlait encore à la racine de ses cheveux bouclés. Il accueillit le compliment d'un hochement de tête et se retourna vers le miroir.

– C'est moi qui ai envoyé le carton où il était question de Bugis Street.

La main de Lola abandonna lentement les paupières et il tourna légèrement la tête pour observer Michael.

– Vous avez une minute ? demanda ce dernier.

– Je ne me souviens pas vous avoir déjà rencontré.

Lola parlait l'anglais presque sans accent.

– C'est la première fois que je viens à Singapour.

– Et vous avez quelque chose d'extrêmement pressant à me dire...

L'un des musiciens s'esclaffa.

– C'est un homme nommé Billy qui m'a parlé de vous, dit Michael qui semblait ne pas comprendre quelque chose, un secret que les autres partageaient.

– Et que faisiez-vous avec Billy ? Vous cherchiez de la distraction ? J'espère que vous en avez trouvé.

– Je cherchais un écrivain du nom de Tim Underhill.

Michael sursauta : Lola venait de refermer avec un bruit sec le couvercle de son poudrier, suffisamment fort pour qu'il s'en échappât un petit nuage de poudre.

– Vous savez, je croyais être prêt, mais en fait je n'étais pas du tout prêt à entendre une chose pareille.

– Billy m'a dit que vous aviez peut-être connu Underhill, ou que peut-être vous sauriez où il se trouve.

– Eh bien il n'est pas ici, dit Lola en s'avançant vers lui. Et je ne veux pas en parler. Je dois revenir sur scène. Laissez-moi tranquille.

Les musiciens observaient la scène avec une indifférence bonhomme.

– J'ai besoin de votre aide, plaida Michael.

– Qui êtes-vous ? Un flic ? Il vous doit de l'argent ?

– Je m'appelle Michael Poole. Je suis médecin. J'étais un de ses amis.

Lola se prit le front à deux mains, comme si Michael n'avait été qu'un rêve qu'il aurait été aisé de dissiper. Puis il leva les yeux au ciel.

– Oh, mon Dieu ! Bon, on y va !

– Pouvez-vous me dire où le trouver ? demanda Michael.

Lola regarda ses doigts et s'aperçut avec dégoût qu'ils étaient recouverts de poussière noire ; il les essuya avec un mouchoir en papier. Lentement, avec application, il s'essuya les doigts en se regardant dans le miroir.

– Je n'ai rien à cacher, dit-il au miroir. C'est même tout le contraire.

Puis il reporta le regard sur Michael.

– Qu'est-ce que vous comptez faire quand vous l'aurez retrouvé ?

– Lui parler.

– J'espère que vous n'en resterez pas là, dit Lola en soufflant fort sur le miroir. Écoutez, je ne suis vraiment pas prêt à discuter de ça.

– Alors dites-moi où et quand.

– Où et quand, se mit à fredonner le joueur de claviers, dites-moi où et quand.

– A Subic Bay, dit le joueur de conga.

– Bon... vous connaissez le parc Bras Basah ? demanda Lola.

Michael répondit qu'il pourrait le trouver.

– Je vous retrouverai là-bas demain à onze heures... peut-être.

Lola se regarda à nouveau dans le miroir.

– Si je n'y suis pas, laissez tomber. Ne revenez pas. D'accord ?

Michael n'avait aucune intention de respecter cet engagement, mais il acquiesça.

Le joueur de conga se mit à chanter : « Savez-vous vous rendre au parc Bras Basah ? » et Michael quitta la pièce.

7

Le lendemain matin, après une demi-heure de marche, Michael découvrit un petit triangle de verdure coincé entre Orchard Road et Bras Basah Road. Il était seul : Conor ne s'était pas encore remis de l'attaque de la bestiole inconnue et aurait été incapable de parcourir à pied les cinq kilomètres les séparant du parc; quant à Harry, il avait fait son apparition à la cafétéria de l'hôtel avec des valises sous les yeux et une égratignure rouge au-dessus du sourcil droit, et il avait préféré laisser Michael découvrir tout seul « ce que le chanteur avait dans le ventre ».

Michael comprenait à présent pourquoi Lola avait choisi le parc Bras Basah pour leur rencontre. C'était probablement le jardin le plus public qu'il ait jamais vu. Ni les habitants des immeubles qui le bordaient des deux côtés des deux larges avenues, ni les conducteurs des voitures qui défilaient sans arrêt ne pouvaient ignorer ce qui s'y passait. Le parc Bras Basah avait le caractère intime d'un refuge au milieu d'une rue.

Trois larges allées recouvertes de briques couleur d'ambre découpaient la surface du jardin et se rejoignaient du côté est, à l'endroit le plus étroit. Les trois allées aboutissaient à un chemin circulaire entourant une sculpture abstraite en bronze et, réunies, conduisaient à la sortie indiquée par un écriteau en bois.

Michael longea Orchard Road jusqu'au feu de signalisation qui devait lui permettre de traverser la rue et de gagner le jardin vide. Il était onze heures moins cinq.

En s'asseyant sur l'un des bancs de l'allée la plus proche d'Orchard Road, il jeta un regard autour de lui, se demandant où pouvait bien se trouver Lola, et s'il ne l'observait pas d'une des fenêtres donnant sur le jardin. Il savait que le chanteur allait le faire attendre, et il regrettait de ne pas avoir amené de livre.

Michael était assis sur le banc de bois, dans la chaleur du soleil. Un vieil homme appuyé sur une canne mit incroyablement longtemps à passer devant lui. Michael l'observa longer les bancs à pas menus, dépasser la sculpture, passer sous l'écriteau et déboucher finalement sur Orchard Road. Vingt-cinq minutes s'étaient écoulées.

Il était là, tout seul sur un banc, dans un refuge piétonnier un peu amélioré, au beau milieu de la ville de Singapour. Et pourtant, il éprouvait un terrible sentiment de solitude. S'il ne devait jamais rentrer à Westerholm, la personne qui vraisemblablement le regretterait le plus serait une petite fille pour qui il ne pouvait rien faire d'autre que d'acheter des livres.

Lui aussi regretterait Stacy, et de la même façon, si elle devait mourir tandis qu'il était au loin. C'est drôle, se dit Michael, au cours des études de médecine on apprend beaucoup de choses touchant à la vie et à la mort, mais rien à propos du chagrin. On n'apprend rien à ce sujet-là. Ces jours-ci, le chagrin semblait au Dr Poole l'une des émotions humaines essentielles. Aussi essentielle que l'amour.

Michael se rappelait sa chambre d'hôtel à Washington, le jour où, tout seul, il avait vu une camionnette aux couleurs criardes défoncer l'arrière d'une petite voiture couverte de poussière; il se rappelait avoir marché dans l'air froid et vif en compagnie d'anciens combattants imbibés de whisky, du double de Dengler et du fantôme de Tim Underhill. Il se rappelait Thomas Strack.

Il voyait de grosses dames agiter des bannières, et des nuages froids courant dans l'air gris. Il se rappelait la façon dont les noms avaient jailli du mur de pierre noire, et il sentit dans sa bouche le goût amer et fondamental de la mortalité. « Dwight T. Pouncefoot », dit-il en se rendant compte au même instant de la glorieuse absurdité de ce nom. Son regard se brouilla et il fut pris d'un fou rire incontrôlable.

Pendant quelques instants, il continua de rire et de pleurer tout à la fois. Un mélange extraordinaire d'émotions le submergeait tout entier. Il riait et pleurait, envahi par le goût de la mortalité et du chagrin, qui est à la fois amer et joyeux. Lorsque l'émotion commença de se dissiper, il sortit son mouchoir de sa poche, s'essuya les yeux, et aperçut à côté de lui sur le banc un homme décharné, entre deux âges, qui ressemblait à un Roddy McDowell chinois. L'homme le regardait avec un mélange de curiosité et d'agacement. Il était de ces hommes qui à la quarantaine ont l'air d'adolescents, et qui brusquement se rident et deviennent de grands garçons âgés.

Michael détailla son voisin : le pantalon marron, la chemise rose dont le col était soigneusement rabattu sur le col de la veste à carreaux marron, les cheveux soigneusement lissés, et il se rendit compte alors, seulement, que c'était Lola, en vêtements de ville, et sans son maquillage.

– J'imagine que vous aussi vous êtes fou, dit Lola d'une voix sans timbre.

Il sourit et son visage se froissa en un réseau compliqué de plis et de rides.

– Remarquez, c'est normal si vous êtes un ami d'Underhill.

– J'étais en train de me dire qu'il fallait que la guerre soit vraiment terrible pour tuer un type qui s'appelle Dwight T. Pouncefoot.

Ce nom éveilla en lui un nouveau spasme de sentiments contradictoires, et il dut réprimer violemment un fou rire.

– Vous étiez au Vietnam avec Underhill ?

Michael acquiesça. Pour Lola, l'explication devait suffire.

– Vous étiez des amis proches ?

– Il a sauvé beaucoup des nôtres dans un endroit appelé la vallée du Dragon, simplement en calmant les gars. (Michael hésita une seconde avant de poursuivre.) C'était aussi un type extravagant. Je crois que c'était un grand soldat. Il aimait l'excitation du combat, il aimait partir en patrouille, il aimait cette tension. Et il était intelligent aussi.

– Vous ne l'avez pas revu depuis la guerre ?

Michael secoua la tête.

– Vous savez ce que je pense ? Je crois que vous ne parviendrez pas à aider Tim Underhill.

Il lança un coup d'œil à Michael puis détourna le regard.

– Où avez-vous connu Underhill ? demanda Michael.

– A l'Orient Song. Ça a tellement changé à présent... il y a des voyages organisés, et on paye quelques gens de Bugis Street pour faire de la figuration et avoir l'air dépravés.

– J'y suis allé, dit Michael en se rappelant les gentils Jasmins.

– Je sais que vous y êtes allé. Je connais le nom de tous les endroits où vous êtes allé. Je sais tout ce que vous avez fait, vous et vos amis. Beaucoup de gens m'ont appelé. J'étais même sûr de savoir qui vous étiez.

Michael demeura silencieux.

– Il parlait de la guerre. Et il parlait de vous, aussi. Vous êtes Michael Poole, n'est-ce pas ? Je crois que ça vous intéressera de savoir ce qu'il disait de vous. Il disait que vous étiez destiné à devenir un bon médecin, à épouser une parfaite salope et à vivre en banlieue.

Michael et Lola échangèrent un sourire.

– D'après lui, vous alliez finir par détester votre boulot, votre femme et l'endroit où vous viviez. Cela l'intéressait de savoir le temps qu'il vous faudrait pour en arriver là, et ce que vous feriez après. Il disait aussi qu'il vous admirait.

Michael devait avoir l'air surpris, car Lola ajouta :

– Underhill m'a dit que vous aviez la force de tolérer longtemps une vie médiocre. Cela, il l'admirait, parce que lui il ne le pouvait pas, il lui fallait mener une vie effroyable, un naufrage, un vrai désastre. Quand il n'a plus pu vivre de sa plume, votre ami a cherché à toucher le fond. Et les gens qui cherchent à toucher le fond y parviennent toujours. Parce que le fond est toujours là, n'est-ce pas ?

Michael voulait demander comment il en était arrivé là, mais Lola se remit à parler, très vite :

– Laissez-moi vous parler des Américains qui sont venus ici au moment de la guerre du Vietnam. Ces gens-là ne pouvaient pas s'adapter à la vie dans leur propre pays. Ils se sentaient mieux en Asie. Beaucoup aimaient les femmes asiatiques. Ou les garçons asiatiques, comme votre ami. (Il eut un sourire amer.) Beaucoup aussi étaient attirés par la facilité avec laquelle on se procurait de la drogue. La plupart des Américains qui étaient dans ce cas sont allés à Bangkok, certains ont acheté des bars à Patpong ou à Chiang Mai, d'autres se sont lancés dans le trafic de drogue.

– Et Underhill, qu'a-t-il fait ?

Le visage de Lola se plissa en une jungle de rides.

– Underhill était heureux avec son travail. Il habitait une petite chambre dans le vieux quartier chinois, il posait sa machine à écrire sur une caisse. Il avait un petit tourne-disque, et dépensait son argent en disques, en livres, en drogue, et dans les bars de Bugis Street. Mais c'était un malade. Il aimait la destruction. Vous avez dit que c'était un bon soldat. A votre avis, qu'est-ce qui fait un bon soldat ? La créativité ?

– Mais c'était quelqu'un de créatif... personne ne peut dire le contraire. C'est même ici qu'il a écrit ses meilleurs livres.

– Son premier livre, dit Lola, il l'a écrit dans sa tête, au Vietnam. Il n'avait plus qu'à le coucher par écrit. Il s'installait dans sa petite chambre, tapait à la machine, se rendait ensuite à Bugis Street, ramassait des garçons, faisait ce qu'il avait à faire, et le lendemain il se remettait à taper. Tout était facile. Vous croyez que je ne le sais pas ? Mais si, je le sais... j'y étais. Quand il a terminé son livre, il a donné une grande fête au Floating Dragon. C'est là qu'il a rencontré un de mes amis, un homme nommé Ong Pin. A ce moment-là, il était prêt à écrire son nouveau livre. Il m'a dit que ce type était fou, qu'il le connaissait bien, en profondeur, qu'il voulait écrire un livre sur lui. Il y avait des choses qu'il n'arrivait pas encore à comprendre... il était très mystérieux. Et mystérieux par bien des côtés. Il avait besoin d'argent, mais il disait qu'il avait un plan qui lui permettrait de s'en tirer pour la vie. Avant d'y arriver, il devait emprunter... pour se tenir à flot. Il a emprunté à tout le monde. Y compris à moi. Beaucoup d'argent. Bien entendu, il était décidé à me rembourser. C'était un écrivain célèbre, n'est-ce pas ?

– C'est de là qu'est née cette histoire de poursuites judiciaires ?

Lola lui lança un regard pénétrant, puis son visage s'éclaira.

– Ça lui semblait une bonne idée. Il comptait en tirer des centaines de milliers de dollars. Underhill avait un gros problème : rien de ce qu'il écrivait ne le satisfaisait. Après *L'homme divisé*, il a commencé deux, puis trois livres. Il les a tous déchirés. Il devenait fou... c'est là qu'Ong Pin et lui ont menacé son éditeur de poursuites judiciaires. Il allait toucher le gros paquet, rembourser tout le monde. Quand il s'est rendu compte que cette idée brillante ne menait à rien, il s'est lassé d'Ong Pin. Il l'a chassé de chez lui, il a chassé tout le monde. Il a battu sauvagement un garçon... une histoire de fou. Et puis il a disparu. Personne n'arrivait à le retrouver. Des bruits ont alors couru. On disait qu'il vivait dans des hôtels et qu'il s'enfuyait au milieu de la nuit en laissant des notes faramineuses. Un jour, j'ai entendu dire qu'il vivait sous un pont, alors, à quelques-uns, on est allés le chercher, pour voir si on pouvait au moins récupérer quelques dollars, ou lui flanquer une bonne raclée, mais il n'était pas là. On disait qu'il passait des journées entières dans une fumerie d'opium. Puis on m'a dit qu'il devenait de plus en plus fou... qu'il racontait partout que le monde était pourri, que moi j'étais un démon, que Billy était un démon, que Dieu allait nous détruire. Ça m'a fait peur, docteur. Un tel cinglé était capable de tout. Il se détestait lui-même, ça je le savais. Les gens qui se détestent eux-mêmes, qui ne supportent pas ce qu'ils croient être, sont capables de tout, vous savez. Il était interdit de séjour dans tous les bars de la ville. Personne ne le voyait mais tout le monde entendait parler de lui. Il avait vraiment touché le fond.

Michael était bouleversé. Qu'était-il arrivé à Underhill ? Peut-être la drogue l'empêchait-elle d'écrire.

Tandis que Lola parlait, Michael se rappelait cette nuit à Washington où en compagnie d'une avocate, il était allé écouter un pianiste de jazz nommé Hank Jones. Il était venu à Washington pour apporter un témoignage sur l'utilisation de l'Agent orange. Michael s'y connaissait très peu en jazz, et à présent il ne se souvenait plus de ce qu'avait joué Hank Jones. Mais il se souvenait d'une grâce et d'une gaieté qui semblaient à la fois physiques et abstraites. Il se souvenait de la façon dont Hank Jones, un Noir entre deux âges, les cheveux grisonnants, un beau visage un peu diabolique, penchait la tête sur le clavier, tout entier absorbé par le flot de son inspiration. La musique était allée droit au cœur de Michael. Il y avait en elle une passion si légère ! Une passion si chantante ! Michael avait compris également que par un miracle de l'empathie, il entendait cette musique de la même façon que la jeune avocate. Après le set, alors que Hank Jones, debout près de son piano, s'entretenait avec ses admirateurs, il avait vu à quel point cet homme était capturé par le plaisir de ce qu'il venait de jouer. Cela se lisait même dans la grâce de ses mouvements, et Michael avait eu le sentiment de voir un lion savourant la plénitude de sa royauté.

Quelque chose, alors, s'imposa à lui : de tous les gens qu'il connaissait, Tim Underhill aurait probablement été le seul à éprouver ce souffle intérieur qu'éprouvait Hank Jones.

Seulement, Underhill n'avait connu cela que quelques années, alors que visiblement, le pianiste le vivait depuis des dizaines d'années. Underhill se l'était dérobé à lui-même.

Il y eut un long moment de silence.

– Vous avez lu ses livres ?

Michael acquiesça.

– Ils sont bons ?

– Les deux premiers sont très bons.

– Je pensais qu'ils seraient tous très bons, dit Lola.

– Où se trouve-t-il à présent ? Vous avez une idée ?

– Est-ce que vous allez le tuer ? demanda Lola en glissant un regard de côté à Michael. En fait... peut-être faudrait-il que quelqu'un le tue et mette fin à son malheur avant que lui ne tue quelqu'un.

– Il est à Bangkok ? A Taïpeh ? Il est retourné aux États-Unis ?

– Quelqu'un comme lui ne peut pas retourner aux États-Unis. Il est allé ailleurs, ça j'en suis sûr... comme un animal fou parti se terrer quelque part. Je me suis toujours dit qu'il irait à Bangkok. Bangkok serait un endroit parfait pour lui. Mais à l'époque, il parlait aussi de Taïpeh, alors peut-être est-il parti là-bas. En tout cas, il ne m'a jamais rendu l'argent qu'il m'avait emprunté, ça je peux vous le dire.

Le regard en coin pétillait à présent de malice.

– Le fou à propos duquel il voulait écrire, c'était lui. Il ne s'en rendait même pas compte, et les gens aussi aveugles sur eux-mêmes sont dangereux. Je pensais l'aimer. L'aimer, vous vous rendez compte ! Docteur Poole, si vous trouvez votre ami, je vous conseille d'être extrêmement prudent.

16

LA BIBLIOTHÈQUE

1

Michael Poole et Conor Linklater se trouvaient à Bangkok depuis deux jours (et Harry Beevers à Taïpeh) lorsque Tina Pumo fit sa découverte dans le décor banal de la salle des microfilms de la bibliothèque publique de New York. Il avait expliqué au documentaliste, un homme courtaud, barbu, d'une soixantaine d'années, vêtu d'un élégant complet noir, qu'il écrivait un livre sur le Vietnam, notamment sur l'épisode de Ia Thuc et des procès en cour martiale.

Les journaux dont il avait besoin ? Les quotidiens de New York, Washington, Los Angeles et Saint Louis, ainsi que les magazines nationaux de novembre 1968 et mars 1969. Et comme il voulait également voir les notices nécrologiques des victimes de Koko, il demanda le *Times* de Londres, le *Guardian* et le *Telegraph* pour la semaine du 28 janvier 1982, les journaux de Saint Louis pour la semaine du 5 février 1982, ainsi que les hebdomadaires parisiens de la semaine du 7 juillet 1982.

Le documentaliste barbu lui expliqua qu'en temps ordinaire il aurait fallu longtemps pour rassembler toutes ces publications, mais qu'il avait à la fois une bonne et une mauvaise nouvelle à lui annoncer. La bonne nouvelle, c'est que les microfilms relatifs aux événements de Ia Thuc étaient déjà rassemblés – il y avait même deux documents qu'il avait oublié de lui demander : de longs articles dans le *Harper's*, l'*Atlantic* et l'*American Scholar*. La mauvaise nouvelle c'était que ces documents n'étaient pas disponibles pour l'instant : quelqu'un d'autre travaillait déjà sur les événements de Ia Thuc. Un journaliste nommé

Roberto Ortiz avait demandé ces documents trois jours auparavant, les avait consultés à nouveau le lendemain, et avait passé ensuite tout l'après-midi du mardi à travailler dessus. Aujourd'hui, se dit pensivement Tina, on était mercredi, le jour où paraissait *Village Voice*.

Il lut d'abord ce que les magazines et le *New York Times* avaient écrit à propos des événements de Ia Thuc. Il était assis sur une chaise en plastique, devant un bureau en plastique; la chaise était inconfortable et la visionneuse à microfilms prenait tellement de place sur la table, qu'il lui fallait tenir son carnet sur ses genoux. Mais au bout de quelques instants, cela ne comptait déjà plus. Après s'être plongé dans la lecture d'un article de *Newsweek* intitulé « Ia Thuc, épisode honteux ou glorieux ? », Tina Pumo éprouva à peu près ce qu'avait éprouvé Conor Linklater lorsque Charlie Daisy lui avait présenté un album de photos prises par Cotton. Il s'était arrangé pour oublier à quel point cette affaire avait eu du retentissement.

Newsweek rapportait ainsi les propos du lieutenant Harry Beevers : « Dans cette guerre, notre rôle c'est de tuer des *Charlies*, et les *Charlies* peuvent avoir toutes sortes de tailles ou d'apparences. Moi, j'ai compté trente cadavres de Vietcongs. » Quant au *Time*, il titrait : « Un assassin d'enfants ? », et décrivait ainsi le lieutenant : « Décharné, les joues creuses, les yeux profondément enfoncés dans leurs orbites, un homme prêt à tout, tendu à l'extrême. » « Sont-ils innocents ? » demandait *Newsweek*, qui écrivait que le lieutenant était « peut-être autant une victime du Vietnam que les enfants qu'on l'accuse d'avoir tués ».

Tina se souvenait de Harry Beevers à Ia Thuc. « Moi, je compte trente cadavres de niakés! Si vous aviez des couilles, vous me décoreriez tout de suite. » Le lieutenant était surexcité, il n'arrêtait pas de parler, impossible de le faire taire. Quand on se trouvait à côté de lui, on avait l'impression de sentir le sang circuler à toute allure dans ses artères. On avait le sentiment qu'on se serait brûlé les doigts si on avait posé la main sur lui. « A la guerre, tout le monde a le même âge! » avait-il beuglé à l'adresse des journalistes. « Bande de cons, vous croyez qu'il y a des enfants dans cette guerre ? Vous croyez que ça a même existé des enfants ? Vous savez pourquoi vous pensez comme ça ? Parce que vous êtes des civils ignorants, voilà pourquoi! Il n'y a pas d'enfants! »

Ces articles avaient failli conduire Beevers à la potence, et Dengler avec lui. Dans le *Time*, il déclarait : « Je mérite une médaille! » Mais après la guerre, quand Harry évoquait ces événements, il disait toujours que l'ensemble de la section méritait aussi une médaille.

Enveloppé dans une bulle de silence surnaturel, Tina se rappelait la folie et la tension qui les habitaient tous à l'époque, et combien était ténue la frontière qui séparait le crime de la morale. Ils n'étaient que des paquets de nerfs, le doigt crispé sur la détente. La puanteur de la sauce de poisson et la fumée qui s'élevait de la marmite. Plus haut, à flanc de colline, une fille gisait sur le sol, informe masse bleue à côté de sa perche en bois. Si le village était vide, nom de Dieu, alors qui faisait la cuisine ? Et pour qui ? Tout était tranquille comme un tigre couché dans l'herbe. La truie dressa la tête en grognant, et Tina se souvint d'avoir pivoté sur lui-même, et d'avoir presque coupé en deux un enfant sale qui se trouvait derrière lui. Parce qu'on ne sait jamais, parce que c'était impossible de savoir, et que la mort pouvait avoir le visage d'un enfant souriant, qui vous tendait la main ; on avait le cerveau attaqué, rongé, et soit on tirait sur tout ce qui bougeait, soit on se fondait dans le paysage. Comme le tigre dans l'herbe, on pouvait demeurer en vie en devenant invisible.

Il regarda longtemps les photographies... le lieutenant Harry Beevers, maigre comme un coucou, le visage hagard et les yeux hallucinés. M.O. Dengler, non identifié, les yeux fatigués, le regard éclatant sous la visière de son casque. Et tout ce vert autour d'eux, ce vert frémissant, tremblant, palpitant. La bouche de la grotte... « comme un poing », avait dit Victor Spitalny devant la cour martiale.

Puis il se rappela le lieutenant Harry Beevers sortant d'un fossé, par les chevilles, une petite fille de six ou sept ans, une enfant nue et couverte de boue, avec cette manière de fragilité des Vietnamiens, ces bras maigres et ce cou de poulet, et le lieutenant qui la faisait tournoyer comme un Indien sa massue. La fille grimaçait, les coins de la bouche abaissés, et sa peau avait commencé de se plisser aux endroits où le feu l'avait atteinte.

Tina avait le corps entier trempé de sueur, il avait froid. Il éprouva le besoin de se lever et de s'éloigner de la machine. En voulant repousser sa chaise en arrière, il fit bouger tout le bureau. Il dégagea alors ses jambes, se leva et alla faire quelques pas au milieu de la salle des microfilms.

Oui, ils étaient passés de l'autre côté. Koko était né de l'autre côté de la frontière, là où l'on rencontre l'éléphant.

Un petit enfant souriant s'avança, sorti d'une noire immensité ; dans ses petites mains en coupe, il offrait la mort.

Eh bien, se dit Tina, il n'y a qu'à laisser ce type au nom espagnol s'occuper de Ia Thuc, ça ne fera jamais qu'un livre de plus. Je l'offrirai à Maggie pour Noël, comme ça elle pourra me raconter ce qui s'est passé là-bas.

Il leva les yeux, et la porte s'ouvrit. Un garçon avec une barbe rare et une boucle à une seule oreille fit son entrée, les mains pleines de bobines de microfilms.

– Monsieur Puma ?

– Pumo, dit Tina en prenant les microfilms.

Il retourna à son bureau, ôta de la visionneuse le microfilm du *Time* et introduisit le *Saint Louis Post-Dispatch* de février 1982. Il passa rapidement les pages imprimées jusqu'à découvrir le gros titre : « Une personnalité de notre ville, et sa femme, assassinés en Extrême-Orient. »

L'article contenait moins d'informations que ce que Tina avait déjà appris par Harry. M. et Mme William Martinson, un couple fort respecté, domicilié au 3642, Breckinridge Bridge, avait été mystérieusement assassiné à Singapour. Les corps avaient été découverts par un agent immobilier venu visiter une maison vide dans un quartier résidentiel. Le vol semblait être à l'origine du meurtre. M. Martinson avait effectué de fréquents voyages d'affaires en Extrême-Orient, en sa qualité de vice-président et de directeur commercial de la Martinson Tool & Equipment Ltd. ; au cours de ses voyages, il était fréquemment accompagné de son épouse, illustre citoyenne de Saint Louis.

M. Martinson, âgé de soixante et un ans, était diplômé de la Saint Louis Country Day School, du Kenyon College et de Columbia University. La société Martinson Tool & Equipment avait été fondée en 1890 à Saint Louis par son arrière-arrière-grand-père, Andrew Martinson. Son père James, à présent décédé, avait été président de la société de 1935 à 1952, avait également présidé le Saint Louis Founder's Club, l'Union Club, l'Athletic Club, et occupait des fonctions importantes dans de nombreuses associations civiques, religieuses et d'enseignement. M. Martinson était entré en 1970 dans la société familiale (présidée par son frère aîné Kirby Martinson) ; sa connaissance de l'Extrême-Orient et son talent de négociateur devaient se révéler bénéfiques pour l'entreprise, puisque l'on évalue actuellement son chiffre d'affaires annuel à plusieurs centaines de millions de dollars.

Mme Martinson, née Barbara Hartsdale, diplômée de la Sorbonne et du Bryn Mawr College, avait longtemps joué un rôle de premier plan dans les affaires civiques et culturelles de la ville. Son grand-père, Chester Hartsdale, cousin du poète T.S. Eliot, avait créé la chaîne de grands magasins Hartsdale, dont on connaît l'importance dans tout le Midwest, et avait été ambassadeur des États-Unis en Belgique après la Première Guerre mondiale. La famille Martinson était étendue : le frère de M. Martinson, Kirby, et sa sœur, Emma Beach, résidant à Los Angeles ; les frères de Mme Martinson, Lester et Parker, directeurs de la Bonne Vie, à New York, une société d'architecture intérieure ; leurs enfants : Spenser, employé de la CIA, à Arlington, en Virginie ; Parker, résidant à San Francisco, en Californie ; et Arlette Monaghan, artiste, résidant à Cadaqués, en Espagne. Il n'y avait pas de petits-enfants.

Tina examina les photographies de ces deux citoyens exemplaires.

William Martinson avait des yeux rapprochés, et une auréole de cheveux blancs encadrant un visage intelligent. Une allure de renard, à la fois épanoui et secret. Sur la photo, Barbara Martinson souriait, sans ouvrir les lèvres, presque timidement, le regard tourné de côté. Elle avait l'air de quelqu'un qui vient de penser à quelque chose de drôle et d'assez paillard.

Sur la troisième page, un titre : « Les Martinson vus par leurs amis et leurs voisins. » Tina se mit à faire défiler l'article sur l'écran, croyant à tort savoir déjà tout sur les Martinson. Bien entendu, on les aimait et on les admirait. Bien entendu, leur mort constituait une perte tragique pour tous leurs concitoyens. Ils étaient beaux, généreux et spirituels. Pourtant, chose un peu plus curieuse, ses anciens condisciples de l'école Country Day l'appelaient encore par son surnom : Fuffy. On rappelait aussi, et souvent, qu'après avoir abandonné le journalisme, M. Martinson, en rejoignant l'entreprise familiale qui connaissait alors des difficultés, avait montré un sens aigu des affaires.

Le journalisme ? Fuffy ? Ces deux mots éveillaient un écho dans l'esprit de Tina.

« La réussite dans deux métiers », proclamait un sous-titre. William Martinson avait suivi des études de journalisme au Kenyon College, et possédait une maîtrise de la Columbia School of Journalism. En 1948, il avait rejoint la rédaction du *Saint Louis Post-Dispatch*, et n'avait pas tardé à se tailler une réputation d'excellent reporter. En 1964, après avoir occupé plusieurs postes prestigieux de journaliste, il devint correspondant de *Newsweek* au Vietnam. M. Martinson poursuivit sa tâche jusqu'à la chute de Saigon (à cette époque, il était devenu chef de bureau). Il avait toujours conservé ses amitiés et sa résidence à Saint Louis, et en 1970, un dîner fut donné en son honneur à l'Athletic Club ; on y célébra la contribution qu'il avait apportée à la compréhension de la guerre, et notamment son reportage lors de ce que l'on appelait alors le massacre de...

Mais Tina avait cessé de lire. Pendant un moment, il lui sembla ne plus rien voir ni entendre... Ia Thuc l'avait à nouveau pétrifié. Il finit par se rendre compte qu'il ôtait le microfilm de la machine. « Cet abruti de Beevers, se dit-il. Quel abruti, celui-là ! »

– Un peu de calme, dit une voix derrière lui.

Tina voulut se retourner et ne réussit qu'à se cogner contre le dossier en plastique de la chaise et à se faire un bleu. En se frottant la cuisse, il découvrit le jeune homme à la barbe rare.

– Puma, c'est ça ?

Tina hocha la tête en soupirant.

– Vous les voulez encore ? demanda-t-il en montrant un gros paquet de microfilms.

Tina les prit, renvoya le garçon et retourna à son écran. Il ne savait plus très bien ce qu'il regardait, ce qu'il cherchait. Il se sentait foudroyé. Cet abruti de Harry Beevers, qui les avait tellement bassinés avec ses recherches, n'avait même pas gratté la surface des meurtres de Koko. Tina fut submergé par un nouvel accès de rage froide.

Il referma brutalement le capot de la machine après y avoir introduit le microfilm du *Times* anglais. De l'autre côté de la paroi le séparant de la machine voisine, lui parvinrent un certain nombre de bruits, qui, malgré leur faible intensité, exprimaient clairement le désarroi.

Tina parcourut rapidement le texte et finit par trouver le titre et le sous-titre qu'il cherchait. « Le journaliste-écrivain Clive McKenna assassiné à Singapour. *Il avait acquis la célébrité à l'occasion de la guerre du Vietnam.* » Clive McKenna faisait la une du *Times* le 29 janvier 1982, six jours après sa mort, et le lendemain du jour où son corps avait été découvert. M. McKenna avait travaillé pendant dix ans pour l'agence Reuter en Australie et en Nouvelle-Zélande avant d'être muté au bureau de Saigon ; là, il n'avait pas tardé à acquérir une immense réputation, semblable à celle du légendaire Sean Flynn. M. McKenna avait été le premier journaliste britannique à couvrir le siège de Khe Sanh, le massacre de My Lai, les combats de Hué lors de l'offensive du Têt de 1968, et était le seul journaliste britannique à s'être rendu immédiatement sur les lieux après les événements controversés du hameau de Ia Thuc ; à la suite de ces événements, deux soldats américains avaient été traduits en cour martiale, mais avaient été finalement acquittés. M. McKenna abandonna la presse écrite en 1971 et retourna en Angleterre. C'est là qu'il écrivit une série de *thrillers* qui devaient faire de lui l'un des auteurs anglais les plus vendus et les plus célèbres de ses dernières années.

« Il était dans ce putain d'hélicoptère ! » s'écria Tina à voix haute. Clive McKenna se trouvait dans l'hélicoptère qui avait amené les journalistes à Ia Thuc, William Martinson s'y trouvait également, et nul doute que les journalistes français s'y fussent trouvés également.

Tina ôta le microfilm et le remplaça par celui du magazine français. Il ne comprenait pas le français, mais dans l'article bordé de noir, il n'eut aucun mal à retrouver les mots « Vietnam » et « Ia Thuc » qui étaient les mêmes dans les deux langues.

Une tête d'homme, carrée, des yeux bruns encadrés de larges lunettes grises, apparut sur le côté de la petite cabine de Tina. La tête s'avança un peu plus le long de la cloison de séparation, révélant un nœud papillon à pois.

– Excusez-moi, monsieur... mais si vous n'êtes pas capable de vous conduire correctement ni de surveiller votre vocabulaire, je vais vous demander de vous en aller.

Tina éprouva une furieuse envie de botter les fesses du cuistre. Le nœud papillon lui rappelait Harry Beevers.

Gêné, se rendant bien compte que la plupart des gens travaillant dans la salle des microfilms avaient les yeux fixés sur lui, il attrapa son manteau et alla rendre les microfilms au bureau. Il descendit ensuite furieusement les escaliers et franchit les grandes portes de la bibliothèque. Dehors, la neige tourbillonnait.

Tina descendit la Cinquième Avenue, les mains dans les poches, une casquette de tweed marron portant l'inscription Banana Republic, vissée sur la tête. Il faisait très froid, et ceci expliquait cela. La violence exercée au hasard devenait tout d'un coup beaucoup moins vraisemblable alors que tout le monde s'efforçait de se mettre à l'abri à l'intérieur le plus vite possible.

Il essaya de se rappeler les journalistes à Ia Thuc. Ils faisaient partie d'un groupe plus important qui s'était installé à Camp Crandall après avoir visité l'intérieur de la province de Quang Tri, où l'état-major leur avait offert quelques leçons de choses. Après avoir avalé les histoires obligatoires servies par l'armée, ils pouvaient choisir des zones plus calmes pour terminer leurs récits. La moitié de la bande envoya les militaires se faire foutre et rentra à Saigon ; là-bas, ils pouvaient se soûler la gueule, fumer de l'opium et faire des gorges chaudes de l'opération Tonnerre roulant et de la « ligne MacNamara » qui était censée la remplacer. Tous les journalistes de télévision se rendirent à Camp Evans de façon à pouvoir gagner Hué facilement, et, installés sur un joli pont, le micro sur l'estomac, raconter des choses du genre de celles-ci : « Je vous parle depuis un pont sur la Rivière poudreuse, dans la ville ancienne de Hué. » D'autres étaient restés à Camp Evans, d'où ils pouvaient être transportés en hélicoptère quelques kilomètres plus au nord et écrire des comptes rendus stupéfiants sur les atterrissages d'hélicoptères dans la zone de Sué. Une poignée avait décidé de se rendre sur le terrain et d'aller voir ce qui se passait au village de Ia Thuc.

Tina revoyait encore un groupe d'hommes vêtus à dessein de vêtements quasi militaires, entourant un Harry Beevers plastronnant. Ils ressemblaient à une meute de chiens qui tour à tour aboyaient et avalaient un morceau de viande.

Des hommes qui entouraient Harry ce jour-là, quatre à présent étaient morts. Combien en restait-il de vivants ? Baissant la tête pour lutter contre les rafales de neige, Tina s'efforça de se rappeler le nombre d'hommes entourant Harry. Impossible de les compter de cette façon, et Tina tenta de les revoir au moment où ils descendaient de l'hélicoptère.

Spanky Burrage, Trotman, Dengler et lui-même avaient sorti des sacs de riz de la grotte, et les empilaient sous les arbres. Beevers était ravi, parce que, entre autres choses, ils avaient découvert des caisses d'armes russes dissimulées sous les sacs de riz, et il tourbillonnait autour d'eux comme une toupie. « Sortez ces enfants de là, hurlait-il, empilez-les à côté des sacs de riz et mettez les armes à côté. » D'un geste, il montrait l'hélicoptère qui aplatissait l'herbe à son approche. « Sortez-les! Sortez-les! » Puis les hommes avaient commencé de descendre du Huey Iroquois.

Il les revoyait encore sauter de l'hélicoptère et courir vers le village, penchés en avant. Comme tous les reporters, ils essayaient de ressembler à John Wayne ou à Errol Flynn; ils étaient... cinq ? Six ?

Si Michael et Harry retrouvaient Underhill à temps, peut-être pourraient-ils sauver au moins une vie.

Tina leva les yeux et s'aperçut qu'il avait atteint la 30 ᵉ Rue. En regardant le panneau indicateur, il revit enfin clairement les reporters sauter du Huey Iroquois et courir dans l'herbe couchée par les pales de l'hélicoptère comme une fourrure de chat caressée à contre-poil. Il y en avait d'abord eu un, suivi par deux qui couraient ensemble, puis un troisième chargé d'appareils photo, puis un autre qui courait comme s'il avait mal à la jambe, et un chauve. L'un des reporters s'était adressé en espagnol, que visiblement il parlait couramment, à un soldat nommé La Luz, qui avait pour toute réponse grommelé quelque chose dans lequel on distinguait le mot *maricon*. La Luz avait été tué un mois plus tard.

Des ombres froides se répandaient à présent dans la rue, charriant avec elles des tourbillons de neige fondue. Il s'imagina jetant ces ombres sur Singapour, Bangkok, les reporters, il imagina un moyen de les attraper par la cravate et de les ramener à lui. Il est une araignée. Il est un petit enfant qui sourit, la main tendue. Les lampadaires s'allumèrent, et pendant une seconde, la Cinquième Avenue, encombrée de taxis et d'autobus, eut l'air blanchie, décolorée. Tina sentit sur sa langue le goût de la vodka et tourna au coin de la 24ᵉ Rue.

2

Après avoir avalé son deuxième verre, Tina n'avait encore aperçu que la rangée de bouteilles derrière le barman, la main qui lui tendait le verre, et le verre magnifique lui-même, rempli de glace et d'un liquide cristallin. Peut-être avait-il même fermé les yeux. Son troisième verre venait d'apparaître devant lui, et il émergeait à peine.

– Parfaitement, j'étais aux Alcooliques anonymes, disait à côté de lui un homme qui visiblement poursuivait une conversation engagée depuis un certain temps. Mais vous savez ce que je leur ai dit ? Je leur ai dit d'aller se faire foutre!

Tina l'écoutait : l'homme disait qu'il avait choisi l'enfer. Et comme tous ceux qui ont choisi l'enfer, il le recommandait chaudement. L'enfer n'était pas aussi terrible que ce qu'on racontait. Le visage de son compagnon s'affaissait, son haleine empestait. Les démons plantaient leurs petits poings et leurs fourches à l'intérieur de ses joues creuses, et allumaient des incendies jaunes dans ses yeux. Il posa une lourde main sale sur l'épaule de Tina. Il dit qu'il aimait son style... un homme qui fermait les yeux en buvant, ça lui plaisait. En aboyant, le barman battit en retraite dans une grotte enfumée.

– Vous avez déjà tué quelqu'un ? demanda l'ami de Tina. Faites comme si on était à une émission de télé et que vous soyez obligé de me dire la vérité. Vous avez déjà bousillé quelqu'un ? Je parie que oui.

Sa main s'appesantit sur l'épaule de Tina.

– J'espère que non, dit Tina en avalant un bon tiers du verre posé devant lui.

– Ah, c'est çaaaaaaaaaaa! expira l'homme.

Les démons qui l'habitaient se mirent furieusement au travail, brandissant leurs petites fourches, dansant, allumant leurs brasiers jaunes.

– Je reconnais cette réponse, mon vieux, c'est celle d'un ancien soldat. J'ai raison ? Hein, que j'ai raison ?

Tina repoussa la main posée sur son épaule et se détourna.

– Et vous croyez que c'est important ? Eh bien pas du tout. Et pourtant si, d'une certaine façon. Quand je vous demande si vous avez déjà tué quelqu'un, je veux dire si vous avez déjà tué comme on prend un pot, ou comme on va pisser... c'est-à-dire que je vous demande si vous êtes un tueur. Et là, tout compte, même si vous avez tué sous l'uniforme, ou pour la patrie. Parce que techniquement parlant, vous êtes un tueur.

Tina se força à faire face à nouveau à l'haleine de son voisin et à la mauvaise odeur qui émanait de tout son corps.

– Barrez-vous! Foutez-moi la paix!

– Sans ça quoi ? Sans ça vous me tuerez comme vous avez tué les autres au Vietnam ? Tenez, regardez ça.

L'homme-démon brandit alors le poing. Un poing large comme un couvercle de poubelle gris.

– C'est avec ça que je l'ai tué, avec celui-là!

Tina sentait les parois de la grotte se resserrer sur lui comme l'objectif d'un appareil photo. La fumée obscurcissait l'air vicié, et elle semblait jaillir de l'homme-démon.

– C'est le genre de truc qui vous suit partout, dit l'homme. On n'est à l'abri nulle part. Je le sais. Moi aussi je suis un tueur. On croit qu'on peut gagner, mais c'est impossible. Je le sais.

Tina battit en retraite en direction de la porte.

– Bien compris, dit l'homme. Ça sera fait. A vous! Ça vous suit partout, hein, n'oubliez pas!

– Je sais, dit Tina en sortant des billets de sa poche.

En sortant du taxi, il aperçut les fenêtres du deuxième étage, éclairées. Grâce au ciel, Maggie était là! En regardant sa montre, il eut la surprise de voir qu'il était près de neuf heures. Un certain nombre d'heures avaient disparu de sa journée. Combien de temps avait-il passé dans ce bar de la 24e Rue, et combien de verres avait-il bus ? Se rappelant l'homme-démon, il se dit qu'il avait dû boire bien plus que trois verres.

En montant l'escalier étroit, Tina se heurtait au mur. Il ouvrit la porte et entra dans la lumière et la douce chaleur.

– Maggie ?

Pas de réponse.

– Maggie ?

Tina déboutonna son lourd manteau et l'accrocha à la patère. Mais en voulant ôter sa casquette Banana Republic il ne toucha que son front nu et eut la vision soudaine de la casquette posée à l'envers sur le siège du taxi.

En pénétrant dans la grande pièce de l'appartement, il aperçut Maggie assise derrière le bureau, sur l'estrade, les mains posées sur le téléphone. Ses sourcils n'étaient qu'un trait droit, et ses cheveux lisses brillaient dans la lumière. Ses lèvres étaient si fortement serrées qu'on eût dit qu'elle tenait dans sa bouche quelque petit animal menaçant de s'échapper.

– Tu es soûl, dit-elle. Je viens de téléphoner à trois hôpitaux, et toi tu étais dans un bar.

– Je sais pourquoi il les a tués, dit Tina. Je les ai même vus, là-bas, au Vietnam. Je les revois encore en train de sauter de l'hélicoptère. Est-ce que tu savais, enfin est-ce que tu sais que je t'aime ?

– Un amour comme ça, j'en ai pas besoin.

Mais en dépit de son ivresse, Tina voyait bien que le visage de Maggie s'était radouci. Le petit animal n'était plus emprisonné dans sa bouche. Il se mit à lui parler de Martinson et de McKenna, puis de sa rencontre avec le démon en enfer, mais Maggie se dirigeait déjà vers lui. Elle se mit à le déshabiller. Lorsqu'il fut nu, elle le tira par le pénis jusqu'à la chambre à coucher, comme on remorque un bateau.

– Il faut que je téléphone à Singapour, dit-il. Ils ne sont pas encore au courant!

Maggie se glissa dans le lit à côté de lui.

– Et maintenant faisons l'amour avant que je me rappelle tout ce que j'ai pensé pendant que tu n'étais pas là, tout ce qui avait pu t'arriver, et que je me mette de nouveau en colère.

Elle se plaqua de tout son long contre le corps de Tina. Puis elle rejeta vivement la tête en arrière.

– Bêê ! Tu as une drôle d'odeur. Tu t'es roulé dans une poubelle ?

– C'est à cause de l'homme-démon, dit Tina. Il m'a refilé son odeur en me posant la main sur l'épaule. Il disait que l'enfer ça n'était pas si terrible, parce qu'au bout d'un certain temps on s'y habitue.

– Les Américains ne savent rien des démons, dit Maggie.

Au bout de quelque temps, Tina se dit que Maggie lui offrait un tel bien-être qu'elle devait être aussi un démon. Cela expliquait pourquoi elle savait si bien y faire. Dracula était un démon, et l'homme du bar était un démon, et si on savait les distinguer, on pouvait probablement voir des démons déambuler dans les rues de New York. Harry Beevers... voilà un autre démon. Mais Maggie Lah lui faisait des choses démoniaques, et il ne pouvait plus penser à autre chose qu'à son prochain mariage avec elle : sa vie deviendrait passionnante parce qu'il aurait épousé un démon.

Deux heures plus tard, Tina s'éveilla avec un bon mal de tête, le goût tendre de Maggie dans la bouche, et le sentiment qu'il n'avait pas accompli une tâche de première importance. Une angoisse bien connue relative à son restaurant s'installa dans son esprit : il ne pourrait s'en débarrasser que s'il parvenait à se rappeler comment il avait passé l'après-midi. Voilà : il fallait appeler Michael à Singapour et lui dire ce qu'il avait trouvé à propos des victimes de Koko. Il regarda son réveil-radio : onze heures moins le quart. A Singapour, il devait être onze heures moins le quart du matin. Il avait une chance d'attraper Michael dans sa chambre.

Il se leva et enfila une robe de chambre.

Maggie était assise sur le canapé, tenant à la main un crayon comme on tient un pinceau, et examinait ce qu'elle avait dessiné sur un bloc-notes. Elle leva les yeux vers lui en souriant.

– Je pensais à ton menu, dit-elle. Puisque tu es en train de tout refaire, pourquoi ne pas refaire aussi ton menu ?

– Qu'est-ce qu'il y a qui ne va pas avec le menu ?

– Eh bien...

Tina savait déjà ce qu'elle allait lui dire. Il la contourna et gagna son bureau, sur l'estrade.

– D'abord, les caractères informatiques à petits points sont vilains. On dirait que c'est un ordinateur qui tient les fourneaux. Quant au papier, il est beau mais il se salit trop vite. Il faudrait un papier plus glacé. Et puis la mise en page n'est pas très soignée, et tu n'as pas besoin de décrire les plats aussi longuement.

– Je me suis souvent demandé ce qui n'allait pas avec ce menu, dit Tina en s'installant à son bureau et en commençant à rechercher le numéro de l'hôtel de Singapour. Lorsque le maire vient dîner, il aime bien lire les descriptions à haute voix. Pour les savourer.

– Tout ça, ça fait un peu bouillie pour les chats. J'espère que le maquettiste ne t'a pas pris trop cher.

C'était bien entendu Tina qui avait lui-même réalisé la maquette du menu.

– Si, c'était très, très cher. Ah, voilà le numéro.

A l'opérateur, il expliqua qu'il voulait appeler Singapour.

– Tiens regarde comment pourrait être ton menu. Ça serait quand même plus beau, dit Maggie en lui tendant le bloc-notes.

– Il y a des choses écrites sur ce carnet ?

Il finit par obtenir l'hôtel Marco Polo. Le réceptionniste lui dit qu'aucun Michael Poole ne figurait sur la liste des clients. Non, aucune erreur possible. Absolument aucune erreur. Il n'y avait pas non plus de clients du nom de Harry Beevers ou Conor Linklater.

– Ils sont certainement là-bas.

Tina sentait à nouveau le désespoir l'envahir.

– Appelle sa femme, dit Maggie.

– Impossible.

– Et pourquoi pas ?

Le réceptionniste de l'hôtel reprit la communication avant qu'il ait pu répondre à la question de Maggie.

– Le Dr Poole et ses amis étaient bien ici, mais ils sont partis il y a deux jours.

– Où sont-ils allés ?

L'employé hésita.

– Je crois que le Dr Poole a réglé son voyage avec le concierge de l'hôtel.

Puis le réceptionniste partit demander des renseignements, ce qui donna à Maggie le temps de redemander :

– Pourquoi est-ce que tu ne peux pas appeler sa femme ?

– Parce que je n'ai pas mon agenda.

– Et pourquoi est-ce que tu ne l'as pas ?

– Parce qu'on me l'a volé.

– Ne sois pas ridicule. Tu es méchant avec moi à cause du menu.

– Pour une fois, tu te trompes...

A l'autre bout du fil, le réceptionniste reprit la communication et apprit à Tina que le Dr Poole et M. Linklater avaient pris un vol pour Bangkok, tandis que M. Beevers était parti pour Taïpeh. Mais comme ces messieurs n'avaient pas retenu de chambres par l'intermédiaire du concierge, il ne pouvait lui dire comment les joindre là-bas.

– Pourquoi est-ce qu'on t'aurait volé ton agenda ? Qui pourrait bien faire une chose pareille ?

Elle s'interrompit un instant, puis haussa soudain les sourcils.

– Oh, c'est quand il t'est arrivé cette histoire horrible.

– Oui, c'est lui qui me l'a volé.

– C'est affreux.

– C'est bien mon avis. En tout cas, je n'ai pas le numéro de téléphone de Michael.

– Je dis peut-être une évidence, mais il me semble que tu peux obtenir le numéro par les renseignements.

Tina claqua les doigts et demanda aux renseignements le numéro de Michael Poole dans le comté de Westchester.

– Judy doit être à la maison, dit-il. Il faut qu'elle soit à son école le matin.

Maggie acquiesça d'un air un peu sombre.

Tina composa le numéro de Michael. Après deux sonneries, un répondeur se déclencha et il entendit la voix de son ami : « Je ne peux pas vous répondre en ce moment. Laissez donc un message, et je vous rappellerai dès mon retour. Si vous devez absolument parler à quelqu'un ici, composez le 555-0032. »

Ce numéro doit être celui d'un des médecins de son cabinet, se dit Tina, et il laissa son message :

– Judy, ici Tina Pumo; vous m'entendez ? J'essaye de joindre Michael. J'ai une information importante à lui communiquer, et il a quitté son hôtel de Singapour. Pourriez-vous me rappeler dès que vous aurez eu son nouveau numéro ? Je vous remercie. Au revoir.

Maggie posa avec précaution le carnet et le crayon sur la table basse.

– Parfois tu te conduis comme si les femmes n'existaient pas.

– Ah bon ?

– Tu veux parler à Judy Poole, mais quel est le numéro que tu demandes aux renseignements ? Celui de Michael Poole. Donc, forcément, on te donne le numéro de Michael. Il ne t'est même pas venu à l'idée de demander le numéro de Judy Poole.

– Arrête... ils sont mariés.

– Et qu'est-ce que tu sais, toi, des couples mariés ?

– Ce que je sais des couples mariés, c'est qu'elle est sortie.

Mais Tina ne tarda pas à se dire que peut-être Maggie avait raison, après tout. Michael et Judy avaient tous deux des métiers où ils avaient des rendez-vous, des urgences, et il était logique que chacun eût sa ligne personnelle. Il avait d'abord écarté cette idée parce qu'elle ne venait pas de lui. Mais le lendemain matin, tandis qu'il harcelait les menuisiers et inspectait maladivement le moindre trou à la recherche de cafards et d'araignées, il était de moins en moins persuadé que Judy n'était pas chez elle quand il avait appelé. En général, les gens mettent leurs répondeurs dans des endroits où ils peuvent les entendre, surtout s'ils branchent la machine pendant qu'ils sont là. C'est d'ailleurs pour ça qu'ils la branchent. Il en venait à se pardonner sa première réaction de rejet à la suggestion de Maggie : s'ils avaient une dizaine de lignes téléphoniques et s'il avait appelé tous les numéros les uns après les autres, le résultat aurait été identique.

Lorsque Maggie lui demanda s'il comptait voir si Judy avait un numéro personnel, Tina répondit :

– Peut-être. J'ai beaucoup de choses à faire aujourd'hui. Je crois que ça peut attendre.

Maggie sourit. Elle savait qu'elle avait gagné, et elle était trop intelligente pour lui demander une nouvelle fois.

Le lendemain du jour où Tina avait découvert que les victimes de Koko étaient les journalistes venus à Ia Thuc, tout se déroula presque normalement jusqu'à sept heures du soir. Maggie et lui avaient passé la journée dans le métro, dans des taxis et dans d'autres restaurants; ils s'étaient aussi rendus dans un bureau orné de lithographies de David Salle et Robert Rauschenberg, où Lowery Hapgood, l'associé de Molly Witt, avait conté fleurette à Maggie tout en leur proposant un nouveau modèle d'étagères. Ils ne retournèrent à l'appartement de Tina qu'un peu avant sept heures. Tout en s'allongeant sur le canapé, Maggie demanda à Tina s'il avait envie de manger quelque chose; Tina s'installa à table et répondit que oui.

– Bon, alors qu'est-ce qu'on fait ?

Tina étala le *Times* du matin sur la table.

– J'ai cru comprendre que les femmes adorent mitonner de bons petits plats, dit Tina.

– Je propose qu'on se fume un petit joint et qu'on aille manger du canard laqué à Chinatown. Mmmm.

– Depuis que tu vis ici, c'est la première fois que tu as envie de fumer.

Maggie s'étira en bâillant.

– Je sais. Je deviens ennuyeuse. J'ai dit ça en souvenir du temps où j'étais intéressante.

– Attends une seconde...

Tina venait de tomber sur un article en troisième page.

Le titre était ainsi rédigé : « Le journaliste Roberto Ortiz assassiné à Singapour. » Le corps de Roberto Ortiz, quarante-sept ans, journaliste célèbre, avait été découvert la veille par la police dans une maison vide, dans un quartier résidentiel de Singapour. M. Ortiz et une femme non encore identifiée avaient été tués à coups de pistolet. Il semble que le vol n'ait pas été le mobile de l'assassinat. Roberto Ortiz, né à Tegucigalpa, au Honduras, diplômé de l'université de Californie, à Berkeley, était issu d'une famille qui possédait de gros intérêts dans la presse centre-américaine ; journaliste indépendant, il collaborait à de nombreux journaux et magazines de langue anglaise et espagnole. M. Ortiz avait passé les années 1964-1971 au Vietnam, au Cambodge et au Laos, couvrant la guerre du Vietnam pour différents journaux ; il avait ensuite publié un livre de souvenirs : *Vietnam : un itinéraire personnel.* M. Ortiz était connu pour son intelligence, sa chaleur et son courage. D'après la police de Singapour, le meurtre de M. Ortiz serait lié à d'autres affaires de meurtre survenues dans cette ville, et qui n'ont pas encore été élucidées à ce jour.

– Quelque chose t'a éloigné de ta jeune et tendre droguée ? demanda Maggie.

– Lis ça, dit Tina en se levant, et en lui tendant le journal.

Elle lut la moitié de l'article mais s'assit avant d'être arrivée au bout.

– Tu crois qu'il fait partie de la même série ?

Tina haussa les épaules. Il avait brusquement envie que Maggie fût ailleurs, à faire des remarques finaudes sur la drogue.

– Je ne sais pas. Mais il y a quelque chose... quelque chose à propos de cet homme. De cet homme qui a été tué.

– Roberto Ortiz ?

Il acquiesça.

– Tu l'as déjà rencontré ?

– A Ia Thuc, il y avait un reporter qui parlait espagnol.

Tina ne supportait plus rien de tout cela... son bel appartement, le restaurant sens dessus dessous, et à présent il ne pouvait plus supporter Maggie non plus.

– Il a eu le dernier. Il y a eu cinq reporters qui sont venus à Ia Thuc, et maintenant ils sont tous morts.

– Tu as l'air bouleversé, Tina. Qu'est-ce que tu comptes faire ?

– Laisse-moi tranquille.

Tina se leva et alla s'appuyer au mur. Sans le vouloir, comme si sa main avait décidé de se fermer toute seule, il serra le poing. Doucement d'abord, puis de plus en plus fort, il se mit à frapper le mur.

– Tina ?

– Laisse-moi tranquille, je t'ai dit.

– Mais enfin pourquoi est-ce que tu frappes le mur ?

– Ferme-la !

Maggie demeura silencieuse tandis qu'il continuait à frapper le mur. A la fin, il changea de poing.

– Ils sont là-bas, et toi tu es ici.

– Brillante constatation !

– Tu crois qu'ils savent, pour Ortiz ?

– Bien sûr, qu'ils savent! hurla Tina.

Il se retourna pour hurler plus à son aise. Il avait les deux mains gonflées, et il avait l'impression qu'elles étaient à vif.

– Ils étaient dans la même ville!

Tina avait des envies de meurtre. Assise sur le canapé, Maggie le regardait avec de grands yeux de chatte.

– Mais qu'est-ce que tu crois savoir, toi? hurla Tina. Quel âge as-tu? Tu crois que j'ai besoin de toi? Eh bien tu te trompes!

– Très bien, dans ce cas je n'ai plus besoin de jouer les infirmières.

Tina eut l'impression de basculer dans un trou noir. Il se souvenait de l'homme-démon aux odeurs de poubelle incendiée, qui lui posait sa main grise sur l'épaule en lui disant qu'il était un tueur. L'enfer, c'est un joli coin, se dit Tina. Il se dirigea vers les éléments de cuisine que Vinh avait fixés au mur. Regarde ce qu'on peut faire en enfer. Il ouvrit la première armoire et fut presque surpris de voir la vaisselle empilée sur les étagères. Les assiettes lui semblaient parfaitement étrangères. Il détestait les assiettes. Il prit la première et la garda un moment entre les mains avant de la lâcher. Elle éclata sur le sol en cinq ou six morceaux. Tu vois ce qu'on peut faire quand on vit en enfer? Il prit une autre assiette et la jeta par terre. Des morceaux de faïence se répandirent jusque sous la table de la salle à manger. Il descendit ainsi toute la pile, en jetant parfois deux ou trois à la fois. Il jeta la dernière assiette d'un air résolu, comme s'il conduisait une expérience scientifique.

– Pauvre con, dit Maggie.

– D'accord, d'accord, dit Tina en se cachant les yeux de ses deux mains.

– Tu veux aller à Bangkok pour essayer de les retrouver? Ça ne devrait pas être très difficile.

– Je n'en sais rien, dit Tina.

– Si tu te sens si mal en restant ici, tu devrais y aller. Je pourrais même réserver les billets d'avion.

– Je ne me sens plus si mal que ça, dit Tina.

Il traversa la pièce et s'assit dans un fauteuil.

– Mais j'irai peut-être quand même. Tu crois que je dois absolument rester ici pour le restaurant?

– Qu'est-ce que tu en penses?

– Oui, dit-il d'un air pensif. C'est pour ça qu'au début j'ai refusé d'y aller.

Il regarda les assiettes brisées sur le sol.

– Celui qui a fait ça devrait être exécuté.

Il sourit d'un air hagard.

– Je retire ce que je viens de dire.

– Allons prendre une soupe à Chinatown, dit Maggie. Toi, tu as besoin d'une soupe.

– Et si je décidais d'aller à Bangkok, est-ce que tu viendrais avec moi ?

– Je déteste Bangkok. Allons plutôt à Chinatown.

Ils trouvèrent un taxi sur West Broadway ; Maggie donna au chauffeur l'adresse de Bowery Arcade, entre Canal Street et Bayard Street.

Un quart d'heure plus tard, Maggie s'adressait en cantonnais au serveur dans une salle de restaurant miteuse, aux murs tapissés de menus écrits à la main. Le serveur devait avoir la soixantaine et portait un uniforme jaunâtre et crasseux qui avait dû être blanc. Autrefois. Le serveur dit quelque chose qui fit sourire Maggie.

– Qu'est-ce qu'il a dit ?

– Il t'a appelé le vieil étranger.

Tina regarda le serveur aux cheveux gris d'acier qui s'éloignait en traînant les pieds.

– C'est une expression, dit Maggie.

– Je devrais peut-être aller à Bangkok.

– Tu n'as qu'un mot à dire.

– S'ils savaient que cet autre journaliste, cet Ortiz, avait été tué à Singapour, pourquoi seraient-ils partis à Bangkok ?

Le serveur posa devant eux des bols remplis d'une substance crémeuse qui rappelait le porridge, très semblable à ce que Michael Poole avait eu pour son petit déjeuner à Singapour.

– A moins qu'ils n'aient découvert que Tim Underhill était parti, reprit Tina.

– Ce qui explique que Harry Beevers soit parti pour Taïpeh ?

Maggie sourit en prononçant ces mots ; la situation lui paraissait ridicule.

Tina hocha la tête.

– Ils ont dû apprendre qu'Underhill se trouvait dans l'une de ces deux villes, et ils se sont séparés pour le retrouver. Mais pourquoi est-ce qu'ils ne m'ont pas appelé d'abord ? S'ils ont su qu'Underhill avait quitté Singapour et qu'ils ont appris ensuite la mort d'Ortiz, ils doivent savoir qu'Underhill est innocent.

– Le vol Singapour-Bangkok dure environ une heure, dit Maggie. Allez, mange ta soupe et cesse de t'inquiéter.

Tina goûta la soupe. Comme toutes les choses curieuses que lui faisait connaître Maggie, le goût était très différent de l'apparence. Cette soupe n'était pas le moins du monde crémeuse, mais avait un goût de blé, de porc, et de quelque chose rappelant la citronnelle. Peut-être pourrait-il faire figurer sur son nouveau menu une soupe un peu semblable à celle-ci. Il l'appellerait la soupe-qui-donne-la-force-de-soulever-deux-buffles. Ou quelque chose d'approchant. Il la servirait dans de petits bols, avec de la citronnelle. Le maire adorerait ça.

– L'automne dernier, vers Halloween, j'ai vu ce cher Harry Beevers, dit Maggie. Je l'ai fait marcher, un peu stupidement je dois dire. Il me suivait dans un magasin de spiritueux, et il était tellement sûr de lui qu'il s'imaginait que je ne l'avais pas vu. J'étais avec Perry et Jules, tu sais, mes copains.

– Roberto Ortiz... dit Tina qui venait subitement de se rappeler le détail qui le poursuivait depuis le début de la soirée. Oh, mon Dieu!

– Ce sont des types sympas, mais ils sont perpétuellement au chômage, ce qui à la longue finit par les rendre insupportables. Bon, alors j'ai vu Harry qui me tournait autour, et quand j'étais sûre qu'il me regardait, j'ai volé une bouteille de champagne. Je me sentais méchante.

– Roberto Ortiz, répéta Tina. Je suis sûr que c'était ce nom-là.

– Heu... excusez-moi, ça t'ennuie si je te demande de quoi tu parles?

– Lorsque je regardais les journaux dans la salle des microfilms, le bibliothécaire m'a dit que le dossier avait déjà été rassemblé pour quelqu'un qui faisait une recherche sur Ia Thuc. Il me semble qu'il m'a dit que l'homme s'appelait Roberto Ortiz.

Tina regarda Maggie d'un air égaré.

– Tu comprends? Roberto Ortiz était déjà mort depuis une semaine. Il faut absolument que j'appelle Judy pour voir si elle sait où se trouve Michael.

– Ça paraît un peu incroyable.

– Koko a tué le dernier journaliste et puis il a pris un avion pour New York.

– A la bibliothèque, c'était peut-être Roberto Gomez, ou Umberto Ortiz, ou un nom comme ça. Ou un journaliste du nom de Ernie Anastos, J.J. Gonzales. Ou David Diaz. Ou Fred Noriega.

Elle essaya, mais en vain, de se rappeler d'autres noms hispaniques de journalistes de la télévision new-yorkaise.

– Et bien sûr ils regardaient des articles sur Ia Thuc!

Tina termina sa soupe dans un état de grande nervosité.

De retour chez lui, il se précipita à son bureau. Maggie, qui n'avait pas ôté son manteau, le suivait de mauvaise grâce.

Cette fois-ci, Michael demanda aux renseignements le numéro de Judith Poole à Westerholm; on lui donna un numéro qui ressemblait furieusement à celui que Michael avait laissé sur son message. Judy répondit après quelques sonneries.

– Oui?

– Judy? Bonjour, Tina Pumo à l'appareil.

Un instant de silence.

– Bonjour, Tina.

Nouveau silence.

– Je m'excuse de vous demander ça, mais pourrais-je savoir pourquoi vous appelez ? Il est tard, vous auriez pu laisser un message sur le répondeur de Michael, si c'est pour lui.

– J'ai déjà laissé un message sur le répondeur de Michael. Je m'excuse d'appeler si tard, mais j'ai une information importante pour Michael.

– Ah !

– Quand j'ai appelé son hôtel à Singapour, on m'a dit qu'ils étaient partis.

– Oui.

– Je pensais que vous auriez pu me donner le numéro de l'hôtel où ils sont descendus. Ça fait maintenant deux ou trois jours que Michael est à Bangkok.

– Oui, je le sais. Je vous donnerais bien volontiers son numéro à Bangkok, mais je ne l'ai pas. Nous n'avons pas ce genre de conversation.

Tina étouffa un juron.

– Alors est-ce que vous connaissez le nom de son hôtel ?

– Je ne crois pas qu'il me l'ait dit. Et moi je ne le lui ai pas demandé.

– Bon. Est-ce que je peux vous laisser un message pour lui ? J'ai appris un certain nombre de choses au cours des derniers jours, et il faut qu'il soit au courant. (Comme Judy ne disait rien, Tina poursuivit.) Il faudrait lui dire que les victimes de Koko, McKenna, Ortiz et les autres, étaient les journalistes de Ia Thuc, et j'ai l'impression que Koko se trouve maintenant à New York, et qu'il se fait appeler Roberto Ortiz.

– Je ne comprends rien de tout ce que vous me racontez. Qu'est-ce que c'est que cette histoire de victimes ? Et qui est ce Koko ?

Tina jeta un coup d'œil à Maggie qui lui fit une grimace et lui tira la langue.

– Mais enfin, Tina, qu'est-ce qui se passe là-bas ?

– Judy, écoutez, je voudrais seulement que vous disiez à Michael de m'appeler dès que vous l'aurez au bout du fil. Ou alors appelez-moi et dites-moi où il se trouve.

– Mais enfin vous ne pouvez pas me raconter des choses pareilles et raccrocher ensuite sans explications ! Il y a une ou deux choses que j'aimerais savoir. D'abord, est-ce que vous savez qui peut bien m'appeler sans arrêt et ne dit rien quand je décroche ?

– Mais enfin, Judy, je n'en ai pas la moindre idée !

– J'imagine que Michael ne vous a quand même pas demandé de m'appeler de temps en temps pour vérifier.

– Mais enfin, Judy! Si quelqu'un vous importune au téléphone, appelez la police.

– Je crois que j'ai une meilleure idée!

Et elle raccrocha.

Tina et Maggie se couchèrent tôt ce soir-là. Maggie passa les bras derrière la nuque de Tina, coinça ses chevilles derrière les jambes de son homme et le serra contre elle.

– Que puis-je faire? demanda-t-il. Appeler tous les hôtels de New York et demander s'il y a un certain M. Ortiz?

– Cesse de t'inquiéter. Tant que je serai là, personne ne te fera de mal.

– Pour un peu, je te croirais, dit Tina en riant. Peut-être qu'effectivement je me suis trompé de nom. C'était peut-être Umberto Diaz, ou un de ces noms que tu as dits.

– Quand on s'appelle Umberto, on ne ferait pas de mal à une mouche.

– Demain, j'irai parler à ce type à la bibliothèque.

Maggie s'endormit après qu'ils eurent fait l'amour, et pendant un long moment Tina s'efforça de rassembler ses souvenirs, sans se départir de la certitude que le bibliothécaire avait bien prononcé le nom de Roberto Ortiz. Il finit quand même par s'endormir.

Et il se réveilla en sursaut, comme frappé par un coup de cravache, quelques heures après. A présent il en était sûr, comme on peut être sûr de ces évidences qui vous frappent en pleine nuit. Il savait aussi qu'une fois le jour levé, il commencerait à douter. La chose terrible ne paraîtrait plus si convaincante ni si rationnelle à la lumière du soleil. Il serait facile à bercer, il accepterait les explications rassurantes de Maggie. Mais Tina se promit de se rappeler l'état d'esprit qui était le sien à présent. Il était persuadé que ce n'était ni Dracula ni un cambrioleur ordinaire qui était rentré chez lui. C'était Koko. C'était lui qui avait volé son carnet d'adresses. Il avait besoin de leurs adresses. Il avait besoin de leurs adresses pour commencer la traque, et à présent il les avait.

Un autre morceau du puzzle s'emboîta dans l'esprit de Tina. Koko avait appelé Michael, puis appelé aussitôt le numéro laissé au répondeur. Et depuis, il ne cessait d'appeler.

Tina mit longtemps à retrouver le sommeil. Une autre idée lui vint alors à l'esprit, bien qu'il se jugeât lui-même paranoïaque : c'était Koko qui avait tué le banquier Clement W. Irwin, à l'aéroport, et bien que cette idée lui semblât parfaitement irrationnelle, elle le tint éveillé encore longtemps.

3

Après le petit déjeuner, Maggie alla se faire couper les cheveux chez Jungle Red, et Tina descendit parler à Vinh. Non, Vinh n'avait vu personne rôder autour de l'immeuble ces derniers jours. Bien sûr, avec tous ces ouvriers il était possible qu'il n'eût pas remarqué quelqu'un. Non, il ne se souvenait pas de coups de téléphone bizarres.

– Est-ce qu'on n'aurait pas appelé et raccroché aussitôt après que tu as répondu ?

– Bien sûr, dit Vinh en regardant Tina comme s'il était subitement devenu fou. Ce genre d'appels, on en reçoit tout le temps. On est à New York, non ?

Tina se rendit ensuite en taxi à la bibliothèque, dans la 42e Rue. Il grimpa le large escalier, passa devant les gardiens et retourna au guichet où il s'était rendu la première fois. Le gros barbu n'était plus là ; à sa place, se tenait un grand blond qui devait bien faire quinze centimètres de plus que Tina, et qui était occupé à téléphoner. Il jeta un coup d'œil à Tina puis se retourna pour pouvoir poursuivre sa conversation tout à son aise. Puis il reposa le combiné et s'avança jusqu'au bureau.

– Puis-je vous aider ?

– Écoutez, je faisais des recherches ici, il y a deux jours, et je voudrais vérifier quelque chose. Connaissez-vous la personne qui se trouvait à votre place à ce moment-là ?

– C'est moi qui étais là il y a deux jours, dit le blond.

– Euh... l'homme à qui je m'étais adressé était plus âgé, la soixantaine environ, à peu près grand comme moi, barbu.

– Il y a ici cinquante personnes qui ressemblent à cette description.

– Pourriez-vous demander à quelqu'un ?

Le blond leva les sourcils.

– Vous voyez bien qu'il n'y a personne avec moi. Je ne peux pas quitter le comptoir, vous savez.

– D'accord. Dans ce cas, peut-être pourriez-vous me donner l'information dont j'ai besoin.

– Puisque vous êtes déjà venu, vous savez comment remplir le formulaire pour demander un microfilm.

– Non, ce n'est pas ça. Quand j'ai demandé des articles sur un sujet particulier, la personne qui travaillait ici m'a dit que quelqu'un avait récemment demandé la même documentation. Je voudrais avoir le nom de cet homme.

– Oh, mais je ne peux pas vous donner une telle information, dit le blond en se redressant de toute sa taille et en considérant Tina de haut.

– C'est pourtant ce que votre collègue a fait. C'était un nom espagnol.

Mais le blond secouait la tête.

– Non, c'est impossible. Ça doit rester confidentiel.

– Vous ne reconnaissez pas la description de l'autre employé ?

– Je ne suis pas un employé.

L'homme avait les joues empourprées.

– Écoutez, monsieur, si vous ne voulez pas de microfilms, vous faites perdre du temps aux gens qui sont derrière vous.

Tina, qui depuis quelques instants avait l'impression que quelqu'un l'observait, se retourna. Quatre personnes se tenaient derrière lui, mais aucune ne le regardait.

– Monsieur ? dit le bibliothécaire avec un geste impérieux du menton en direction de l'homme qui se trouvait derrière Tina.

Tina se dirigea alors vers les cabines et se mit à faire les cent pas dans l'espoir d'apercevoir l'homme à la barbe. Pendant vingt minutes, le blond servit des gens, parla au téléphone ou se tourna les pouces derrière son bureau. Pas une seule fois il ne regarda Tina. A onze heures vingt, il consulta sa montre, releva un abattant du comptoir et quitta la salle. Une jeune femme vêtue d'un pull-over noir prit sa place, et Tina revint à la charge.

– Vraiment, je ne vois pas qui ça peut être, répondit-elle. C'est mon premier jour ici... je n'ai été engagée qu'il y a quinze jours, et depuis lors, j'ai passé la plupart de mon temps à la section des incunables... j'adore les incunables.

– Est-ce que vous ne connaîtriez pas les noms de quelques bibliothécaires barbus âgés d'une soixantaine d'années, environ ?

– Eh bien, il y a M. Vartanian, dit-elle en souriant. Mais je ne crois pas que vous ayez pu le voir derrière un comptoir. Et puis il y a M. Harnoncourt. Et M. Mayer-Hall. Peut-être même M. Gardener. Mais je ne sais pas si un d'entre eux s'est occupé des microfilms.

Tina remercia la jeune femme et quitta la salle. En se promenant dans la bibliothèque et en ouvrant les portes des bureaux, il finirait peut-être par apercevoir son barbu.

Il se mit alors à parcourir le couloir, observant les gens qui se pressaient dans les étages supérieurs de la grande bibliothèque. Des hommes en cardigan ou en veste sport entraient et sortaient des ascenseurs, pénétraient dans des bureaux ; des femmes en pull-over et en jeans, ou en jupe, marchaient à grands pas dans le couloir. Un beau dandy vêtu d'un complet magnifique, la barbe bien taillée, de belles lunettes, fit une entrée remarquée dans le couloir, salué par tous les employés présents. Il était plus grand que le bibliothécaire auquel avait parlé Tina, et sa barbe était brun-roux et non poivre et sel.

Les visiteurs de la bibliothèque portaient leur manteau comme Tina et paraissaient moins sûrs de leur destination. Le dandy fendit la foule comme un paquebot se frayant un chemin au milieu des remorqueurs, emprunta le couloir et tourna à un coin.

Au moment où Tina atteignit le coin, il eut, comme dans la salle des microfilms, la sensation d'être épié. Il jeta un regard par-dessus son épaule et vit la foule des visiteurs qui se dispersait : certains se dirigeaient vers la salle des microfilms, d'autres vers d'autres salles. D'autres encore vers les ascenseurs. Tous les employés de la bibliothèque étaient rentrés dans leurs bureaux, à l'exception de deux femmes qui se rendaient aux toilettes. Tina crut avoir perdu le grand dandy, et c'est alors qu'il se rendit compte qu'il avait décidé de le suivre. A cet instant, il aperçut une brillante chaussure noire au détour du couloir, un peu plus loin.

Tina prit ses jambes à son cou : il entendait le martèlement de ses semelles sur le marbre brun. Arrivé au coin, il ne vit pas le dandy, mais au bout du couloir, une porte surmontée de l'inscription « escaliers » battait encore. De l'autre extrémité du couloir arrivaient dans sa direction deux jeunes Chinoises portant des livres dans lesquels étaient glissés des marque-pages de couleurs vives. L'une des jeunes femmes le regarda et lui sourit.

Tina ouvrit la porte et se mit à grimper les escaliers. En face de lui, était peint un gros 3 de couleur rouge. Dès que la porte se fut refermée derrière lui, il entendit un bruit de pas, plus silencieux que les siens, dans le couloir qu'il venait de quitter. Au-dessus de lui, dans l'escalier, il entendait les pas du dandy. Il continua de grimper. Il lui sembla que les pas dans le couloir s'étaient arrêtés devant la porte donnant sur l'escalier, mais la seule chose dont il était sûr, c'était qu'il ne les entendait plus. Au-dessus, le dandy s'approchait du cinquième étage.

Derrière Tina, la porte s'ouvrit doucement. Il ne regarda pas derrière lui avant d'avoir atteint l'endroit où l'escalier changeait de direction. Il se pencha alors par-dessus la rampe. Il n'aperçut que les marches qui descendaient, en un tournoiement un peu vertigineux. Le bruit des pas s'interrompit. Mais plus haut, le dandy poursuivait son ascension.

Il s'écarta d'un pas de la rampe et regarda en l'air.

Derrière lui, les pas recommencèrent à se faire entendre.

Tina se pencha alors à nouveau à la rampe, mais les pas cessèrent aussitôt. Celui qui le suivait s'était dissimulé à l'abri de la cage d'escalier.

Tina sentit un frisson glacé le parcourir.

Puis la porte du troisième étage s'ouvrit à nouveau et les deux jeunes Chinoises s'engagèrent à leur tour dans l'escalier. Il apercevait le sommet de leur crâne et les entendait parler en cantonnais. Au-dessus de lui, la porte du cinquième étage se referma.

Tina quitta la rampe.

Arrivé au cinquième, il ouvrit la porte où était inscrit « Réservé au personnel » et déboucha dans un vaste espace sombre rempli de livres. Le grand dandy avait disparu dans une des allées entre les étagères. La salle était immense et le bruit de ses pas ne permettait pas de déterminer sa position avec précision. Tina n'entendait aucun bruit de l'autre côté de la porte de l'escalier, mais il imaginait un homme atteignant les dernières marches.

Il s'avança alors au milieu des rayonnages et choisit une longue allée vide, d'un mètre de large environ, entre de hautes étagères métalliques. Au loin, des ampoules de faible puissance, abritées par des abat-jour coniques, jetaient des taches de lumière. On n'entendait plus les pas du grand dandy.

Tina se força à avancer plus doucement. Au moment où il atteignit une allée plus large, il entendit s'ouvrir la porte palière. Quelqu'un se glissa à l'intérieur et referma la porte derrière lui.

Il entendait la personne qui venait d'entrer, mais il était incapable de savoir où elle se trouvait. Un frisson de peur le parcourut.

Puis il entendit des pas lents sur sa gauche, assez loin. Tina se dirigea vers le dandy et entendit au même moment celui qui venait d'entrer dans une allée voisine, doucement, lentement, comme on marche sans bruit dans la jungle.

Ou il devenait complètement paranoïaque ou Koko l'avait suivi. Après avoir volé son carnet d'adresses, Koko s'était rendu compte que les autres n'étaient pas chez eux, et il allait reprendre son excellent travail aux États-Unis en commençant par Tina Pumo. Il avait fini par se lasser de ses recherches documentaires sur Ia Thuc, et Tina était le prochain sur sa liste.

Mais bien entendu, il finirait par se rendre compte que la personne qui venait d'entrer au cinquième étage était un bibliothécaire. Sur la porte, il y avait inscrit : « Réservé au personnel ». Si Tina s'engageait dans l'allée, il découvrirait un petit bonhomme chaussé de Hush Puppies et avec une chemise boutonnée jusqu'au col. Tina parcourut sans bruit l'allée plus large, s'efforçant lui aussi de se déplacer comme dans la jungle. Trois allées plus étroites coupaient encore la sienne avant son extrémité ; il s'immobilisa pour écouter.

Loin sur sa gauche, il entendit des pas rapides qui devaient être ceux du dandy. Si quelqu'un d'autre se déplaçait entre les rayonnages, il se débrouillait pour qu'on ne l'entendît pas. Tina jeta un regard dans une allée. Des flaques de lumière entre des étagères remplies de livres. Il se glissa dans l'allée.

Elle semblait aussi longue qu'un terrain de football, mais elle était étroite, semblable à un tunnel vu par le gros bout d'une lorgnette. Il avança le long de cette allée. Les dos et les titres de livres semblaient venir à lui comme si lui-même était resté immobile. V.M. Thackeray, *Pendennis,* vol. 1. W.M. Thackeray, *Pendennis,* vol. 2. W.M. Thackeray, *The Newcomes. The Virginians. The Yellowplush Papers,* etc., reliés en pleine toile rose, titres frappés à l'or et publiés par Smith, Elder & Co., *Lovel the Widower,* etc., également relié en rose et au titre frappé à l'or, de chez Smith, Elder & Co.

Tina ferma les yeux et entendit un homme tousser doucement dans l'allée voisine. Il rouvrit les yeux brusquement, et les titres des livres devant lui se mélangèrent en une somptueuse arabesque arabe de couleur dorée sur fond rose. Il crut s'évanouir.

L'homme qui venait de tousser avança silencieusement d'un pas. Tina demeura figé comme une statue, n'osant même pas respirer, alors que l'homme dans l'allée voisine ne pouvait être que le bibliothécaire aux Hush Puppies. L'homme avança à nouveau de trois pas glissés, silencieux.

Lorsque Tina estima que l'homme s'était suffisamment engagé dans l'allée, il commença de se diriger vers la porte.

A cet instant, comme si Tina avait donné le signal, quelqu'un se mit à siffler les premières mesures de « Body and Soul », loin sur la gauche... l'interprétation était ornée de trilles et d'un certain vibrato.

Dans l'allée voisine, l'homme se mit à se diriger avec moins de précautions en direction du siffleur. Plus loin, quelqu'un retirait des livres d'une étagère... le dandy avait trouvé ce qu'il était venu chercher. L'homme de l'allée voisine s'engagea dans l'allée centrale. Tina se rendit compte que s'il écartait les volume de Thackeray posés devant lui il apercevrait le visage de l'homme. Son cœur se mit à battre plus fort.

Au moment où l'homme passa devant l'allée où se trouvait Tina, ce dernier la quittait à l'autre extrémité et ne se trouvait plus qu'à quelques pas de la porte donnant sur l'escalier. Une ampoule très faible, sous un abat-jour, l'éclairait. Il avança d'un pas vers la porte.

La poignée s'abaissa et Tina crut que son cœur allait s'arrêter. La porte s'ouvrit alors brusquement, livrant le passage à un flot de lumière et à des éclats de voix.

Des silhouettes sombres s'avançaient vers lui. Tina s'immobilisa; les silhouettes s'immobilisèrent aussi. La conversation s'arrêta brutalement. Il aperçut alors les deux Chinoises qu'il avait vues dans le couloir du troisième étage.

– Oh! s'exclamèrent les deux femmes en même temps.

– Excusez-moi, dit Pumo aussi doucement qu'elles. J'ai dû me perdre.

Souriant après leur premier moment de surprise, elles lui laissèrent le passage, et Tina se retrouva en sécurité sur le palier.

Cette nuit-là, Tina dit à Maggie qu'il n'avait pas pu obtenir confirmation que le nom utilisé par celui qui faisait des recherches sur Ia Thuc était celui du journaliste assassiné. Il choisit de ne pas évoquer ce qui s'était passé dans les réserves, car en fait il ne s'était rien passé. Après un long dîner arrosé d'une bouteille de Bonnes Mares, pris dans un bon restaurant de sa rue, il avait honte de sa frayeur. Il avait été victime de son imagination, de ses souvenirs, et Maggie avait raison : il cherchait encore à surmonter les épreuves qu'il avait subies au Vietnam. Le barbu avait dû lui donner un nom comme Roberto Diaz, et tout le reste n'était qu'imagination. Quant au yuppie de l'aéroport Kennedy, il avait dû être tué par quelqu'un qui avait voyagé avec lui ou par un employé de l'aéroport. Maggie était si belle ce soir-là que même le serveur maussade du restaurant de Soho la regardait, et le vin laissait en bouche un bouquet de parfums subtils. Il regarda le visage rayonnant en face de lui, de l'autre côté de la table, et se dit que tant qu'on avait de l'argent et une bonne santé, le monde tournait à l'endroit.

Le lendemain, ni Tina ni Maggie ne regardèrent le *New York Times*; aucun des deux ne s'arrêta un instant devant les gros titres des tabloïds affichés dans les kiosques. « Le directeur de la bibliothèque assassiné », titrait, de façon inexacte, le *Post*. Le *News*, lui, adoptait un ton plus Agatha Christie en titrant : « Meurtre à la bibliothèque. » Les deux tabloïds offraient en première page une photographie du Dr Mayer-Hall, un homme de grande taille, barbu, vêtu d'un costume croisé. Le Dr Mayer-Hall, administrateur des bibliothèques publiques de la ville de New York, et membre du conseil d'administration de la bibliothèque principale depuis vingt-quatre ans, avait été trouvé assassiné dans une partie des magasins du cinquième étage réservée au personnel. Il avait probablement dû se rendre dans cette partie du bâtiment pour gagner plus rapidement son bureau, où il avait rendez-vous avec la directrice des relations publiques de la bibliothèque, Mme Mei-lan Hudson. Mme Hudson et son assistante, Adrien Lo, qui utilisaient le même raccourci, avaient remarqué un intrus dans cette partie du cinquième étage, et lui avaient adressé la parole. Ce sont elles qui quelques minutes plus tard devaient découvrir le corps sans vie du Dr Mayer-Hall. La police, qui possède à présent une description précise de cette personne, la recherche à titre de témoin. Le *Times*, quant à lui, publiait une photographie plus petite et un plan détaillé des lieux avec des flèches et un X à l'endroit où le corps avait été découvert.

4

De quoi as-tu peur?

J'ai peur de l'avoir inventé. De lui avoir donné toutes ses meilleures idées.

As-tu peur qu'il soit une idée venue à la vie?

Il est sa propre idée venue à la vie.

Comment Victor Spitalny est-il arrivé à Bangkok?

C'était simple. A l'aéroport, il trouva un soldat qui, pour pouvoir aller à Honolulu au lieu d'aller à Bangkok, accepta d'échanger sa plaque d'identité et ses documents de voyage. Tout prouvait donc que le soldat de première classe Spitalny avait pris le vol 206 d'Air Pacific à destination d'Honolulu : non seulement les billets d'avion, mais aussi les listes d'enregistrement, la liste des passagers, les documents remplis à bord et les cartes d'embarquement. Tout prouvait ensuite que le soldat de première classe Spitalny avait passé six nuits à l'hôtel Lanai, dans une chambre simple valant l'équivalent de vingt dollars américains la nuit, et qu'il était rentré au Vietnam le 7 octobre 1969 à vingt et une heures, par le vol 207 d'Air Pacific. Il est indiscutable que le soldat de première classe Victor Spitalny s'est rendu à Honolulu et en est revenu alors même qu'il disparaissait au milieu d'une bagarre de rue à Bangkok.

Mais un soldat de première classe du nom de Michael Warland, qui prétendait avoir perdu tous ses papiers, finit par reconnaître que le 2 octobre 1969, au matin, il avait fait la connaissance du soldat Victor Spitalny qui lui avait suggéré d'échanger leurs places pour leur permission. Le 8 octobre, ne trouvant pas le soldat Spitalny à l'aéroport, il déposa ses affaires à la consigne et rejoignit son unité. Lorsque la supercherie fut découverte, le soldat de première classe Spitalny fut déclaré déserteur.

Qu'est-ce que tout cela rapporta à Spitalny?

Cela lui procura quelques semaines.

Pourquoi Spitalny voulait-il aller à Bangkok avec Dengler?

Il avait déjà tout préparé.

Qu'est-il arrivé à la fille?

La fille disparut. Elle fendit en courant la foule enragée de Patpong, montrant au creux de ses mains le sang répandu dans une grotte au Vietnam, puis, invisible, elle parcourut le monde pendant des années jusqu'au jour où je la vis. Alors, j'ai commencé à comprendre.

Qu'as-tu compris?

Elle était de retour parce que lui était de retour.

Alors pourquoi l'as-tu bénie?

Parce que si je l'avais vue, cela voulait dire que j'étais moi aussi de retour.

17

KOKO

1

Sur West End Avenue, la vieille dame qui se tenait à une fenêtre, dans un immeuble de l'autre côté de l'avenue, lui fit un signe de tête, et lui, il lui adressa un signe de la main. Le portier, vêtu d'un uniforme bleu et gris orné d'épaulettes dorées, le regardait aussi, mais d'une manière infiniment moins amicale. Le portier, qui avait connu Roberto Ortiz, ne le laisserait pas entrer, et pourtant c'était bien à *l'intérieur* qu'il lui fallait aller. Il revoyait encore les photographies de Ia Thuc qu'il avait observées à la bibliothèque, et l'obscurité qui se trouvait au centre de ces photographies, et qui l'avait fait frissonner, cette obscurité le pressait vers *l'intérieur*, vers ce havre qu'était *l'intérieur*.

Vous êtes fou ? dit le portier. Vous avez perdu la tête ? Vous ne pouvez pas entrer ici.

Il faut que j'entre ici.

Le monde lui avait donné Pumo le Puma dans la salle des microfilms, comme une prière exaucée ; Koko avait alors tourné le bouton de l'invisibilité et suivi Pumo le Puma dans le couloir, dans les escaliers et dans la vaste salle remplie de hauts rayonnages ; tout alors était allé de travers, le monde lui avait joué un tour, le Joker avait jailli du paquet, gloussant et dansant... un autre homme était mort devant lui, ce n'était pas Pumo le Puma et c'était Bill Dickerson à nouveau. S'en aller. Fuir. Koko devait se cacher, le monde était sauvage et rusé et il se détournait. Sur Broadway, de vieilles et folles silhouettes vêtues de chiffons, les pieds nus et gonflés, se précipitaient vers vous en parlant des langues inconnues, les lèvres noires parce qu'elles exhalaient des flammes. Les folles silhouettes enchiffonnées étaient au courant pour le Joker parce qu'elles l'avaient vu aussi, elles savaient que Koko s'égarait, s'égarait, et elles connaissaient l'erreur de Koko dans la bibliothèque. Cette fois-ci, il avait encore gagné le pari, mais c'était le mauvais pari parce que ce n'était pas l'homme qu'il fallait. Et Puma avait disparu. Lorsque les clochards fous enchiffonnés parlaient leurs langues inconnues, ils disaient : *Tu fais des erreurs! De graves erreurs! Ta place n'est pas ici!*

Je ne peux pas vous laisser entrer, dit le portier. Vous voulez que j'appelle les flics? Allez-vous-en ou j'appelle les flics, allez, foutez le camp.

Koko se tenait à présent au coin de West End Avenue et de la 78e Rue ouest, le centre en fusion de l'univers, et il regardait l'immeuble où avait vécu Roberto Ortiz. Une veine battait à son cou, et le froid lui mordait le visage.

La vieille dame pourrait descendre et le faire entrer dans l'immeuble, se dit Koko; il pourrait alors monter et descendre dans les ascenseurs et porter pour toujours les vêtements de Roberto Ortiz. Dans la chaleur et la sécurité. A présent, il n'était pas où il aurait dû être, et là où il se trouvait tout allait de travers.

Koko le savait bien. Il n'était pas fait pour vivre dans une petite chambre nue de l'Association chrétienne, à côté d'un fou.

Le carnet d'adresses se trouvait sur la petite table. Les noms et les adresses étaient entourés d'un trait de crayon.

Mais Harry Beevers ne répondait pas au téléphone.

Mais Conor Linklater ne répondait pas au téléphone.

Le répondeur de Michael Poole parlait avec la voix de Michael Poole et donnait un autre numéro de téléphone; à ce numéro-là, c'était une femme qui répondait. Cette femme avait une voix dure, impitoyable.

Koko se rappelait, *j'ai toujours aimé l'odeur du sang.*

Koko sentit les larmes froides sur son visage; il se détourna de la fenêtre de la vieille dame et se mit à descendre West End Avenue.

Les cheveux du fou étaient des torsades et ses yeux étaient rouges. Il vivait dans la chambre voisine; il entrait chez Koko en riant et disait... qu'est-ce que c'est que toute cette merde sur les murs? Tuer c'est comme entrer à l'intérieur. Le fou était noir et il portait des vêtements éculés de Noir.

Les choses allaient vite et vite Koko descendait West End Avenue. Des buissons pétrifiés s'enflammaient, et de l'autre côté de l'avenue une grande femme aux cheveux roux murmurait : *Une fois que tu les as tués, tu en portes pour toujours la responsabilité.*

Cela, la femme à la voix dure le savait. A hauteur de la très fréquentée 72e Rue, il prit la direction de Broadway. Et les ténèbres recouvriront la terre. Encore un peu de temps, et je secourai la terre et les cieux.

Car il est comme le feu qui purifie tout.

S'il disait cela à la femme, comprendrait-elle ce qu'il avait ressenti dans les toilettes après le départ de Bill Dickerson ? Dans la bibliothèque lorsque le Joker avait jailli du jeu et s'était mis à gambader et sautiller entre les livres ?

Je n'ai pas entrepris cette tâche pour me contenter de substituts, se dit-il. Cela, je peux le lui dire.

Le temps est une aiguille et au bout de l'aiguille il y a le chas. Lorsqu'on passe à travers le chas... lorsque après soi on tire l'aiguille à travers son propre chas... alors on est un homme de douleur et habitué à la souffrance.

Un homme vêtu d'un manteau de fourrure dorée regardait Koko, et Koko lui rendit son regard. Les regards hostiles des inconnus ne me troublent pas, je suis méprisé et abandonné des hommes. « Je suis un homme méprisé et abandonné », dit Koko à l'homme qui le regardait, mais celui-ci avait déjà tourné les talons et s'éloignait.

Tendu, halluciné, Koko descendait la Huitième Avenue. Entre West End Avenue et la Huitième Avenue, soit vingt blocs, le trajet s'était déroulé dans une sorte de brouillard. Le monde scintillait comme scintillent les choses froides. Il était dehors et pas à *l'intérieur*, et de retour dans sa terrible chambre, il trouva le Noir qui l'attendait pour lui parler du péché.

Les démons grimaçants aiment les hommes et les femmes qu'ils escortent à travers l'éternité... les démons possèdent un grand secret : eux aussi ont été créés pour aimer et être aimés.

– C'est à moi que vous parlez ? demanda un vieil homme au visage poli, coiffé d'un crasseux béret noir.

Le vieil homme n'était pas une de ces apparitions vêtues de chiffons, envoyées pour le torturer : le vieil homme parlait l'anglais, et non une langue inconnue. Une perle de morve pendait à son nez.

– Je m'appelle Hansen.

– Je suis agent de voyages, dit Koko.

– Bienvenue à New York, dit Hansen. Je suppose que vous êtes en visite ici.

– Je suis parti longtemps, mais j'ai eu beaucoup de travail. Enormément de travail.

– C'est bien, ça! dit l'homme d'un air réjoui.

Il était enchanté d'avoir quelqu'un à qui parler.

Koko lui demanda s'il pouvait lui offrir un verre et l'homme accepta avec un sourire reconnaissant. Ils se rendirent donc dans un restaurant mexicain de la Huitième Avenue, près de la 55e Rue; Koko commanda « quelque chose de mexicain » et le barman posa devant eux deux verres remplis d'un liquide à l'aspect pétillant, mousseux, évoquant vaguement une soupe. Le barman avait des cheveux noirs et crépus, le teint olivâtre, des moustaches noires tombantes, et il plaisait bien à Koko. Le bar était chaud et sombre, et Koko appréciait le silence et les bols de chips salées disposés à côté de la sauce rouge. Le vieil homme ne cessait de glisser des regards vers Koko comme s'il n'arrivait pas à croire à sa chance.

– Je suis un ancien combattant, dit Koko.

– Oh, dit le vieil homme, moi je n'ai jamais fait la guerre.

Le vieil homme demanda au Mexicain ce qu'il pensait du type de la bibliothèque.

– C'était une erreur, dit Koko.

– Quel type ? demanda le barman.

Le vieil homme respira bruyamment.

– C'était dans les journaux, cette connerie.

Au barman et au vieil homme, Koko déclara :

– Je suis un homme méprisé et abandonné, un homme de douleur et habitué à la souffrance.

– Moi c'est pareil, dit le barman.

Le vieux Hansen leva son verre à sa santé et lui adressa même un clin d'œil.

– Voulez-vous entendre la chanson des mammouths ? demanda Koko.

– J'ai toujours aimé les éléphants, dit Hansen.

– Moi c'est pareil, dit le barman.

Alors Koko chanta la chanson des mammouths, une chanson si ancienne que même les éléphants ne savaient plus ce qu'elle voulait dire. Le vieux Hansen et le barman mexicain l'écoutèrent dans un silence religieux.

Quatrième partie

DANS LE GARAGE SOUTERRAIN

18

LE CHEMIN DU CIEL

1

Deux jours plus tôt, à Bangkok, par la fenêtre de sa chambre d'hôtel, Michael Poole observait la circulation dans Surawong Road : les camions, taxis, voitures et ces tout petits véhicules utilitaires qu'on appelait ici les *ruk-tuks,* étaient tellement agglutinés les uns aux autres qu'on eût dit un vêtement sans coutures. De l'autre côté de Surawong Road, s'étendait le quartier de Patpong, où commençaient seulement à apparaître les bars, salles de strip-tease et salons de massage. L'appareil à air conditionné menait un train d'enfer à côté de lui, car bien que l'air fût presque grumeleux à force d'être gris, l'atmosphère était encore plus chaude et humide qu'à Singapour, le matin même. Derrière Michael, Conor Linklater arpentait la chambre : il feuilletait la brochure destinée aux clients de l'hôtel, regardait le mobilier, inspectait les cartes postales sur le bureau, et pendant ce temps ne cessait de parler tout seul. Il était encore tout excité par ce que lui avait raconté le chauffeur de taxi.

– Comme ça, d'emblée, grommelait Conor. C'est incroyable! On est venus se faire tondre dans cet endroit, ou quoi ?

Le chauffeur leur avait appris que leur hôtel était très convenable, parce qu'il se trouvait en bordure du quartier de Patpong, puis avait fait sur Conor une impression à la fois durable et profonde (impression à laquelle était du reste associée la ville entière de Bangkok) en demandant si ces messieurs ne désiraient pas s'arrêter à un salon de massage avant de se rendre à leur hôtel. Mais pas un salon de massage ordinaire, pas un boui-boui avec des filles maigrichonnes débarquées de leur campagne et qui ne savaient pas y faire, non, un endroit luxueux, réellement sophistiqué, avec des baignoires en porcelaine, des chambres élégantes, un massage de tout le corps, des filles si belles qu'elles vous faisaient jouir deux ou trois fois avant même d'avoir commencé. Il avait promis des filles si belles qu'elles avaient l'air de princesses, des vedettes de cinéma, des filles sorties des pages centrales de *Playboy*, des filles voluptueuses et soumises comme on en rencontre dans les rêves, des filles avec des cuisses de majorettes, des seins de déesses indiennes, des visages de mannequins, des peaux soyeuses de courtisanes, des esprits déliés de diplomates et de poétesses, agiles comme des gymnastes, musclées comme des nageuses, joueuses comme des guenons, énergiques comme des chèvres de montagne, et, par-dessus tout...

– Par-dessus tout, disait Conor d'un air songeur. Par-dessus tout, pas féministes. Hein, qu'est-ce que tu en dis ? Attention, hein, j'ai rien contre la libération de la femme. Dans ce monde, tous les hommes sont libres, y compris les filles, et je connais des tas de filles qui sont de meilleurs hommes que bien des hommes. Mais est-ce qu'on a vraiment besoin d'écouter tout ce baratin ? Et surtout au lit ? La plupart gagnent deux fois ce que je gagne, elles savent se servir d'ordinateurs, elles dirigent des bureaux, des sociétés, y en a plein chez Donovan, elles vous laisseraient même pas leur payer un verre, elles font la gueule si on leur ouvre une porte, alors comme disait l'autre, on devrait peut-être...

– Hum, dit Michael.

Conor lui-même ne prêtait guère d'attention à son boniment, et n'importe quelle réponse pouvait suffire.

– ... plus tard, ça n'a pas d'importance, dis donc, y a deux restaurants dans cet hôtel, et un chouette bar aussi, je parie que c'est mieux ici que là où se trouve le Grand Paumé en ce moment ; il doit raconter partout qu'il est un flic, un agent secret ou l'évêque de New York.

Michael éclata de rire.

– Exactement ! Avec ce type...

A quatre heures de l'après-midi tout Bangkok semblait bien engorgé, mais le quartier de Patpong, qui n'occupait que la surface de quelques pâtés de maisons, le semblait plus encore. La rue était encombrée par la circulation habituelle, et les trottoirs étaient si pleins de monde que Michael n'apercevait le sol que par intermittence. Les gens s'attroupaient devant les bars et les sex-clubs, montaient et descendaient les escaliers et les escaliers d'incendie. Autour d'eux, les enseignes jetaient leurs lueurs criardes : Mississippi, Daisy Chain, Hot Sex, Whiskey, Montmartre, Sex, Sex, et tant d'autres, entassées, brouillées, racoleuses.

– Dengler est mort par ici, dit Conor en coulant un regard le long de Phat Pong Road.

– Oui, dit Michael.
– Ça ressemble à un gigantesque bordel.
Michael se mit à rire. C'était effectivement l'impression que donnait ce quartier.
– Je crois qu'on va le trouver, Mikey.
– Je le crois aussi, dit Michael.

2

Ce soir-là à l'hôtel, Michael attendait que l'opérateur ait obtenu le numéro de téléphone qu'il lui avait demandé à Westerholm, dans l'État de New York. Il avait finalement quelque chose de positif à raconter à propos de ce que Harry appelait leur « mission ». Dans une librairie, ils avaient découvert un indice qui les avait confirmés dans l'intuition qu'ils finiraient par trouver Underhill à Bangkok. S'il leur fallait deux jours, ils pourraient peut-être être de retour deux jours plus tard aux États-Unis, avec ou sans Underhill, suivant le tour que prendraient les événements. Michael voulait se mettre en quête d'une clinique de désintoxication où Underhill pourrait récupérer et bénéficier des autres soins dont il aurait sûrement besoin. Quand on a vécu longtemps à Bangkok et qu'on a survécu, on a certainement besoin de repos. Si Underhill avait vraiment commis ces meurtres, il lui trouverait un bon avocat qui plaiderait la folie, ce qui au moins lui éviterait la prison. Il n'y aurait peut-être pas de quoi en faire un feuilleton de télévision, mais ce serait la meilleure issue pour Underhill et les gens qui l'aimaient.

Dans une librairie de Patpong, commerce insolite pour le quartier, Michael avait vu quelque chose qui confirmait sa présence à Bangkok et militait en faveur de son innocence. Michael et Conor étaient entrés dans l'immense librairie pour échapper pendant quelques instants à la chaleur et à la foule. Il y avait peu de monde dans la librairie, il y faisait frais et Michael vit avec plaisir que le rayon romans occupait au moins un tiers de la surface. Il pourrait y trouver quelque chose pour lui et pour Stacy Talbot également. Il parcourut les rayonnages et ne se rendit compte qu'en fait il cherchait les livres d'Underhill que lorsqu'il les découvrit : ils occupaient une étagère entière. Il y avait quatre ou cinq exemplaires de chaque roman d'Underhill, les éditions de poche voisinant avec les autres, depuis *Une bête en vue* jusqu'au *Sang de l'orchidée*.

Cela voulait-il dire qu'il vivait ici ? Qu'il était un client de la Patpong Books ? Ce rayonnage rappelait à Michael l'étagère réservée aux « auteurs locaux » chez All Booked, la meilleure librairie de Westerholm : cela équivalait à une lettre signée de lui indiquant qu'il fréquentait la librairie. Et dans ce cas, passerait-il le reste de son temps à aller assassiner des gens ? Michael éprouvait presque physiquement la présence d'Underhill à côté de l'étagère pleine de ses œuvres. S'il ne fréquentait pas sa boutique, le libraire stockerait-il ainsi autant de livres d'un auteur si peu connu ?

Pour Michael c'était un signe, et lorsqu'il eut fait part de sa découverte à Conor, celui-ci en convint également.

Lorsque Conor et lui avaient quitté leur hôtel, un peu plus tôt ce jour-là, Michael avait eu d'abord l'impression que Bangkok était une manière de Calcutta thaïlandaise. Des familles entières semblaient vivre et travailler dans les rues ; on voyait des femmes accroupies sur les trottoirs défoncés, nourrissant leurs enfants tout en pulvérisant des morceaux de ciment à coups de marteau. Sur chaque trottoir, se tenait une rangée de femmes occupées à creuser une tranchée avec pics et marteaux. La fumée de petits braseros s'échappait par les orifices de bâtiments en construction sur des terrains vagues. L'air gris était chargé de fumées, de gaz d'échappement, de poussière de plâtre et de petits grains durs qui piquaient la peau. Michael avait l'impression que l'air, membrane perméable, se collait à sa peau comme une toile d'araignée.

Michael et Conor passèrent devant une vitrine poussiéreuse remplie de bandages herniaires et de jambes artificielles pliées au genou.

– Tu sais, dit Conor, j'ai le mal du pays. J'aimerais manger un hamburger. J'aimerais boire une bière qui sente pas le liquide à vaisselle. J'aimerais pouvoir de nouveau aller aux chiottes... cette saloperie que m'a filée le toubib m'a bouché le trou du cul comme un bouchon de champagne. Et tu sais ce qu'y a de pire ? J'ai même envie de retrouver ma trousse à outils. J'ai envie de revenir du travail, de prendre une douche et de retrouver mon vieux bistrot. Ça te manque pas, des trucs comme ça, Mikey ?

– Pas vraiment.

– Ton travail te manque pas ? demanda Conor d'un air surpris. Ton stéthoscope, tout ton bataclan, tout ça ça te manque pas ? Dire aux gamins que ça va pas leur faire mal, ou seulement un tout petit peu ?

– Ce côté-là ne me manque pas vraiment, dit Michael. Et pour être franc, mon métier ne m'a pas apporté beaucoup de satisfaction, ces derniers temps.

– Alors y a rien qui te manque ?

Oui, songea Michael, il y a une petite fille qui me manque, à l'hôpital Saint Bartholomew. Mais il répondit :

– Si, certains de mes patients.

Conor lui lança un regard soupçonneux et proposa d'aller faire un tour à Patpat.

– Patpong, corrigea Michael. C'est là que Dengler a été tué.

– Ah, c'est là, Patpong.

Michael eut la surprise de constater que le quartier de Patpong n'était pas plus étendu que ce qu'il avait pu en voir depuis sa chambre d'hôtel. Cette partie de Bangkok qui attirait les touristes mâles d'Amérique, d'Europe et d'Asie, ne faisait que trois rues de long sur une de large. Michael s'était imaginé qu'à l'image du quartier Saint Pauli de Hambourg, il s'étendait au moins sur quelques pâtés de maisons de plus. A cinq heures de l'après-midi, les enseignes au néon jetaient leurs lueurs sur la foule des hommes qui se pressait devant les bars et les salons de massage. « 123 filles humides. Fumette. » En haut d'une volée de marches, un racoleur siffla à l'intention de Michael; puis il descendit et lui glissa dans la main une brochure vantant les spécialités de la maison.

1 Hôtesses ravissantes... spectacle non-stop!
2 Une consommation gratuite.
3 Clientèle internationale; ici, on parle toutes les langues.
4 Balles de ping-pong.
5 Fumette.
6 Marqueur magique.
7 Coca-Cola.
8 Strip-tease.
9 Femme-femme.
10 Homme-femme.
11 Homme-femme-femme.
12 Salles d'observation et de relaxation.

Tandis qu'il lisait ce document, un jeune Thaï vint s'interposer entre Conor et lui.

– C'est bon moment, dit-il. Plus tard c'est trop tard. Choisir maintenant, vous avez meilleur.

Il sortit de la poche de sa veste un épais porte-cartes, l'éleva devant lui et le laissa se déplier en accordéon, révélant ainsi les photos d'une soixantaine de filles nues.

– Choisir maintenant... plus tard c'est trop tard.

Il souriait, fort content de lui, de son produit, de son message, laissant apparaître de brillantes incisives en or.

Il agita l'accordéon sous le nez de Conor.

– Toutes disponibles! Aller vite!

Voyant le visage de Conor virer à l'écarlate, Michael l'entraîna plus loin, chassant de l'autre main le racoleur du salon de massage.

Mais celui-ci agita de plus belle ses photos :

– Garçons, aussi. Mignons garçons toutes tailles. Plus tard c'est trop tard. Surtout pour garçons !

Et d'une autre poche, il extirpa un nouvel accordéon de photos.

– Très jolis, très chauds, ils sucent, ils baisent...

– Téléphone, dit Michael qui croyait avoir lu ce mot sur le menu du sex-club.

Le racoleur fronça les sourcils et secoua la tête.

– Pas de téléphone... Quoi vous voulez ? Vous cherchez la mort ?

Il se mit à battre en retraite tout en repliant ses photos. Pendant un moment il les observa d'un air rusé.

– Vous être dans un trip de mort ? Cinglés ? Faire très, très attention.

– Qu'est-ce qu'il a, ce mec ? dit Conor. Tiens, montre-lui la photo.

Le petit racoleur jetait des regards inquiets autour de lui. Il avait replié ses photos en accordéon et les avait à nouveau glissées dans ses poches. Michael sortit une photo d'une enveloppe et la lui tendit. L'homme passa une langue décolorée sur ses lèvres et recula de plusieurs pas tout en regardant Conor et Michael d'un air vide. Puis il reporta son attention sur un jeune Blanc de haute taille qui arborait un tee-shirt Twisted Sister.

– Toi je sais pas, dit Conor, mais moi je me jetterais bien une petite bière.

Michael acquiesça et le suivit dans l'escalier menant au Montparnasse Bar. Conor disparut derrière un rideau de lanières en plastique bleu, et Michael pénétra à son tour dans une petite pièce sombre où il ne distingua tout d'abord que des rangées de chaises. Contre l'un des murs était installé un bar minuscule derrière lequel se tenait un grand et costaud Samoen vêtu d'une chemise rouge très serrée qui faisait ressortir sa musculature. Une petite estrade occupait le devant de la pièce. Conor tendit des billets de banque à une chose obèse assise derrière un bureau barrant l'entrée.

– L'entrée c'est vingt bahts, croassa-t-elle à l'intention de Michael.

Michael regarda la scène : une jeune Thaï courtaude en soutien-gorge se penchait en avant pour atteindre ses genoux tournés vers l'extérieur. Une dizaine de filles plus ou moins déshabillées inspectèrent Conor et Michael. Le seul autre homme présent dans la salle était un Australien soûl engoncé dans un complet taché de sueur, qui brandissait une grande boîte de Foster's Lager. Une fille lovée sur ses genoux jouait avec sa cravate et lui murmurait quelque chose à l'oreille.

– Tu sais à quoi j'essayais de penser, dans la rue ? demanda Michael. A la fumette.

– J'espère qu'ils en ont pas ici.

La fille sur scène leur adressa un large sourire et plaça ses mains en coupe juste au-dessous de son sexe. Une balle de ping-pong fit son apparition entre ses mains, disparut à nouveau à l'intérieur pour retomber finalement dans ses mains. Une autre balle de ping-pong surgit alors à côté de la première.

Quatre filles souriantes et roucoulantes firent alors leur apparition. Deux d'entre elles s'assirent sur des chaises de part et d'autres d'eux, et les deux autres s'agenouillèrent à leurs pieds.

– Vous très beau, dit la fille qui se tenait devant Michael en lui caressant le genou.

– Vous être mon mari ?

– Dis donc, dit Conor, si ces filles sont capables de faire des trucs pareils avec des balles de ping-pong, alors...

Ils commandèrent des verres pour deux des filles, et les deux autres s'éloignèrent. Sur scène, les balles de ping-pong apparaissaient et disparaissaient à la vitesse de portes à tambour.

La fille à côté de Poole murmura :

– Tu es déjà dur ? Moi je fais venir dur.

Une autre fille, jolie à couper le souffle, émergea des rideaux dissimulant les côtés de la scène. Elle était nue et ne devait pas avoir plus de quinze ans. La fille adressa un sourire à l'assistance, disposa une cigarette au bout de ses doigts et l'alluma avec un briquet jetable.

La fille se courba ensuite vers l'arrière, les reins arqués, présentant au public son sexe et ses jambes fines, puis posa une main sur le sol. Avec son autre main, elle planta la cigarette allumée dans son vagin.

– Ça va loin, dit Conor.

L'extrémité de la cigarette brilla plus fort, et un petit bout de cendre se forma. La fille ôta alors la cigarette, et un nuage de fumée s'échappa de son sexe. Elle répéta l'opération plusieurs fois de suite. La fille qui se trouvait à côté de Michael se mit à lui caresser l'intérieur de la cuisse tout en lui parlant de son enfance à la campagne.

– Ma maman pauvre, disait-elle. Mon village pauvre-pauvre. Beaucoup, beaucoup de jours pas manger. Tu m'emmènes en Amérique ? Je serai femme à toi. Bonne femme.

– J'ai déjà une femme.

– D'accord, je serai femme numéro deux. Numéro deux meilleure femme.

– Ça, ça ne m'étonnerait pas, dit Michael en regardant le visage de la fille où le sourire creusait deux petites fossettes.

Il but sa bière. Il se sentait très fatigué et pourtant d'humeur enjouée.

– En Thaïlande, beaucoup d'hommes ont femme numéro deux, dit-elle.

Sur scène, la jeune fille fit sortir de son vagin un cercle de fumée absolument parfait.

– Une chatte qui souffle des nuages, bravo! hurla l'Australien.

– Tu as beaucoup télévisions? demanda la fille.

– Beaucoup.

– Tu as machine à laver et sécher?

– Parfaitement.

– Gaz ou électrique?

Michael réfléchit un instant.

– A gaz.

La fille fit la moue.

– Tu as deux voitures?

– Bien sûr.

– Tu auras autre voiture pour moi?

– En Amérique, tout le monde a sa voiture. Même les enfants ont leur propre voiture.

– Tu as des enfants?

– Non.

– Moi je te donne enfants, dit la putain. Tu es homme gentil. Deux enfants, trois enfants, tous ceux tu veux. Donner les noms américains. Tommy. Sally.

– De bien beaux enfants, dit Michael. Ils me manquent déjà.

– Nous faisons très mieux l'amour, toute ta vie. Même l'amour avec ta femme meilleur après ça.

– Je ne fais pas l'amour avec ma femme, dit Michael qui se surprit lui-même.

– Alors nous faisons deux fois plus l'amour, c'est mieux.

– Une chatte qui fume une cigarette, c'est une chatte qui peut parler au téléphone, lança l'Australien. Alors la chatte appeler l'université du Queensland et leur dire que je serai en retard.

La nymphe sur scène se redressa puis s'inclina pour saluer l'assistance. Toutes les filles, l'Australien et Michael applaudirent à tout rompre. Tandis qu'elle quittait la scène, une jeune femme grande et nue fit son entrée à travers les lanières de plastique, tenant à la main un grand carton à dessins et une poignée de marqueurs magiques.

Michael termina sa bière et vit la fille sur scène se planter deux marqueurs dans le vagin, se pencher sur une grande feuille de papier et se mettre à dessiner un cheval tout à fait honorable.

– Où vont les homos à Bangkok? demanda Michael. Nous recherchons un de nos amis.

– Patpong trois. Deux rues plus haut. Homos là-bas. Tu n'es pas homo?

Michael secoua la tête.

– Viens à l'intérieur avec moi. Je te fume.

Elle jeta les bras autour du cou de Michael. Sa peau exhalait une douce odeur de pomme, de cuir huilé et de clou de girofle.

Michael et Conor quittèrent le bar au moment où l'artiste sur scène achevait un paysage de montagnes, avec une plage, des palmiers, des voiliers et un soleil dardant ses rayons.

A un pâté de maisons du Montparnasse, se trouvait la librairie; deux marches brunâtres menaient à une porte ouverte surmontée de l'inscription Patpong Books. Tandis que Michael se dirigeait vers l'étagère où étaient rangés les romans d'Underhill, Conor alla feuilleter les magazines. Michael demanda au vendeur et au patron s'ils connaissaient ou avaient déjà vu Tim Underhill, mais aucun des deux ne connaissait son nom. Michael acheta l'exemplaire relié de *L'homme divisé* qu'il avait amené au vendeur, puis Conor et lui allèrent prendre une bière au Mississippi Queen.

– Tu sais, j'ai moi-même signé une de ces cartes Koko, dit Conor au bar.

– Moi aussi, dit Michael. La tienne c'était quand?

Lorsqu'on avait découvert des oreilles coupées et des cartes de régiment signées Koko, Michael s'était bien douté que ce n'était pas là l'œuvre d'un seul et même soldat, mais l'aveu de Conor le surprenait et lui faisait plaisir tout à la fois.

– Le lendemain de l'anniversaire d'Hô Chi Minh. On était sortis pour une de ces saletés de patrouilles coordonnées avec la deuxième section. Comme la veille. Sauf que cette fois-là, les Nord-Vietnamiens avaient miné les environs, et un de nos chars a touché une mine à fragmentation. Ce qui nous a évidemment ralentis, beaucoup ralentis. Tu te souviens comment on avançait doucement sur cette route, en cherchant les autres mines? Épaule contre épaule? De toute façon, après ça, Underhill a surpris leur guetteur dans les buissons, et on a coincé les autres comme des rats.

– C'est vrai, dit Michael.

Il se rappelait les soldats nord-vietnamiens se déplaçant comme des fantômes, comme des daims, le long de la route. Ce n'étaient pas des jeunes gens, mais des hommes de trente ou quarante ans, soldats toute leur vie, car cette guerre durait ce que dure la vie d'un homme. Il avait éprouvé un furieux désir de tuer.

– Alors quand tout a été fini, je suis revenu et j'ai fait le guetteur.

Une fille menue en soutien-gorge de cuir noir et mini-jupe de cuir noir également s'était installée sur le tabouret voisin de celui de Conor et se penchait vers lui en souriant pour attirer son attention.

– Je me revois encore en train de couper les oreilles de ce gommeux, disait Conor. Et c'était pas facile, crois-moi. Une oreille c'est tout du cartilage. A la fin, j'ai réussi à couper que la partie du haut, et ça n'avait plus l'air d'une oreille. Ça ressemblait pas à ce que je croyais, et moi je me reconnaissais pas non plus. Fallait scier comme un morceau de bois. Et quand je suis arrivé au bout, sa tête a basculé dans la boue, et moi je me suis retrouvé avec une oreille à la main. Après, j'ai dû le retourner de l'autre côté et recommencer le travail.

La fille, qui avait écouté le récit avec la plus grande attention, s'éloigna du bar et alla parler à voix basse avec une autre fille de l'autre côté de la salle.

– Qu'est-ce que t'as fait avec l'oreille ? demanda Michael.

– Je l'ai jetée dans les arbres. J'suis pas un pervers.

– T'as eu raison. Il aurait fallu être un sacré malade pour garder les oreilles.

– Tu parles !

3

Le téléphone avait commencé par une tonalité bourdonnante, suivie d'un silence de mort, avant de reprendre un sifflement aigu. Conor leva les yeux du magazine plein de filles nues qu'il avait acheté chez Patpong Books.

– Et quand as-tu fait la tienne ? demanda Conor.

– La mienne, quoi ?

– Ta carte Koko.

– Environ un mois après qu'ils eurent annoncé qu'ils passeraient en cour martiale. C'était après une patrouille dans la vallée d'A Shau.

– A la fin septembre, dit Conor. Je me souviens de cette patrouille. Moi, je ramassais les corps.

– Exactement.

– Dans le tunnel... là où il y avait l'autre grosse cache. La cache de riz.

– C'est ça, dit Michael.

– Ce vieux Mikey ! T'es une sacrée bête, mec !

– Je me demande encore comment j'ai fait. Ça m'a donné des cauchemars pendant des années.

Puis l'opérateur interrompit le sifflement :

– Vous êtes en communication, monsieur.

Michael Poole s'apprêta alors à parler à sa femme, tout en conservant devant les yeux un souvenir vivace encore de son long internement en lui. Il se revoyait découpant avec son poignard les oreilles d'un cadavre appuyé contre un sac de riz de vingt-cinq kilos. Et pis, il se revoyait besognant avec ce même poignard sur les yeux de l'homme.

C'était Victor Spitalny qui le premier avait vu le corps, et il était sorti du tunnel en braillant : *Braaaavo!*

Le silence s'approfondit et changea de qualité. Deux cliquètements se firent entendre sur la ligne, comme des amarrages solides mais complexes réalisés dans l'espace intersidéral.

Michael regarda sa montre. Dix-neuf heures à Bangkok, cela voulait dire sept heures du matin à Westerholm.

Puis il entendit le son, familier comme une berceuse, de la tonalité américaine. Elle cessa brusquement. Nouveau silence intersidéral, suivi d'une faible sonnerie.

Un déclic vint interrompre la sonnerie, ce qui signifiait que le répondeur était branché. A sept heures du matin, Judy était soit dans la chambre à coucher soit dans la cuisine.

Michael attendit la fin du message, puis après le bip sonore, il dit :

– Judy ? Tu es là ? C'est Michael.

Il attendit quatre ou cinq secondes.

– Judy ?

Il s'apprêtait à raccrocher lorsqu'il entendit un fort déclic, puis la voix de sa femme, dépourvue du moindre relief.

– Ah, c'est toi.

– Bonjour. Je suis content que tu aies répondu.

– Moi aussi, peut-être. Alors, les enfants s'amusent bien au soleil ?

– Judy...

– Je t'ai posé une question.

L'espace d'un instant, un peu coupable, Michael se rappela la fille qui lui caressait le sexe.

– Eh bien, disons qu'on s'amuse. On n'a toujours pas retrouvé Tim Underhill.

– Vous avez bien de la chance.

– On a appris qu'il avait quitté Singapour, alors Beevers est parti à Taïpeh, et Conor et moi sommes à Bangkok. Je pense qu'on devrait le trouver ces jours-ci.

– Comme c'est charmant ! Toi tu es à Bangkok en train de revivre tes années de baise juvénile, tandis que moi je continue à travailler à Westerholm ; je me permets de te rappeler en passant qu'à Westerholm tu as ta maison et tes malades. Tu te souviens, j'espère, à moins que ta mauvaise mémoire des événements récents ne t'aie joué un tour, que je n'étais pas particulièrement heureuse quand tu m'as annoncé ce petit voyage d'agrément.

– Je ne l'ai pas exactement présenté comme ça.

– Très mauvaise mémoire des événements récents ; qu'est-ce que je t'ai dit ?

– Je croyais que tu serais contente d'avoir de mes nouvelles.

– Je ne souhaite pas que tu sois malade, quoi que tu puisses croire.

– Je ne l'ai jamais cru.

– D'une certaine façon, je suis presque contente que tu sois parti, parce que ça me permet de réfléchir à notre relation. Je me demande vraiment si ça vaut le coup de rester ensemble.

– Tu as envie de parler de ça maintenant ?

– Dis-moi seulement une chose... est-ce que tu as demandé à un de tes petits copains de m'appeler régulièrement pour voir si j'étais ou non à la maison ?

– Je ne vois pas de quoi tu parles.

– Je parle de l'abruti qui a l'air d'apprécier tellement le son de ma voix au répondeur qu'il appelle deux ou trois fois par jour. Et de toute façon, je me moque de savoir que tu ne me fais pas plus confiance que ça, car je suis responsable de mes actes, Michael, comme je l'ai toujours été.

– Tu reçois des coups de téléphone anonymes ? demanda Michael, pas fâché d'avoir découvert une raison à l'agressivité de sa femme.

– Comme si tu ne le savais pas !

– Oh, Judy, dit-il d'un ton sincèrement peiné.

– Bon, d'accord, d'accord.

– Appelle la police.

– Ça servirait à quoi ?

– S'il téléphone souvent, ils finiront bien par le coincer.

Il y eut un long silence que Michael trouva presque confortable, conjugal.

– C'est de l'argent gâché, dit Judy.

– C'est probablement une blague d'étudiant. Tu devrais te détendre un peu, Judy.

Elle hésita.

– Eh bien... justement Bob Bunce m'a invitée à dîner demain soir. Ça me fera du bien de sortir un peu.

– Le spécialiste des guêpes ? C'est parfait.

– De quoi parles-tu ?

Deux ans auparavant, à l'occasion d'une réception à la faculté de médecine, Michael avait raconté l'histoire de Victor Spitalny qui était sorti de la grotte de Ia Thuc en hurlant qu'il était piqué par un million de guêpes. C'était un épisode de Ia Thuc qu'il se sentait capable de raconter : l'histoire était anodine et il n'y avait aucun mort. Victor Spitalny avait jailli de la grotte en hurlant et se déchirant le visage avec ses ongles ; Michael l'avait alors enroulé dans son tapis de sol. Lorsqu'il avait cessé de hurler, Michael avait ôté le tapis de sol. Le visage et les mains de Spitalny étaient recouverts de marques rouges qui disparaissaient rapidement. « Y a pas de guêpes au Vietnam, petit frère », avait dit le reporter militaire Cotton en prenant une photo de Spitalny à moitié sorti de son tapis de sol. « Y a toutes sortes de bestioles, mais pas de guêpes. »

Un professeur d'anglais du nom de Bob Bunce, qui avait les cheveux blonds et flottants, un fin visage de patricien et qui portait de magnifiques complets de tweed, dit à Michael que puisque l'on trouvait des guêpes dans tout l'hémisphère Nord, il devait y en avoir au Vietnam. Michael tenait ce Bunce pour un monsieur-je-sais-tout suffisant et imbu de sa personne. Il passait pour être issu d'une famille de riches notables, et enseigner l'anglais par une manière de vocation sacerdotale. Bunce était un peigne-cul de gauche. Il avait poursuivi en disant que puisque le Vietnam était un pays semi-tropical, les guêpes devaient être rares, et que de toute façon, dans toutes les régions du monde, la plupart des guêpes étaient solitaires. « Mais n'y aurait-il pas, à propos de Ia Thuc, des questions plus intéressantes que celle-là, Michael ? » avait-il dit d'un ton faussement détaché.

– Ça n'a pas d'importance, dit Michael à Judy à l'autre bout du fil. Où allez-vous aller ?

– Mais il ne me l'a pas dit, Michael. L'endroit où il doit m'emmener n'a pas beaucoup d'importance. Je ne demande pas un dîner gastronomique, tu sais ; tout ce que je demande, c'est un peu de compagnie.

– Parfait.

– Toi, en revanche, tu ne dois pas vraiment manquer de compagnie. Pourtant, je crois qu'il y a aussi des salons de massage à Westerholm.

– Je ne crois pas, dit Michael en riant.

– Je n'ai plus envie de parler, dit sèchement Judy.

– D'accord.

Nouveau silence.

– Je te souhaite un bon dîner avec Bunce.

– Tu n'as pas le droit de me dire ça, dit Judy en raccrochant sans même lui dire au revoir.

Michael reposa doucement le combiné sur l'appareil.

Conor faisait les cent pas dans la chambre, regardait par la fenêtre, se balançait sur place, tout en évitant le regard de Michael. Il finit par s'éclaircir la gorge.

– Des ennuis ?

– Ma vie devient ridicule.

– Ma vie à moi a toujours été ridicule, dit Conor en riant. Le ridicule, au fond, c'est pas si mal...

– Peut-être pas.

Michael et Conor échangèrent un sourire.

– J'ai envie de me coucher tôt ce soir, dit Michael. Tu ne m'en veux pas si je t'abandonne ? Demain, on pourra faire une liste des endroits à aller voir et se mettre sérieusement au travail.

En partant, Conor emporta deux photographies de Tim Underhill.

4

Soulagé de se retrouver seul, Michael commanda un dîner léger à la réception de l'hôtel et s'étendit sur son lit avec le livre d'Underhill qu'il avait acheté l'après-midi même, *L'homme divisé*. Cela faisait des années qu'il n'avait pas relu le plus célèbre roman d'Underhill, et il fut surpris de constater à quel point il se laissait reprendre, à quel point il parvenait à lui faire oublier ses ennuis avec Judy.

Hal Esterhaz, le héros de *L'homme divisé*, était inspecteur de police à Monroe, dans l'Illinois, ville moyenne où se succédaient fonderies, ateliers de carrosserie automobile et terrains vagues entourés de barrières grillagées. Après avoir servi comme lieutenant au Vietnam, Esterhaz avait épousé une ancienne camarade de collège, mais avait rapidement divorcé. Il buvait beaucoup, mais pendant des années il avait été un policier respectable en dépit de son lourd secret : il était bisexuel. La culpabilité qu'il éprouvait à l'endroit de ce désir pour des hommes expliquait non seulement son penchant pour la bouteille, mais encore une brutalité occasionnelle envers les suspects arrêtés. Mais Esterhaz était prudent, et ne se laissait aller à frapper que les criminels – violeurs de femmes et d'enfants – les plus méprisés par les autres policiers.

Michael se demanda soudain si Underhill n'avait pas pris modèle sur Harry Beevers. Cela ne lui avait jamais traversé l'esprit à la première lecture, mais à présent, bien que l'inspecteur fût plus dur et plus secret que Beevers, Michael aurait bien mis le visage du Grand Paumé sur le corps d'Esterhaz. Harry n'était pas bisexuel, pour autant que Michael le sût, mais Michael n'aurait pas été étonné d'apprendre qu'il cachait en lui de profondes pulsions sadiques.

Michael remarqua également une autre ressemblance qui lui avait échappé la première fois. La ville de Monroe, dans l'Illinois, où Hal Esterhaz traquait le mystère qui constituait la trame de *L'homme divisé*, cette ville ressemblait furieusement à Milwaukee, dans le Wisconsin, et que Dengler avait si souvent décrite. Une importante communauté polonaise occupait le sud de la ville, un ghetto noir la partie nord, et la ville possédait une équipe de football américain de *major league*. Les maisons des riches s'étendaient sur trois ou quatre rues non loin du lac. Une rivière sombre et polluée traversait les quartiers misérables. Il y avait des usines de pâte à papier et des tanneries, des librairies pour adultes, des clubs de bowling, des hivers tristes, des bars et des gargottes partout, des femmes larges comme des tonneaux, la tête enveloppée d'un foulard, qui attendaient aux arrêts de bus. Tel était le décor dans lequel Dengler avait passé son enfance.

Michael était tellement pris par l'histoire, que ce n'est qu'une heure après qu'il fut frappé par une autre intuition : *L'homme divisé* était quasiment une méditation sur Koko.

Dans un hôtel minable, le Saint Alwyn, on découvre un pianiste sans travail la gorge tranchée. A côté du corps, on a disposé un papier portant ces mots : Rose bleue. L'affaire est confiée à Hal Esterhaz qui reconnaît aussitôt la victime : c'est un client régulier d'un des bars homosexuels de Monroe. Il a eu une fois une relation sexuelle avec lui. Bien entendu, dans son rapport il passe sous silence cette relation fugitive avec la victime.

La victime suivante est une prostituée, retrouvée la gorge tranchée dans une rue derrière le Saint Alwyn ; à côté d'elle, on retrouve le même papier portant les mots « Rose bleue ». Esterhaz apprend qu'elle aussi vivait à l'hôtel et qu'elle était une amie du pianiste ; Esterhaz en déduit qu'elle a dû assister au crime ou qu'elle savait quelque chose qui aurait pu mettre la police sur la trace de l'assassin.

Une semaine plus tard, un jeune médecin est retrouvé assassiné dans sa Jaguar, parquée dans le garage de la grande maison au bord du lac, où il vit seul en compagnie d'une gouvernante. Esterhaz se rend sur les lieux du crime avec un effroyable mal aux cheveux ; il porte encore ses vêtements de la veille et ne se souvient pas de ce qui s'est passé au cours de la nuit. Il s'est rendu dans un bar nommé la « House of Correction », il se souvient d'avoir commandé des verres, d'avoir parlé, il se souvient du moment où il enfilait son manteau : il a eu du mal à enfiler ses manches... ensuite, le trou noir jusqu'à ce qu'un coup de téléphone de son commissariat le tire du canapé où il s'était endormi. Ce qui l'effraye encore plus que sa gueule de bois, c'est que quelque cinq ans auparavant, le jeune médecin a été son amant pendant plus d'un an. Personne n'est au courant, pas même la gouvernante du médecin. Esterhaz passe les lieux au peigne fin, avec beaucoup de compétence, découvre un bout de papier portant les mots « Rose bleue », interroge la gouvernante, rassemble tous les indices matériels, assiste au premier examen sommaire de médecine légale et se rend au « House of Correction » après qu'on a emporté le corps. Nouveau trou noir, nouvelle matinée sur le canapé avec une bouteille à moitié vide et une télévision qui beugle dans le vide.

La semaine suivante, découverte d'un nouveau corps : cette fois-ci, il s'agit d'un petit voyou, drogué, qui servait d'indicateur à Esterhaz.

La victime suivante est un fanatique religieux, un boucher qui prêche au sein d'une congrégation dans les locaux d'une boutique. Non seulement Esterhaz connaît cet homme, mais il le déteste. Esterhaz a été élevé dans différentes familles d'adoption, et le boucher et sa femme ont été les plus odieux, les plus brutaux. Il a été insulté et frappé presque tous les jours, on l'empêchait d'aller à l'école pour le garder à travailler dans l'arrière-salle de la boucherie, à l'abri des regards : il était un pécheur, il fallait qu'il travaille jusqu'à ce que ses mains saignent, qu'il apprenne par cœur la Sainte Écriture afin de sauver son âme, mais comme de toute façon il était damné quel que fût le nombre de versets qu'il apprenait, il fallait le battre encore et encore. Un jour, une assistante sociale en visite impromptue l'avait découvert couvert de bleus et enfermé dans la chambre froide pour qu'il y fasse « repentance »; on l'avait retiré de chez les bouchers.

En fait, Hal Esterhaz n'est pas son vrai nom : il lui a été donné par les services sociaux de la ville. Le nom de ses parents et même son âge exact son inconnus. Tout ce qu'il sait de ses origines, c'est qu'il a été découvert à l'âge de trois ou quatre ans, couvert de boue glacée, errant dans les bas quartiers de la ville, près de la rivière, en plein mois de décembre. Il ne parlait pas; il n'était pas loin de mourir de faim.

Maintenant encore, Esterhaz ne parvient pas à reconstituer des pans entiers de son enfance, et il ne se souvient de rien avant qu'on l'ait découvert nu et affamé sur les bords de la Monroe. A l'époque, il rêvait d'un monde doré où des géants le cajolaient, le nourrissaient, et l'appelaient d'un nom qu'il n'entendait jamais.

Deux fois, à la suite de démêlés avec la justice, il est renvoyé de l'école, et il passe son adolescence dévoré par la haine du monde dans lequel il vit. Un jour d'ivresse, presque par mépris pour lui-même, il s'engage dans l'armée; et l'armée va le sauver. Ses souvenirs les plus beaux, les plus présentables, commencent avec ses classes. Il a le sentiment d'être né trois fois : une fois dans le monde doré, une fois dans la ville sinistre et glacée de Monroe, et finalement sous l'uniforme. Ses supérieurs ne tardent pas à reconnaître ses capacités et finissent par le recommander pour le peloton d'élèves officiers. En échange d'un engagement de quatre années supplémentaires, qu'il aurait de toute façon accomplies avec plaisir, il reçoit un entraînement qui lui vaut d'être envoyé au Vietnam avec le grade de lieutenant.

Après le meurtre du boucher, Esterhaz commence à rêver qu'il se lave les mains pour en ôter le sang, tremblant et suant devant l'évier, les mains sous le jet d'eau fumante, le torse nu, couvert de sang... il rêve qu'il ouvre la porte d'un jardin où se trouvent des roses flétries, des roses d'un bleu chimique, brillant, surnaturel. Il rêve qu'il conduit sa voiture dans l'obscurité, avec un cadavre familier sur le siège à côté de lui.

Michael se dit alors qu'Underhill s'était sûrement souvenu des histoires fabuleuses que M.O. Dengler racontait à propos de Milwaukee : l'histoire de cet ange malade qu'il avait découvert, et qu'il avait nourri de Cracker Jacks jusqu'à ce qu'il fût à nouveau capable de voler; de l'homme qui faisait fondre la glace en soufflant dessus; du fameux criminel de Milwaukee qui, au lieu de mots, faisait sortir par sa bouche des rats et des insectes... quelque chose à propos de ses parents qui n'étaient qu'à moitié ses parents...

Michael s'endormit avec le livre sur la poitrine, à une centaine de mètres seulement de cet endroit de Phat Pong Road où Dengler avait été tué.

19

LA MORT DE DENGLER

1

D'après le rapport des forces armées des États-Unis d'Amérique, le soldat de première classe Dengler a été victime d'une agression perpétrée par un ou plusieurs inconnus. Ladite agression a été commise dans la ville de Bangkok, en Thaïlande, où le soldat Dengler s'était rendu en permission. Le soldat Dengler souffrait de multiples fractures du crâne, de fractures compliquées des tibias et péronés droit et gauche, d'une fracture du sacrum, d'un éclatement de la rate et du rein droit, et de perforations dans la partie supérieure des deux poumons. Huit doigts avaient été sectionnés et les deux bras écrasés. Le nez et la mâchoire étaient également écrasés. La peau présentait de multiples écorchures, et le visage avait été rendu méconnaissable. L'identification de la victime avait pu être réalisée grâce à ses plaques d'identité.

L'armée n'avait pas jugé utile ni nécessaire d'échafauder des hypothèses sur l'agression commise contre le soldat de première classe Dengler, se bornant à souligner les tensions grandissantes entre les membres des forces armées américaines et les populations locales.

2

A la suite des affaires du sergent Khoffi (1967) et du soldat de première classe Springwater (1968), on recommanda la création d'une commission qui aurait à décider si seuls les officiers pouvaient désormais se rendre en permission à Bangkok. (Le rapport rappelait également un certain nombre d'incidents moins importants survenus à Honolulu et à Hong Kong, et aux relations existant dans ces villes entre l'armée, la police et la population civile.)

Il nous faut des renseignements, demandait l'armée, il nous faut une commission. (La requête fut enregistrée, examinée, et classée sans suite.) Nous recommandons également une enquête sur les lieux du crime. (Également classé sans suite.) De bons contacts avec la police locale étant absolument nécessaires, nous recommandons que des officiers ayant reçu un entraînement en matière de police soient détachés auprès des commissariats des villes où de tels incidents ont été signalés. (Cette dernière recommandation, destinée à amadouer la police de Bangkok, ne fut même jamais prise en considération.) Le rapport recommandait que la police militaire, en liaison avec la police de Bangkok, recherche les témoins de l'agression contre le première classe Dengler, identifie et appréhende le soldat qui avait été vu en compagnie de Dengler aussitôt avant le crime, et recherche et appréhende les meurtriers. Trois semaines plus tard, le soldat qui se trouvait en compagnie de Dengler était identifié : il s'agissait du soldat de première classe Victor Spitalny, censé être parti à Honolulu en permission.

3

D'après le dossier médical, le soldat de première classe Dengler était mort des suites d'une hémorragie causée par un violent traumatisme.

On informa ses parents qu'il était mort en brave, et que ses camarades ressentaient durement sa perte ; ce fut le lieutenant Harry Beevers qui rédigea la lettre, à contrecœur, hébété par le tord-boyaux de la réserve privée de Manly.

Puis, l'armée s'interrogea. La police de Bangkok n'avait pas retrouvé Victor Spitalny au salon de massage Paradis ni au Mississippi Queen, et les MP américains ne l'avaient pas sorti d'un bouge de Patpong. La police de Milwaukee, dans le Wisconsin (qui était curieusement la ville de Spitalny), ne le retrouva pas chez ses parents, ni chez son ancienne fiancée, à la Sports Tavern, chez Sam'n'Aggie, ou au Polka Dot Lounge, où il avait l'habitude de passer ses soirées avant son départ pour l'armée. Victor Spitalny était à présent inculpé de désertion.

Personne à Bangkok, à Camp Crandall, ou au Pentagone n'évoqua une petite fille qui avait couru, ensanglantée, le long de Phat Pong Road, personne n'évoqua les pleurs et les hurlements qui disparurent dans l'air pollué. La petite fille disparut dans la rumeur et la fiction, puis disparut tout à fait, comme les trente enfants de la grotte de Ia Thuc. Occupée par d'autres affaires et d'autres problèmes, l'armée finit par oublier qu'elle s'interrogeait.

4

Quel effet cela faisait-il de partir en permission ?

C'était comme se retrouver sur une autre planète. Comme venir d'une autre planète.

Pourquoi était-ce comme venir d'une autre planète ?

Parce que même le temps n'était pas le même. Les gens se déplaçaient avec une lenteur inconsciente, tout le monde parlait avec lenteur, souriait avec lenteur et pensait avec lenteur.

Etait-ce la seule différence ?

La plus grande différence, c'étaient les gens. L'important c'était ce qu'ils pensaient, c'était ça qui les rendait heureux.

Etait-ce la seule différence ?

Tout le monde gagnait de l'argent, et pas vous. Toute le monde dépensait de l'argent, et pas vous. Tout le monde avait une petite amie. Tout le monde avait les pieds secs et mangeait de vrais repas.

Qu'est-ce qui vous manquait ?

C'était la vraie vie qui me manquait. Le Vietnam me manquait. Là où le hit-parade est différent.

Le hit-parade ?

Des sons qui vous rendent malade d'excitation. On regrette toujours les chansons de sa planète.

Voulez-vous me parler de la fille ?

Elle a jailli des hurlements comme les oiseaux jaillissent des nuages. Elle, c'était une image... c'est la première chose que je me suis dite. Il fallait qu'elle soit vue, il fallait qu'elle se présente. Elle venait de mon monde. Elle était floue. A la façon dont Koko était flou.

Pourquoi avez-vous pensé qu'elle hurlait ?

J'ai pensé qu'elle criait à cause de la proximité des choses dernières.

Quel âge avait-elle ?

Dix ou onze ans.

A quoi ressemblait-elle ?

Elle était à moitié nue, et toute sa poitrine était recouverte de sang.

Elle avait même du sang dans les cheveux. Elle avait les mains tendues devant elle, et elles étaient pleines de sang aussi. Elle aurait pu être thaï. Elle aurait pu être chinoise.

Qu'avez-vous fait ?

J'étais sur le trottoir, et je l'ai regardée passer devant moi.

Quelqu'un d'autre l'a-t-il vue ?

Non. Un homme a froncé les sourcils, il avait l'air troublé. Rien d'autre.

Pourquoi ne pas l'avoir arrêtée ?

Elle était une image. Elle était étrange. Elle serait morte si on l'avait arrêtée dans sa course. Et peut-être celui qui l'aurait arrêtée serait-il mort aussi. J'étais simplement là au milieu de la foule et je l'ai regardée passer devant moi.

Qu'avez-vous ressenti en la voyant ?

Je l'aimais.

Il me semblait voir toute la vérité sur son visage... dans ses yeux. Rien n'est raisonnable, voilà ce que j'ai vu, rien n'est sûr, terreur et douleur derrière tout... Je pense que Dieu voit les choses de cette façon, mais la plupart du temps, il ne veut pas que nous les voyions nous aussi.

J'étais comme paniqué. J'avais l'impression qu'elle m'avait incendié le cerveau. J'avais le sentiment qu'elle m'avait brûlé les yeux. Elle se frayait un chemin au milieu des lueurs de la rue, hallucinée, exhibant ses mains sanglantes à la face du monde, et elle disparut. Panique. *La proximité des choses dernières.*

Qu'avez-vous fait ?

Je suis rentré chez moi et j'ai écrit. Je suis rentré chez moi et j'ai pleuré. Et puis j'ai écrit à nouveau.

Qu'avez-vous écrit ?

J'ai écrit une histoire à propos du lieutenant Harry Beevers, que j'ai appelée « La rose bleue ».

20

TÉLÉPHONE

1

Pour leur seconde journée à Bangkok, Michael Poole et Conor Linklater se séparèrent. Conor visita une dizaine de bars homos dans Patpong 3, s'enquérant de Tim Underhill auprès de touristes japonais médusés mais serviables, qui généralement voulaient lui offrir un verre; auprès d'Américains nerveux qui faisaient semblant de ne pas le voir ou de ne pas l'entendre; et auprès de Thaïs souriants qui croyant qu'il recherchait son amoureux, proposaient les services de jeunes gens décoratifs qui sauraient consoler son cœur brisé. Conor avait oublié son jeu de photos dans sa chambre d'hôtel. En regardant les petits mignons vêtus de robes, il songeait à Tim Underhill et regrettait que ces créatures vaporeuses ne fussent pas les filles auxquelles elles ressemblaient tant. Au Mama's, un bar de travestis, le barman fronça les sourcils en entendant le nom d'Underhill et se mit à se caresser le menton en souriant. Conor retenait son souffle. Mais à la fin il se mit à pouffer :

– Je ne l'ai jamais vu ici.

L'homme semblait malaxer dans sa bouche quelque chose de délicieux, beurre ou chocolat. Conor lui sourit.

– Vous avez réagi comme si vous le connaissiez.

– On sait jamais, dit l'homme.

En soupirant, Conor tira un billet de vingt bahts de la poche de son jean et le glissa sur le comptoir.

L'homme empocha le billet et continua de se carresser le menton.

– Peut-être... peut-être. Undahill. Timofy Undahill.

Puis il regarda Conor droit dans les yeux et secoua la tête.
– Désolé. Me suis trompé.
– Espèce d'enflure! Tête de nœud! Tu m'as pris mon fric!
Sans réfléchir, Conor plongea le bras par-dessus le comptoir et attrapa le barman par le col de sa chemise blanche.
– Gagne l'argent que t'as pris! Qui était-ce, alors? Quelqu'un qui venait ici?
– Trompé! Trompé! s'écria le barman.
Quelques hommes qui étaient installés au comptoir s'approchèrent. L'un deux, un Thaï vêtu d'un complet en soie bleu clair, tapota doucement Conor à l'épaule.
– Calmez-vous.
– Me calmer? Que dalle! Cette enflure a accepté de l'argent, et maintenant il ne veut plus rien dire.
– Voilà l'argent, dit le barman, encore à moitié couché sur le bar. Je vous offre un verre. Ensuite, partez, s'il vous plaît.
Il sortit le billet de sa poche et le posa sur le comptoir.
Conor le relâcha.
– Je ne veux pas de cet argent, dit Conor. Gardez-le. Je veux seulement savoir où est Underhill.
– Vous cherchez quelqu'un nommé Tim Underhill? demanda le petit Thaï tiré à quatre épingles dans son complet de soie bleue.
– Exactement! s'écria Conor, trop fort. J'ai l'air de jouer aux cartes? Je suis son ami, et ça fait quatorze ans que je ne l'ai pas vu. Un autre de mes amis et moi on est venus jusqu'ici pour le retrouver.
Conor secoua violemment la tête comme pour se débarrasser de la sueur qui coulait sur son front.
– Je ne voulais pas être grossier ou brutal. Excusez-moi de vous avoir attrapé comme ça, par le col.
– Vous n'avez pas vu cet homme depuis quatorze ans, et maintenant, vous et votre ami vous le recherchez.
– C'est ça.
– Et vous vous emportez! Vous avez menacé cet homme!
– Eh oui, je me suis laissé emporter. Mais je le regrette. Sincèrement. Et je n'ai menacé personne ici, en tout cas pas jusque-là.
Conor fourra les mains dans les poches de son jean et commença à s'éloigner du comptoir.
– C'est frustrant, à la fin, de chercher un type que personne ne connaît. Bon, eh bien... je repasserai vous voir.
– Vous vous méprenez, dit le Thaï. Les Américains sont toujours si pressés!
Tout le monde rit de bon cœur à cette dernière remarque. Conor se renfrogna.

– Ce que je voulais dire, reprit l'homme, c'est que nous pouvons peut-être vous aider.

– Je savais bien que cette tête de lard avait entendu parler de lui ! dit Conor en lançant un regard torve au barman, qui lui, leva les deux mains en un geste d'apaisement.

– Il va être votre ami, ne l'insultez pas, dit le Thaï. N'est-ce pas ? ajouta-t-il en se tournant vers le barman.

Le barman se mit alors à parler en thaï, ce qui aux oreilles de Conor sonnait à peu près comme ceci : « kumquat crap crop crap Kumquat crap crop ».

– Crop kumquat téléphone crap crop di crap, répondit l'homme au complet bleu.

– Hé, ho ! Une seconde ! dit Conor. Il est mort, ou quoi ?

Le barman haussa les épaules et se recula. Il alluma une cigarette et reporta son attention sur l'homme au complet bleu.

– Nous pensons tous les deux le connaître, dit l'homme au complet.

Il prit le billet de Conor et le tint en l'air comme une bougie.

– Crap crop crap crop, dit le barman en se détournant.

– Notre ami est mal à l'aise. Il pense que c'est une erreur. Moi, je pense que non.

Il glissa le billet dans l'une de ses poches.

– Crap crop crop, dit le barman.

– Underhill vit à Bangkok, dit le Thaï au complet bleu. Je suis sûr qu'il y est encore.

Le barman haussa les épaules.

– Il venait ici autrefois. Il allait aussi au Pink Pussycat et au Bronco.

Il se mit à rire en découvrant toutes ses dents.

– Il connaissait un de mes amis, Cham. (Son sourire s'élargit.) Cham très mauvais. Un homme très mauvais. Vous connaissez le téléphone ? Cham aime le téléphone. Lui il connaissait votre ami.

Il tapota le comptoir du bout d'un ongle soigneusement recouvert de vernis.

– Je veux rencontrer ce Cham, dit Conor.

– Ça n'est pas possible.

– Tout est possible. Je vous donnerai de l'argent. Où est-ce qu'il crèche, ce type ? Dites-moi où, et j'irai. Il a un numéro de téléphone ?

– On va aller voir dans quelques bars, dit le nouvel ami de Conor. Je vais m'occuper de vous. Je connais tous les bars de cette ville.

– Oui, il connaît tout, confirma le barman.

– Et vous avez connu Underhill ?

L'homme acquiesça, accompagnant sa mimique d'une grimace comique pour signifier l'omniscience.

– Très bien. Je le connaissais très bien. Vous voulez une preuve ?

– D'accord, donnez-moi une preuve, dit Conor, intrigué.

Le petit Thaï approcha son visage de celui de Conor. Il sentait fort l'anis. Il y avait de minuscules petites cicatrices blanches aux coins de ses yeux, comme des coupures de rasoir calcifiées.

– Les fleurs, dit-il en riant.

– Bravo, c'est ça !

– D'abord, nous buvons, dit l'homme au complet bleu. Il faut se préparer.

2

Il leur fallut plusieurs verres pour se préparer. Le petit homme soigné sortit ensuite de la poche de sa veste un stylo et une enveloppe, et déclara qu'il leur fallait d'abord dresser la liste des endroits que fréquentait Underhill, ainsi que la liste des patrons de boîte et des barmans susceptibles de le connaître. Il y avait des bars dans Patpong 3, dans un endroit nommé Soi Cowboy, du côté de Sukhumvit Road, des bars dans des hôtels, des bars à Klang Toey, le port de Bangkok, des « maisons de thé » chinoises du côté de Yaowaroj Road, et deux cafétérias : les Thermae, et celle du Grace Hotel. Underhill avait fréquenté tous ces endroits, et peut-être l'y connaissait-on encore.

– Tout cela coûte de l'argent, dit le nouvel ami de Conor en glissant l'enveloppe dans la poche intérieure de sa veste de complet.

– J'ai assez d'argent pour faire la tournée de quelques bars.

Voyant un air soupçonneux se peindre sur le visage du petit homme, il ajouta :

– Et en plus, il y aura quelque chose pour vous.

– En plus ? Très bien. Je prends ma part tout de suite... Sortez donc le « en plus ».

Conor sortit de sa poche une poignée de billets froissés ; l'homme en tira un billet rouge de cinq cents bahts.

– Et maintenant on y va.

Ils se rendirent dans tous les bars suivants de Patpong 3, mais le nouvel ami de Conor n'y trouva rien qui lui plût.

– Nous prenons un taxi, dit le petit homme. Nous allons faire le tour de la ville, voir les meilleurs endroits, les plus excitants, et c'est là que nous finirons par le trouver.

Ils gagnèrent une rue très fréquentée et y trouvèrent un taxi. Conor grimpa à l'arrière, tandis que le petit homme s'entretenait longuement avec le chauffeur. Il faisait de grands gestes en souriant.

« Crap crop katoey crap crop crap baht mai crap. » Le chauffeur empocha plusieurs billets.

– Maintenant tout est en ordre, dit l'homme en s'installant à côté de Conor.

– Je ne sais pas votre nom, dit Conor en tendant la main.

L'homme secoua vigoureusement la main qui lui était offerte.

– Mon nom est Cham, dit-il en souriant. Merci.

– Je croyais que Cham c'était votre ami. Celui qui connaissait Underhill.

– Oui, il s'appelle Cham. Et moi aussi. Et notre aimable chauffeur s'appelle aussi Cham, probablement. Mais mon ami est trop mauvais, beaucoup trop mauvais.

Et à nouveau il se mit à pouffer.

– Et « katoey », qu'est-ce que ça veut dire ?

C'était le seul mot qu'il avait entendu revenir souvent dans la conversation et qui pour lui ne ressemblait pas à une onomatopée.

Cham sourit.

– Un « katoey » c'est un garçon qui s'habille comme une fille. Vous voyez ? Je ne vous emmène pas en bateau.

Et pendant une seconde, il étreignit le genou de Conor.

Manquait plus que ça, se dit Conor en s'écartant de quelques centimètres.

– Et cette histoire de téléphone ? demanda-t-il.

– Cette histoire de quoi ?

L'attitude de Cham avait quelque chose de subtilement différent. Son sourire semblait forcé.

Ils roulaient au milieu d'une intense circulation, la voiture cahotait sur des rails de tramway, et il semblait à Conor qu'ils s'éloignaient rapidement du centre de la ville.

– De téléphone, reprit Conor. Vous avez parlé de ça là-bas, au Mama's.

– Ah, ça ! Cham avait retrouvé toute sa contenance. Le téléphone. Je pensais que vous aviez dit autre chose. Ce n'est rien qui peut vous intéresser. « Téléphone » c'est un mot de Bangkok. Beaucoup, beaucoup de significations.

Il glissa un regard de côté à Conor.

– Une des significations, c'est... sucer. Vous voyez ? Téléphone !

Il frappa dans ses petites mains, et ses yeux se fermèrent, comme s'il s'amusait.

Cham et Conor passèrent les deux heures suivantes dans des bars remplis de filles à l'air sous-alimentées et de garçons doucereux qui semblaient toujours à l'affût ; Cham discuta longuement avec une dizaine de barmans, discussions ponctuées de rires et d'exclamations sonores, mais il n'en sortit rien d'autre que des échanges de billets. Conor but prudemment au début, mais se rendant compte ensuite que la proximité d'Underhill semblait inhiber les effets de l'alcool, il but sans retenue, comme il l'aurait fait au Donovan.

Quelques instants plus tard, ils roulaient dans les rues brillamment éclairées, au milieu des encombrements. Des bandes de garçons montés sur des cyclomoteurs se faufilaient entre les voitures. Va-et-vient à la porte des boîtes de nuit.

Une fois, Conor se détourna après avoir dit quelque chose à Cham, et il aperçut le visage émacié, torturé, d'un fantôme au sexe imprécis qui l'observait par la vitre. Sur ce visage impassible ne se lisait que la faim.

– Ça vous ennuie si je vous pose une question ? demanda Conor.

Sa propre voix le surprit : c'était celle d'un homme ivre. Il s'en moquait. Le petit bonhomme était son ami.

Cham lui tapota le genou.

– D'où viennent toutes ces petites cicatrices sur votre visage ? Vous êtes tombé dans une machine à fabriquer les hameçons ?

La main de Cham se pétrifia sur son genou.

– Ça doit être une histoire insensée, reprit Conor.

Cham se pencha vers le chauffeur.

– Crap crop crap klang toey, dit-il.

– Crap crap crap, répondit le chauffeur.

– Katoey ? s'exclama Conor. J'en ai marre de ces mecs-là !

– Klang Toey. C'est le port.

– Quand est-ce qu'on y arrive ?

– On y est, dit Cham.

En sortant du taxi, Conor se retrouva au bout du monde. L'air sentait la mer et le poisson. La tête de mort appuyée contre la vitre du taxi flottait encore dans son esprit.

– Téléphone ! hurla-t-il. Ier corps d'armée ! Qu'est-ce que vous en dites ?

Cham l'entraîna loin du fleuve, en direction d'un bar nommé Venus.

Ils burent au Venus, au Jimmy's et au Club Hung ; ils burent dans des endroits sans nom. A un moment, alors que le taxi prenait un virage un peu serré, il se retrouva appuyé contre Cham, à moins que ce ne fût l'inverse. Il détourna le regard, ôta de sa jambe la main de Cham, et vit à nouveau un visage émacié, squelettique, qui dardait sur lui des yeux morts à travers la vitre du taxi. Un frisson glacé le parcourut, comme s'il s'était trouvé nu et trempé en plein blizzard. Il hurla et le visage disparut.

Puis Conor se retrouva assis dans un hall d'hôtel, devant une table recouverte d'une nappe. Loin de là, derrière le comptoir de la réception, un jeune Thaï en veste bleue lisait un livre de poche. Une tasse de café se trouvait devant Conor; il en but une gorgée. Il y avait des jeunes gens et des jeunes filles assis à chaque table, et les filles croisaient leurs jambes sur les banquettes courant le long des murs du hall. Le café brûla la bouche de Conor.

– Il vient de temps en temps ici, dit Conor. Tout le monde vient ici de temps en temps.

Conor se pencha en avant pour avaler son café. Lorsqu'il releva la tête, le hall avait disparu et il agrippait la poignée de la portière à l'arrière d'un taxi.

– Votre ami était mauvais, très mauvais, disait Cham. Il n'est plus accepté nulle part. Est-il mauvais ou simplement malade ? S'il vous plaît, dites-moi. J'aimerais savoir qui est cet homme.

– C'était un immense bonhomme, dit Conor.

La grandeur d'Underhill semblait un sujet impossible à exprimer, trop immense pour se dire avec des mots.

– Mais il est très fou.

– Vous aussi.

– Mais moi je ne vomis pas le contenu de mon estomac dans les lieux publics. Je ne répands pas le désespoir et la consternation partout autour de moi. Je n'insulte pas et je ne menace pas ceux qui ont une quelconque autorité sur moi.

– Ça, c'est sûr, ça ressemble bien à Underhill, dit Conor avant de s'endormir comme une souche.

Il rêva d'un visage hagard pressé contre la vitre, et se réveilla en sursaut en reconnaissant le visage d'Underhill. Il était seul sur le siège arrière du taxi.

– Quoi ? s'écria-t-il.

– Crap crop crop crop, dit le chauffeur en se penchant vers lui pour lui tendre une feuille de papier pliée en quatre.

– Où sont-ils, tous ? demanda Conor sans prendre le papier et en jetant un regard par la vitre.

Le taxi était arrêté dans une large allée entre un grand bâtiment en béton qui ressemblait à un immense garage, et un bâtiment sans fenêtre, d'un étage, également en béton. Un lampadaire jetait sur le béton et le revêtement de l'allée une dure lumière jaune.

– Où sommes-nous ?

Avec la feuille de papier, le chauffeur montra à Conor sa jambe. Conor suivit le geste du chauffeur et vit son pénis, blanc comme un chiffon dans l'obscurité de la voiture, qui reposait sur sa cuisse. Il se pencha pour se dissimuler aux yeux du chauffeur et referma sa fermeture Éclair. Son cœur battait et il avait mal à la tête. Tout cela était absurde.

Finalement, Conor prit le papier que lui tendait le chauffeur. Quelques lignes écrites à la hâte. *Vous avez trop bu. Votre ami est peut-être là. Si vous y allez, soyez prudent. Le chauffeur a été bien payé.* En bas, un numéro de téléphone. Conor froissa le papier dans le creux de sa main et sortit du taxi.

Le chauffeur alluma ses phares et décrivit un cercle autour de lui. Conor jeta la boule de papier par terre et donna un coup de pied dedans. Une demi-douzaine d'hommes vêtus de complets thaïs bien ajustés s'étaient matérialisés devant le petit bâtiment en béton et s'avançaient lentement vers lui. Conor eut envie de s'enfuir... ces hommes au visage impassible lui faisaient penser à des requins. Mais ses jambes le portaient à peine. Les phares du taxi lui faisaient mal aux yeux. Il avait envie d'un verre.

– Vous entrez ?

Le Thaï le plus proche de lui souriait comme un cadavre maquillé par un embaumeur.

– Cham nous a parlé. Nous vous attendions.

– Cham n'est pas un de mes amis.

Tous ces hommes lui indiquaient par gestes la porte du bâtiment sans fenêtre.

– Non, je ne veux pas aller là-dedans. De toute façon, qu'est-ce qu'il y a, là-bas ?

– Un sex-show, dit la tête de mort.

– Et merde! lança Conor en se laissant entraîner vers la porte. C'est tout ce qu'il y a ?

A l'intérieur, il paya trois cents bahts d'entrée à une femme qui portait des lunettes noires et des boucles d'oreilles en forme de bouteilles de Coca-Cola agrémentées de seins.

– J'aime bien ces boucles d'oreilles, dit-il. Vous connaissez Tim Underhill ?

– Pas encore là, dit la femme.

Les bouteilles de Coca avec des seins se balançaient comme des pendus.

Conor suivit l'un des hommes le long d'un long couloir sombre menant à une grande salle basse de plafond et peinte en noir. De faibles lumières rouges éclairaient des rangées de chaises pliantes et des spots rouges étaient dirigés vers deux scènes, l'une juste devant les chaises, et l'autre derrière un bar où s'entassait beaucoup de monde. Une fille nue dansait sur chaque scène, secouant les cheveux, claquant des doigts. Les filles avaient les seins flasques, les hanches étroites, et leurs poils pubiens formaient comme de petits insignes noirs. Dans la lumière rouge, leurs lèvres semblaient noires. La plupart des clients installés sur les chaises ou debout au bar étaient des Thaïs, des hommes, mais çà et là, on apercevait quelques Blancs complètement ivres, comme lui, et même quelques couples de Blancs vêtus à l'américaine. Conor s'effondra à moitié sur une chaise libre au fond de la salle et commanda une bière à cent bahts à une fille à demi nue qui avait fait son apparition à ses côtés.

Ce salaud m'a sorti la bite du pantalon, se dit Conor. Encore heureux qu'il ne l'aie pas coupée et ramenée chez lui dans une bouteille. Il but sa bière, puis une autre, et d'autres encore, tandis que les filles se succédaient sur scène, que changeaient corps et visages, les cheveux longs laissant la place aux cheveux courts, les seins en balles de tennis aux seins en ballons de rugby, les hanches en oreillers aux hanches de lévrier. Elles fumaient et souriaient comme des filles qui attendent leurs amoureux. Décidément, ces filles lui plaisaient. L'une d'elles ouvrait des bouteilles de Coca-Cola avec son vagin... le bouchon s'en allait avec un bruit fort, dont l'écho se répercutait dans la pièce. Cette fille avait un visage étrangement dur et volontaire, des pommettes hautes et dessinées avec précision, et des yeux luisants comme des lames de massicot. Après avoir ouvert la bouteille, elle s'appuyait le dos au mur de la scène, levait ses belles jambes et se versait dans le sexe le contenu de la bouteille. Puis, en se relevant, elle rejetait le liquide en jet continu dans la bouteille. A la connaissance de Conor, aucune fille du Donovan n'aurait été capable d'un tel exploit.

Il se rendait compte qu'il avait atteint ce stade de l'ivresse qu'une dizaine de verres supplémentaires ne saurait affecter.

Lorsqu'il regarda la scène sur le côté, il sentit son visage devenir rouge, ses oreilles s'incendier. Une jeune créature s'était défaite de sa robe en dansant, révélant de jolis petits seins et un pénis en érection. Un autre *katoey* gracile s'agenouilla et prit le pénis dans sa bouche. Conor se tourna alors vers la scène centrale, et aperçut une fille à l'allure résolue de maîtresse de dictateur, s'apprêtant à se livrer à quelque chose avec un gros chien roux.

– Donnez-moi un whisky, dit Conor à la serveuse.

Lorsque la maîtresse du dictateur eut quitté la scène avec le chien roux, un Thaï courtaud et tout en muscles fit son apparition en compagnie d'une fille dont les cheveux lui arrivaient à la taille. Ils ne tardèrent pas à se souder l'un à l'autre, variant les positions, soulevant les genoux et roulant sur le sol comme s'ils étaient suspendus dans les airs. L'un des voisins de Conor, un *katoey*, arqua sa taille de fille en poussant un soupir. Conor commanda un autre whisky. Un Tim Underhill fantomatique vint s'asseoir à côté de lui en applaudissant.

Bientôt, Conor fut incapable de dire qui sur scène était un homme et qui était une femme. Il y avait des hommes avec des seins, des femmes au pénis en érection. Tout se mêlait... un sourire de fille, des fesses potelées, une cuisse large. Puis les quatre personnages s'inclinèrent comme des acteurs, et Conor remarqua que la jeune fille portait une marque rouge en haut des seins. Pures créatures du plaisir, ces personnages semblaient appartenir à une autre planète que ceux qui les applaudissaient; aussi étranges que des Martiens, aussi inaccessibles que des anges.

Ce fut comme une révélation. Dans un éclair de lucidité et de vérité absolues, Conor se vit au pied d'une muraille étincelante, aux portes d'un royaume impénétrable où les sexes se mélangeaient, où le langage était musique et où les choses se déplaçaient si vite que leur éclat blessait les yeux.

Puis il retrouva la raison froide. Les acteurs, à présent enveloppés de leurs robes de chambre, et qui se reposaient, pantelants, dans un club qui se vidait de ses clients, étaient des drogués et des prostituées qui vivaient dans des taudis au bord du fleuve, et lui, il était soûl. Tim Underhill n'était qu'une épave alcoolique, comme lui. Conor tenta de s'accrocher à ce moment de lucidité dans l'espoir de dissiper ses brouillards, mais il ne retrouva que le souvenir de bars et de taxis, le souvenir d'une chasse insensée : il devait traquer une licorne et non un homme.

Il se dit que sa vie n'était qu'une vaste méprise, l'histoire d'une traque sans objet.

Conor s'essuya les mains sur son jean et suivit, accablé, les derniers clients dans le sombre couloir menant à la sortie.

Dehors, dans la nuit chaude, une poignée de clients, des hommes, se dirigeaient vers le garage. Tous étaient vêtus de ces complets thaïs si bien ajustés, et ressemblaient à des mercenaires en permission. L'un d'entre eux portait des lunettes noires. Conor, qui titubait à la porte du club, sentait bien que ces hommes attendaient son départ.

Il comprit soudain que ce qu'il avait vu dans le club n'était qu'un prélude à l'événement véritable de la nuit. Eux ne se satisfaisaient pas de ce qui avait satisfait tout le monde, y compris moi, se dit Conor en se rappelant ce qu'il avait éprouvé lorsque les acteurs avaient salué le public. Il y avait autre chose... de bien plus fort. Et puis, aussi, Conor se dit qu'Underhill les aurait accompagnés. Voilà pourquoi Cham l'avait conduit jusqu'ici. Le dernier acte de la pièce allait se jouer.

Au moment où Conor s'avança vers le petit groupe, le Thaï aux lunettes noires murmura quelque chose à ses amis et fit lui aussi quelques pas en avant. Il leva la main comme un policier qui arrête la circulation, puis balaya l'espace d'un geste large.

– Spectacle fini. Il faut partir.

– Je veux voir ce que vous avez encore de disponible, dit Conor.

– Rien d'autre. Partir, maintenant.

Ils semblaient n'avoir fait aucun mouvement, mais les autres s'étaient approchés; Conor éprouva l'excitation familière du danger. De ces hommes la violence émanait comme un véritable brouillard.

– C'est Tim Underhill qui m'a dit de venir ici, dit-il d'une voix forte. Vous le connaissez, n'est-ce pas ?

Un bourdonnement de voix chuchotées se fit entendre derrière l'homme aux lunettes noires. Il lui sembla entendre le mot « Underhill », suivi de rires étouffés. Il se détendit. L'homme aux lunettes noires lui adressa un regard qui était une invite à ne pas bouger. Les conversations avaient repris, et l'un d'entre eux se livra de toute évidence à une plaisanterie qui fit même sourire Lunettes noires.

– Allons donc voir ce que vous avez là-bas, dit Conor.

– Crap crop crap! s'écria l'un des hommes, ce qui fit naître des sourires jaunes de nicotine.

Lunettes noires s'avança vers Conor d'une démarche d'officier.

– Vous savez où vous êtes?

– A Bangkok! Je suis quand même pas soûl à ce point! A Bangkok, en Thaïlande. Dans le royaume de Siam.

Grand sourire jaune et hochement de tête.

– Quelle rue vous êtes? Quel quartier?

– Je m'en fous complètement!

Quelques-uns au moins devaient l'avoir compris, car ils s'adressèrent d'un ton railleur à Lunettes noires. Il y avait dans leur voix des accents cyniques, un côté apocalyptique qu'il n'avait jamais entendu au cours des quatorze dernières années. Ils auraient pu aussi bien dire : « Tue-le et on y va », que : « Y a qu'à laisser rentrer ce connard d'Américain. »

Lunettes noires jeta à Conor un regard en biais, mi-amusé, mi-sceptique.

– Mille deux cents bahts, finit-il par dire.

– Ce spectacle doit être au moins quatre fois meilleur que le premier, dit Conor en sortant de sa poche une liasse de billets froissés.

Le petit groupe se dirigeait déjà vers l'immense garage en béton, et Conor les suivit en essayant de marcher en ligne droite.

L'homme aux lunettes noires dépassa le groupe et alla ouvrir une porte ménagée au bas de la rampe de sortie. Tout le monde s'engouffra alors dans un escalier faiblement éclairé. Lunettes noires agitait la main, faisant signe à Conor de se dépêcher.

– J'arrive, dit Conor en s'engageant dans l'escalier à la suite des autres.

3

Le lendemain, Conor n'était plus très sûr de ce qui s'était passé après qu'il eut suivi les autres dans les profondeurs du garage. Il avait tellement bu qu'il ne tenait pas très fermement sur ses jambes. Dans le sex-club, il avait assisté à des apparitions de... de quoi ? d'anges ? d'incarnations de l'idée de splendeur ? Et son cerveau en avait été imprégné. A l'intérieur du garage, il n'avait compris qu'un seul mot, et encore n'en était-il pas certain. La tête lui tournait tellement qu'il aurait pu entendre des mots que personne n'avait prononcés et voir des choses imaginaires. Il avait même l'impression que la tête lui tournait depuis que Michael, Harry et lui étaient montés à bord de ce vol de Singapore Airlines à Los Angeles. Depuis ce moment-là, la réalité s'était tordue de façon extraordinaire ; il s'était retrouvé dans un monde où les gens s'installaient en enfer pour assister à des spectacles, où des petites filles potelées soufflaient des anneaux de fumée avec leur chatte, où les hommes se transformaient en femmes et les femmes en hommes. D'après Michael, ils s'approchaient de Tim Underhill, et Conor ressentait intensément cette proximité chaque fois qu'il essayait de se rappeler ce qui s'était passé dans le garage. S'approcher d'Underhill, cela voulait probablement dire pénétrer dans un territoire où tout était inversé par nature, où l'on ne pouvait faire confiance à ses sens. Underhill aimait ces endroits... il avait aimé le Vietnam. Underhill était comme une chauve-souris, il se sentait bien la tête en bas. Et Koko aussi, sans doute.

Le lendemain, il décida de ne raconter à personne ce qu'il avait vu ou n'avait pas vu. Pas même à Michael.

En descendant à la suite des autres les escaliers en ciment, Conor s'était dit que les civils se trompaient toujours quand ils songeaient à la violence. Pour eux, la violence c'est l'action, les coups, les os brisés et le sang qui jaillit... les gens ordinaires croient qu'on peut *voir* la violence. Et ils pensent donc qu'on peut l'éviter en ne la regardant pas. Mais la violence ce n'est pas l'action. La violence c'est avant tout une atmosphère. C'est l'enveloppe glacée dont s'entoure l'usage des coups, des poignards et des fusils. Cette atmosphère ne tient même pas véritablement à ceux qui utilisent les armes... ceux-là sont simplement enveloppés de cette atmosphère. Et au sein de cette enveloppe, ils font le nécessaire.

Cette atmosphère froide et détachée accompagnait Conor tandis qu'il descendait les escaliers.

Conor ne tarda pas à cesser de compter les marches. Six étages en dessous, ou sept, ou huit... Les marches en béton cessèrent deux étages après qu'ils eurent aperçu la dernière voiture garée. Une large marche menait à un sol gris et irrégulier qui ressemblait à du béton grumeleux mais se révéla être en terre battue. Au bas de l'escalier une lampe projetait une faible lumière qui n'éclairait pas à plus de six mètres; au-delà, s'étendait une profonde obscurité qui semblait infinie. L'air était froid, confiné, visqueux.

L'un des hommes posa une question d'une voix forte.

On entendit des bruits indistincts, puis une lumière s'alluma au fond de la cave, révélant un Thaï de cinquante à soixante ans, qui arborait un sourire des plus engageants. Devant lui, sur une longue table, étaient disposés des verres de différentes tailles, des seaux à glace et deux rangées de bouteilles. Lentement, l'homme s'appuya des deux mains sur le bar. Le sommet de son crâne était luisant.

Les Thaïs se dirigèrent vers le bar. Ils parlaient à voix basse, d'un ton guerrier, se dit Conor. Lunettes noires lui désigna le bar d'un geste impérieux.

Il commanda un whisky, avec l'idée qu'une substance chaude comme le whisky l'aiderait à tenir le coup, alors qu'un liquide froid lui couperait les jambes. « Mettez-y de la glace », dit-il au barman dont le crâne chauve était recouvert de gouttelettes de sueur disposées avec la régularité d'œufs dans leur carton. Le whisky était un *single malt* avec un nom écossais imprononçable; il possédait un parfum surprenant de goudron, de vieux cordages, de brouillard, de fumée et de bois brûlé. Avaler une gorgée de ce liquide c'était comme avaler une petite île au large de l'Écosse.

Lunettes noires adressa un bref signe de tête à Conor et commanda un verre de la même bouteille.

Qui étaient ces gens ? Avec leurs complets soyeux impeccablement repassés, ils auraient pu être des gangsters; mais ils auraient pu tout aussi bien être des cadres de banque ou de compagnie d'assurance. Ils possédaient cet aplomb qu'ont les gens qui n'ont jamais connu de problèmes d'argent.

Il songea à Harry Beevers. Installés dans leurs fauteuils, ces gens-là attendent simplement que l'argent passe la porte de leurs bureaux.

Lunettes noires s'avança d'un pas, et fit un signe de la main vers le fond de la cave.

Dans l'obscurité, on entendit des bruits de pas feutrés. Conor avala une gorgée du whisky miraculeux. Deux silhouettes apparurent aux franges de la lumière. Un petit Thaï en costume kaki, chauve comme une balle de fusil, le visage strié de rides profondes et criblé de petits trous, s'avança sans sourire vers le groupe rassemblé autour du bar. D'une main, il conduisait par le coude une magnifique Asiatique vêtue seulement d'une robe noire beaucoup trop grande pour elle. La femme semblait éblouie par la lumière. Elle n'avait pas le visage des Thaïlandaises. Elle devait être chinoise ou vietnamienne. On voyait bien que pour avancer elle avait besoin que l'homme la maintînt doucement par le coude. Sa tête dodelinait et elle affichait un vague sourire.

L'homme lui fit franchir quelques pas encore. Conor vit alors qu'il portait des lunettes cerclées d'acier aux verres légèrement teintés. D'emblée, il reconnut l'allure d'un militaire. L'homme au crâne lisse comme une balle n'était pas riche, mais il affichait l'autorité naturelle d'un général.

Lorsqu'ils furent arrivés en pleine lumière, le petit homme lâcha le coude de la femme. Elle tituba un peu, puis parvint à redresser les épaules et à se raidir. Elle regardait à travers ses paupières mi-closes, souriant d'un air mystique.

Le général se plaça alors derrière elle et fit glisser la robe de ses épaules. Mystérieusement, la femme paraissait à présent plus grande, plus redoutable, elle faisait moins songer à une captive. Elle avait les épaules finement dessinées, et il y avait de la détresse dans la façon dont ses bras pendaient le long du corps, face interne tournée vers l'extérieur, révélant au creux du coude une marque bleue. Mais par ailleurs, tout son corps, jusqu'à l'attache des chevilles, offrait une manière de rondeur lisse et parfaite qui donnait à cette femme l'allure solide d'un bouclier de bronze. Sa peau, d'un doré sombre semblable au sable mouillé sur une plage, acheva de convaincre Conor qu'il avait affaire à une Chinoise et non à une Thaï. A côté d'elle, tous les hommes dans la salle semblaient avoir le teint cireux.

Face à ce magnifique défi inconscient, Conor eut envie de se précipiter sur elle pour la recouvrir de sa robe et la ramener chez elle. Puis quarante années d'éducation américaine prirent le dessus. Elle avait été bien payée, ou allait l'être; elle avait l'air en bien meilleure santé que les filles du sex-club de l'autre côté de la route, ce qui voulait dire que sa soumission aux cinq ou six respectables citoyens de Bangkok serait payée en conséquence. Conor n'avait aucune envie de se joindre à la bande, mais il n'avait pas non plus l'impression que cette femme avait besoin d'être protégée. Après tout, son exceptionnelle beauté ne représentait pour elle qu'un atout professionnel.

Il regarda les hommes autour de lui. Ils formaient un club, et cela, c'était leur rituel. Une fois par semaine, environ, ils devaient se retrouver dans un endroit secret et inconfortable et, l'un après l'autre, faire l'amour avec une beauté droguée. Ils devaient parler des femmes comme les snobs, aux États-Unis, parlent du vin. Tout cela était terrifiant.

Conor demanda un autre whisky au barman et se promit de s'en aller dès que les autres se mettraient à l'ouvrage.

Si c'était à ça que se livrait Underhill quand il avait envie de s'envoyer en l'air, il avait bien changé : c'était devenu un minable.

Mais au fait, pourquoi Underhill se serait-il joint à un groupe qui faisait l'amour à une fille ?

S'ils commencent à fricoter tous ensemble, se dit Conor, moi je m'en vais.

Puis il se félicita d'avoir pris un autre verre quand il vit le général se planter devant la femme et la gifler si violemment qu'il la vit vaciller. « Crap crap ! » hurla-t-il, et la femme se raidit et reprit sa place. Elle avait le visage incliné comme un bouclier et souriait toujours. Une marque rouge, de la forme d'une main, lui recouvrait entièrement la joue gauche. Conor prit une longue et engourdissante gorgée de whisky. Le général la frappa à nouveau. La Chinoise tituba en arrière mais parvint à se redresser. Les larmes dessinaient des sillons sur ses joues.

Le général lui lança alors un coup de poing au menton qui l'envoya rouler sur le sol. Dans son mouvement, elle offrit aux regards ses fesses couvertes de poussière et une longue éraflure sur la peau dorée de son dos. Elle parvint à se redresser, à quatre pattes, les cheveux traînant dans la poussière. Le général lui lança un violent coup de pied dans la hanche. Elle poussa un cri sourd et s'effondra à nouveau. Le général s'avança alors vers elle d'un air martial et lui donna un coup de pied un tout petit peu moins violent dans le flanc. La femme roula dans l'ombre ; doucement, le général se pencha et l'aida à ramper à nouveau vers la zone éclairée. Puis, avec une grande résolution, il lui administra un coup de pied dans la cuisse, faisant naître instantanément une ecchymose de la taille d'une assiette à dessert. Ensuite, il se mit à tourner autour d'elle en lui administrant une volée de coups de pied.

Le sex-club n'était qu'une couverture, se dit Conor. Ici, la couverture se déchirait et l'on pouvait voir un dur, un nabot, frapper une femme sous le regard d'autres hommes. Le plaisir c'était ça. C'était ici, dans ce garage, que se tenait le véritable sex-club.

Voilà qui expliquait l'atmosphère de violence qu'il avait perçue avant d'entrer.

Le général examina pendant un moment la femme prostrée, recroquevillée à ses pieds, avant d'accepter le verre que lui tendait Lunettes noires. Il prit une bonne gorgée, se rinça longuement la bouche et l'avala. Le verre à la main, le bras droit rigidement plié à hauteur du coude, il surveillait son œuvre. Il avait l'allure d'un homme qui prend un moment de repos au cours d'un travail particulièrement difficile et considère avec satisfaction l'excellent ouvrage qu'il a réalisé jusque-là.

Conor avait envie de partir.

Le général ôta ses lunettes et se pencha pour aider la femme à se relever. Ce n'était pas chose facile. Sa douleur était telle que visiblement, le moindre mouvement lui était douloureux; elle accepta pourtant de bonne grâce la main du général. Sa peau d'or sombre était à présent marbrée de pourpre et de noir, et sa mâchoire tuméfiée était complètement déformée. Elle se mit à genoux, haletant doucement. Elle était un soldat, elle faisait des pompes. De la pointe de son mocassin, le général donna un petit coup sur ses fesses potelées, puis un coup de pied beaucoup plus violent. « Crap crop crap », murmura-t-il, comme s'il était gêné à l'idée que les autres puissent l'entendre. La femme inclina la tête du côté de la lumière, et Conor y lut son extrême détermination. Personne ne pourrait l'arrêter. Ni même l'atteindre. Son visage était à nouveau un bouclier, et le côté de sa bouche qui n'était pas tuméfié s'étirait un peu, comme pour rappeler son sourire antérieur.

Le général la frappa à la tempe du dos de la main. La femme bascula, se rattrapa sur son bras tendu et se redressa. Elle soupira. Une marque rouge était apparue au coin de l'œil. Les lèvres du général remuèrent comme pour un ordre muet; elle se ressaisit et se releva sur un genou. Puis elle se remit debout. Conor faillit applaudir. Les yeux de la femme étincelaient.

Avec la force d'un oiseau fou s'échappant de sa cage, un rot au goût de poix et de fumée jaillit de la gorge de Conor. Tout le monde éclata de rire. A la grande surprise de Conor, la femme rit aussi.

Le général souleva la veste-chemise de son complet thaï, et sortit un revolver de sa ceinture. L'index sur la détente, il laissa l'arme reposer au creux de sa main. Conor ne s'y connaissait pas beaucoup en armes de poing, mais il remarqua les incrustations de nacre ou d'ivoire sur la crosse, les volutes ciselées sur la partie plate, entre la crosse et le barillet, et les ciselures compliquées sur le canon. C'était un revolver coquet.

Conor fit un pas en arrière. Puis un autre. Et il finit par comprendre. Pas question de rester là et de regarder le général la tuer. Il ne pouvait pas la sauver, et il avait le sentiment terrible qu'elle se défendrait s'il essayait : elle n'avait nulle envie d'être sauvée. Conor recula aussi silencieusement que possible.

Le général se mit à parler. Il exhibait toujours le revolver dans la paume de sa main. Sa voix était tout à la fois douce et pressante, persuasive, apaisante et autoritaire. Il parlait tout à fait comme un général. « Crap crop! crap crap crop crop crop crap. » Donnez-moi vos pauvres, vos masses agglutinées. « Crop crop crop crop crap. » Messieurs, nous sommes rassemblés ici aujourd'hui. Conor se recula un peu plus dans l'ombre. Le barman le remarqua, mais personne ne bougea. « Crop crap. » Gloire gloire paradis paradis amour amour paradis paradis gloire gloire.

Lorsque Conor se jugea suffisamment près de l'entrée de l'escalier, il tourna les talons. La première marche n'était qu'à un mètre cinquante.

« Crap crop crop. » Puis il y eut l'inimitable déclic métallique signifiant que le revolver était armé.

Le bruit de la détonation se répandit avec force dans toute la cave. Conor sauta dans l'escalier et se mit à grimper quatre à quatre, sans plus se soucier du bruit qu'il faisait. Arrivé au premier palier, il entendit une autre détonation. Elle était assourdie par le plafond. Il savait bien que ce n'était pas sur lui que le général avait tiré, mais il continua de courir jusqu'en haut. Hors d'haleine, les jambes tremblantes, il tituba dans l'atmosphère chaude et humide. Il quitta l'allée et gagna la grand-route.

Un manchot souriant actionna l'avertisseur de son *ruk-tuk* bringuebalant et se dirigea vers lui. Une fois arrêté, il demanda :

– Patpong ?

Conor acquiesça et grimpa dans l'engin, sachant que de là-bas, il pourrait rentrer à pied à son hôtel.

De Phat Pong Road, Conor se fraya un chemin dans la foule jusqu'à l'hôtel, gagna sa chambre et s'écroula sur son lit. Il ôta ses chaussures d'un coup de pied et revit la femme nue au corps couvert d'ecchymoses, et le petit général avec son revolver coquet. Au moment de s'endormir, il se dit qu'il avait enfin appris ce que voulait dire « téléphone ».

21

LA TERRASSE AU BORD DU FLEUVE

1

Au moment même où Conor partait en chasse dans les rues de Bangkok, Michael aperçut l'éléphant. Michael en était déjà à son deuxième échec, comme Conor allait en connaître tout au long de la journée, et l'apparition de l'éléphant avait été tellement surprenante qu'il l'avait prise pour un présage de succès. Cet encouragement lui était nécessaire. A Soi Cowboy, Michael avait montré la photographie d'Underhill à vingt barmans, cinquante clients et une poignée de videurs ; aucun n'avait même pris la peine de l'examiner attentivement avant de hausser les épaules et de se détourner. Et puis, soudain, l'idée lui était venue d'aller voir au marché aux fleurs de Bangkok. « C'est à Bang Luk », lui avait dit un barman ; un taxi l'amena donc de l'autre côté de la ville jusqu'à Bang Luk, une étroite portion de rue pavée, le long du fleuve.

Les marchands de fleurs avaient entreposé leurs marchandises dans une suite de garages vides du côté gauche de la petite allée, et les présentaient sur des charrettes et des tables disposées devant les garages. Des camionnettes ne cessaient de faire la navette dans la rue. Du côté droit, des boutiques occupaient les rez-de-chaussée de petits immeubles de trois étages, avec des baies vitrées et de petits balcons. Devant la plupart des baies vitrées du linge séchait, et sur la plupart des balcons au-dessus de la boutique Jimmy Siam, on avait disposé des plantes vertes et des arbustes dans des pots en terre.

Michael se mit à descendre lentement la rue, respirant le parfum de milliers de fleurs. Des hommes l'observaient derrière les cages d'oiseaux de paradis et les charrettes pleines d'hibiscus nains. Ce n'était pas un quartier touristique, et ce grand Blanc vêtu d'un jean et d'une saharienne blanche à manches courtes de chez Brooks Brothers détonnait dans le décor. Nulle menace pourtant, mais un sentiment très net d'hostilité. Des hommes qui chargeaient des cageots de fleurs dans une camionnette de couleur moutarde ne lui accordèrent qu'un bref regard sans interrompre leur travail; d'autres l'observaient avec une telle intensité qu'il sentait leurs regards peser sur lui longtemps après son passage. Michael gagna ainsi l'extrémité de la rue et s'arrêta pour observer, au-delà d'un petit mur en béton, le Chaophraya, le fleuve limoneux qu'agitait la marée montante.

Lorsqu'il se retourna, quelques hommes retournèrent lentement à leur travail.

Il reprit le chemin de Charoen Krung Road, sur le trottoir en face de celui où s'alignaient les charrettes de fleurs, et jeta un coup d'œil dans chaque boutique dans l'espoir d'y apercevoir Tim Underhill. Après avoir dépassé un panonceau Stop, Michael se retrouva sur Charoen Krung Road sans avoir vu Underhill ni détecté le moindre signe de sa présence en ces lieux. Il était pédiatre, pas policier, et tout ce qu'il savait de Bangkok, il l'avait lu dans des guides. Michael observait la circulation lorsqu'un mouvement inhabituel de l'autre côté de la rue attira son attention. C'était un éléphant. Un éléphant au travail.

Un vieil éléphant, un ouvrier, qui transportait dans sa trompe cinq ou six rondins de bois qui pour lui ne semblaient pas plus lourds que des cigarettes. Il cheminait d'un pas lourd au milieu de la rue, au milieu de la foule indifférente. Michael était charmé, enchanté comme un enfant par un animal mythique. Hors des zoos, les éléphants étaient bien des animaux mythiques : dans celui-ci, il voyait ce qu'il aurait souhaité voir. En voyant cet éléphant déambuler dans les rues d'une ville, il se rappela une image de *Babar*, l'un des livres préférés de Robbie, et une vague de tristesse le submergea à nouveau.

Michael observa l'éléphant jusqu'à ce qu'il eût disparu derrière la foule mouvante et une rangée d'enseignes de boutique rédigées en un thaï énigmatique.

Il prit la direction du sud et déambula sans but pendant un moment. La Bangkok touristique – son hôtel, Patpong – aurait aussi bien pu se trouver dans un autre pays. Peut-être avait-on déjà vu des Blancs au marché aux fleurs, mais ici ils étaient inconnus. Avec sa saharienne à manches courtes, somptueuse livrée de l'Homme blanc sous les Tropiques, Michael était un fantôme venu d'ailleurs. Sur le trottoir où il marchait, presque tout le monde le regardait. De l'autre côté de la rue on apercevait des entrepôts aux toits en pente, aux vitres brisées ; de son côté, des gens de petite taille, au teint sombre, surtout des femmes, portaient des sacs à provisions et des bébés, entraient et sortaient de boutiques poussiéreuses. Les femmes lui jetaient des regards durs, effrayés ; les bébés le contemplaient avec de gros yeux. Michael aimait les bébés. Il avait toujours aimé les bébés, et ceux-ci étaient gros, le regard vif et curieux. Ce pédiatre éprouvait une envie folle de les prendre dans ses bras.

Michael passa devant des pharmacies qui offraient en vitrine cheveux et œufs de serpent, des restaurants minuscules où les mouches étaient plus nombreuses que les clients. En passant devant une école qui ressemblait à une HLM, il songea de nouveau à Judy, avec le même découragement. Je ne suis pas en train de chercher Underhill, se dit-il, je tente seulement d'échapper à ma femme pendant quinze jours. Son couple lui faisait l'effet d'une prison. Un cachot obscur où Judy et lui, faute d'avoir pu parler de la mort de Robbie, tournaient inlassablement, un poignard à la main.

Après avoir longé une voie rapide, Michael parvint devant un pont enjambant une petite rivière. Sur l'autre rive, se trouvait un amoncellement de boîtes de carton, entassement de journaux et d'ordures qui formaient une sorte de bidonville. Il se dégageait de ce dépotoir une odeur pire que le mélange de gaz d'échappement, d'excréments et de fumées qui planait sur le reste de la ville. Michael y sentait une odeur de maladie, une odeur de blessure infectée. Immobile sur le petit pont branlant, il examina ce village de papier. A travers une ouverture ménagée dans un grand carton, il aperçut un homme recroquevillé au milieu de papiers chiffonnés, le regard hébété. Quelque part derrière, au milieu d'un amoncellement de cartons, une fumée s'élevait, et un bébé se mit à crier. Puis un véritable hurlement – de rage et de terreur – et le bébé se tut brusquement. Michael pouvait presque voir la main plaquée sur la bouche du bébé. Il eut envie de traverser la rivière et d'aller soigner ces gens.

Sa clientèle d'enfants riches et dorlotés lui faisait aussi l'effet d'un cachot. Dans ce cachot, il caressait des têtes blondes, faisait des piqûres, des prélèvements de gorge, réconfortait des enfants qui n'auraient jamais rien de grave, et rassurait des mères qui prenaient le moindre symptôme pour le signe d'une maladie grave. Voilà pourquoi il n'abandonnait pas Stacy Talbot, qu'il aimait beaucoup, aux seules mains des autres médecins : elle représentait pour lui l'exercice dur et authentique de la médecine. Lorsqu'il lui tenait la main, il se trouvait confronté à la douleur humaine et aux questions impitoyables que fait naître cette douleur. Là se situait le tranchant de sa pratique. C'était là qu'elle le conduisait, et pour un médecin c'était un privilège terrible, propre à faire naître l'humilité, que de l'atteindre. Cette notion non scientifique prenait pour lui un relief extraordinaire et se parait des couleurs mêmes de la vie.

Humant à nouveau les exhalaisons méphitiques, Michael comprit qu'en cet instant même, au milieu des fumerolles mortelles, un être humain rendait le dernier soupir. Au milieu de ces cartons, de ces corps enveloppés de papier journal, un petit Robbie mourait. Le bébé se remit à crier, et le filet de fumée graisseuse s'effilocha dans l'air chaud. Des deux mains, Michael étreignit la rambarde de bois. Il n'avait ni instruments ni médicaments, et ce n'était ni son pays ni sa culture. Il adressa une faible prière de non-croyant à l'adresse de l'être qui se mourait dans la puanteur, tout en sachant bien qu'il faudrait un miracle pour que cette prière fût exaucée. Il ne pouvait être d'aucun secours, ni ici ni à Westerholm. Il tourna les talons et s'éloigna du monde qui s'étendait de l'autre côté de la rivière.

Je rentre demain, se dit-il. *Les autres peuvent continuer à chercher*. Koko appartenait à l'histoire; sur ce point au moins Judy avait raison; la vie qu'il avait laissée derrière lui l'appelait à nouveau.

Michael faillit retourner sur ses pas, rentrer à l'hôtel et réserver une place sur le premier vol en partance pour New York. Mais il décida de continuer à flâner le long de la large rue qui courait parallèlement au fleuve. Il éprouvait le besoin de laisser pénétrer en lui l'étrangeté de Bangkok et l'étrangeté de sa nouvelle liberté.

Il était arrivé devant une petite fête foraine installée dans un terrain vague entre deux hauts immeubles. De la rue, il avait d'abord aperçu le haut d'une grande roue, et entendu la musique de la roue lutter contre l'orgue de Barbarie, les cris des enfants et ce qui semblait être la bande sonore d'un film d'horreur diffusée par une installation de très mauvaise qualité. En quelques pas, Michael atteignit l'ouverture dans la barrière par où entraient les visiteurs.

Le terrain, pas plus grand qu'un demi-pâté de maisons, éclatait de couleurs, de bruits et d'animation. Partout étaient dressées des tables et des baraques. Les enfants se régalaient de brochettes de viande, de bonbons dans des cornets en papier; on vendait des illustrés, des jouets, des badges, des farces et attrapes. Au fond du terrain, enfants et adultes faisaient la queue pour la grande roue. Sur la droite, d'autres enfants criaient de plaisir ou de terreur sur les chevaux de bois d'un manège. Sur le côté gauche, s'élevait la gigantesque façade d'un château en plâtre, agrémentée de petites fenêtres à barreaux. Cette façade rappelait à Michael celle de l'hôpital Saint Bartholomew; il revoyait la fenêtre derrière laquelle le Dr Sam Stein ourdissait ses complots, celle de la chambre où Stacy Talbot lisait *Jane Eyre*, étendue sur son lit.

Sur l'un des flancs du château, était peint le visage d'un vampire, les lèvres rouges entrouvertes laissant apparaître des crocs acérés. De derrière le château en plâtre parvenaient des éclats de rire et une musique terrifiante. Les conventions de l'horreur étaient les mêmes partout. Dans le château hanté, les squelettes qui jaillissaient des coins sombres et les têtes effroyables jetant des regards torves donnaient aux garçons et aux filles un prétexte pour se serrer l'un contre l'autre. Sorcières au nez verruqueux, diables sadiques et bondissants et fantômes malveillants parodiaient la maladie, la mort, la folie et l'habituelle cruauté humaine. On rit, on crie, et on sort en plein carnaval, au milieu des peurs et des horreurs bien réelles.

Après la guerre, Koko s'était dit que ce monde était décidément trop effrayant, et il s'était réfugié dans le château hanté avec les démons et les fantômes.

De l'autre côté du terrain de foire, Michael aperçut une autre Occidentale : une femme blonde qui devait porter des talons hauts car elle semblait à peu près de sa hauteur, un mètre quatre-vingts; elle avait ramené ses cheveux, qui grisonnaient, en une natte sur la nuque. Puis, en voyant ses épaules, il comprit qu'en fait il s'agissait d'un homme. Les cheveux gris, la chemise brodée et la longue natte: ce devait être un hippie qui après ses voyages en Orient n'était jamais rentré chez lui. Lui aussi était resté dans le château hanté.

Puis l'homme se tourna pour inspecter quelque chose sur une table; il devait être un peu plus âgé que Michael. Il commençait à se dégarnir en haut du crâne, et une barbe blonde grisonnante lui recouvrait le visage. Sans prendre garde aux sirènes d'alarme qui commençaient à retentir en lui, Michael continua d'observer l'homme d'un air détaché... les sillons qui creusaient son front haut, les plis profonds de ses joues. L'homme lui semblait curieusement familier : il avait dû le rencontrer pendant la guerre. Ils s'étaient rencontrés dans le château hanté, et l'homme était un ancien combattant : là s'arrêtaient les renseignements fournis par son radar personnel. Puis des sentiments de joie et de douleur l'assaillirent en même temps, et à l'autre bout de la foire, le grand homme au visage buriné prit dans ses mains l'objet qu'il examinait et l'approcha de son visage. C'était un masque en caoutchouc, un masque de démon à tête de chat. L'homme répondit par un sourire à la grimace du démon. Michael Poole comprit enfin qu'il observait Tim Underhill.

2

Son premier réflexe fut de crier son nom et de lui faire un grand signe de la main, mais il se força à demeurer tranquillement au milieu des vendeurs de viande grillée et des adolescents qui faisaient la queue pour le château hanté. Son cœur cognait fort dans sa poitrine. Jusqu'à cet instant, il avait douté qu'Underhill fût encore en vie. Le visage d'Underhill était si blanc qu'il ne devait guère s'exposer au soleil. Et pourtant il avait l'air en bonne santé. Sa chemise était impeccable, ses cheveux peignés et sa barbe taillée. Comme tous les survivants, il semblait sur ses gardes. Il avait perdu beaucoup de poids, et probablement aussi beaucoup de dents. Mais le médecin qu'était Michael voyait surtout un homme ayant réussi à guérir des nombreuses blessures qu'il s'était infligées à lui-même.

Underhill paya le masque et le glissa dans la poche arrière de son pantalon. Michael n'était pas encore décidé à se montrer, et il fit retraite dans l'ombre du château hanté. Underhill se mit à déambuler lentement au milieu de la foule, s'arrêtant ça et là pour inspecter les jouets et les livres disposés sur les tables. Après avoir admiré et acheté un petit robot en métal, il jeta autour de lui un dernier regard à la fois satisfait et amusé, puis tourna le dos à Michael et prit le chemin de la sortie.

Était-ce bien Koko qui achetait ainsi des jouets d'enfant dans une foire ?

Sans même regarder l'autre rive, Michael se mit à courir sur le petit pont fragile à la poursuite d'Underhill. Ils se dirigeaient vers le centre de Bangkok. Il commençait à faire sombre, et les minuscules restaurants avaient allumé leurs lumières. Underhill marchait d'un bon pas et il se trouvait à présent à près d'un pâté de maisons de distance. Heureusement, sa taille et la blancheur éclatante de sa chemise le rendaient facilement repérable dans la foule qui encombrait le trottoir.

Combien Michael avait regretté l'absence de Tim Underhill le jour de l'inauguration du monument aux morts! Mais maintenant il était là : un homme au visage marqué, avec des cheveux grisonnants rassemblés en natte, longeant une bruyante voie rapide en surplomb.

3

En approchant du coin de Bang Luk, Underhill accéléra le pas. En voyant que devant la banque fermée il se hâtait à la façon d'un homme qui rentre chez lui, Michael se mit à courir au milieu de la fourmilière de Thaïs. Underhill s'était simplement fondu dans la foule, mais Michael, lui, dut sauter sur la chaussée. Klaxons, appels de phares. La circulation aussi avait grossi, et c'était à présent les embouteillages habituels de la nuit de Bangkok.

Ignorant les klaxons, Michael reprit sa course. Un taxi le frôla, puis un autobus plein à craquer de passagers qui l'interpellèrent en riant. En quelques secondes, il atteignit le coin et se mit à courir dans Bang Luk.

Des hommes étaient encore occupés à charger des cageots de fleurs dans des camionnettes; les vitrines des boutiques étaient éclairées. En apercevant la chemise blanche d'un fantôme, il ralentit le pas. Underhill ouvrait une porte entre Jimmy Siam et la Bangkok Exchange Ltd. Un des vendeurs de fleurs qui se tenait devant une brouette presque vide lui lança quelques mots et Underhill lui répondit en thaï, en riant. Après un signe de la main au vendeur, il poussa la porte et la referma derrière lui.

Michael se tenait devant le premier entrepôt. Quelques minutes plus tard, une lumière s'alluma derrière les volets au-dessus de la boutique Jimmy Siam. Une heure auparavant, il était presque sûr de ne jamais le retrouver; à présent, il savait où il vivait.

Un vendeur sortit de l'entrepôt et considéra Michael d'un air mauvais. Il ramassa une plante en pot et la rentra à l'intérieur.

Au-dessus de chez Jimmy Siam, les volets s'ouvrirent. Par les baies ouvertes, Michael aperçut un plafond blanc d'où pendaient de minuscules stalagtites de peinture. Quelques instants plus tard, Underhill apparut, tenant à la main une plante verte en tout point semblable à celle que le vendeur soupçonneux avait rentrée dans son entrepôt. Il installa la plante sur le balcon et rentra dans l'appartement sans fermer la grande fenêtre.

Le vendeur, lui, observait Michael par la porte de son entrepôt. L'homme hésita un moment, puis se dirigea résolument vers Michael en s'adressant à lui en thaï, de façon des plus véhémentes.

– Je suis désolé, je ne parle pas votre langue, dit Michael.

– Vous partez, espèce de salaud!

– C'est bon. Inutile de vous fâcher.

L'homme grommela une longue phrase en thaï qu'il ponctua d'un crachat sur le sol.

Chez Underhill la lumière s'éteignit. Michael leva les yeux vers la fenêtre, et le petit vendeur grassouillet fit quelques pas dans sa direction en agitant les mains. Michael recula un peu. Underhill refermait les baies vitrées; on le distinguait à peine.

– Pas ennuyer! hurla l'homme. Ça suffit! Partez!

– Mais enfin, bon sang, vous me prenez pour qui?

Le vendeur s'avança de quelques pas encore mais battit en retraite dans son garage dès qu'Underhill apparut sur le seuil. Michael se dissimula dans l'ombre d'un mur. Underhill s'était changé : il était à présent vêtu d'une classique chemise blanche et d'une veste en coton trop ample qui lui battait les flancs quand il marchait.

Underhill tourna dans Charoen Krung Road et se mit à marcher au milieu de la foule. Michael se retrouva bloqué par un groupe de gens, peut-être une famille, qui s'étaient rassemblés sur le trottoir et ne semblaient pas décidés à en bouger. Des enfants couraient partout en criant; un peu plus loin, un jeune garçon tripotait les boutons d'un poste de radio. La tête d'Underhill flottait au-dessus des passants, et se dirigeait résolument vers Surawong Road.

Il allait à Patpong 3. Le chemin était long, mais peut-être voulait-il économiser le prix du *ruk-tuk*.

Puis Michael le perdit de vue. La haute silhouette avait disparu, comme le Lapin blanc d'Alice dans son trou. Il ne se trouvait ni sur le trottoir ni sur la rue; sur la chaussée, Michael aperçut un bonze en robe safran qui marchait imperturbablement au milieu de la circulation.

Il fit un petit saut sur place, mais n'aperçut pas les cheveux grisonnants au milieu de la foule. Il se mit à courir.

Underhill n'avait pourtant pas été englouti par la terre; il devait être entré dans une boutique ou avoir tourné au coin d'une rue. Michael jetait un coup d'œil à l'intérieur des boutiques devant lesquelles il était passé en allant vers la foire. A présent, la plupart des cafés et des boutiques étaient fermés.

Michael se maudissait; il s'était débrouillé pour perdre Underhill. La terre l'avait englouti. Il avait dû se sentir suivi et avait disparu dans une grotte secrète, dans une tanière. Dans cette tanière, il se vêtait de fourrure, sortait ses griffes et devenait Koko... il devenait cet être que les Martinson et Clive McKenna avaient vu aux derniers instants de leur vie.

Michael aperçut alors un antre sombre, en forme de poing, qui s'ouvrait au milieu des boutiques misérables.

Il courait sur le trottoir, au milieu de la foule, bousculant les gens, trempé de sueur, convaincu de façon parfaitement irrationnelle que Harry avait eu raison depuis le début, et qu'Underhill était redescendu dans sa grotte. De petites cornes devaient bourgeonner dans ses cheveux grisonnants.

Michael aperçut alors un passage ménagé entre deux immeubles, qui descendait vers le fleuve.

Il se jeta dans le passage encombré d'étals de tissus, sacs en cuir, et tableaux représentant des éléphants au milieu de paysages de velours bleu. L'inévitable tribu de femmes et d'enfants encombrait la partie gauche du passage, creusant leurs éternelles tranchées. Michael aperçut alors Underhill en contrebas : il traversait un espace vide au-delà duquel le chemin bifurquait sur la droite au lieu de continuer jusqu'au fleuve. Dans le tournant, s'élevait un bâtiment blanc protégé par un muret; Underhill s'engagea sur la route qui montait.

Michael continua sa course et sans presque le voir, passa devant un écriteau annonçant Oriental Hotel. Arrivé en bas de la petite route, il aperçut Underhill pénétrer par une large porte vitrée dans un grand bâtiment blanc qui s'étendait à droite et à gauche de l'endroit où se trouvait Michael. Un peu plus loin, à moitié dissimulée, se trouvait l'entrée d'un garage.

Michael courut jusqu'à l'entrée de la partie ancienne de l'hôtel. Par une large baie vitrée, il aperçut Underhill traverser le hall, passer devant une boutique de fleuriste et un libraire : il devait se rendre dans un salon de l'hôtel.

Michael franchit les portes à tambour et fut accueilli par un Thaï souriant en uniforme gris. Il prit alors conscience d'avoir suivi Underhill dans un hôtel. Trois des meurtres de Koko avaient eu lieu dans un hôtel. Il ralentit le pas.

Underhill traversa le salon et poussa une porte surmontée de l'écriteau Exit. L'espace d'un instant, le rectangle d'obscurité fut illuminé par un lampadaire de haute taille. Underhill disparut dans les jardins de l'hôtel.

Le corps de Clive McKenna avait été découvert dans les jardins du Goodwood Park Hotel.

Michael suivit son monstre cornu jusqu'à la porte, puis la poussa lentement. Surpris, il se retrouva sur une allée dallée encadrée de lampadaires, qui, après avoir longé une piscine, menait à une série de terrasses. Sur ces terrasses, des tables éclairées de bougies. Plus loin, le fleuve miroitant reflétait les lumières d'un restaurant installé sur l'autre rive, et celles de différents petits bateaux. Il y avait beaucoup de monde installé aux tables : les gens dînaient ou prenaient un verre. Les serveurs et les serveuses portaient un uniforme. La scène était si différente du spectacle sinistre auquel il s'attendait, qu'il lui fallut quelques instants avant d'apercevoir la haute silhouette d'Underhill qui se dirigeait vers la terrasse inférieure.

Michael remarqua alors l'existence d'un restaurant derrière les fenêtres brillamment éclairées, sur sa droite.

Tim Underhill se dirigeait vers l'une des dernières tables vides de la longue terrasse surplombant directement le fleuve. Il s'assit et se mit à chercher un serveur du regard. Un groupe de gens qui revenait de la piscine fit son apparition sur la terrasse, de l'autre côté de l'hôtel. Un jeune serveur s'approcha de la table d'Underhill et prit sa commande. Underhill s'adressait à lui en souriant, et posa la main sur le bras du jeune serveur qui sourit lui aussi et lança une plaisanterie.

Le monstre sacré retira sa main en rougissant. Peut-être avait-il rendez-vous à cet hôtel, mais Michael avait plutôt l'impression qu'Underhill était seulement venu prendre un verre dans un endroit agréable et faire un brin de cour aux jeunes serveurs. Dès que le serveur se fut éloigné, Underhill tira un livre de la poche de sa veste, tourna sa chaise du côté du fleuve, posa un coude sur la table et se mit à lire, l'air absorbé.

Ici, le fleuve n'exhalait pas cette puanteur végétale qui avait frappé Michael à l'extrémité du marché aux fleurs. Ce fleuve ne sentait que le fleuve, un parfum à la fois vif et nostalgique, évoquant le mouvement lui-même, et qui lui rappelait que bientôt il serait de retour chez lui.

Il déclara à un jeune serveur qu'il désirait seulement prendre un verre sur la terrasse, et celui-ci lui indiqua d'un geste les escaliers encadrés de lampadaires. Il gagna la dernière terrasse et s'installa à la dernier table de la rangée.

Trois tables plus loin, les jambes croisées à hauteur des chevilles, Tim Underhill levait de temps à autre les yeux de son livre pour contempler le fleuve. Ici, le fleuve charriait une forte odeur de vase, presque épicée. L'eau venait éclabousser régulièrement l'appontement. Underhill laissa échapper un soupir de contentement, but une gorgée de son verre et se replongea dans son livre. Michael jeta un coup d'œil à la couverture : c'était un roman de Raymond Chandler.

Michael commanda un verre de vin blanc au même jeune serveur avec qui Underhill avait échangé quelques tendresses. La terrasse bruissait du murmure des conversations. Un petit bateau blanc embarquait régulièrement des passagers sur l'appontement situé au pied de la terrasse et les conduisait au restaurant installé dans une île au milieu du fleuve. A intervalles réguliers, des bateaux surgissaient sur les eaux noires, des bateaux en bois éclairés à la poupe et la proue, aussi étranges que les bateaux qui apparaissent en rêve : ornés de dragons, les flancs bombés, avec des becs d'oiseau, des bateaux longs et effilés, avec sur le pont du linge qui séchait et des enfants qui regardaient Michael d'un air grave, sans le voir. L'obscurité s'épaississait, et aux tables voisines les conversations se faisaient plus bruyantes.

Underhill commanda alors un deuxième verre au jeune serveur, et une fois encore posa la main sur son bras en lui disant quelques mots qui le firent sourire. Michael sortit alors un stylo de sa poche et griffonna quelques mots sur sa serviette en papier. *N'êtes-vous pas le célèbre conteur d'Ozone Park ? Je suis à la dernière table à votre droite.* Le jeune garçon se glissait à présent entre les tables, et comme Underhill, Michael l'attrapa par la manche.

– Voudriez-vous porter ce billet à l'homme dont vous venez de prendre la commande ?

Un sourire creusa une petite fossette dans les joues du garçon et il retourna prestement d'où il venait. Il posa la serviette pliée en deux près du coude d'Underhill.

– Hein ? dit Underhill en levant les yeux de son Chandler.

Il posa le livre sur la table et ramassa la serviette. Pendant un moment, le visage d'Underhill ne trahit qu'une extrême concentration. Il était plus absorbé encore que par le livre qu'il lisait quelques instants auparavant. Finalement, il fronça les sourcils, et cette mimique ne traduisait pas le mécontentement mais l'effort mental. Underhill était parvenu à ne pas regarder immédiatement sur sa droite avant d'avoir pesé tous les termes du petit billet. Lorsqu'il tourna la tête, ses yeux rencontrèrent presque aussitôt Michael.

Il fit pivoter sa chaise et un sourire s'ouvrit lentement au milieu de sa barbe.

– Lady Michael ! Qu'est-ce que ça fait plaisir de te revoir ! Pendant un moment, j'ai cru que j'allais avoir des ennuis.

Pendant un moment, j'ai cru que j'allais avoir des ennuis.

Lorsque Michael entendit ces mots, le monstre cornu emprisonné dans le corps d'Underhill s'éloigna pour de bon : Underhill redoutait d'être la prochaine victime de Koko ; ce n'était pas lui le meurtrier. Michael bondit sur ses pieds et alla se jeter dans les bras de Tim Underhill.

22

VICTOR SPITALNY

1

Un peu moins de dix heures avant la rencontre de Michael Poole et de Tim Underhill sur les terrasses de l'Oriental Hotel, Tina Pumo s'éveilla dans un état d'extrême agitation. Il avait une journée de dingue en perspective. D'abord des rendez-vous avec Molly Witt et Lowery Hapgood, ses architectes, puis avec Dixon, son avocat, avec qui il devait trouver un moyen d'obtenir la naturalisation de Vinh, mais après le déjeuner, Dixon et lui devaient se rendre à la banque et tenter d'obtenir un prêt pour financer le reste des travaux. L'inspecteur des services sanitaires lui avait dit qu'il viendrait « faire une reconnaissance », qu'il y « mettrait le paquet », pour s'assurer que les cafards « avaient été mis sur la touche » et que dorénavant, c'était « R.A.S. ». L'inspecteur, originaire du Midwest, était un ancien combattant du Vietnam et parlait un mélange d'argot militaire, de jargon de cadre dynamique et d'argot démodé qui semblait tour à tour absurde ou menaçant. Après toutes ces réunions, coûteuses, frustrantes ou inquiétantes, il devait se rendre à Chinatown chez son fournisseur d'articles de cuisine ; il devait pourvoir au remplacement des dizaines de casseroles, de poêles et d'ustensiles divers qui avaient disparu au cours des travaux. Il avait l'impression que seuls les plus gros objets étaient demeurés à leur place initiale.

Le Saigon devait rouvrir dans trois semaines et l'obtention du prêt était évidemment liée à cette réouverture. Pendant un certain nombre de jours, le restaurant devrait tourner à pleine capacité avant de pouvoir à nouveau gagner de l'argent. Pour Tina, le Saigon était sa maison, sa femme et son enfant, mais pour les banquiers ce ne devait être qu'une machine à transformer la cuisine en argent. Tout cela le rendait anxieux, nerveux, mais c'était la présence de Maggie, encore endormie dans le lit, qui le contrariait le plus.

Il n'y pouvait rien; il le regrettait, et il savait même que d'ici quelques heures il le regretterait amèrement, mais elle l'agaçait, étendue sur ce lit comme s'il était à elle. Tina ne pouvait couper sa vie en deux et en jeter une partie. La vie quotidienne lui prenait tant d'énergie, qu'avant onze heures du soir, ses yeux se fermaient malgré lui. Lorsqu'il se réveillait le matin, Maggie était là ; lorsqu'il avalait son déjeuner à toute allure, elle était là; lorsqu'il examinait des plans, étudiait un budget prévisionnel ou même lisait le journal, elle était encore là. Il avait admis Maggie dans tous les instants de sa vie, et à présent elle avait le sentiment d'être à sa place partout et toujours. Maggie en était venue à estimer qu'elle avait le droit de se trouver dans le bureau de son avocat, chez son architecte ou chez son fournisseur de matériel. Maggie avait pris une situation temporaire pour une vie nouvelle, et avait fini par oublier qu'elle était un individu autonome.

Elle tenait pour acquis qu'elle pouvait se vautrer dans son lit toutes les nuits. Elle y allait donc de son grain de sel avec Molly Witt, l'architecte, suggérant par exemple de changer le sol et le matériau des placards. (Molly, qui avait jusque-là accepté toutes ses susggestions, refusa tout net.) Elle déclara alors qu'il fallait changer son vieux menu, et réalisa un projet insensé qu'elle entendait lui voir adopter sur-le-champ. Mais les gens aimaient les descriptions qu'il faisait de ses plats. Ils étaient même nombreux à en avoir besoin.

Tina n'oubliait pas qu'il aimait Maggie, mais il n'avait pas besoin d'une infirmière, et elle était presque arrivée à lui faire oublier ce qu'il ressentait quand il était normal. Et elle s'était tellement leurrée elle-même qu'elle en avait perdu son propre rythme.

Il allait devoir la prendre avec lui aujourd'hui. L'associé de Molly allait encore lui faire la cour. David Dixon, bon avocat mais par ailleurs adolescent attardé, qui ne pensait qu'à l'argent, aux femmes, au sport et aux voitures anciennes, tolérerait sa présence d'un air amusé tout en lançant à Tina des regards entendus. Mais si le banquier la voyait, il prendrait Tina pour un rigolo et refuserait le prêt. Chez Arnold Leung, le vieux grossiste chinois jetterait des regards envieux et désespérés à Maggie et lui dirait en chinois qu'elle gâchait sa vie avec un « vieil étranger ».

Maggie ouvrit les yeux. Elle aperçut l'oreiller de Tina, vide, et leva la tête. Maggie ne pouvait même pas se réveiller comme tout le monde. Elle avait le teint mat, la peau lisse, les yeux brillants. Ses lèvres rondes étaient belles.

– Je vois, dit-elle en soupirant.

– Ah bon ?

– Ça ne t'ennuie pas si je ne t'accompagne pas, aujourd'hui ? Je dois aller voir le général, dans la 125ᵉ Rue. J'ai manqué à tous mes devoirs. Il se sent bien seul.

– Ah.

– En plus, aujourd'hui tu as l'air de mauvais poil.

– Mais... non, non... pas du tout.

Maggie lui coula un long regard et s'assit dans le lit. Dans la lumière tamisée, sa peau semblait très sombre.

– Il n'allait pas bien ces derniers temps. Il avait peur de perdre le bail de la boutique.

Elle sauta du lit et gagna la salle de bains. Pendant un moment, le lit sembla terriblement vide. Bruit de chasse d'eau, raffut des tuyaux. Tina entendait Maggie se brosser vigoureusement les dents, pomper tout l'air et l'énergie de la salle de bains, épuiser l'électricité de la prise-rasoir et des éclairages, flétrir les serviettes sur leurs porte-serviettes.

– Tu n'es pas fâché, hein ?

On sentait qu'elle avait la bouche pleine de dentifrice.

– Hein, Tina ?

– Mais non, pas du tout, dit-il d'une voix à dessein trop faible pour qu'elle puisse l'entendre.

Elle sortit de la salle de bains et le regarda une nouvelle fois avec attention.

– Ah, là, là, Tina.

Elle se dirigea vers le placard et commença à s'habiller.

– J'ai besoin d'être seul pendant un moment.

– Inutile de me le dire, j'avais compris. Tu veux que je revienne, ce soir ?

– Fais comme tu veux.

– Eh bien dans ce cas je ferai ce que je veux.

Maggie enfila le vêtement de laine noire qu'elle portait le jour où il était allé la chercher chez le général.

Maggie et Tina n'échangèrent que de rares paroles avant de descendre. Et puis ils se retrouvèrent devant la porte, dans Grand Street, engoncés dans leurs manteaux, à cause du froid. Au bout de la rue, une benne à ordures écrasait quelque objet qui craquait comme des os humains.

Debout à côté de lui, avec son manteau matelassé, Maggie avait l'air si petite qu'on eût dit une collégienne. Tina se dit qu'ils n'auraient jamais le moindre problème s'ils n'étaient pas obligés de sortir du lit. Il songea à la voix caustique de Judy au téléphone, et dit soudainement :

– Quand Michael rentrera ici...

Maggie inclina la tête d'un air attentif, et Tina eut peur de dire quelque chose de plus compliqué que ce qu'il désirait dire.

– ... eh bien, je crois qu'il faudrait le voir plus souvent, c'est tout.

Maggie lui adressa un sourire triste.

– J'ai toujours été gentille avec tes amis, Tina.

De sa main gantée elle lui adressa un signe aussi triste que son sourire et se dirigea vers la station de métro. Il attendit, mais elle ne se retourna pas.

2

Tout compte fait, la journée de Tina se passa mieux qu'il ne l'avait craint. Molly Witt et Lowery Hapgood lui offrirent deux tasses de café fort et lui montrèrent leurs derniers projets, qui n'étaient, il le vit bien, que des adaptations des idées suggérées par Maggie quelques jours auparavant. Les quelques travaux restant pouvaient être modifiés sans difficulté, à l'exception des placards, dont il faudrait modifier le matériau. Mais comme le matériau prévu n'était pas encore arrivé... et ne pensait-il pas que tout « s'harmonisait » mieux de cette manière ? C'était incontestable. Et il donna son accord. Et bien que ce ne fût pas leur affaire, ne conviendrait-il pas, également, de changer la présentation du menu, de façon à le moderniser... en somme, pourquoi ne pas adopter les suggestions de Maggie touchant à la maquette du menu, sans pour autant abandonner la description des plats, chère à Tina ? Puis, après leur entretien, David Dixon se mit à agiter une liasse de papiers dans l'air frais et climatisé de son bureau en se lamentant que Tina n'ait pas amené « sa mignonne petite poupée ». Au déjeuner, il revint sur le même thème.

– Dis donc, j'espère que tu ne vas pas tout gâcher avec celle-là aussi, hein ? Ça me ferait mal au cœur de te voir perdre cette jolie petite chinetoque.

– Et pourquoi est-ce que tu ne l'épouses pas, toi ? demanda Tina avec une certaine amertume.

– Je me ferais tuer par ma famille si je ramenais une chinetoque à la maison. Qu'est-ce que tu voudrais que je leur dise ? Que nos enfants vont être forts en maths ?

Dixon continuait à plaisanter, certain de son charme.

– De toute façon, tu n'es pas assez bien pour elle, lança Tina.

Et il ne réussit à se faire qu'à moitié pardonner en ajoutant :

– Toi et moi on a au moins ça en commun.

A la banque, l'entretien se déroula avec une politesse un peu froide qui sembla dérouter un peu le banquier, habitué à la jovialité de Dixon (ils avaient été condisciples à Princeton et étaient tous deux de joyeux célibataires de quarante ans). Dixon et le banquier n'étaient évidemment jamais allés au Vietnam. C'étaient de vrais Américains. (C'est du moins ainsi qu'ils voyaient les choses.)

– T'inquiète pas, c'est dans la poche, déclara Dixon dès qu'ils se retrouvèrent dans la rue. Mais laisse-moi te donner un conseil, mon vieux. Il faut te secouer. Le monde est plein de jolis petits lots! Tu vas quand même pas te laisser abattre parce qu'une petite Chinoise au joli cul t'en fait voir des vertes et des pas mûres.

Il éclata d'un gros rire.

– Allez, t'as qu'à la flanquer dehors!

– Je te dirai ça d'ici une semaine ou deux, dit Tina en souriant et en serrant la main de Dixon.

Et à la façon dont l'avocat lui serrait la main, Tina comprit qu'il était aussi soulagé que lui de voir prendre fin leur entrevue.

Dixon se tenait encore devant lui, le visage rougi, le sourire charmeur de l'ancien étudiant de Princeton, élégant jusqu'à la perfection avec sa chemise immaculée, sa cravate rayée. ses cheveux noirs soigneusement taillés, son beau manteau sombre. Puis, pendant un moment, Tina le regarda s'éloigner comme il avait regardé Maggie quelques heures auparavant. Qu'y avait-il en lui qui éloignait les gens? Tina n'avait pas grand-chose en commun avec Dixon, mais l'avocat était un gredin, et les gredins sont en général des gens d'agréable compagnie.

Comme Maggie, Dixon ne se retourna pas. Il arrêta d'un geste un taxi et se glissa à l'arrière. Les gredins trouvent toujours des taxis. Tina contempla la voiture de son avocat qui descendait Broad Street au milieu d'un flot jaune et ininterrompu de taxis occupés. Au même moment, il se sentit lui-même observé. Il eut la chair de poule et se retourna. Personne, bien sûr. Il scruta la foule des employés de banque et des agents de change qui descendaient Broad Street d'un pas pressé. Certains avaient bien la tête de vieux renards qui convenait, selon lui, à leur profession, mais la plupart avaient l'âge de Dixon ou bien entre vingt et trente ans. Ils avaient l'air tout à la fois sans défauts et sans humour, de vrais machines à calculer. Les gredins dans le genre de Dixon pouvaient manipuler ces gens-là comme ils le voulaient. Tina s'aperçut que cette tribu qui descendait Broad Street ne lui accordait même pas un regard. Peut-être était-il transparent. Il semblait faire plus froid, et au-dessus des lampadaires, le ciel devenait plus sombre. Il se plaça au bord du trottoir et leva le bras.

Il lui fallut un quart d'heure pour avoir un taxi, et il arriva à Grand Street avec dix minutes de retard. A l'intérieur du restaurant, dans la cuisine, il trouva l'inspecteur Brian Mecklenberg qui faisait les cent pas en se tapotant les dents de devant avec son stylo à bille, en s'interrompant parfois pour prendre quelques notes sur un carnet.

– Vous avez gagné quelques mètres depuis la dernière fois que je vous ai vu, monsieur Pumo.

– Eh oui, nous aussi nous savons nous débrouiller, dit Tina en jetant son manteau sur le dossier d'une chaise.

Il lui fallait encore se rendre chez Arnold Leung après la visite de l'inspecteur.

– Ah bon ?

Mecklenberg le considéra avec toute l'attention d'un inspecteur des services sanitaires pour ses victimes.

– Vous voulez dire que notre objectif a été atteint ?

– Se débarrasser des cafards ?

– Affirmatif ! Nettoyer l'infection ! A quoi vouliez-vous que je pense ?

Avec sa hideuse veste à carreaux jaune, noire et vert olive, sa cravate brune en tricot maintenue par une voyante épingle à cravate, Mecklenberg lui-même faisait figure d'objectif.

– Eh bien, par exemple, terminer la cuisine, s'exclama Tina. Rouvrir le restaurant, rester ouvert, faire en sorte que les clients entrent ici... Vous voyez ce que je veux dire ? Avoir une vie tranquille, régulière et qui soit en même temps intéressante. Et puis mettre de l'ordre dans ma vie amoureuse.

Il se rappela le teint vif de Dixon, son sourire en coin, et un éclair l'illumina soudain.

– Vous voulez qu'on parle d'objectifs, Mecklenberg ? Allons-y : abolir les armes nucléaires et établir la paix dans le monde. Faire en sorte que tout le monde sache que la cuisine vietnamienne est aussi bonne que la cuisine française. Faire construire un monument aux morts de la guerre du Vietnam dans chaque grande ville. Se débarrasser de tous les déchets toxiques.

Mecklenberg le considérait d'un air stupéfait.

– Eh bien, à propos de l'énergie nucléaire... commença Mecklenberg.

– En finir avec toute cette connerie de guerre des étoiles. Élever le niveau des écoles publiques. Faire rentrer la religion dans les églises, là où est sa place.

– Là, je suis d'accord avec vous.

– Interdire la détention d'armes aux civils !

Tina avait monté d'un ton. Mecklenberg voulut l'interrompre, mais Tina se mit à crier. Mecklenberg n'avait pas encore écouté la moitié des objectifs proposés.

– Élire des responsables compétents, et pas des types qui font simplement semblant ! Flanquer les adolescents à la porte des stations de radio et pouvoir enfin écouter de la vraie musique ! Abolir la télévision pendant cinq ans ! Couper un doigt de tout haut fonctionnaire pris en flagrant délit de mensonge public, et recommencer à chaque fois ! Imaginez quel bien ça nous aurait fait au Vietnam ! Hé, Mecklenberg, qu'est-ce que vous en dites ?

– Euh... vous n'avez pas de problèmes ? Tout va bien ? Je veux dire...

Mecklenberg avait rangé son stylo à bille dans la poche de sa chemise, sur laquelle commençait à s'épanouir une large tache bleue. Il ramassa sa serviette, l'ouvrit et y glissa son carnet.

– Je crois que...

– Il faut élargir votre horizon, Mecklenberg ! Pourquoi ne pas abolir la paperasserie ? Réduire le gaspillage dans l'administration ! En terminer une bonne fois pour toutes avec la peine de mort ! Réformer le système pénitentiaire ! Comprendre une bonne fois pour toutes qu'il continuera à y avoir des avortements, et cesser de raconter n'importe quoi à ce sujet-là ! Et la drogue ? Pourquoi ne pas appliquer des mesures réalistes, au lieu de faire semblant de croire que pour l'alcool la prohibition a marché ?

Tina agitait l'index au-dessus de la tête du pauvre Mecklenberg. Son nouvel objectif était parfait.

– J'ai une grande idée, Mecklenberg. Au lieu de l'exécuter, pourquoi ne pas fourrer un type comme Ted Bundy dans une cage de verre et l'installer au milieu d'Epcot Center ? Vous me suivez ? Les familles d'Américains moyens pourront venir tailler une petite bavette avec Ted, disons... une famille tous les quarts d'heure. *En voilà un*, on dirait, *voilà à quoi ça ressemble, voilà comment ça parle, comment ça se mouche et comment ça se lave les dents. Rincez-vous l'œil ! Vous voulez voir le mal en personne ? Eh bien voilà !*

Mecklenberg avait enfilé son manteau à la hâte et battait en retraite vers la salle à manger, où une dizaine d'ouvriers avaient posé leurs outils pour écouter la harangue de Tina. L'un d'eux s'écria : « Yeah, baby ! » et un autre éclata de rire.

– Vous croyez que le mal ce sont les cafards, Mecklenberg ? explosa Tina. Mais enfin, bon sang...

Il se prit la tête à deux mains et chercha un endroit où s'asseoir.

Mecklenberg se précipitait vers les portes à battants. Tina avait la tête penchée, ce qui lui permit d'apercevoir un insecte qui émergeait avec précaution de sous le fourneau. Il était énorme. Jamais il n'avait vu un insecte pareil, pas même aux moments culminants de « l'invasion », lorsque chaque centimètre carré de mur semblait occupé par ces bestioles grouillantes. Lorsque la chose fut complètement sortie de sous le fourneau, elle faisait presque la taille de son pied.

Mecklenberg claqua derrière lui la porte du restaurant, et les ouvriers entonnèrent un chœur de vivats.

Tina était au bord de l'évanouissement... mais peut-être s'était-il déjà évanoui, et cette créature n'était-elle qu'une hallucination due à la fièvre. Elle était longue et étroite, avec des antennes semblables à du fil de cuivre. Le corps brun ressemblait à un obus d'artillerie. La surface en était polie, presque lustrée. Il entendait distinctement le bruit des pattes sur les carreaux.

C'est impossible, se dit Tina. Les monstres ça n'existe pas, et il n'y a pas de King Kong chez les cafards.

Soudain, le monstre l'aperçut. Il s'immobilisa. Puis il battit rapidement en retraite sous le fourneau. Pendant une seconde ou deux, Tina entendit les petits sabots cliqueter sur les carreaux, puis plus rien.

Pendant un moment, Tina demeura immobile dans le silence, effrayé à l'idée d'aller voir sous le fourneau. La créature pouvait le guetter, prête à l'attaque. Que faire contre un cafard d'une taille pareille ? Impossible de l'écraser avec le pied. Il faudrait le tirer au fusil, comme un carcajou. Tina songea aux dizaines de litres d'insecticide que l'employé de la désinsectisation avait répandus derrière les murs, détrempant les solives et les fondations de la maison.

Tina s'agenouilla pour aller voir sous le fourneau. Le sol n'étant qu'à moitié terminé, il n'y avait pas de moutons de poussière sous l'engin, mais seulement un bout de câble électrique abandonné là par l'un des ouvriers.

Les antennes ? se demanda Tina. Il s'était attendu à voir, sinon le King Kong des cafards, du moins un trou dans la plinthe de la taille d'une tête d'homme. Non seulement il n'y avait pas de trou, mais encore pas de plinthe : les consignes de sécurité en cas d'incendie exigeaient l'installation d'une feuille métallique derrière le fourneau.

Le monde était plein d'abîmes vertigineux. Lorsque Tina sortit de la cuisine, il fut salué par les cris et les applaudissements des ouvriers.

3

Depuis des dizaines d'années, Arnold Leung possédait ces entrepôts sombres et immenses à l'extrémité est de Prince Street, à l'endroit où se rejoignent Little Italy, Chinatown et Soho, et à présent il faisait figure de pionnier : le quartier n'avait pas encore été complètement englouti par Chinatown, mais au cours des cinq dernières années, de nombreuses boulangeries italiennes avaient été remplacées par des boutiques aux caractères chinois peints sur la vitrine, et des grossistes de produits chinois. Les restaurants à l'enseigne de la Golden Fortune ou de Soon Luck avaient fleuri un peu partout. En cette glaciale fin d'après-midi de février, Tina n'aperçut dans la rue étroite que deux Chinoises emmitouflées, le visage rond et plat à moitié dissimulé par un châle sombre. Tina tourna dans la ruelle menant aux entrepôts d'Arnold Leung.

Leung était une des grandes découvertes de Tina. Il pratiquait des prix inférieurs de vingt pour cent à ceux des autres grossistes, et il livrait le jour même : son beau-fils amenait en camionnette le carton de marchandises, et le déposait devant la porte, jamais au-delà, que Tina fût ou non présent pour le réceptionner. Les prix et la rapidité de la livraison faisaient facilement oublier à Tina Arnold Leung, son caractère revêche et son beau-fils.

A l'extrémité de la ruelle, l'on découvrait l'une des anomalies de la ville : un long terrain vague, bordé par l'arrière de différents immeubles. En été, on y respirait un doux parfum de décharge publique, tandis que pendant l'hiver, le vent qui tourbillonnait entre les immeubles miteux poussait avec fracas des détritus contre les murs des entrepôts de Leung. Tina n'était rentré que dans le premier entrepôt, là où se trouvait le bureau de Leung. La seule fenêtre percée dans ces quatre murs se trouvait au-dessus de la table de Leung.

Tina poussa la porte qui s'ouvrit en raclant le sol. Le courant d'air lui arracha des mains la fine porte d'aluminium qui se referma violemment derrière lui. Leung était engagé dans une conversation à une seule voix, en chinois, probablement au téléphone, qui s'interrompit au moment où la porte se referma avec bruit. La tête, puis le corps du propriétaire des lieux, revêtu de plusieurs couches de survêtements, apparurent à la porte du bureau puis disparurent à l'intérieur. A l'autre extrémité de l'entrepôt, quatre hommes assis sur des caisses autour d'une table basse lui jetèrent un regard distrait avant de retourner à leur jeu. A l'exception du bureau, l'entrepôt était constitué d'un dédale de caisses en bois et en carton empilées jusqu'au plafond, et à travers lequel les magasiniers de Leung circulaient au volant de chariots élévateurs. De rares ampoules de faible puissance dispensaient une lumière chiche.

Tina adressa un signe aux employés qui l'ignorèrent, et se dirigea vers le bureau. Il frappa un petit coup; Leung entrouvrit la porte en fronçant les sourcils, glissa quelques mots au téléphone et ouvrit un tout petit peu plus la porte de façon à laisser entrer Tina.

– Alors, qu'est-ce que vous voulez, aujourd'hui ? demanda Leung après avoir raccroché le combiné.

Tina sortit sa liste.

– C'est trop, dit-il après y avoir jeté un coup d'œil. Je ne peux pas tout fournir maintenant. Vous savez pourquoi ? A cause de l'empire Szechuan. Toutes les semaines il y a une nouvelle succursale qui s'ouvre. Vous ne l'avez pas remarqué ? Il y en a trois nouvelles dans l'Upper West Side, une dans le Village. Pour certains articles, il faut attendre deux à trois mois. Alors je leur ai dit : ouvrez donc un restaurant de l'autre côté de ma rue, comme ça je pourrai faire venir de bons plats !

– Envoyez-moi ce que vous pouvez, dit Tina. Il me faut le tout dans quinze jours.

– Vous rêvez. Et puis pourquoi avez-vous besoin de tout ça ? Vous avez déjà tout !

– J'avais tout. Donnez-moi quelques prix.

Soudain, Tina eut à nouveau la sensation d'être épié. Cela était encore plus absurde que dans Broad Street, car ici, la seule personne à le regarder, et encore, avec une certaine répugnance, était Arnold Leung.

– Vous avez l'air nerveux, dit Leung. Remarquez, je comprends ça. Rien que pour les couteaux que vous indiquez ici vous en aurez pour cent cinquante, cent soixante dollars. Peut-être plus, ça dépend de ce que j'ai en stock.

Ça y est, se dit Tina, j'ai compris. Leung allait le matraquer. Peut-être le punissait-il pour avoir une fois amené Maggie Lah ; ce jour-là, il avait entendu Leung l'appeler *lo fang*. Il ignorait ce qu'était un *lo fang*, mais cela devait être quelque chose comme « vieil étranger ».

Tina s'approcha de la fenêtre crasseuse. On pouvait voir toute la ruelle jusqu'à la rue qui, elle, se découpait comme un ruban brillant animé par la circulation. La fenêtre n'était pas en verre mais en une sorte de plastique translucide qui avec le temps s'était obscurci par endroits. L'un des côtés de la ruelle ne formait qu'une masse indistincte de couleur brunâtre.

– Et les cocottes en fonte ? demanda Tina.

Tina était sur le point de se retourner lorsqu'il aperçut une petite silhouette sombre se fondre du côté opposé de la ruelle. Aussitôt, deux sentiments contradictoires l'assaillirent : le soulagement à l'idée que Maggie, ayant appris par Vinh où il se trouvait, était venue le rejoindre, et l'exaspération en s'apercevant que quoi qu'il fît, il lui était impossible de s'en débarrasser.

Lorsque Leung l'apercevrait, il augmenterait sans doute ses prix de cinq pour cent.

– Pas de problème, dit Leung. Vous voulez qu'on parle des cocottes en fonte ? Eh bien parlons-en.

Et comme Tina ne répondait pas, il ajouta :

– Vous voulez aussi acheter ma fenêtre ?

La silhouette s'immobilisa, et Tina s'aperçut que ce n'était pas Maggie. C'était un homme. L'homme se mit à reculer dans l'ombre d'une façon qui rappela à Tina la retraite du gigantesque cafard sous le fourneau.

– Attendez une seconde, Arnold.

Il lui adressa un regard apaisant qui se heurta à l'implacable indifférence chinoise. Tant pis pour les vieux clients. Les affaires sont les affaires.

– Vous savez qu'on ne produit plus guère de cocottes en fonte, dit Leung. On a beau chercher...

Tina regarda à nouveau par la fenêtre. L'homme avait atteint le milieu de la ruelle et reculait très lentement.

– Avez-vous parfois l'impression d'être suivi ? demanda Tina.

– Tout le temps. Vous aussi ?

L'homme avait gagné le ruban brillant de la rue.

– On s'y fait, dit Leung. C'est pas grave.

Tina aperçut vaguement un visage, une masse de cheveux noirs, un corps mince vêtu de vêtements quelconques. L'espace d'un instant, il se dit qu'il connaissait cet homme. Et puis il en fut tout à fait sûr. La tête lui tournait.

– Faites livrer la marchandise et envoyez-moi la facture, dit-il simplement.

Leung haussa les épaules.

L'homme dans la ruelle était Victor Spitalny, et Tina savait désormais qu'il avait bel et bien été épié et suivi. Cela faisait probablement plusieurs jours que Spitalny le suivait. Il avait même dû rôder autour du restaurant, et c'était là que Vinh l'avait vu.

– On peut peut-être s'arranger pour ces cocottes en fonte, dit Leung.

En principe, Tina aurait dû entamer les négociations auxquelles Leung se préparait, mais il boutonna son manteau, bredouilla quelque vague excuse au grossiste médusé et se précipita en dehors du bureau. Quelques instants plus tard, il refermait derrière lui la porte en aluminium.

Aussitôt, il aperçut un homme de petite taille, les cheveux sombres, qui tournait le coin de la ruelle. Tina se força à parcourir lentement le chemin qui le séparait de la rue ; Spitalny ne devait pas savoir qu'il avait été repéré, et il ne voulait pas éveiller ses soupçons. D'abord, il fallait s'assurer que l'homme qui le surveillait était bien Victor Spitalny : après tout il n'avait fait qu'entrevoir vaguement un visage. Tina comprit alors que son cambrioleur ne pouvait être que Spitalny.

Celui-ci avait bien failli le coincer dans la bibliothèque, et il continuerait à le traquer jusqu'à pouvoir l'assassiner. Spitalny avait tué Dengler, ou au mieux l'avait laissé mourir, et à présent il était parti en chasse à travers le monde.

Arrivé au bout de la ruelle, Tina prit la direction qu'avait prise Spitalny. Le vent soufflait fort. Bien sûr, nulle trace de Spitalny. L'obscurité semblait se refermer sur Tina. Spitalny n'était pas mort, il n'avait pas succombé à la maladie ni à la drogue, et n'avait pas fini par prendre le bon chemin, par devenir un brave type. Le temps s'était écoulé. Il avait attendu son heure.

La longue rue aussi bien que le trottoir étaient presque vides. Quelques Chinoises se hâtaient vers leurs logis, loin devant, un homme en long manteau noir grimpait des escaliers et pénétrait dans un immeuble. Tina craignait à chaque instant de voir jaillir de derrière une porte de boutique son vengeur halluciné.

Avant d'avoir atteint le coin de la rue suivante, il commençait à douter de lui-même. Personne ne le suivait et on aurait eu toutes les encoignures de porte nécessaires pour lui sauter dessus. Après tout, il n'avait aperçu qu'une vague silhouette par une vitre crasseuse : était-ce suffisant pour affirmer que Victor Spitalny le suivait ? Difficile d'imaginer un balourd comme Spitalny se faisant passer pour un journaliste dans la salle des microfilms; Maggie avait peut-être raison, et le nom à consonance espagnole n'était probablement qu'une coïncidence. Une heure auparavant, n'aurait-il pas juré avoir vu un cafard géant ? Il regarda à nouveau la longue rue vide et se détendit.

Il se promit de rappeler Judy Poole dès son arrivée chez lui. Si elle avait parlé à Michael, il devrait déjà être en route.

Tina fut de retour chez lui à cinq heures et demie, au moment où les ouvriers rangeaient leurs outils et chargeaient les camionnettes. Le contremaître lui apprit que Vinh était parti une demi-heure plus tôt; pendant les travaux, la fille de Vinh vivait dans l'appartement d'un de ses cousins, dans Canal Street. Vinh lui-même passait là-bas la moitié de la nuit. Après que les camionnettes des ouvriers se furent éloignées en direction de West Broadway, Tina inspecta longuement les deux côtés de la rue.

Grand Street n'était jamais vide, et en cette fin d'après-midi, la populace de cadres du New Jersey ou de Long Island venue dépenser son argent à Soho encombrait encore les trottoirs. Les habitants de Grand Street, West Broadway, Spring Street et Broome Street devaient se frayer un chemin au milieu des touristes. Certains adressaient un signe à Tina, qui faisait de même. Un peintre qui allait boire un verre au La Gamal lui fit un signe de la main en haut des marches et lui demanda en criant, de l'autre côté de la rue, quand il comptait rouvrir. « Dans quinze jours », répondit Tina en criant lui aussi et en priant pour que ce fût vrai.

Le peintre rentra au La Gamal et Tina au Saigon. Le bar où Harry Beevers avait passé les nombreuses heures qu'il aurait dû consacrer au cabinet Caldwell, Morn & Morissey avait été allongé et recouvert d'un magnifique placage de noyer noir; derrière, s'étendait la salle à manger, vide et encore nue. Tina trouva son chemin dans le noir jusqu'à la cuisine. Là, la lumière était installée, et il appuya sur un interrupteur. Puis, à quatre pattes, il se mit à regarder sous le fourneau, le réfrigérateur, derrière les congélateurs et les étagères, inspectant chaque millimètre de plinthe. Nul insecte d'aucune sorte.

Il pénétra ensuite dans la petite chambre de Vinh. Le lit était soigneusement fait. Sur les étagères qu'il avait lui-même installées, Vinh avait rangé ses livres : poésie, romans, théâtre, et livres de cuisine en français, anglais et vietnamien. Tina regarda sous le lit et la petite commode sans découvrir le moindre cafard géant.

Aucun bruit de sabots sur le carrelage flambant neuf.

Il ferma la porte à clef et gagna son appartement à l'étage. Il enleva son manteau, et sans allumer la lumière alla se poster à la fenêtre qui donnait sur Grand Street. Il y avait beaucoup de gens qui grimpaient les escaliers de La Gamal, dont certains qui d'ordinaire seraient venus assouvir leur faim et alléger leurs portefeuilles au Saigon. Dans la rue, les gens se hâtaient; personne ne flânait, personne ne s'attardait à regarder ses fenêtres. Maggie devait déjà avoir décidé si elle reviendrait ou non ce soir-là. Elle resterait probablement en ville. Tout cela semblait parfaitement familier. Maggie n'allait pas appeler pendant plusieurs jours, il allait devenir fou, il y aurait des annonces énigmatiques dans *Voice* et tout recommencerait. *Petit chat se languit de demi-lune*. Peut-être cette fois-ci n'aurait-il pas besoin d'être à moitié massacré pour la voir revenir... peut-être cette fois-ci se montrerait-il plus raisonnable. Mais ce soir, Maggie faisait bien de passer la nuit ailleurs. Tina connaissait bien ce besoin de solitude : au moins n'accablerait-il personne de ses problèmes.

Il se prépara un verre au bar derrière son bureau et alla s'asseoir sur le canapé pour attendre le retour de Vinh.

Lorsqu'il entendit la sonnette de la porte d'entrée, il se dit que Vinh avait dû oublier ses clefs et il faillit appuyer sur le bouton d'ouverture de la porte sans demander dans l'interphone qui avait sonné. Pourtant il se ravisa.

– Qui est-ce ?

– Une livraison, dit une voix.

Le beau-fils avec sa camionnette pleine de cocottes en fonte et deux ou trois boîtes de couteaux. Si Leung les lui avait envoyés sans attendre les instructions de Tina, c'est qu'il avait dû les lui facturer à l'ancien prix.

– J'arrive, dit-il en appuyant sur le bouton d'ouverture de la porte.

4

– Alors tu crois que je devrais retourner là-bas ce soir?

Maggie suivait pas à pas le général, comme pour se mettre à l'abri de son large dos de militaire.

– Je n'ai pas dit ça.

Le général se précipita dans l'une des allées de son église improvisée pour remettre une chaise dans l'alignement. Autour d'eux, tout baignait dans cette lumière vive, éclatante, que le général et sa congrégation préféraient à tout autre éclairage : le vinyle rouge des sièges, les murs jaunes ornés de chromos où un Jésus à natte se battait contre des démons au milieu d'un brumeux paysage chinois, le bois clair et bon marché de l'autel. Maggie et lui parlaient le même cantonnais dur et brillant dans lequel il célébrait ses offices.

Debout devant la fenêtre aux volets fermés, Maggie semblait presque désespérée.

– Alors je m'excuse. Je n'ai pas compris.

Le général se redressa et hocha la tête. Il retourna dans l'allée, la contourna et se dirigea vers la balustre du chœur et l'autel.

Maggie le suivit jusqu'à la balustre. Le général ajusta soigneusement le tissu blanc sur l'autel et daigna enfin la regarder.

– Tu as toujours été une fille intelligente. Mais tu ne t'es jamais comprise toi-même. Ni ce que tu fais! Ni la façon dont tu vis!

– Je ne vis pas si mal que ça.

Elle avait l'impression de reprendre la même éternelle discussion, et elle eut soudain l'envie d'être loin de là, de se retrouver avec Jules et Perry dans l'un de leurs minables appartements de l'East Village. De retrouver leur insouciance, leurs boîtes de nuit et la façon qu'ils avaient de l'accepter comme elle était.

– Enfin... vivre dans une telle ignorance de soi-même, dit doucement le général.

– Mais alors que dois-je faire? demanda Maggie sans dissimuler l'ironie de sa question.

– Tu es un ange gardien. Tu es le genre de personne à se diriger là où on a besoin d'elle. Ton ami avait grand besoin de ton aide. Tu l'as si bien remis sur pied qu'il n'a désormais plus besoin de ton aide, et qu'il a retrouvé tous ses problèmes. Je connais les hommes comme lui. Il lui faudra des années avant de surmonter les ravages que la guerre a faits en lui.

– Crois-tu que les Américains soient trop sentimentaux pour faire de bons soldats ? demanda Maggie, curieuse de connaître l'opinion du général à ce sujet.

– Je ne suis pas un philosophe.

Il alla chercher une pile de livres de chants dans un placard derrière l'autel. Sachant ce que l'on attendait d'elle, Maggie lui prit des mains la pile de livres.

– Mais toi tu ferais peut-être un meilleur soldat que ton ami, reprit le général. J'ai connu des anges gardiens qui faisaient d'excellents officiers. Ton père, par exemple, avait un véritable côté ange gardien.

– Et il allait là où on avait besoin de lui ?

– Il allait surtout là où moi j'avais besoin de lui.

Ils avançaient côte à côte dans des allées parallèles, disposant les livres sur les chaises.

– Et maintenant, j'imagine que tu voudrais que moi aussi j'aille quelque part, dit Maggie.

– Tu ne fais rien pour l'instant, Maggie. Tu m'aides pour l'église, bien sûr. Tu vis avec ton soldat. Et je suis sûr que tu fais beaucoup pour son restaurant.

– J'essaye.

– Et si tu vivais avec un peintre, tu lui trouverais les meilleurs pinceaux de la ville, tu préparerais ses toiles comme jamais elles n'auraient été préparées auparavant, et tu finirais par le faire exposer dans les galeries les plus célèbres et dans les musées.

– C'est vrai, reconnut-elle, frappée par la justesse de cette vision.

– Alors ou tu épouses un homme ici et tu vis sa vie par procuration, tu es son associée s'il le désire, ou bien tu vis ta propre vie.

– A Taiwan, dit-elle, sachant bien qu'il finirait par en arriver là.

– C'est aussi bien qu'ailleurs, et pour toi c'est mieux. Je ne parle pas de ton frère. Jimmy resterait le même partout, alors autant qu'il reste ici. Mais toi, à présent, tu pourrais aller à l'université à Taïpeh et préparer un métier.

– Quel métier ?

– Médecine, dit-il en la regardant droit dans les yeux. Et il ajouta : je pourrais te payer tes études.

Elle faillit éclater de rire tant sa surprise était grande, mais elle s'efforça de prendre la chose à la légère.

– Eh bien, au moins tu n'as pas dit « des études d'infirmière ».

– J'y ai pensé aussi.

Il continuait de disposer les livres sur les chaises.

– Ça prendrait moins de temps et coûterait beaucoup moins d'argent. Mais tu ne préférerais pas être médecin ?

– Je pourrais peut-être devenir psychiatre, dit-elle en songeant à Tina.

– Peut-être, dit le général, et elle vit qu'il avait parfaitement deviné ses pensées. Toujours l'ange gardien, ajouta-t-il. Tu te souviens du livre de Babar que ta mère te lisait ?

– Les livres, corrigea Maggie qui se souvenait parfaitement de ces livres français que lui lisaient son père et sa mère quand elle était toute petite.

– Je me souviens d'une phrase que prononce le roi Babar : « Vraiment, il n'est pas facile d'élever une famille. »

– Oh, mais tu as très bien fait les choses, dit Maggie.

– Je regrette de ne pas avoir mieux fait.

– Eh bien, c'était une toute petite famille.

Maggie lui adressa un sourire par-dessus la rangée de chaises et lui tapota doucement la main.

– Ça fait des années que je ne pensais plus à ces livres. Où sont-ils ?

– Je les ai toujours, dit le général.

– J'aimerais les revoir un jour.

A présent, ils souriaient tous les deux.

– J'ai toujours bien aimé la Vieille Dame.

– Tu vois ? Encore un ange gardien.

Maggie éclata de rire, et si Tina l'avait vue en cet instant, il aurait dit qu'elle l'évitait à nouveau.

– Jamais je ne te forcerai à suivre un de mes projets, dit le général. Si tu décides d'épouser ton vieux soldat, j'en serai heureux pour toi. Je voudrais seulement que tu prennes conscience que tu serais son ange gardien autant que sa femme.

Cela était trop pour Maggie qui préféra retourner en terrain plus sûr.

– Je savais chanter la chanson des éléphants. Tu t'en souviens ?

Il hocha la tête. Maggie lui était reconnaissante d'avoir accepté de rencontrer Tina, et elle se promit qu'elle présenterait à l'inspection du général tout homme qui un jour compterait dans sa vie.

– Tout ce dont je me souviens, dit le général, c'est qu'elle était censée être très ancienne. Et en souriant, il ajouta : Elle datait de l'époque des mammouths, comme s'il était assez vieux pour les avoir vus lui-même.

Maggie chanta la chanson du *Roi Babar* : « Patali di rapata/ Cromda cromda ripalo/Pata pata/Ko ko ko. »

– Ça c'est le premier couplet. Je ne me souviens pas des deux autres, mais ça se termine de la même manière : « Pata pata/Ko ko ko. »

Et dès qu'elle eut chanté ces mots à nouveau, elle sut qu'elle rentrerait ce soir-là à Grand Street.

5

A peu près au moment où Tina appuyait sur le bouton d'ouverture de sa porte d'entrée et où Maggie montait les marches de la station de métro de la 125e Rue en se demandant si Tina serait toujours d'humeur aussi infantile, Judy Poole appelait Pat Caldwell pour avoir une conversation sérieuse.

Dans son esprit, Pat Caldwell était la personne par excellence avec qui avoir une conversation sérieuse. Elle ne jugeait pas les gens de la même façon que les amis de Judy, ou Judy elle-même. Née dans une famille très riche, Pat Caldwell avait été élevée de façon à pouvoir se promener dans l'existence comme une princesse exilée feignant d'être pauvre. C'était du moins l'effet libérateur que Judy attribuait à l'éducation de Pat. Elle était née dans une famille plus riche encore que celle de Bob Bunce, et Judy admirait l'aisance avec laquelle elle avait appris à le dissimuler. Les seuls gens de gauche convaincants sont les gens très riches. Pat Caldwell connaissait Judy Poole depuis plus de dix ans, depuis que Michael et Harry avaient été démobilisés. Les deux couples se seraient parfaitement entendus si Harry n'avait pas fait preuve d'une telle anxiété. Harry avait failli détruire leur amitié. Même Michael en avait eu assez.

– Tout cela c'est à cause de Ia Thuc, dit Judy. Tu sais à qui ils me font penser ? Aux types qui ont lancé la bombe sur Hiroshima, et qui ont fini par perdre la boule et devenir des ivrognes. Ils avaient fini par se laisser envahir par leur acte... presque comme s'ils attendaient d'en être punis.

– Harry n'a jamais attendu d'être puni pour ça, dit Pat. Mais il faut dire qu'il n'a jamais cru devoir être puni pour rien. Ne sois pas si dure avec Michael, Judy.

– J'essaye de ne pas l'être trop. Je ne suis pas sûre que ça vaille encore le coup.

– Allez...

– Toi, tu as bien divorcé.

– Eh bien moi j'avais de bonnes raisons. D'excellentes raisons, même. Je ne vais pas te raconter tout ça.

Judy, pourtant, en avait follement envie. Michael lui avait dit qu'à son avis, Harry était du genre à battre sa femme. Mais elle n'osa pas poser la question franchement.

– Michael a appelé de Bangkok, dit-elle après un instant de silence, et j'ai été très dure avec lui. Moi-même je n'ai pas aimé ma réaction. Je lui ai même dit que j'allais sortir avec quelqu'un d'autre.

– Je vois... quand le chat est parti...

– Bruce est un homme charmant, équilibré, stable, dit Judy, un peu sur la défensive. Michael et moi sommes tellement loin l'un de l'autre depuis la mort de Robbie.

– Je vois, répéta Pat. Tu crois que c'est sérieux avec ton ami ?

– Peut-être. Il est équilibré, lui. Il n'a jamais tué personne. Il fait de la voile. Il joue au tennis. Il n'a pas de cauchemars. Il ne porte pas de poison ni de maladie en lui...

A sa propre surprise, Judy se mit à pleurer.

– ... Je suis seule... je me sens seule avec Michael. Tout ce que je veux c'est être normale, mener une vie de bourgeoise normale.

Elle éclata à nouveau en sanglots et mit un certain temps avant de se ressaisir.

– ... Est-ce trop demander ?

– Ça dépend de la personne qui le demande, dit Pat de façon très raisonnable. Mais en ce qui te concerne, ça me paraît tout à fait sensé.

– J'ai travaillé dur toute ma vie ! s'exclama Judy. Je ne suis pas née à Westchester, tu sais. Je suis fière d'en être arrivée là où je suis, de la façon dont nous vivons, et ça compte ! Jamais je n'ai demandé d'aide à personne, jamais je n'ai accepté la charité. J'ai réussi à me faire une place dans l'une des villes les plus huppées de tout le pays. Ça veut dire quelque chose pour moi.

– Mais personne ne te le conteste, dit Pat, d'un ton apaisant.

– Tu ne connais pas Michael ! Il est parfaitement décidé à tout jeter par-dessus bord. Je crois qu'il déteste Westchester. Il veut tout plaquer et aller vivre dans un taudis ; on dirait qu'il veut se couvrir de cendres, il ne supporte pas ce qui est beau...

– Il est malade ? demanda Pat. Tu as parlé de poison et de maladie, tout à l'heure.

– C'est la guerre qui l'a miné, il porte la mort en lui, il voit tout à l'envers, je crois que le seul être qu'il aime ici c'est une fille qui est en train de mourir d'un cancer : il en est gâteux, il lui offre des livres, il invente des prétextes pour aller la voir, c'est affreux, c'est parce qu'elle est en train de mourir, elle est comme Robbie, elle est comme une Robbie à l'esprit plus vif...

Judy pleurait à nouveau.

– Ah, qu'est-ce que j'aimais ce pauvre enfant. Mais après sa mort, j'ai jeté toutes ses affaires, j'étais décidée à tirer un trait sur le passé et à tout recommencer... tu dois me trouver épouvantablement larmoyante. Je suis impardonnable.

– Mais enfin, il n'y a rien à te pardonner. Tu es à bout de nerfs. Est-ce que tu veux dire que Michael souffre d'une maladie causée par l'Agent orange ?

– Est-ce que tu sais ce que c'est que de vivre avec un médecin ? dit Judy avec un rire déplaisant. C'est impossible d'envoyer un médecin consulter un autre médecin. Michael n'est pas en bonne santé, mais jamais il n'ira se faire faire un bilan : on dirait un vieillard d'une tribu primitive : il attend la mort. Mais je sais d'où ça vient ! C'est le Vietnam, c'est Ia Thuc ! Il a complètement intériorisé Ia Thuc, il a avalé ça comme on avale un poison, et maintenant c'est le poison qui le dévore. Mais en attendant, c'est moi qu'il rend responsable de tous ses problèmes.

Elle s'interrompit un instant, le temps de se ressaisir.

– Et puis, comme si c'était pas suffisant, il y a ces coups de téléphone anonymes. Tu n'en as pas reçu, toi ?

– Si, j'ai reçu quelques coups de téléphone obscènes, dit Pat. Et après que j'ai demandé à Harry de partir, j'ai reçu un certain nombre de coups de fil. Il ne l'a jamais reconnu, mais il restait là au téléphone, sans rien dire, un peu haletant, dans l'espoir que j'aie peur ou que je me sente coupable.

– C'est peut-être Harry qui m'appelle !

Et Judy émit une sorte de borborygme qui aurait pu passer pour un rire.

6

En se rendant chez Tina, Maggie avait le sentiment qu'il s'était passé quelque chose. Dès sa sortie du métro, elle fut entourée d'une bande de jeunes garçons qui se mirent à danser autour d'elle en l'appelant la « petite chinetoque ». « Viens, petite chinetoque, je vais te montrer des choses. » Ce n'était qu'une bande d'adolescents désœuvrés trop effrayés par les femmes pour oser les aborder autrement qu'en groupe, mais Maggie prit peur. Elle enfonça les mains dans ses poches, rentra la tête dans les épaules et fonça droit devant elle. Les garçons étaient entourés d'un nuage de fumée de marijuana. Où était Tina ? Pourquoi ne répondait-il pas au téléphone ? « Regarde-moi, regarde-moi », suppliait l'un des garçons, mais le regard que lui lança Maggie suffit à le clouer sur place.

Le reste de la bande continua de la suivre jusqu'à la rue suivante en proférant des cris et des grognements difficilement compréhensibles. La nuit était froide et le vent lui mordait le visage. Les lampadaires jetaient sur la chaussée une lugubre lumière jaune.

Il lui fallait du temps pour réfléchir à la proposition du général. Avant de refuser il fallait peser soigneusement le pour et le contre, et peut-être ne refuserait-elle pas du tout, en fin de compte. Avec le temps, il n'était pas impossible que le général consentît à lui payer des études de médecine à New York, si elle trouvait une faculté qui l'acceptât. Si elle était étudiante en médecine avec sa chambre à elle dans Washington Heights ou à Brooklyn, si elle était plus occupée que quatre patrons de restaurant, si Tina se rendait compte qu'elle avait sa vie à elle... alors il ne pourrait plus l'accuser d'envahir la sienne...

A un bloc de distance, Maggie avait aperçu un rai de lumière jaune sous la porte du Saigon, et elle avait d'abord cru qu'il s'agissait d'un reflet sur une vitre ou d'une plaque de métal entreposée dans l'entrée. Mais elle se rendait compte à présent que les ouvriers devaient être partis depuis au moins une demi-heure, et dans ce quartier on n'aurait jamais rien laissé dehors après la tombée de la nuit. Il s'était passé quelque chose.

En approchant du restaurant, Maggie s'aperçut que la porte était entrouverte, et que la lumière provenait de la cage d'escalier. Ce n'était pas seulement anormal, c'était inquiétant. Jamais Tina n'aurait laissé ouverte la porte donnant sur la rue. Elle se mit à courir.

En posant la main sur la poignée, elle se dit que si Tina n'avait pas laissé la porte ouverte, alors c'était quelqu'un d'autre qui l'avait fait. Elle appuya brièvement sur la sonnerie de l'appartement, puis se ravisa aussitôt.

Elle attendit un instant dans l'entrée, hésitante. Elle appuya alors sur la sonnerie du restaurant, cette fois-ci plus longuement, pensant que Vinh se trouvait peut-être à l'intérieur. Rien. Vinh n'était pas là.

Il y avait une cabine téléphonique au coin de West Broadway, et Maggie se décida à aller appeler la police. Mais peut-être Tina avait-il, en fin de compte, vraiment oublié de fermer la porte, et était-il assis là-haut, avec le vague à l'âme.

Ou alors Dracula était revenu mettre à sac l'appartement. En songeant à l'état dans lequel elle avait trouvé Tina, étendu sur des draps raides de sang séché, elle revint vers la porte et appuya sur la sonnerie de l'appartement. Elle sonna longtemps, plus longtemps que pour le restaurant, tandis que le carillon retentissait à travers l'appartement et la cage d'escalier.

– Tiens, vise un peu la Maggie, je parie qu'elle est en train d'espionner quelqu'un.

Elle aperçut alors Perry, son ami de l'East Village, qui se tenait derrière elle, un long carton à dessin noir sous le bras. A ses côtés se tenait Jules qui lui adressa une grimace qui signifiait visiblement : « N'est-ce pas terrible, affreux ? » Ils devaient sortir de l'immeuble qui faisait face au Saigon et qui abritait de nombreuses galeries d'art. Jules et Perry étaient allés présenter leurs œuvres.

– Allez, on espionne avec elle, dit Jules. Ça sera toujours plus marrant que de se faire envoyer chier par ces enflés des galeries de peinture.

– Excellente idée ! s'exclama Perry. Bon... qui surveille-t-on ? Un espion étranger ? Ernst Stavro Blofeld ? Des post-expressionnistes italiens ?

– Je n'espionne personne, dit Maggie. J'attends seulement mon ami.

Elle faillit leur demander de l'accompagner en haut, mais elle imaginait déjà la réaction de Perry devant l'appartement de Tina. Il tripoterait tous les bibelots, avalerait tous les alcools qui lui tomberaient sous la main et raillerait les goûts de Tina et ses trop évidentes opinions politiques.

– T'as une drôle de façon d'attendre, dit Perry. Et puis quel ami ? Après avoir ramené nos toiles on t'amène dans un nouveau club génial.

– Je ne peux pas.

– Tu ne peux pas ? répéta Perry en écho. Pourtant, nous on a jamais tué de bébés vietnamiens ! Allez, viens, Jules, on se tire.

Il se détourna et Jules qui l'accompagnait n'accorda pas le moindre regard à Maggie.

Maggie les regarda s'éloigner dans la lumière blafarde des lampadaires, avec leurs vêtements rapiécés qui leur donnaient une superbe de princes des bas-fonds, et elle sut qu'ils ne lui pardonneraient jamais de ne pas les avoir suivis ce jour-là. Les gens comme Jules et Perry se prenaient pour des êtres sensés égarés au milieu des dingues, et Maggie venait de rejoindre le camp des dingues.

Ces réflexions ne l'occupèrent pas plus d'une seconde ou deux. Maggie ouvrit la porte en grand et s'avança dans l'entrée. Silence total.

Elle referma la porte derrière elle et se mit à gravir lentement les marches.

7

C'était un jour de gloire pour Koko, le joug et le fardeau lui étaient légers.

Par l'homme est venue la mort, et par l'homme est venue aussi la résurrection des morts.

Trente vies à expier. Avec Pumo cela faisait dix, et s'il y avait une femme cela ferait onze.

Rien n'était perdu dans l'animal. Le Joker avait fermé les yeux et dormait sur le paquet.

Lorsque Pumo le Puma avait ouvert la porte et regardé le visage de Koko, il avait su, il avait vu, il avait compris. Les anges l'avaient poussé en haut des escaliers, les anges l'avaient poussé dans sa grande grotte illuminée. Les larmes jaillirent des yeux de Koko, car il était vrai que Dieu faisait tout simultanément, et le cœur de Koko débordait d'amour pour Pumo, qui *comprenait*, qui *s'élevait*, alors même que son âme s'élevait et retournait chez elle.

Les yeux, les oreilles, la carte d'éléphant dans la bouche.

Puis Koko entendit le tonnerre d'une sonnerie, le fracas d'un monde impatient avide d'immortalité, et il tira rapidement sur le cordon, éteignant toutes les lumières de la pièce. La grotte à présent était sombre. Koko se rendit ensuite tranquillement dans le couloir et y éteignit également la lumière.

Puis il retourna attendre dans le salon.

Dehors, les voitures rugissaient comme de grands fauves dans la jungle. Son père se penchait vers lui en disant : *Si tu travailles trop vite, tu n'arriveras jamais à rien.* La sonnerie retentit à nouveau, claironnante, jusqu'à trouver sa vraie voix et se transformer en insecte gigantesque tournoyant à grands cercles entre les murs. Finalement il se posa sur le corps de Pumo et replia ses larges ailes.

Koko ramassa le couteau sur un canapé et se glissa à l'endroit où le couloir donnait sur la grotte. Il se rendit invisible, calme, silencieux. Son père et un démon amical attendaient avec lui, muets et approbateurs, et Koko se glissa dans le monde de cauchemar qu'il avait connu toute sa vie. Ses pas noircissaient la terre, trente enfants pénétraient dans une grotte pour n'en jamais ressortir, trois soldats entraient dans une grotte, et deux en ressortaient. *Messieurs, vous faites partie d'une grande machine à tuer.* Finalement, Koko vit l'éléphant se hâter vers lui, avec ses robes d'hermine et de soie, et la Vieille Dame dit : *Messieurs, il est temps à nouveau d'affronter l'éléphant.*

Car il avait perçu le son assourdi, presque indistinct, de la porte qui se referme, son corps avait éprouvé le léger tremblement de l'air, et il entendait à présent le frottement d'une main sur la rampe, et ce bruit léger que font les pas d'un civil qui croit gravir des marches le plus silencieusement possible.

8

Arrivée en haut de l'escalier, Maggie s'aperçut aussitôt que la porte de l'appartement n'était pas fermée ; elle était seulement tirée. Elle la poussa du bout des doigts. La lumière de l'escalier éclaira l'entrée, avec ses vestes et ses chapeaux entassés sur les portemanteaux.

En voyant l'entrée de Tina, on avait toujours l'impression qu'il donnait une fête chez lui.

Au pis, se dit Maggie, il y a eu un nouveau cambriolage, ce qui va le plonger dans une nouvelle dépression. Le cambrioleur devait être parti depuis longtemps. Elle alluma la lumière et suivit le petit couloir. Dans la chambre, elle alluma aussi la lumière. Rien n'avait bougé depuis leur triste matinée. Le lit était encore défait, signe indubitable que Tina était sur la mauvaise pente.

Il flottait une étrange odeur dans l'appartement, mais Maggie repoussa à plus tard l'identification : d'abord s'assurer qu'il s'agissait bien d'un cambriolage, et dans l'affirmative vérifier que le voleur n'avait pas saccagé l'appartement. Rien d'extraordinaire dans la salle de bains. Elle retourna donc au salon.

Deux ou trois pas plus loin, elle s'immobilisa. A la faible lueur du couloir, elle distinguait une silhouette sur l'une des petites chaises en bois disposées autour de la table de la salle à manger. Elle se dit d'abord qu'elle était tombée sur un cambrioleur particulièrement calme et déterminé, et son cœur se mit à battre la chamade. Puis, lorsque ses yeux se furent habitués à l'obscurité, elle reconnut l'homme sur la chaise : c'était son amant. Elle s'avança. D'abord le gronder, puis le cajoler, le réconforter. Au moment de prononcer son nom, elle reconnut l'odeur qui flottait dans la pièce : celle du sang. Un pas encore, et elle s'aperçut que la poitrine de Tina était barbouillée de sang, que les pieds de la chaise baignaient dans une large flaque de sang. Quelque chose qui ressemblait à une carte blanche sortait de la bouche de Tina.

Au lieu de hurler et de se mettre à courir dans la pièce, ce qui aurait signé instantanément son arrêt de mort, Maggie se dirigea vers la partie la plus sombre de l'appartement, sur sa droite. En s'éloignant du rectangle de lumière découpé par l'entrée éclairée, elle avait agi comme par réflexe, comme poussée par une force intérieure. Elle finit par s'accroupir derrière la table, terrorisée par ce qu'elle avait vu, et se mit à observer la pièce.

La terreur devait avoir aiguisé ses sens. Dès qu'elle fut arrivée derrière la table, elle perçut avec une netteté hallucinante les moindres bruits de la rue, la gaieté dans la voix des gens qui s'interpellaient, le crissement d'un tambour de frein, le bruit d'une canne frappée sur le trottoir. Au milieu de ces bruits, elle distingua les gouttes qui tombaient régulièrement dans la flaque de sang aux pieds de Tina. Et puis il y avait l'odeur fade et écœurante de la mort.

– Allez, Dawn, sors de là, murmura une voix d'homme. Je veux te parler.

Une masse sombre quitta le montant de la porte et s'avança dans la pièce. La lumière de l'entrée permettait de distinguer un homme trapu vêtu d'un pardessus noir un peu trop grand pour lui. On voyait mal le visage, simple tache pâle, mais ses cheveux devaient être aussi noirs que ceux de Maggie car ils se fondaient entièrement dans l'obscurité de la pièce.

Puis l'homme partit d'un petit rire qui la surprit.

– Je me suis trompé. Tu ne peux pas être Dawn. Ne m'en veux pas.

Il avança d'un mètre encore, silencieusement. A la main, il tenait un hideux couteau à manche noir. Quelques pas de côté et il se fondit dans l'obscurité.

– Allez sors, et viens me parler, dit-il. Il y a une raison pour tout, et il y a une raison pour ceci. Je ne suis pas un fou qui opère dans le vide, tu sais. J'ai parcouru des milliers de kilomètres pour venir jusqu'ici, dans ce monde. Il est important que tu le comprennes.

Dans l'ombre, on le sentait hésiter.

– Je suis quelqu'un qui a toujours su lorsque quelque chose allait se produire, et ce quelque chose va se produire. Tu vas te lever et t'avancer vers moi. Tu as peur. Tu as senti l'odeur du sang. Cela vient de quelque chose qui s'est produit il y a longtemps, et maintenant que tu es ici, tu dois voir que tout cela fait partie d'un plan d'ensemble, et que toi aussi tu fais partie de ce plan. Loué, loué soit l'agneau qui a été immolé. C'était un guerrier, moi aussi j'étais un guerrier, et j'ai été rappelé.

L'homme s'avança au centre de la pièce.

– Cela doit donc arriver. Lève-toi et viens vers moi.

Tandis qu'il parlait, Maggie ôta silencieusement son manteau et le laissa glisser sur le sol. Toujours accroupie, elle remonta le long de la table, contourna les chaises qui se trouvaient au bout et lentement, sans bruit, se hissa sur l'estrade.

L'homme s'avança d'un pas dans sa direction.

– Je sais où tu es. Tu es sous la table. Je pourrais te sortir de là. Mais je ne le ferai pas. Je vais te donner la possibilité de te montrer toi-même. Quand tu te seras montrée à moi, tu pourras partir. Tu vois où je suis maintenant. Je suis au fond de la pièce. Je te promets que je ne bougerai pas de cet endroit. Je voudrais voir ton visage, je voudrais te connaître.

Il changea son couteau de main, le tint par la pointe de la lame entre le pouce et l'index et se mit à le balancer lentement.

– Il y a l'Éléphant, dit-il. La justice n'existe pas dans ce monde. L'équité est une invention humaine. Le monde a seulement horreur du gaspillage, le gaspillage est interdit, et une fois le gaspillage éliminé, alors l'amour est possible. Écoute, je vais te dire un mystère... Je suis un homme de douleur et j'aimais Pumo le Puma.

Maggie avait commencé à reculer avec les plus grandes précautions. Dès qu'elle eut senti le contact du bureau contre ses doigts, elle se força à reculer plus doucement encore jusqu'à toucher le pot en terre vide qu'elle savait se trouver là. Ce pot avait autrefois contenu un minuscule hibiscus, cadeau qu'elle avait fait à Tina ; le petit arbre avait fini par mourir du manque de lumière et d'une attaque de pucerons à l'époque où les cafards, eux, s'attaquaient à la cuisine du restaurant. Tina avait alors jeté l'hibiscus, mais gardé le pot et promis à Maggie qu'ils en auraient un autre. Depuis lors, le pot était demeuré vide sur le bureau.

– A un moment ou un autre, nous nous rencontrerons. Dans une minute, ou deux, ou trois...

Il se tenait à un mètre cinquante d'elle, environ, prêt à lui plonger son poignard dans le dos. Maggie se redressa, le pot à bout de bras.

L'homme jeta un coup d'œil par-dessus son épaule. Maggie avait la gorge nouée par la terreur. Mais l'homme n'eut pas le temps de réagir ; le pot le frappait à la tempe. Fracas du pot contre le sol. Fracas de la table basse écrasée, cassée en deux par l'homme qui venait de trébucher dessus. Maggie sauta alors de l'estrade et vola plus qu'elle ne courut à travers la pièce, avant que l'assassin de Tina se fût dépêtré de la table basse. Elle ouvrit la porte et dévala l'escalier quatre à quatre. L'espace d'un instant, elle aperçut une ombre immense sur le mur à côté d'elle, et une ombre noire boucher l'ouverture en haut de la cage d'escalier. Elle volait, et pourtant il lui semblait se déplacer avec une lenteur terrifiante, comme si ses muscles refusaient de la porter. L'homme devait avoir perdu son couteau car il ne le lui lança pas entre les omoplates. L'homme dévalait l'escalier à son tour. Elle se rua dehors.

Elle volait à nouveau, vers les bruits, les lumières, les gens. Elle était parfaitement insensible au froid de la rue.

Avant d'avoir atteint le coin de West Broadway, elle risqua un coup d'œil par-dessus son épaule. Le spectacle qui s'offrait à elle semblait aussi artificiel que celui d'une scène de théâtre. La porte de l'immeuble était ouverte, et la lumière de l'escalier se mêlait au cercle de lumière d'un lampadaire. Quelques personnes s'étaient immobilisées pour la regarder courir. Au milieu des lumières et du brouhaha de Grand Street, une ombre se glissait vers elle, utilisant la foule pour se dissimuler. Maggie courait toujours ; l'air glacé lui brûlait la gorge. Elle n'était plus qu'un mince trait noir filant à toute allure sur le trottoir.

Maggie courait le long des immeubles, les bras fendant l'air, les pieds martelant le sol. « Vas-y, cours! » lança un Noir sur son passage, en percevant la terreur sur son visage. Un point brûlant commençait à lui vriller le flanc, le rythme de sa respiration commençait à se désorganiser, et elle entendit alors le bruit feutré des pas de son poursuivant. Il gagnait du terrain.

Le métro n'était plus qu'à un bloc de distance. La sueur coulait sur son visage, le point était plus brûlant que jamais à son flanc, mais elle continuait de courir. Les garçons qui se trouvaient encore rassemblés sur le trottoir la virent arriver en courant.

– Hé, la p'tite chinetoque!

– Ma chérie, t'es revenue!

Un grand garçon vêtu d'un sweat-shirt se mit à danser au loin devant elle, l'invitant par gestes à s'approcher. Son nom, en grosses lettres au bout d'une chaîne dorée, se balançait sur sa poitrine. Maggie hurlait quelque chose et ils se rapprochèrent, mais lorsqu'il vit son visage convulsé de terreur, le garçon s'écarta pour lui laisser le passage.

– Au meurtre! hurla-t-elle. Arrêtez-le!

Mais déjà elle dévalait les marches du métro. La pesanteur abolie. Derrière elle, elle entendit des hurlements, le bruit d'une chute sur le sol. Avant d'avoir atteint le bas des marches, elle entendait un train qui entrait en station. Il devait y avoir une quinzaine de personnes dans le hall de la station, et autant sur le quai. Des cris dans l'escalier. Sur la droite, un train qui s'arrête. Les portes s'ouvrent.

Elle fendit la foule, fit semblant de glisser une pièce dans la machine et franchit prestement le portillon. Elle risqua alors un regard par-dessus son épaule : un mur de voyageurs s'avançait vers les wagons. Puis une ombre grise se fondit derrière un homme en pardessus noir, et elle aperçut l'esquisse d'un sourire au moment où l'ombre se coulait vers elle. Puis cette ombre se mit à gambader joyeusement vers elle, et elle parcourut au pas de course les derniers mètres qui la séparaient encore du train.

Elle se rua à l'intérieur et se précipita ensuite sur la fenêtre la plus proche. L'homme au pardessus noir s'avançait à présent vers le tourniquet, tandis que derrière lui quelque chose se fondait, se coulait entre les hommes et les femmes qui attendaient de gagner le quai, lui souriait, puis dansait, presque invisible; il la voyait mais elle ne le voyait pas, et le train quitta lentement la station.

Maggie s'effondra sur un siège. Elle tremblait. « Il l'a tué », se dit-elle. Puis elle répéta la phrase à voix haute, et les gens qui l'entouraient s'éloignèrent dans le wagon. Il lui semblait que ce qui avait tué son amant et l'avait poursuivie dans la station n'était pas un être humain mais une force surnaturelle, une chose au sourire mauvais qui pouvait changer de forme et devenir invisible. La seule preuve qu'elle avait de son humanité c'était la façon dont le pot s'était fracassé sur sa tête, et la façon dont il avait trébuché sur la table basse en verre. Elle n'arrivait pas à y croire; une nausée la submergea. Elle se mit à sangloter. C'est alors qu'elle avisa ses chaussures : aucune tache de sang, pas même sur les semelles. Elle frissonna et continua de sangloter tout le long du trajet. En prenant sa correspondance, elle continuait de pleurer, et les larmes roulaient le long de ses joues. Animal blessé, elle retournait à sa tanière. De temps à autre, elle sursautait, poussait un cri : derrière les passagers debout qui se tenaient aux poignées, elle croyait avoir vu l'ombre de l'assassin fou de Tina. Mais lorsque les gens s'écartaient ou descendaient, il n'y avait personne, l'ombre s'était à nouveau dissipée.

Elle dévala les escaliers de la 125e Rue, les bras croisés sur la poitrine pour se réchauffer. Ses larmes allaient geler et son visage serait pris dans la glace.

Elle poussa les portes de l'église du général et se glissa à l'intérieur le plus discrètement possible. Elle fut saisie aussitôt par la chaleur et le parfum des cierges, et faillit s'évanouir. La congrégation était installée sur ses chaises; Maggie demeura au fond de l'église, tremblante, les bras serrés autour d'elle, ne sachant que faire. Pourquoi être revenue dans cette petite église brillamment éclairée?

Des larmes roulaient à nouveau sur ses joues. Le général finit par l'apercevoir et lui jeta un regard interrogateur qui ne laissait pas d'être également inquiet. *Il ne sait pas,* se dit Maggie, tremblante, les bras toujours serrés autour de son corps et pleurant en silence. *Comment le saurait-il?* Maggie prit conscience alors que Tina était toujours assis sur sa chaise, mort, et que personne ne le savait, hormis elle et l'assassin. Il fallait appeler la police.

9

Ignorant encore les événements qui n'allaient pas tarder à le ramener à New York, Michael sortait pour la deuxième fois ce jour-là de Bang Luk, la ruelle abritant le marché aux fleurs et l'appartement d'Underhill, et tournait dans Charoen Krung Road, en direction du nord. Il était minuit et demi. Les rues étaient encore plus encombrées que plus tôt dans la soirée, et dans d'autres circonstances, même un fervent marcheur comme l'était le Dr Poole aurait arrêté un taxi. Il faisait encore très chaud, son hôtel se trouvait à quatre ou cinq kilomètres de là, et la ville de Bangkok ne se prêtait guère aux longues marches. Mais les circonstances n'étaient en rien ordinaires, et Michael n'avait nullement envie de rentrer à son hôtel en voiture. De toute façon, il n'avait pas non plus envie de retrouver son lit... il aurait été incapable de dormir. Il venait de passer un petit peu plus de sept heures avec Timothy Underhill, et il avait tout à la fois besoin de réfléchir et de se livrer à un simple exercice physique sans réfléchir. En réalité, il s'était passé peu de chose au cours de ces sept heures : les deux hommes avaient parlé à la terrasse de l'hôtel ; toujours conversant, ils s'étaient rendus en *ruk-tuk* jusqu'à un excellent restaurant chinois de Sukhumvit Road, le Golden Dragon, où ils avaient continué à parler ; ils avaient ensuite pris un autre *ruk-tuk* pour rejoindre l'appartement d'Underhill, au-dessus de la boutique Jimmy Siam, et avaient parlé sans fin. Michael Poole avait encore dans les oreilles la voix de Tim Underhill... il avait l'impression d'accorder ses pas au rythme de cette voix.

Underhill était un homme merveilleux. Un homme merveilleux qui vivait une existence terrible, un homme merveilleux qui avait des habitudes terribles. C'était un homme terrible et merveilleux. (Michael avait bu plus que de coutume au cours de ces sept heures, et l'alcool qui l'avait réchauffé lui avait aussi brouillé les idées.) Michael avait été ému, bouleversé et d'une certaine façon sidéré par son vieux compagnon... sidéré par ce qu'il avait risqué et surmonté. Mais surtout, Underhill réussit à le persuader. Il était évident qu'Underhill n'était pas Koko. La longue conversation qu'ils poursuivirent pendant des heures acheva de confirmer l'intuition qu'il avait éprouvée aux premiers mots d'Underhill sur la terrasse.

Au milieu du maelström de sa vie, Tim Underhill n'avait pratiquement jamais cessé de songer à Koko, de réfléchir à cette figure chaotique de la vengeance... il avait prouvé que non seulement Harry Beevers s'était occupé bien tard de cette affaire, mais que les hypothèses du même Beevers étaient parfaitement creuses. Michael marchait dans la ville sombre et humide, au milieu des gens pressés, indifférents, et plus que jamais il se sentait proche d'Underhill. Huit heures auparavant, traversant un pont branlant, Michael avait senti changer son attitude face à son travail, à son couple, et surtout face à la mort. C'était presque comme s'il avait enfin considéré la mort avec suffisamment de respect pour la comprendre. Face à elle, il avait ouvert son esprit, largement, de façon bien peu médicale. L'effroi, la terreur étaient nécessaires... tous ces moments de connaissance extatique disparaissaient peu à peu, ne laissant que la rosée de leur passage, mais Michael se rappelait encore le goût âpre, salé, et vivant de la réalité, et l'humilité qu'il avait ressentie face à elle. Ce qui l'avait convaincu à propos d'Underhill, c'était le sentiment que depuis des années, livre après livre, Underhill avait escaladé le garde-fou et traversé le courant. Il avait ouvert largement son esprit. Il avait fait de son mieux pour voler, et Koko lui avait virtuellement donné ses ailes.

Underhill avait volé aussi loin qu'il l'avait pu, et l'atterrissage brutal n'avait été que la conséquence de son envol. L'alcool et les drogues, tous ses excès, ne l'avaient pas aidé à voler – ainsi que Beevers et les gens comme lui l'auraient immédiatement affirmé – mais avaient seulement servi à l'hébéter, à le distraire d'un échec vécu aux confins du possible. Underhill était allé plus loin que Michael, qui avait voué son esprit, sa mémoire et son amour à Stacy Talbot, qui elle-même s'était entortillée comme des bandelettes autour de son ancien amour pour Robbie; Underhill, lui, avait exploité toutes les ressources de son imagination, et l'imagination c'est tout.

Ils avaient évoqué tout cela, et bien d'autres choses encore sur la terrasse de l'hôtel, au cours du dîner dans l'immense et bruyant restaurant chinois, et enfin au milieu de l'indescriptible désordre de l'appartement d'Underhill. Les sujets avaient été abordés pêle-mêle, sans ordre logique, et le récit de la vie tragique de l'écrivain avait souvent éloigné Michael de l'affaire Koko. L'existence d'Underhill se présentait comme une suite d'avalanches. A présent, pourtant, il vivait sereinement et faisait de son mieux pour se remettre au travail. « C'est comme apprendre à marcher à nouveau, avait-il dit à Michael. Je titubais et puis je tombais. Tous les muscles se contractaient, rien ne fonctionnait plus. Pendant huit mois, quand je réussissais à écrire un paragraphe en six heures de travail, je considérais que c'était une bonne journée. »

Il avait écrit une étrange nouvelle intitulée « La rose bleue ». Et il en avait écrit une plus étrange encore intitulée « Le genévrier ». A présent il écrivait des dialogues avec lui-même, questions et réponses, et il avait rédigé la moitié d'un nouveau roman. Deux fois, il avait vu courir vers lui, dans la rue, une fille couverte de sang, qui émettait des sons extraordinaires – la fille faisait partie de la réponse, avait-il dit, voilà pourquoi il l'avait vue –, elle annonçait la proximité des choses ultimes. Pour Underhill, Koko était une manière de retrouver Ia Thuc, et telle était aussi cette vision d'une fille prise de panique courant dans les rues d'une ville, et, finalement, tout ce qu'il avait écrit.

Mais ce qui rendait les choses pires encore, avait dit Underhill, c'était que Koko c'était Spitalny, le dégénéré entre les dégénérés.

– J'ai tout résolu, lui avait dit Underhill au Golden Dragon. J'ai moi-même placé une de ces cartes Koko, toi tu en as placé une, et je crois que Conor Linklater en a mis une...

– Conor, oui, avait dit Michael. Et moi aussi... tu as raison.

– Sans blague, avait dit Underhill. Tu crois que ça ne se voyait pas? Tu n'es pas vraiment du genre à commettre des atrocités, Michael. J'ai fini par arriver à la conclusion que ça ne pouvait être que Spitalny. A moins que ça n'ait été toi, bien sûr, ou Dengler, mais pour aucun des deux ça ne collait. Je suis venu à Bangkok glaner ce que je pouvais sur les derniers jours de Dengler, parce que je pensais que ça pouvait peut-être m'aider à écrire de nouveau. Et c'est là que tout a commencé. Les assassinats de journalistes. C'est ce que Harry et vous vous avez aussi remarqué.

– Comment ça, « les journalistes » ? demanda Michael d'un ton innocent.

Underhill l'avait considéré avec stupéfaction, puis avait éclaté de rire.

Arrivé au coin de Charoen Krung Road et de Surawong Road, Michael demeura un moment immobile dans l'air chaud et dense de la nuit. En faisant des recherches dans les quelques librairies et bibliothèques de Bangkok, Underhill avait découvert ce que n'avait pas découvert Harry avec un documentaliste et les ressources de plusieurs bibliothèques. Michael était à présent stupéfait que Harry eût négligé, et même écarté l'idée que les victimes pussent avoir quelque chose en commun.

Mais cela voulait dire aussi qu'ils étaient tous en danger. Underhill était par exemple certain que Spitalny l'avait suivi à Singapour et à Bangkok.

Il l'avait seulement aperçu. Il avait eu la sensation d'être surveillé et suivi. Au Golden Dragon, il avait dit à Michael :

– Quelques semaines après la découverte des corps à Singapour, je marchais dans la rue et j'avais l'impression que quelque chose de mauvais, mais quelque chose lié à moi, se cachait quelque part et m'observait. Comme si un frère malade et méchant était revenu après longtemps d'absence pour faire de ma vie un enfer avant de disparaître à nouveau. J'ai regardé autour de moi, mais je n'ai vu que des marchands de fleurs, et dès que j'ai atteint la route, l'impression a disparu.

Dans sa chambre en désordre, avec les masques de démons accrochés au mur, le miroir taché et la paille en ivoire sur la table devant lui, il avait dit :

– Tu te souviens de cette impression dont je t'avais parlé tout à l'heure, cette impression que quelqu'un de méchant était revenu spécialement pour moi ? Je pensais que c'était Spitalny, bien sûr. Mais il ne s'est rien passé. Il s'est comme évaporé. Eh bien deux jours après ça, quelques jours après l'assassinat des Français, ici, j'ai eu la même impression sur Phat Pong Road. Cette fois-là c'était beaucoup plus fort. Je *savais* qu'il y avait quelqu'un. J'ai fait un tour, presque sûr qu'il était derrière moi et que j'allais le voir. Je me suis retourné d'un bloc. Il n'était pas derrière moi... il n'était même pas derrière les gens qui se trouvaient juste derrière moi. Il n'était nulle part. Mais tu sais, j'ai quand même vu quelque chose d'étrange. C'est dur de trouver les mots, même pour moi, mais plus loin, bien plus loin dans la rue, il y avait comme une ombre qui dérivait d'avant en arrière, derrière des gens qui eux, étaient bien visibles... mais non... dériver n'est pas le mot exact, parce que l'ombre bougeait beaucoup plus que ça, disons qu'elle *dansait* derrière les gens, et qu'elle me souriait. J'ai eu comme ça une sorte de vision de quelqu'un qui se déplaçait de manière incroyablement rapide, de quelqu'un plein d'allégresse... et puis il s'est évanoui. J'ai failli vomir.

– Et maintenant qu'est-ce que tu veux faire? avait demandé Michael. Tu veux revenir aux États-Unis? C'est presque une question d'honneur pour moi : je ne peux pas cacher à Conor et à Harry que je t'ai rencontré, mais je ne sais pas ce que toi tu en penses.

– Fais ce que tu veux, avait dit Underhill. Mais j'ai un peu l'impression que tu veux me tirer de ma caverne en me traînant par les cheveux, et moi je ne suis pas sûr de vouloir la quitter.

– Eh bien alors ne la quitte pas! s'était écrié Michael.

– Mais on peut peut-être s'aider.

En franchissant les deux cents derniers mètres qui le séparaient de son hôtel, Michael se demandait quelle serait sa réaction si un fou se mettait à danser derrière lui dans la rue, comme une ombre mouvante au milieu de la foule. Aurait-il une vision, comme cela avait été apparemment le cas pour Underhill? Tenterait-il de le pourchasser? Avec Victor Spitalny, le dégénéré entre les dégénérés, rien n'était plus pareil. Un instant plus tard, Michael se dit que Harry finirait bien par avoir la matière de son feuilleton télévisé : Spitalny mettait une nouvelle touche de couleur à son histoire. Mais était-ce pour cela qu'il avait quitté Westerholm?

La réponse n'était guère difficile à trouver, et en arrivant devant son hôtel, Michael avait déjà décidé de ne pas parler tout de suite de sa rencontre avec Underhill. Il se donnerait une journée avant de parler à Conor et d'avertir Harry. De toute façon, en passant devant la réception, il s'aperçut que Conor n'était pas encore rentré. Pourvu qu'il passe du bon temps, se dit-il.

Cinquième partie

LA MER DE L'OUBLI

23

ROBBIE, AVEC UNE LANTERNE

1

Deux jours plus tard, tout était bouleversé. Les événements avaient été si soudains et Michael avait dû se préparer avec une telle hâte, qu'à présent, avec ses deux bouteilles de bière Singha à la main, au bar de l'aéroport, il ne savait plus très bien quoi faire.

Conor l'observait, un peu interloqué. Mais Conor se demandait également si Underhill allait arriver à l'heure au rendez-vous. Les yeux rivés sur le sol, Conor ne dit rien lorsque Michael posa la bière devant lui et s'assit à ses côtés. Il était encore sous le choc des événements de New York : Conor avait encore l'air d'avoir été réveillé par un coup de canon.

Michael savoura une longue gorgée de l'amère et forte bière thaï. Il était arrivé quelque chose à Conor, il le sentait bien, mais son ami refusait d'en parler. Lui aussi se comportait comme s'il se souvenait de certains dialogues avec lui-même qu'Underhill avait écrits. Pour Michael, ces questions et ces réponses devaient servir à faire repartir un moteur grippé. Underhill réapprenait à travailler. En chemin, il avait décrit ce qu'il appelait « une impression d'éternité, de totalité ». D'après Underhill, cela avait à voir avec « la proximité des choses ultimes ».

– A quoi penses-tu, Mikey ? demanda Conor.

Michael secoua la tête sans répondre.

– Je vais aller me dégourdir les jambes, dit Conor.

Il alla se promener du côté des portes d'embarquement pour les vols internationaux. Leur vol avait été retardé d'une heure, et ils devaient décoller dans cinquante minutes. Le retard d'Underhill le rendait si nerveux qu'il éprouva le besoin d'aller faire le tour des vitrines pour se calmer les nerfs. Devant la boutique des alcools hors taxes, il jeta un coup d'œil à sa montre, observa encore une fois les passagers qui déambulaient dans le hall et se décida à entrer.

Dix minutes plus tard, il en sortait avec un sac en plastique jaune et se laissait choir sur sa chaise, à côté de Michael.

– Je me disais qu'en entrant dans cette boutique il allait se montrer.

D'un air absent, Conor examinait les Thaïs, les Américains, les Japonais et les Européens qui se pressaient dans la salle d'attente des vols internationaux.

– J'espère que Harry n'a pas raté son avion.

Harry devait prendre le vol Taïpeh-Tokyo, puis emprunter une correspondance de la JAL jusqu'à San Francisco où il devait arriver une heure après eux. Ensuite, ils devaient prendre tous ensemble l'avion pour New York. En apprenant la mort de Tina, Harry s'était aussitôt écrié que cet abruti serait encore en vie s'il était venu avec eux au lieu de rester là-bas pour retrouver sa petite amie. D'un air impatient, il leur demanda quand ils arriveraient à San Francisco, et pourquoi ils ne voulaient pas attendre qu'il vienne à Bangkok. Il était mortifié que Michael et Conor aient retrouvé Tim : c'était son idée à lui ! « Assurez-vous bien qu'il prenne l'avion, avait-il dit. Et prenez garde à ses mensonges. »

Michael avait fait remarquer qu'Underhill n'aurait pas pu tuer Tina.

– Tina vivait à Soho, dit Harry. Sois lucide, je t'en prie. Il travaillait dans la restauration. A ton avis, il y a combien de trafiquants de coke à Soho ? Les apparences peuvent être trompeuses.

Conor termina sa bière, se leva à nouveau pour aller voir les passagers qui arrivaient, et finit par se rasseoir. A présent, tous les sièges de la salle d'attente étaient occupés, et les nouveaux arrivants soit s'asseyaient par terre, soit allaient flâner le long des boutiques. Petit à petit, la salle d'attente avait fini par ressembler à la ville de Bangkok elle-même : les gens étaient assis par terre, l'atmosphère était chaude, enfumée, partout l'on entendait : « crap crap crop crop ! ».

Après un long discours grésillant en thaï dans les haut-parleurs, dans lequel Michael crut reconnaître les mots San Francisco, Conor se leva à nouveau pour aller vérifier leur heure de départ sur le tableau d'affichage. Leur vol devait partir cinquante-cinq minutes plus tard. A moins d'un nouveau retard, ils arriveraient à San Francisco en même temps que Harry, qui serait furieux d'avoir été dupé. Il exigerait de retourner avec eux à Bangkok. Sur-le-champ. Il organiserait une chasse à l'homme dans les rues, avec sirènes de police et course poursuite sur les toits, qui se terminerait par l'arrestation du méchant, et les explications triomphantes sur la façon dont Underhill avait tué les journalistes et commandité le meurtre de Tina Pumo. Harry voyait les choses en termes de courses poursuites et de communiqués militaires.

Michael était très fatigué. Il avait fort peu dormi la nuit précédente. Il avait appelé Judy qui lui avait sèchement donné quelques détails sur la mort de Tina.

– L'assassin devait être le même que celui de la bibliothèque. Ah bon, tu n'es pas au courant de ça ?

Sans dissimuler sa satisfaction, elle lui décrivit les circonstances du meurtre du Dr Mayer-Hall.

– Pourquoi est-ce qu'on pense que c'est le même assassin ?

– Parce que quelques minutes avant la découverte du corps, deux Chinoises ont vu Tina dans les réserves. Elles l'ont reconnu en lisant les journaux ce matin. Toute l'affaire est racontée dans les journaux. La police recherchait Tina puisque ces femmes l'avaient vu sortir des réserves. La suite est évidente.

– Ah bon ?

– Tina s'est perdu dans les réserves (va savoir ce qu'il allait faire en bibliothèque !) et il a dû voir ce fou tuer le bibliothécaire. Il a réussi à s'enfuir, mais l'assassin a dû le suivre et l'a tué à son tour.

Elle ménagea une pause.

– Je suis désolée d'interrompre les festivités.

Il lui avait demandé si elle recevait toujours des coups de téléphone anonymes.

– Oui. La dernière fois, il disait que rien ne pouvait remplacer le beurre, ou quelque chose comme ça. J'efface la bande quand c'est lui qui a appelé. Pendant son enfance, on a dû lui marteler des absurdités du matin au soir. Je suis sûre que c'était un enfant martyr.

Leur conversation avait pris fin peu après.

Pendant un moment, Michael imagina Victor Spitalny devant lui, petit, voûté, les cheveux noirs, les yeux sombres perpétuellement agités sous son front étroit orné de sa petite mèche rebelle, sa petite bouche toujours humide et son menton pointu. A dix-huit ans, Victor Spitalny était entouré d'une muraille qu'il avait lui-même élevée. En voyant quelqu'un s'approcher, il s'immobilisait et attendait que l'autre se fût suffisamment éloigné pour qu'il se sentît à nouveau en sécurité.

Pour la première fois, Michael se dit qu'il pourrait être intéressant d'aller à Milwaukee voir l'endroit où Victor Spitalny avait passé son enfance. Peut-être était-ce à cause de ce que sa femme lui avait dit.

Et puis Milwaukee c'était la Monroe d'Underhill, dans l'Illinois, la ville où Hal Esterhaz avait été écrasé par son destin. Si Underhill finissait par venir à l'aéroport, nul doute qu'il ne fût intéressé par un tel voyage dans l'enfance d'un de ses personnages.

Puis il entendit l'exclamation de Conor, et tout ceci lui sortit de l'esprit : Tim Underhill s'avançait vers eux en courant, une boîte entourée d'une ficelle sous un bras, une serviette en cuir dans une main, et dans l'autre une mallette contenant une vieille machine à écrire, et un sac en plastique. Sa grande veste en coton lui battait les flancs. Il y avait quelque chose de changé en lui... il s'était coupé les cheveux.

– Finalement tu es venu, dit Michael.

– Je vais manquer un peu d'argent jusqu'à ce que j'aie rendu mon livre, dit Underhill. Est-ce qu'un de vous, messieurs, pourrait me payer un Coca ?

Conor se précipita vers le bar.

2

Ce voyage rappelait de façon un peu caricaturale celui qu'ils avaient fait dans l'autre sens; Tim Underhill était installé à côté du hublot à la place qu'occupait Harry, Conor au milieu et Michael du côté du couloir. L'avion était occupé essentiellement par des touristes. Michael regrettait les fossettes et les cheveux brillants de Pun Yin; ils volaient sur une compagnie américaine, et les hôtesses étaient des femmes grandes au visage volontairement impersonnel. Les autres passagers n'étaient pas des pédiatres mais surtout des jeunes gens qui pouvaient se répartir en deux catégories : des employés de multinationales qui lisaient *Megatrends* et *The One-Minute Manager*, et des couples mariés, avec ou sans bébés, en jeans et en chemises. Lorsque Michael avait leur âge, ces jeunes gens auraient lu Herman Hess et Carlos Castaneda, mais les gros livres de poche qu'ils tiraient de leurs sacs étaient de Judith Krantz et Sydney Sheldon, ou bien avaient été écrits par des dames à trois noms et les illustrations de jaquette figuraient des châteaux embrumés et des licornes alanguies. En 1983, la bohème, si c'était bien ce que représentaient ces jeunes gens, n'était guère littéraire. Et après tout... se dit Michael. Lui aussi, parfois, lisait des livres de gare. Conor, lui, ne lisait rien du tout. De son côté, Underhill avait disposé sur sa tablette un gros livre de poche qui semblait avoir déjà été lu par trois personnes avant lui.

De son sac, Michael sortit *Les ambassadeurs*, un roman de Henry James que Judy lui avait chaudement recommandé. Il y avait pris du plaisir à Westerholm, mais à présent il se rendait compte qu'il n'était guère d'humeur à lire. Il avait peine à imaginer vers quoi il revenait.

Dehors, le ciel était noir, zébré d'éclairs surnaturels, rouges et violets. C'était un ciel de circonstance : il semblait les accueillir dans ce monde de Koko où rien n'était ordinaire, où les anges chantaient et où les démons fuyaient le long d'immenses couloirs.

Conor demanda à l'hôtesse s'ils allaient projeter un film.

– Dès que nous aurons débarrassé les plateaux-repas. C'est *Jamais plus jamais*, le nouveau James Bond.

L'hôtesse eut l'air offensée par le sourire de Conor.

– C'est à cause d'un type qu'on connaît, se hâta d'expliquer Michael.

Il n'arrivait pas à se résoudre à qualifier Harry Beevers d'ami, même devant une hôtesse de l'air qui ne le connaîtrait jamais.

– Ouais, dit Conor d'un air moqueur, je suis inspecteur de la brigade criminelle de New York, je suis un vrai dur, un deuxième 007.

– Ah bon, votre ami est inspecteur de la brigade criminelle de New York, dit l'hôtesse. Eh bien en ce moment il doit avoir du travail. Il y a eu un type poignardé à l'aéroport Kennedy il y a une semaine ou deux. Il est mort.

Voyant que ses propos avaient soudain éveillé l'attention des trois hommes, elle ajouta :

– C'était un homme d'affaires véreux qui était sur un de nos vols. Une de mes amies qui travaille en première classe sur la ligne San Francisco-New York m'a dit que c'était un de ses passagers réguliers. (Elle s'interrompit un instant.) Je crois que c'était un vrai mufle... Les journaux ont dit que c'était un yuppie, mais ils ont dit ça parce qu'il était jeune et qu'il avait beaucoup d'argent.

– C'est quoi, un yuppie ? demanda Underhill.

– Un jeune qui a beaucoup d'argent, dit Michael.

– Une fille en tailleur de flanelle grise avec une paire de Reeboks, dit Conor.

– C'est quoi, des Reeboks ? demanda Underhill.

– Il a été tué à l'aéroport Kennedy alors qu'il arrivait de San Francisco ? demanda Michael.

L'hôtesse acquiesça. Elle était grande, blonde, et d'après son badge, elle se nommait Marnie. Elle avait un regard gai, pétillant.

– Mon amie Lisa m'a dit qu'elle le voyait environ deux fois par mois. Elle et moi on allait souvent faire les folles ensemble, mais elle s'est installée à New York l'année dernière et maintenant on ne se parle plus qu'au téléphone.

Puis elle jeta un curieux regard à Conor.

– Puis-je vous dire quelque chose ?

Conor hocha la tête affirmativement. L'hôtesse se pencha vers lui et lui murmura quelque chose à l'oreille.

Conor réprima un petit cri; puis il éclata de rire, si fort que les passagers qui se trouvaient devant eux interrompirent leur conversation.

– A tout à l'heure, messieurs, dit l'hôtesse en poussant son chariot devant elle.

– Qu'est-ce qu'elle t'a dit? demanda Michael.

Conor avait le visage empourpré. Tim Underhill glissa un petit sourire en coin à Michael : il ressemblait à William Burroughs, à la fois très sage et sec comme un désert.

– Rien, répondit Conor.

– Elle t'a dragué?

– Pas vraiment. Laisse tomber.

– Ah, la chère Marnie, dit Underhill.

– Laisse tomber, on change de sujet.

– D'accord, dit Michael. Bon... un type a été tué à l'aéroport de New York alors qu'il débarquait d'un vol en provenance de San Francisco. Spitalny a très bien pu arriver à San Francisco, comme nous allons le faire, et prendre la correspondance pour New York, comme nous allons le faire également.

– Un peu tiré par les cheveux, dit Underhill, mais très intéressant. Comment s'appelait l'amie de l'hôtesse, celle qui connaissait le type qui a été tué?

– Lisa, dit Conor, toujours rougissant.

– Je me demande si cette Lisa a vu quelqu'un parler avec ce type qui a été tué.

Au début de *Jamais plus jamais*, James Bond est envoyé dans une maison de santé. Toutes les dix minutes un assassin différent essaye de le tuer. De belles infirmières le rejoignent dans son lit. Une belle femme déroule le serpent qu'elle portait autour du cou et le jette dans une voiture par la fenêtre.

Lorsque l'hôtesse revint, Michael lui demanda :

– Quel est le nom de famille de votre amie Lisa?

– Mayo. Comme en Irlande. Comme Hellman.

C'était tiré par les cheveux, mais l'idée d'aller à Bangkok n'était-elle pas aussi un peu saugrenue? Et l'idée de rentrer à Westerholm? La vie en général était tirée par les cheveux.

– Vous savez, dit Underhill, qu'à Bangkok on peut pour soixante dollars voir un type tuer une fille dans un sous-sol? D'abord il la frappe, et puis il la tue. On la regarde mourir et puis on rentre chez soi.

Conor avait ôté ses écouteurs et regardait Underhill.

– Je crois que tu en sais quelque chose.

– Pourquoi, tu y es allé, toi? demanda Underhill.

Conor ne répondit d'abord pas, puis lui retourna sa question :

– Et toi, tu y es allé?
Underhill secoua la tête.
– Allez! dit Conor.
– Jamais. J'en ai seulement entendu parler.
– Allez, ne me mens pas.
– Mais je ne mens pas!
Conor fronça les sourcils.
– J'ai l'impression que tu as rencontré des gens intéressants, dit Underhill. Écoute, j'ai quelque chose à te dire.

3

La mort de Dengler (2):

Il faut voir le capitaine Batchittarayan, il faut voir sa table, son bureau, son visage...

Tout était dur, suspect... tout sentait la mort et le Lysol. Une seule lampe en métal froid, posée à côté de ses mains brunes, éclairait la surface vide, le métal rayé de son bureau; plus tard, comme si elle avait changé toute seule de direction, elle était tournée vers le haut, me blessant les yeux.

Oui, c'étaient ses hommes qui avaient réprimé la presque émeute, appelons-la comme ça, la « presque émeute », le jour en question, dans le quartier de Patpong; c'était lui, à l'époque il était sergent, qui avait surveillé le transport du corps mutilé jusqu'à la morgue municipale. C'était lui qui avait retiré les plaques d'identification dans la bouillie des chairs de sa poitrine. C'était écœurant, et le souvenir du corps blanc de cet Américain était encore répugnant. Et l'homme qui se tenait devant lui était écœurant, car il était lié à cet événement et il était en possession d'un secret.

Il y en avait eu d'autres... d'autres Américains en permission qui étaient devenus fous. Deux ans avant la mort du soldat de première classe Dengler, le sergent Walter Khoffi avait assassiné à coups de couteau plusieurs clients d'un sex-bar, puis était sorti dans la rue et avait tué de la même façon le racoleur d'un salon de massage; et puis un garçon bien tranquille de l'Oklahoma, qui citait la Bible à tout propos, nommé Marvin Springwater, avait tué trois petits garçons à coups de couteau avant d'être écrasé par des voitures dans Sukhumvit Road.

L'écœurement de l'officier n'était donc pas sans raisons.

Mais il s'intéressait à la façon dont il avait entendu parler de l'enfant. L'enfant existait bien, mais on n'avait jamais pu l'identifier ni la retrouver.

Vous ne parliez pas de l'enfant ?

Les questions à propos de l'enfant avaient attiré l'attention du capitaine.

Heureusement, cette enfant inconnue avait hurlé. Les deux hommes et la fille se trouvaient dans une ruelle étroite. Ses hurlements avaient attiré l'attention. Elle criait toujours en courant dans la ruelle.

Personne ne connaissait cette fille. Elle était étrangère. Il fallait s'y attendre : Patpong n'est pas précisément un quartier résidentiel. Deux points, cependant, faisaient l'unanimité. Ce n'était pas une fille de bar ou de salon de massage... tous ceux qui l'avaient vue se précipiter hors de la ruelle et dévaler la rue en hurlant en convenaient. Et elle n'était pas thaï. Peut-être cambodgienne, chinoise ou vietnamienne.

Les jeunes soldats ne devaient probablement pas le savoir. Pour eux, toutes les jeunes Asiatiques se ressemblaient.

Alors la foule qui se trouvait rassemblée dans cette portion de Phat Pong Road cet après-midi-là se rua sur le soldat – sur les deux, en fait, mais l'un d'eux réussit à s'échapper et l'autre fut taillé en pièces.

Vous savez qui était innocent ? demanda le capitaine. La fille était innocente. Et la foule était innocente.

Alors un soldat a été massacré par la foule innocente, ou les deux. Les témoignages étaient vagues. Les témoins n'avaient vu que la fille qui s'enfuyait, ils n'avaient bien entendu pas participé au massacre.

Un millier d'années auparavant, cette histoire aurait donné naissance à une épopée (dit le capitaine). La fille innocente, son agresseur taillé en pièces par la foule indignée. Quatre cents ans auparavant ce serait devenu une légende que l'on aurait chantée, et tous les enfants du sud de la Thaïlande auraient connu cette chanson. La fille qui disparaît... elle aurait pu disparaître là-dedans. A présent, il n'y a même pas un roman pour l'évoquer, pas même une chanson rock, pas même une bande dessinée.

Un mois avant cette conversation avec le capitaine, Timothy Underhill avait vu une fille se ruer vers lui au beau milieu de Phat Pong Road. Cela faisait environ neuf semaines qu'il n'avait touché à rien. Il essayait d'écrire... un nouveau roman, enfin, une histoire qui naissait dans son esprit à propos d'un garçon élevé dans une cabane derrière sa maison, comme un animal. Cela faisait trois mois qu'il était sobre. Il entendit les hurlements : on eût dit que la fille avait un micro dans la gorge. Il vit ses mains tachées de sang et ses cheveux ensanglantés. Elle se ruait vers lui les mains tendues, la bouche ouverte. Il était seul à la voir.

Les larmes d'Underhill coulaient sur le pavé, mais les gens qui se pressaient autour de lui ne les voyaient pas. Il était à nouveau *là-bas*, vivant à l'intérieur de lui-même.

Je suis rentré chez moi, dit-il à Michael, et j'ai écrit une nouvelle intitulée « La rose bleue ». Ça m'a pris six semaines. Après ça, j'ai écrit une histoire de la même longueur intitulée « Le genévrier ». Ça m'a pris un mois. Depuis lors, je nai pas cessé d'écrire.

Tu croyais vraiment que j'allais manquer l'avion?

Après l'avoir vue, il fallait que je voie tout... il fallait suivre l'histoire. Elle ne viendrait plus à moi. C'était toi ou lui qui viendriez à moi, mais plus l'histoire. Je ne savais pas que c'était toi ou Koko que j'attendais, mais en réalité c'était bien cela.

4

Un nouveau film débuta, mais Michael avait fermé les yeux avant même l'apparition du titre sur l'écran.

Il conduisait une voiture le long d'une route sombre, dans un paysage vide comme un désert. Cela faisait des jours et des jours qu'il voyageait; bien que la façon dont il l'avait appris demeurât mystérieuse, il se trouvait dans un roman de Tim Underhill intitulé *Dans l'obscurité*. La longue route s'étirait dans la nuit, et Michael se rendait compte qu'il était Hal Esterhaz, inspecteur de police, et qu'alors qu'il se trouvait sur les lieux d'un crime, on l'avait envoyé enquêter sur une autre affaire de meurtre, très loin de là. Cela faisait des semaines qu'il voyageait, allant de cadavre en cadavre, s'attachant aux pas de l'assassin sans jamais s'en rapprocher. Les cadavres étaient nombreux, et c'était ceux de gens qu'il avait connus longtemps auparavant, dans une existence semblable à un rêve, avant que l'obscurité n'eût tout enveloppé.

Loin devant dans l'obscurité, il aperçut deux taches de lumière jaune sur le côté de la route.

Il se trouvait dans le livre, *Dans l'obscurité*, et il conduisait dans un univers qui petit à petit se vidait de tout. Il y aurait toujours un autre corps, et jamais il ne trouverait l'assassin, car *Dans l'obscurité* était comme un thème qui se répète à travers un millier de variations, qui tourne sans cesse autour du même cycle d'accords. Jamais il n'y aurait de véritable fin. Un jour, l'assassin de *Dans l'obscurité* prendrait sa retraite pour cultiver des orchidées, ou bien partirait en fumée, et alors toute signification serait perdue; la mélodie se désagrégerait en sonorités éparpillées dépourvues de sens. Son travail consistait à mettre en fiches les assassinats, et la seule conclusion satisfaisante à sa tâche serait de pénétrer un jour dans le sous-sol humide d'un taudis et d'y trouver l'assassin qui l'attendait, le couteau levé.

Il voyait à présent que les lumières jaunes au bord de la route provenaient de lanternes... de petites lanternes projetaient des rayons de lumière.

Arrivé à hauteur des lanternes, il put enfin voir qui les tenait. C'était son fils Robbie, dont le nom était Babar, qui se tenait au bord de la route avec une lanterne. A ses côtés, gigantesque, de la même taille que lui, se tenait le lapin Ernie, dressé sur ses pattes de derrière. Lui aussi tenait une lanterne.

Le garçon nommé Babar et le lapin regardèrent avec leurs yeux doux l'homme qui passait en voiture ; leurs lampes brillaient.

Une grande paix l'envahit.

La voiture s'éloigna du tendre garçon et du grand lapin dressé sur ses pattes de derrière, et pendant longtemps il vit la lueur des lanternes dans son rétroviseur. Son sentiment de paix persista jusqu'à ce qu'il eût atteint la rive d'une large et tumultueuse rivière grise. Il sortit de sa voiture et regarda la large rivière qui charriait une énorme épaule musculeuse, et plus loin une cuisse immense.

Et il comprit alors que l'assassin et lui faisaient partie du grand corps charrié par la rivière, et un mélange terrible de joie et de douleur, de joie et de douleur profondes, se répandit en lui ; elles parlèrent à travers lui de leurs deux voix fortes, il poussa un cri et s'éveilla avec la rivière dans les yeux.

La rivière s'en était allée.

– Hé, Mikey, dit Conor en lui souriant d'un air presque timide.

Et il sut alors qu'il connaissait l'identité de Koko. Puis le sentiment de cette connaissance s'évanouit lui aussi ; seul demeurait le souvenir d'un rêve : il contemplait une large rivière, et il passait en voiture devant Robbie, qui s'appelait Babar et tenait une lanterne.

Dans l'obscurité.

– Ça va, Mikey ? demanda Conor.

Michael opina du chef.

– Tu as fait une sorte de bruit.

– Tu parles d'un bruit, dit Underhill. En fait, tu as pratiquement chanté « The Star Spangled Banner ».

Michael passa la main sur sa barbe naissante. L'écran avait été de nouveau enroulé et l'obscurité était presque totale dans la cabine.

– J'ai eu l'impression de comprendre quelque chose à propos de Koko, mais ça a disparu dès que je me suis réveillé.

Conor eut une exclamation de surprise.

– Ça t'est arrivé aussi ? demanda Underhill.

– Je ne peux pas vraiment en parler... je crois que... moi aussi j'ai compris quelque chose, bredouilla Conor. C'était vraiment étrange.

La tête penchée, il regarda Underhill.

– Tu es allé là-bas, non ? Là où ils ont tué la fille ?

– Parfois je me dis que je dois avoir un double mauvais, dit Underhill. Comme l'homme au masque de fer.

Ils demeurèrent silencieux et la connaissance perdue s'insinua à nouveau en Michael. On eût dit que la lanterne de son fils éclairait ce qui s'était passé dans ce village quinze ans auparavant : il voyait des cabanes disposées en cercle au pied d'une colline, une femme qui descendait avec des seaux d'eau, des buffles en train de paître. De la fumée s'élevait en une étroite colonne grise. Dans l'obscurité.

24

DANS LA GROTTE

1

Dengler avait le bras entouré de gaze et de bandages; il avait le visage blanc, le regard brouillé. Il disait ne pas avoir mal, et refusait de rester couché en attendant le retour des autres. Ils avaient appris que le village de Ia Thuc abritait et ravitaillait Elvis, le tireur embusqué, et Dengler voulait y aller avec le reste de la section. Depuis l'affaire de la vallée du Dragon, le lieutenant Beevers avait surtout mené des opérations de reconnaissance, de façon très mesurée, et Ia Thuc représentait pour lui une chance de se distinguer. D'après les services de renseignements, le village servait de cache d'armes et de ravitaillement, et le lieutenant-colonel était bien décidé à faire une bonne prise, à faire valoir le grand nombre d'ennemis tués, de façon à accélérer sa promotion au grade de colonel. Il savait bien que seule la moitié des lieutenants-colonels en poste au Vietnam étaient promus, et après avoir emprunté tous les raccourcis possibles, il n'avait aucune envie de rater celui-là. Le bonhomme se voyait déjà général de division. Il fallait à tout prix s'élever dans la hiérarchie avant que toutes les possibilités offertes par la guerre ne se fussent taries.

Le lieutenant Beevers le savait-il? Quelle question!

Lorsqu'ils sortirent du couvert des arbres, la femme descendait la colline en courant. Chaque fois que ses pieds touchaient le sol, l'eau giclait des deux seaux accrochés au bout de la perche, mais elle avait fait une estimation : arrivée au village, ses seaux seraient encore à moitié pleins. Michael ne savait pas pourquoi elle courait. C'était une grave erreur de courir.

– Descends-la avant qu'elle arrive au village, dit Beevers.

– Mais, mon lieutenant... dit Michael.

– Descends-la !

Spitalny l'avait déjà mise en joue, et il souriait, le visage penché contre la crosse de son fusil. Derrière eux, sortant à peine de la forêt, quelques hommes assistaient à la scène : la femme qui descendait la colline en courant, Spitalny qui visait avec son fusil.

– La plombe pas trop, dit quelqu'un.

C'était une plaisanterie. Spitalny était un marrant.

Il tira, et la fille fit un bond en l'air et glissa ainsi sur un mètre ou deux avant de retomber et de dévaler la pente.

En passant devant le corps de la fille, Michael Poole se rappela la fiche intitulée « Neuvième Règle » qu'on lui avait remise, en même temps qu'une autre intitulée « L'ennemi entre vos mains », au moment où il avait été versé dans son unité. La « Neuvième Règle » disait des Vietcongs : *Le meilleur moyen de les combattre c'est de faire preuve de loyauté, de compréhension et de générosité envers la population.*

La troisième des neuf règles était ainsi rédigée : *Montrez-vous courtois et respectueux avec les femmes.*

Et la quatrième : *Faites-vous des amis personnels parmi les soldats et le petit peuple.*

Mais il y avait plus drôle encore. Telle la cinquième de ces règles : *Cédez toujours le passage aux Vietnamiens.*

Ils allaient, à n'en pas douter, se faire des amis personnels dans le village. Dengler titubait, faisant un effort visible pour dissimuler sa douleur et son épuisement. Puisque il avait refusé de rester au camp, Peters lui avait fait une piqûre pour lui permettre de marcher, « une petite piqûre de rien du tout », avait-il dit. Le tireur embusqué se trouvait toujours dans la jungle derrière eux, et les hommes de la section étaient échelonnés les uns derrière les autres, tous les sens en alerte, prêts à tirer sur tout ce qui bougeait.

– Tu es sûr que Dengler va pouvoir suivre ? demanda Michael au toubib.

– Dengler pourrait marcher jusqu'à Hanoi.

– Mais est-ce qu'il pourrait revenir ?

– Ça va, lança Dengler. Allez, on va fouiller ce village. Faut qu'on trouve les cartes, les sacs de riz, les armes. Et ensuite on transforme ce coin en piège à rats.

La semaine précédente, les services de renseignements ayant signalé des mouvements de troupes nord-vietnamiennes, la section de

Beevers avait brillamment participé à une opération piège à rats. On avait signalé qu'un détachement ennemi de la taille d'une compagnie descendait une piste nommée Striker Tiger; le capitaine avait donc envoyé les sections Alpha et Bravo se disposer en embuscade pour l'intercepter et l'éliminer. La piste, d'un mètre de large, courait à travers une jungle épaisse, en sorte que de là où ils étaient disposés, ils ne voyaient environ qu'à cinq ou six mètres. Leurs armes pointées vers la piste, ils attendirent.

Pour une fois, une opération arrangée d'avance se déroula comme prévu. Un premier soldat nord-vietnamien, maigre, l'air fatigué, qui devait avoir une trentaine d'années, pénétra dans le piège à rats. Michael faillit glisser de derrière son arbre. Le soldat nord-vietnamien continuait de traîner les pieds. Derrière lui, en ordre dispersé, cinquante ou soixante hommes. Ceux-là non plus n'étaient pas des gamins, c'étaient de vrais soldats. Ils faisaient aussi peu de bruit qu'un troupeau de daims en train de brouter. Michael éprouvait une envie folle de tirer dans le tas. Pendant un moment, Michael eut tous les soldats de la colonne dans son champ de vision. Un oiseau se mit à chanter au-dessus d'eux d'une voix presque féminine, et l'homme de tête jeta un regard confiant au-dessus de lui. Puis tous ceux qui se trouvaient derrière les arbres et plus loin sur la piste, à flanc de coteau, ouvrirent le feu en même temps. L'air était haché, obscurci. Les hommes sur la piste hurlaient, se bousculaient, tournoyaient, s'effondraient. Puis il se fit un silence total. La piste étincelait de son rouge brillant.

Après avoir compté les corps, ils virent qu'ils avaient tué trente-deux hommes. En comptant séparément les bras, les jambes, les têtes et les armes, on arrivait à un total de cent cinq tués.

Le lieutenant Harry Beevers adorait les pièges à rats.

– Qu'est-ce qu'il raconte? demanda Spanky Burrage.

Beevers regarda Dengler comme s'il s'attendait à une plaisanterie. Beevers était tendu, et Michael se rendit compte qu'il n'était pas loin de l'explosion. Des ennuis en perspective. Le triomphe lui avait fait oublier toute retenue... quelques jours auparavant, il avait évoqué ses études à Harvard, alors que Michael était certain que Beevers n'y avait jamais mis les pieds.

Pendant une seconde, Michael regarda la plaine qui s'étendait au-delà du village. Deux buffles qui avaient fait un bond quand Spitalny avait tiré sur la porteuse d'eau broutaient à présent l'herbe du pré, les naseaux enfouis dans le vert humide et électrique. Rien ne bougeait. Le village devant eux était immobile comme une photographie. Michael n'espérait qu'une chose : que les habitants des huttes aient appris l'arrivée des yeux ronds et aient fui en laissant derrière eux, en trophées, des sacs de riz et peut-être, dissimulées dans une cachette souterraine, des grenades et des munitions.

Michael était persuadé qu'Elvis n'avait pas de village : Elvis vivait dans la jungle comme un singe, et il se nourrissait de rats et d'insectes. Elvis n'était plus vraiment un être humain. Il était capable de voir dans l'obscurité et il lévitait pendant son sommeil.

Underhill se glissa vers la droite avec la moitié des hommes, tandis que Michael emmenait l'autre moitié du côté gauche.

Le seul bruit était celui que faisaient leurs pieds sur l'herbe agitée par le vent. Une lanière qui crisse, un bidon raclé; c'était tout. Manly haletait; Michael avait presque l'impression de l'entendre transpirer. Les hommes commencèrent à se disperser. Spitalny suivait Dengler et Conor qui s'éloignaient en direction des huttes.

Un poulet se mit à caqueter, et dans un enclos une truie grogna.

Une branche éclata dans le feu, et Michael entendit le crépitement des étincelles. Pourvu qu'ils soient partis, se disait-il. Pourvu qu'ils soient tous partis à An Lat, à deux ou trois kilomètres de là, dans la forêt.

A sa droite, un soldat frappa du plat de la main la crosse en plastique de son M-16, et la truie, pas encore inquiète, répondit par un grognement.

Michael se glissa le long d'une hutte et aperçut Underhill, au centre du hameau, qui se coulait lui aussi silencieusement le long d'une hutte. A la gauche de Michael, à une trentaine de mètres après le village, la forêt clairsemée reprenait ses droits, et pendant une seconde, il imagina une centaine de soldats nord-vietnamiens aplatis derrière les arbres, leurs armes pointées sur eux. Paniqué, il scruta la forêt, mais ne vit aucun soldat, seulement un haut remblai à moitié dissimulé par la végétation. Son regard s'y attarda un instant : il avait l'air fait de plâtre et de ciment peint, comme une colline de Disneyland.

Mais ce remblai était trop laid pour Disneyland, il n'avait pas la laideur pittoresque d'un château hanté, mais une laideur naturelle, comme une verrue ou une croûte sur la peau.

De l'autre crôté de l'esplanade, Tim Underhill, adossé à une hutte, le regardait; entre eux, une grosse marmite noire sur un feu communautaire. Une colonne de fumée virevoltait dans l'air. Un peu plus loin, le lieutenant Beevers remua silencieusement les lèvres : ordre ou question ? Michael adressa un signe de tête à Underhill qui hurla immédiatement en vietnamien :

– Sortez de là! Dehors!

Personne ne bougea, mais Michael entendit des chuchotements dans la hutte contre laquelle il se trouvait, et des bruits de pieds nus sur le sol en bois.

Underhill tira une rafale en l'air.

– Sortez tout de suite!

Michael fit le tour de la hutte et faillit renverser une vieille femme aux rares cheveux blancs et au sourire édenté qui venait de franchir le seuil. Un vieil homme au visage tanné par le soleil clopinait derrière elle. Du canon de son fusil, Michael indiqua le feu qui brûlait au centre du village. Des autres huttes sortaient des gens les mains en l'air ; la plupart étaient des femmes entre cinquante et soixante ans.

– Bonjour, GI, dit un vieil homme qui courait précipitamment derrière sa femme, et s'inclinait, les mains toujours en l'air.

Spitalny lui hurla quelque chose et le frappa à la hanche avec la crosse de son fusil.

– Stop ! hurla Underhill. Puis, en vietnamien : A genoux !

Tous les villageois s'agenouillèrent dans l'herbe déjà piétinée, autour du feu.

Beevers s'approcha de la marmite, regarda à l'intérieur, et de la pointe de son brodequin l'envoya rouler hors du feu.

La truie se mit à hurler ; Beevers pivota sur ses talons et lâcha une rafale dans l'enclos. Une vieille femme se mit à crier.

– Poole, envoyez vos hommes fouiller ces huttes ! Je veux que tout le monde sorte de là !

– Ils disent qu'il y a des enfants, mon lieutenant, dit Underhill.

Beevers remarqua alors quelque chose dans les braises, à l'endroit où quelques instants auparavant se trouvait la marmite ; il plongea presque les mains dans le feu et en ressortit un morceau de papier à moitié carbonisé qui semblait avoir été arraché d'un carnet.

– Demandez-leur ce que c'est !

Mais au lieu d'attendre la réponse, il se précipita vers un vieil homme qui le regardait et s'écria :

– Qu'est-ce que c'est ? Qu'est-ce qu'il y a d'écrit, ici ?

– *No bik,* dit le vieil homme.

– C'est une liste ? hurlait Beevers. Ça ressemble bien à une liste !

– *No bik.*

Michael avait également l'impression que cela ressemblait à une liste. Il fit signe à Dengler, Blevins, Burrage et Pumo d'aller fouiller les huttes à côté desquelles ils se trouvaient.

Une vague de protestations s'éleva du groupe de vieillards agenouillés près des flammes vacillantes et de la marmite renversée.

Michael entendit un enfant hurler dans une hutte, et il se précipita dans celle que venait de quitter le vieux couple. L'intérieur était sombre. Il serrait les dents, tendu.

– Il dit que c'est une liste de noms, disait Underhill au lieutenant.

Michael s'avança au centre de la hutte. Il sonda le sol pour y découvrir une trappe, frappa les poteaux avec le canon de son fusil et sortit pour aller fouiller la hutte suivante.

– Demandez-leur pour le tireur embusqué! hurlait Beevers. Faut qu'ils se mettent à table!

Puis, apercevant Michael :

– Faites-moi sortir tout ça!

– Oui, mon lieutenant.

Pumo amenait un enfant hurlant de cinq ou six ans vers le centre du village; une vieille femme bondit et lui arracha l'enfant. Dengler se tenait en plein soleil, le dos voûté, aux aguets.

Un sentiment de vide et de gâchis s'était emparé de Michael qui s'apprêtait à pénétrer dans une hutte. Il entendit des cris qui venaient du côté du village faisant face à la prairie, et vit Beevers y envoyer Spitalny et Spanky Burrage d'un geste impatient. Au moment où il pénétra dans la hutte, quelque chose bougea dans l'obscurité. Une ombre furtive se dirigeait vers lui.

Le fracas d'une mitrailleuse éclata en dehors du village, et Michael, instinctivement, tira sur la silhouette qui s'avançait vers lui. Il savait que c'était trop tard. Il était déjà mort.

2

De terribles gémissements se firent entendre à l'entrée de la hutte. Toujours en vie, miraculeusement, mais sachant que la hutte allait voler en éclats d'une seconde à l'autre à cause de la grenade que l'homme avait dégoupillée, Michael se précipita dehors et aperçut Thomas Rowley qui gisait sur le sol, l'estomac arraché, les tripes rouge et argenté répandues sur l'herbe. Le visage de Rowley était livide, et il ouvrait et fermait la bouche par saccades. Sans proférer le moindre son. Michael se jeta à terre. Cela tirait de partout. D'abord, il crut que tous les vieux avaient été tués, mais en s'éloignant de la hutte, il les vit serrés les uns contre les autres, sous les tirs croisés.

Derrière lui, la hutte n'explosait pas.

Beevers ordonna à Dengler d'aller fouiller les bois à la gauche du village. Dengler se mit à courir dans la direction indiquée. Une autre rafale jaillit d'entre les arbres. Dengler s'effondra dans l'herbe mais fit signe qu'il n'était pas touché. Il riposta.

– Elvis! hurla Beevers.

Mais Michael savait que c'était absurde : Elvis ne se servait pas d'une mitrailleuse. Puis, apercevant Michael :

– Ça canarde dur! Appelez l'aviation!

Puis, se tournant vers les autres soldats :

– Faites-les tous sortir des huttes! Ça y est! Ça y est!

Au bout d'un certain temps, les tirs cessèrent. Rowley était étendu, mort, devant la hutte où Michael avait tué le Vietcong. Michael se demandait ce que Beevers voulait dire par « ça y est ! » et il se releva. Il croisa le regard de Pumo qui sortait d'une hutte. Pumo avait l'air d'un homme qui ne savait pas quoi faire, et Michael aurait été bien incapable de l'aider car il n'en savait rien lui-même.

Les Vietnamiens pleuraient, hurlaient, se lamentaient.

– L'aviation ! hurlait toujours Beevers, et Michael s'exécuta.

– Brûlez le village ! hurla Beevers à l'adresse d'Underhill qui haussa les épaules.

Spitalny lança un coup de lance-flammes dans un fossé et éclata de rire lorsque le fossé se mit à hurler.

En hurlant, Beevers se précipita vers le fossé pour voir ce qui s'y trouvait. Autour de Michael, les hommes couraient entre les huttes et y mettaient le feu. C'était l'enfer, à présent. Beevers se penchait dans le fossé. Il en sortit une petite fille rose et nue. Ils avaient caché les enfants, se dit Michael, voilà pourquoi ils étaient si calmes : en les voyant approcher, ils avaient envoyé les enfants se cacher. Tout autour, au milieu des hurlements indignés des vieillards, se répandait l'odeur du bois brûlé, de l'herbe brûlée, de la terre brûlée. Les huttes sèches s'enflammaient en crépitant. Beevers exhibait la petite fille gigotante, comme un pêcheur exhibant une belle prise. Il hurlait quelque chose, mais Michael ne comprenait pas. Beevers se mit à marcher à travers le village, tenant à présent la fille à deux mains, devant lui. La peau de la fille commençait à se flétrir. Arrivé devant un arbre à la cime imposante, et au tronc fait de plusieurs troncs rassemblés, il fit tournoyer l'enfant en la tenant par les chevilles et lui frappa la tête contre l'arbre.

– Ça y est ! hurla-t-il. Ça y est, d'accord ?

Spitalny dirigea le jet de son lance-flammes sur un enclos et carbonisa deux poules et un coq.

Beevers fit tournoyer une nouvelle fois la fillette entre ses mains et cette fois-ci lui fit éclater la tête contre le tronc. Il jeta le corps et revint vers le centre du village, enragé.

– Et maintenant posez-leur des questions à propos d'Elvis. Il faut que ces enculés se mettent à table une bonne fois pour toutes !

Underhill s'adressa au vieil homme qui tremblait à présent de rage et de terreur, et reçut en réponse une rapide tirade qui lui fit hocher la tête.

– Vous voulez voir comment faire ? Regardez !

Beevers se précipita au milieu du cercle des Vietnamiens et fit mettre debout le petit garçon que Pumo avait sorti de la hutte. Le petit garçon était trop effrayé pour parler, mais la vieille femme qui l'avait arraché aux mains de Pumo se mit à gémir. Beevers la poussa sur le front avec la crosse de son 45, et elle bascula sur le sol. Puis il serra l'enfant à la gorge, pointa le 45 sur sa tête et dit :

– Elvis ? Elvis ?

L'enfant émit une sorte de gargouillement.

– Tu le connais ! Où est-il ?

Des nappes et des volutes de fumée flottaient autour d'eux, charriant des odeurs de paille brûlée et de viande rôtie. Spitalny essayait son lance-flammes sur tout ce qui se trouvait dans le fossé. Autour du lieutenant, de l'enfant et des vieillards, les huttes brûlaient en crépitant. Underhill s'agenouilla près de l'enfant et se mit à lui parler dans un vietnamien aux sonorités douces. L'enfant n'avait pas l'air de comprendre le moindre mot de ce que le soldat lui racontait. Michael vit alors Trotman s'approcher de la hutte où il avait tué un Vietcong, et il lui fit signe de s'éloigner. Trotman passa à la hutte suivante. Une seconde plus tard, une flamme jaune courait au faîte de la toiture.

– Je veux sa tête ! hurlait Beevers.

A travers la fumée, Michael se dirigea vers la hutte où il avait tué le Vietcong. Il voulait retirer le corps avant que l'on ne mît le feu à la hutte. De toute façon, tout était foutu. Aucune des huttes n'avait été fouillée correctement... Beevers était devenu fou quand on lui avait tiré dessus. De toute façon, où était la liste, à présent ? Peut-être fouiller dans les décombres à la recherche de cachettes une fois que les huttes auraient fini de brûler ; tout n'était peut-être pas perdu. Il vit Dengler, hébété et recouvert de poussière, retourner vers le fossé pour voir ce que faisait Spitalny.

Il allait maintenant falloir empêcher Beevers de tuer tous les vieillards. S'il trouvait le corps d'Elvis dans la hutte, ce que Michael jugeait tout à fait probable, Beevers serait capable de faire passer par les armes le village entier comme vietcong. Voilà qui doublerait ou triplerait le nombre d'ennemis tués, et ferait franchir au lieutenant-colonel un pas supplémentaire vers le commandement de sa brigade.

Pour la première et unique fois au cours de sa carrière militaire, Michael Poole se demanda ce que l'armée attendait de lui... ce que l'Amérique voulait le voir faire. Sa radio de campagne crachouilla, mais il ne répondit pas. Il enjamba le corps de Rowley et pénétra dans la hutte.

La petite maison était pleine de fumée et il y flottait une odeur de poudre.

Un autre pas, et il aperçut le corps agenouillé contre le mur du fond. Une petite tête noire, une chemise marron à présent trempée de sang. Le corps ne semblait plus qu'un tronc. Michael ne vit pas de grenade. Il remarqua alors la taille du corps recroquevillé contre la paroi et comprit qu'il n'avait pas tué Elvis... il avait tué un nain. Il scruta une nouvelle fois la pièce à la recherche d'une grenade; il respirait fort, sans savoir pourquoi. Il regarda ensuite les mains du nain, qui étaient petites et sales. Ce n'étaient pas des mains de nain : elles étaient à la fois délicates et incrustées de saleté; ce n'étaient pas des mains d'adulte. Michael transpirait; il secoua la tête. Puis il retourna l'épaule du Viet-cong pour voir son visage.

L'épaule n'offrit presque aucune résistance, et le petit corps roula sur le côté, révélant le visage d'un petit garçon de neuf ou dix ans. Michael laissa le corps de l'enfant retomber sur le sol. « Où est cette grenade ? » se demanda-t-il d'une voix qui lui semblait normale. Il donna un coup de pied dans une table, éparpillant des épingles à cheveux, des peignes et une paire de lunettes de soleil rondes. Il renversa alors tout ce qui se trouvait dans la hutte : les paillasses, les petites tasses, les paniers tressés, quelques vieilles photographies. Il ne faisait tout cela, il s'en rendait bien compte, que pour éviter d'affronter la réalité de son acte. Il n'y avait pas de grenade. Il demeura immobile pendant un moment. La radio crachota à nouveau, et il entendit Beevers l'appeler.

Michael ramassa le corps de l'enfant. Il n'était pas plus lourd qu'un chien. Il traversa la hutte dans la fumée, le corps dans les bras. Un hurlement s'éleva lorsqu'il sortit.

Underhill tressaillit en voyant Poole apparaître avec l'enfant mort dans les bras, mais il ne dit rien. Une femme bondit vers lui, les bras tendus, le visage follement tordu par le chagrin. Michael lui tendit le corps de l'enfant. Elle s'effondra au milieu du cercle des vieillards, serrant l'enfant contre elle.

Puis les Phantoms apparurent en hurlant au-dessus du village, et le bruit des réacteurs couvrit les crépitements des incendies et le son des voix humaines. Les vieux s'aplatirent contre le sol tandis que les chasseurs-bombardiers tournoyaient avec fracas au-dessus de leurs têtes. A gauche du village, autour de la grotte, la forêt se transforma en une gigantesque boule de feu. La forêt faisait un bruit semblable à celui de mille souffleries fonctionnant en même temps.

J'ai tué un petit garçon, se disait Michael.

Et l'instant d'après il se rendait compte qu'il ne lui arriverait rien pour ce qu'il avait fait. Le lieutenant Beevers avait fait éclater la tête d'une petite fille contre un arbre. Spitalny avait tué des enfants au lance-flammes dans un fossé. A moins de faire passer toute la section en cour martiale, il ne pouvait rien leur arriver. Cela aussi c'était terrible. Il n'y avait pas de conséquences. Les actes qui se commettent dans le vide sont des actes éternels, et cela est terrible. Les huttes qui brûlaient, les volutes de fumée, la terre sous ses chaussures, et les vieillards aplatis contre le sol, tout ce qui entourait Michael sembla, l'espace d'un instant, parfaitement irréel. Il avait le sentiment que s'il l'avait voulu, il aurait pu flotter au-dessus du sol.

Mais il décida de ne pas flotter au-dessus du sol. Cela aurait été une belle connerie. En se livrant à ce genre de petit jeu, on devient comme Elvis, on n'est jamais sûr de redescendre.

Il porta ses regards sur la gauche et fut surpris de voir la plupart des hommes de la section à l'orée du village, qui observaient la forêt brûler. Quand avaient-ils abandonné les huttes ? Il avait l'impression d'une rupture dans le temps, d'un espace irrationnel dans lequel tout avait changé de position sans qu'il s'en soit aperçu. L'irréalité des choses autour de lui lui apparaissait à présent de manière frappante... la forêt qui brûlait était une sorte de film se déroulant sur un écran, et les huttes enflammées étaient les habitations de personnages d'histoires. Mais l'histoire était affreuse, et si on la racontait à l'envers en brûlant les maisonnettes, elle disparaîtrait. Totalement. Elle n'aurait jamais existé. Les choses étaient bien mieux ainsi... l'histoire dévidée à l'envers était aspirée hors du monde et disparaissait. Il aurait dû léviter tant qu'il en avait la possibilité, car il était indifférent à présent de redescendre ou non sur terre. Car ce n'était plus la terre réelle, c'était un film. Ce qu'ils contemplaient à présent, c'était une histoire en train de se non-passer.

Le village entier allait désexister.

Michael voyait très clairement la hideuse colline violette. Au pied de la colline, comme un pli dans la roche, s'ouvrait l'entrée de la grotte.

– C'est là qu'il y a tout ! dit le lieutenant Beevers.

3

Michael faillit pousser un cri lorsqu'il vit M.O. Dengler se précipiter vers la grotte à la suite du lieutenant Beevers. Le lieutenant était un non-être humain... personne ne devait le suivre dans la grotte, et surtout pas M.O. Dengler.

Michael voulait hurler, lui dire de ne pas aller servir de bouclier à Beevers. Il aperçut alors Victor Spitalny courir après Dengler et Beevers. Spitalny voulait les rejoindre. Aujourd'hui, Spitalny était un soldat, Spitalny était enthousiaste.

Pumo appela Spitalny en hurlant, mais Spitalny ne fit que tourner la tête et continua de courir. Courant ainsi, la tête de profil, il ressemblait à une figure de bas-relief.

Les trois hommes disparurent dans la grotte.

Michael se retourna vers le village et aperçut Tim Underhill qui se dirigeait vers lui au milieu de la fumée.

Les deux hommes entendirent une fusillade assourdie dans la grotte. Elle mourut avec une telle douceur qu'elle semblait ne jamais avoir eu lieu. Derrière eux, le fracas d'une hutte qui s'effondre. Les villageois continuaient de se lamenter. De la grotte leur parvint à nouveau le bruit assourdi d'un M-16 tirant par rafales. L'esprit et le corps soudain libérés, Michael se précipita vers la grotte. Il vit à peine le vieil homme qui devait être le chef du village, debout au milieu du cercle des villageois. Il tenait à la main le morceau de papier à moitié brûlé, et hurlait quelque chose d'une voix haut perchée.

Les broussailles brûlaient encore, laissant échapper des gerbes d'étincelles au milieu des branches noircies. Ici et là, le sol lui-même brûlait. Les arbres avaient chaviré et s'étaient ratatinés comme des cendres de cigarette. Un nuage de fumée bouchait l'entrée de la grotte, et en s'approchant il entendit des hurlements de douleur.

Une seconde plus tard, Victor Spitalny émergeait de la fumée en faisant de grands moulinets avec les bras. Il avait le visage cramoisi et hurlait comme s'il avait été torturé. Il bondissait de façon désordonnée comme un homme à qui on aurait administré de puissantes décharges électriques. Il avait dû être touché quelque part, mais on ne voyait pas de sang sur lui. Il prononçait une série de syllabes aiguës qui finalement se révélèrent être : « Tuez-les ! Tuez-les ! » Puis il finit par perdre l'équilibre et s'effondra dans la cendre à l'entrée de la grotte, se roulant sur le sol, incapable de se contrôler et de se remettre debout. Michael sortit son tapis de sol de son sac, le déplia et tenta d'en recouvrir Spitalny. Le visage et le cou de Spitalny étaient recouverts de zébrures rouges. Ses yeux étaient gonflés et fermés.

– Des guêpes ! hurlait-il, y en a partout sur moi !

Les villageois, derrière eux, au milieu des taches noirâtres de ce qui avait été leur village, les regardaient sans rien dire.

Michael demanda en hurlant ce qu'étaient devenus Dengler et le lieutenant, mais Spitalny ne cessait de se contorsionner sur le sol. Spanky Burrage, agenouillé à côté de lui, étalait le tapis de sol sur la poitrine de Spitalny et se mit à lui frapper le dos. Puis il éclata de rire.

– Espèce de cinglé, y a pas la moindre guêpe !

– Va à l'intérieur et compte les guêpes mortes, rétorqua Spitalny.

Michael se releva au moment même où Dengler fit son apparition à l'entrée de la grotte. Il avait l'air plus livide encore qu'auparavant, mais presque gris sous la crasse. Il tenait son fusil dans la main droite, et il avait le regard brouillé, comme par un choc ou par l'épuisement.

– Koko, dit Dengler, et les cinq ou six hommes présents échangèrent un regard.

– Quoi ? demanda Michael. Que s'est-il passé ?

– Rien.

– Vous avez descendu Elvis ? demanda Spanky Burrage.
– Il ne s'est rien passé, dit Dengler.
Il avança de quelques pas, soulevant des cendres et des étincelles sous ses brodequins, et regarda, plus loin, les villageois qui se tenaient debout, à présent, au milieu des ruines fumantes et avaient tous le regard tourné vers lui.
Michael entendit les villageois hurler quelque chose, mais il lui fallut un moment avant de comprendre le sens des mots. Ils criaient : « Numé'o dix ! »
– Qui a tiré ?
– Les bons, répondit Dengler avec un demi-sourire.
– Ça va, le lieutenant ? demanda Michael en ne sachant pas très bien ce qu'il attendait comme réponse.
Dengler haussa les épaules.
– Vous numé'o dix ! répétaient les villageois de façon désordonnée, de leurs voix suraiguës.
Michael comprit qu'il ne pourrait plus repousser indéfiniment sa décision : il fallait aller voir ce qui se passait dans la grotte. En entrant, il verrait un enfant dans l'obscurité, les mains tendues.
– Vous savez quoi ? dit Dengler d'un ton monocorde. J'avais raison.
– Raison à propos de quoi ?
– J'avais raison à propos de Dieu.
Spitalny se tenait à présent en plein soleil, torse nu, haletant. Des cloques rouges apparaissaient sur ses épaules, ses bras et son dos, et son visage était parsemé de grosses boursouflures rouges, à l'aspect effrayant. Il avait l'air d'une assiette de patates douces. Norman Peters avait commencé de lui appliquer une crème blanche et grasse sur les épaules.
Michael s'approcha de Spitalny et du toubib. Une seconde plus tard, Spanky Burrage le rejoignait, aussi peu désireux que lui de pénétrer dans la grotte.
Michael n'avait fait que quelques pas lorsqu'il entendit l'hélicoptère, gros moucheron noir qui grossissait dans le ciel. Non, se dit-il, ce n'est pas le moment, va-t'en, va-t'en.

4

– Je n'y comprends rien, disait Peters. Tu veux bien regarder ça ? Moi, je n'y comprends absolument rien.
– Dengler est sorti ? demanda Spitalny.

Michael acquiesça.

– Qu'est-ce que tu ne comprends pas ?

Mais au moment même où il posait la question, il vit. Les boursouflures commençaient à disparaître, et le visage étroit de Spitalny émergeait petit à petit. On voyait ses yeux à présent, et son front n'était plus recouvert de grosses cloques rouges, mais de petites plaques qui ressemblaient à des boutons sur le point d'éclore.

– Ce ne sont pas des piqûres de guêpe, dit Peters. C'est un urticaire.

– Et puisque je te dis que c'est des guêpes, ducon ! rétorqua Spitalny. Le lieutenant est toujours là-dedans ! Vous feriez bien d' vous envelopper dans quequ' chose et d'aller l' chercher.

– Même si c'étaient des guêpes, la crème que je t'applique ne diminuerait pas les gonflements, elle ne ferait que calmer la douleur. Tu vois comme ces cloques disparaissent ?

– Va te faire mettre ! dit Spitalny.

Il tendit ses bras maigres pour les examiner... les cloques avaient dégonflé et présentaient la forme de piqûres de sangsue.

– Dis-moi ce qui s'est passé, dit Michael.

Au loin, l'hélicoptère avait grossi jusqu'à la taille d'une grosse mouche.

– C'est des guêpes, insista Spitalny. Je parie qu' le Grand Paumé est encore là-dedans, complètement rétamé. J' crois qu'y va falloir s'trouver un autre lieutenant.

Il regarda Michael, et celui-ci lui trouva l'expression d'un chien dont le maître vient brusquement de se rendre compte qu'il est lui aussi doué d'intelligence.

– Et après tout c'est pas si mal ! Tu vois pourquoi ? Parce qu'on peut pas faire passer un mort en cour martiale !

Michael observait comment les boursouflures rouges se résorbaient sur la peau sale de Spitalny.

– Y a une manière de s'en tirer, reprit Spitalny, et tu le sais comme moi : c'est de tout mettre sur l' dos du lieutenant. De toute façon, ça sera pas faux.

L'hélicoptère était à présent tout près et descendait vers eux dans la lumière dure du soleil. Sous lui, l'herbe s'aplatissait en formant des vagues, comme à la surface de la mer. Au-delà du village détruit, au-delà du fossé, s'étendait le pré où broutaient les buffles. Loin sur la gauche, la colline recouverte de forêt qu'ils avaient descendue semblait prolonger les vagues de l'hélicoptère loin au-delà de la vallée.

Puis ils entendirent la voix de Beevers, triomphante.

– Poole ! Underhill ! Donnez-moi deux hommes !

Lorsqu'il s'aperçut qu'ils le regardaient, il sourit :

– On a tiré le gros lot!

Il se précipita vers eux. Surexcité. Ce n'était qu'une boule d'énergie nerveuse, électrique. Il avait l'air d'un homme qui ne comprend pas encore que sa joie est due à l'ivresse. Son visage ruisselait de sueur et ses yeux semblaient presque liquides.

– Où sont mes deux hommes?

Michael fit signe à Burrage et à Pumo, qui s'avancèrent vers l'entrée de la grotte.

– Je veux que vous sortiez tout de cette grotte et que vous l'entassiez là, dehors, pour que tout le monde puisse le voir. Soldats, nous allons faire les nouvelles de six heures!

Soldats? Beevers ressemblait plus que jamais à un Martien qui aurait appris les « manières » des Terriens en regardant leur télévision.

– Vous numé'o dix! leur hurla une vieille femme.

– Numéro dix sur vos programmes, numéro un dans vos cœurs, dit Beevers à Michael.

Puis il s'avança à la rencontre des reporters qui, pliés en deux, quittaient l'hélicoptère en courant.

5

Tout le reste ne fut que la conséquence du récit qu'en donna Harry Beevers. *Newsweek*, le *Time*, des centaines de quotidiens, l'écho des articles, des photos, des déclarations. Puis seulement un souvenir qui se fige, pétrifié dans de vieilles photos : une montagne de sacs de riz et une pile d'armes russes que Spanky Burrage, Tina Pumo et d'autres membres de la section avaient sortis de la grotte. Ia Thuc était un village vietcong, et tous ses habitants n'avaient qu'une idée : tuer des soldats américains. Mais il n'y eut pas de photographies des cadavres des trente enfants, car les seuls cadavres retrouvés à Ia Thuc furent les corps carbonisés retrouvés dans un fossé : trois enfants (deux garçons et une fille) d'environ treize ans, et un petit garçon d'environ sept ans, également carbonisé. Plus tard, on retrouva le corps d'une jeune femme à flanc de colline.

Après le départ des reporters, les vieillards furent relogés au camp de réfugiés d'An Lo. Le lieutenant-colonel et ses supérieurs évoquèrent l'opération en ces termes : « attaque menée contre des rebelles vietcongs qui les a également privés d'une base de recrutement ». Les récoltes furent empoisonnées et les habitants, des bouddhistes, arrachés à la terre où dormaient leurs ancêtres. Ils avaient vu venir ce moment dès que leurs maisons avaient été incendiées, peut-être dès le moment où Beevers avait tué la truie. Ces quinze vieillards disparurent à An Lo au milieu d'un millier de réfugiés.

Lorsque Michael Poole et Tim Underhill se furent enfoncés profondément dans la grotte, ils se retrouvèrent au milieu d'un nuage de phalènes transparents qui volaient sans bruit autour d'eux, se plaquaient contre leur bouche, leur visage; Michael agitait les mains devant lui, s'efforçant de gagner le plus rapidement possible une partie de la grotte où les papillons de nuit ne les suivraient pas. Ils se retrouvèrent dans la salle où avait eu lieu la fusillade. Le sang disparaissait déjà dans les parois trouées de balles à la façon dont les cloques et les boursouflures rouges s'étaient résorbées dans le corps de Spitalny. La grotte s'étirait en un labyrinthe de salles. Plus loin, ils découvrirent une autre réserve de riz, plus loin encore un petit bureau en bois et une chaise – le bureau ressemblait à ceux de l'école primaire de Michael, à Greenwich, dans le Connecticut. Le labyrinthe semblait s'enrouler sur lui-même, sans fin.

Ils arrivèrent ensuite dans une salle où les douilles répandues sur le sol ressemblaient à autant de pièces de monnaie jetées à la volée; Underhill prit une profonde inspiration et secoua la tête. Poole respira aussi. Il flottait dans la salle une odeur composite de terreur, de sang, de poudre, et d'autre chose que Poole n'arrivait à définir qu'en négatif. Ce n'était pas la pisse, ce n'était pas la merde, ce n'étaient ni la sueur ni la pourriture ni la moisissure, ni même ces sécrétions puantes qu'exhalent les animaux effrayés qu'on conduit à la mort, mais quelque chose au-delà de tout ça. Dans la salle de pierre, cette odeur indéfinissable était celle de la douleur. Cet endroit empestait comme celui où Injun Joe avait forcé Tom Sawyer à le regarder violer Becky Thatcher avant de les tuer tous les deux.

Underhill et lui finirent par rejoindre la salle principale de la grotte. M.O. Dengler disait quelque chose à Spitalny tout en transportant vers la sortie une caisse de fusils russes.

– Homme de douleur et habitué à la souffrance, répondit ou plus vraisemblablement répéta Spitalny. Un homme de douleur et habitué à la souffrance, un homme de douleur et habitué aux têtes de nœud!

– Calme-toi, Vic, dit Dengler. De toute façon, ça s'est passé il y a longtemps.

Puis il chancela et on eut l'impression qu'une main vigoureuse lui repoussait la tête en arrière. Ses jambes se dérobèrent sous lui et la caisse de fusils tomba sur le sol avec un bruit mat. Spitalny tourna la tête, et poursuivit son chemin avec sa propre caisse de fusils.

– Il n'y a pas d'enfants! hurlait Beevers. Pas à la guerre! Il n'y a pas d'enfants!

Il n'avait pas tort : il n'y avait pas d'enfants. Pour la première mais non la dernière fois, Michael se demanda si les villageois d'An Lac avaient fait sortir d'autres enfants par une autre issue.

Dengler gémit lorsque Peters ôta la dernière longueur de gaze. Tout le monde tressaillit. Compacte comme une bouffée de cigarette, une odeur brune et puissante émergea de la blessure mise à l'air.

– Toi, tu es hors de combat pour quelques jours, dit Peters.

– Où est parti le lieutenant ? demanda Dengler en jetant un regard effrayé autour de lui tandis que Peters refaisait son bandage. Tu as vu les chauves-souris qui lui sortaient de la bouche ?

– Je lui ai donné quelque chose de super, dit Peters. Ça l'aide à tenir le coup.

Dans l'obscurité, qui nous fait tenir le coup.

25

LE RETOUR

1

Assommés par le cognac et le manque de sommeil, ils atterrirent à San Francisco à ce qui leur semblait être quatre ou cinq heures du matin. Il était midi. Dans une vaste salle, des centaines de passagers observaient les bagages glisser le long d'une rampe métallique jusqu'à un tapis roulant. En dépit de sa barbe taillée et de ses cheveux fraîchement coupés, Tim Underhill avait l'air hagard et épuisé. Il avait les épaules voûtées d'un vieil érudit, le visage inquiet d'un vieil érudit. Michael se demanda s'ils n'avaient pas fait une erreur en le ramenant avec eux.

Tandis qu'ils se dirigeaient vers les guichets de la douane et de l'immigration, un homme en uniforme fit son apparition au milieu d'eux et indiqua à un certain nombre de passagers le moyen de couper court aux formalités. Les gens ainsi sélectionnés étaient invariablement des hommes d'âge moyen à l'allure de cadres supérieurs. Koko est passé par ici, se disait Michael tandis que les yeux de l'homme en uniforme se posaient sur lui avant de se détourner. Koko s'est trouvé à cet endroit et a vu tout ce que je vois en ce moment. Venu de Bangkok ou de Singapour, il a pris ici une correspondance pour New York où il a rencontré une hôtesse de l'air nommée Lisa Mayo ainsi qu'un jeune et déplaisant millionnaire. Au cours du vol, il a engagé la conversation avec le jeune homme déplaisant, et peu après leur atterrissage à l'aéroport Kennedy, il l'a tué. Je parie que c'est lui qui l'a tué, je le parie, je le parie...

Il se tenait là où je me trouve en ce moment, songea Michael. Et il frissonna.

Harry Beevers bondit de son siège dès que les autres eurent trouvé leur porte d'embarquement au terminal de la United Airlines. Il enjamba le demi-cercle de sacs et de valises disposés devant lui et traversa de biais la rangée de sièges.

Ils se retrouvèrent devant le comptoir. Harry saisit d'abord Michael à bout de bras, puis le serra silencieusement contre lui, l'enveloppant du même coup d'une nuée d'alcool, d'eau de Cologne et de savonnette d'avion. Michael avait l'impression d'être récompensé pour sa bravoure sur le champ de bataille.

De façon mélodramatique, Harry se tourna ensuite vers Conor. Mais avant que Harry ait eu le temps de lui infliger le signe de reconnaissance de la Légion étrangère, Conor lui tendit la main. Harry renonça donc à son intention première et serra la main offerte. Enfin, il se tourna vers Tim Underhill.

– Alors c'est toi.

Underhill faillit éclater de rire.

– Déçu ?

Tout au long du voyage, Michael s'était demandé comment Beevers allait accueillir un Underhill désormais innocent. Il y avait toujours le risque qu'il lui passe lui-même les menottes et se livre à cette « arrestation opérée par un citoyen » que prévoient les textes de loi. Les rêveries de Harry avaient la vie dure, et Michael ne s'attendait pas à le voir renoncer à celle-ci sans être largement dédommagé en retour.

Mais l'élégance de sa réponse, et même le bon sens dont elle témoignait surprirent Michael.

– Non, répondit Harry, je ne serai pas déçu si tu es venu nous aider.

– Moi aussi j'ai envie de mettre un terme à tout ça. Évidemment que je vous aiderai, dans la mesure de mes moyens.

– Tu touches plus à rien ? demanda Harry.

– Je ne me débrouille pas trop mal.

– Entendu. Mais il y a encore autre chose. Je veux que tu t'engages à ne pas utiliser cette histoire de Koko pour un document, un livre qui ne soit pas un roman. Tu peux écrire tous les romans que tu veux... ça m'est égal. Mais je veux conserver les droits sur les œuvres documentaires.

– D'accord, dit Underhill. De toute façon, même si je le voulais je serais incapable d'écrire autre chose que du roman. Et si tu ne me colles pas un procès, je m'en abstiendrai aussi.

– Je crois qu'on peut travailler ensemble, déclara Harry.

Il serra Underhill dans ses bras et lui déclara qu'il faisait partie de l'équipe.

– Allez, je crois qu'on va se faire pas mal de fric!

Sur le vol de New York, Michael était assis à côté de Harry. Conor avait pris le siège à côté du hublot, et Tim Underhill se trouvait juste devant Michael. Pendant un long moment, Harry raconta d'improbables histoires sur son séjour à Taïpeh : il avait bu du sang de serpent, avait fait l'amour de façon extraordinaire avec des filles magnifiques, putains, mannequins et actrices. Puis il se pencha vers Michael et murmura :

– Il faut faire attention avec ce type, Michael. On ne peut absolument pas lui faire confiance. Pourquoi crois-tu que je lui ai proposé de venir s'installer chez moi ? Pour pouvoir garder un œil sur lui, pardi.

Michael acquiesça d'un air las.

Puis, d'une voix plus forte, Harry reprit :

– Il faut qu'on réfléchisse à quelque chose, les gars. A notre retour, on va certainement être interrogés par la police. Se pose alors le problème de ce qu'on va leur raconter.

Underhill se retourna sur son siège pour pouvoir suivre la discussion.

– Je crois que nous devrions faire preuve d'une certaine discrétion, poursuivit Harry. Au départ, nous étions décidés à retrouver Koko nous-mêmes, et c'est comme ça que ça doit se terminer. Il faut que nous soyons toujours en avance sur l'enquête de police.

– Je n'y vois pas d'inconvénient, dit Conor.

– J'espère que vous aussi vous êtes d'accord, dit Harry en se tournant vers les autres.

– On verra, dit Michael.

– J'espère que tu n'envisages pas d'entraver le cours de la justice, dit Underhill.

– Peu importe la façon dont tu appelles ça, dit Harry. Tout ce que je propose c'est de taire un ou deux détails. De toute façon, c'est comme ça qu'agit toujours la police. On garde donc quelques informations pour nous. Et quand on se lance dans une action, on n'est pas obligés de les en informer.

– Se lancer dans une action ? demanda Conor. Qu'est-ce que tu veux qu'on fasse ?

Harry envisagea alors quelques actions possibles.

– Par exemple, nous possédons deux informations que ne possède pas la police. Nous savons que Koko est Victor Spitalny, et nous savons que le dénommé Tim Underhill se trouve à New York et non à Bangkok.

– Tu ne veux pas qu'on dise aux flics qu'on est sur la trace de Spitalny ? demanda Conor.

– On peut jouer les idiots. Ils sont assez grands pour trouver qui a disparu et qui n'a pas disparu.

Il adressa un petit sourire supérieur à Michael.

– C'est l'autre information qui à mon avis nous sera la plus utile. Spitalny s'est servi de son nom, n'est-ce pas ? dit-il en montrant du doigt Underhill. Et il l'a fait pour attirer les reporters. C'est du moins ce qui ressort de ce que nous avons découvert au Goodwood Park. Eh bien retournons la situation à notre profit.

– Et comment cela ? demanda Underhill.

– D'une certaine façon, c'est Tina qui m'a donné l'idée quand on s'est tous retrouvés à Washington en novembre dernier. Il parlait de sa petite amie, vous vous souvenez ?

– Oui, moi je m'en souviens, dit Conor. Cette petite Chinoise le faisait tourner chèvre. Elle faisait passer des annonces pour lui dans un canard. Et elle signait « Demi-Lune ».

– Très bon, très très bon, dit Harry.

– Tu veux mettre des annonces dans *Village Voice* ? demanda Michael.

– Faisons de la pub, dit Harry. C'est ça les États-Unis ! Allons placarder le nom de Tim Underhill dans toute la ville. Si on nous pose des questions, on n'a qu'à répondre qu'on cherche à retrouver un type qui était dans notre section pendant la guerre du Vietnam. Et de cette façon, ça nous évite d'utiliser le vrai nom de Koko. J'ai l'impression que comme ça, la pêche risque d'être bonne.

26

KOKO

1

Le retour c'était toujours la même chose. Avec le retour, il y avait toujours le facteur peur. Chez soi, il y avait toujours Sang et Billes. Tracer une route au milieu du désert, et puis, ensuite, secouer la terre et les cieux, la mer et le pays sec. Traverser le désert, car qui éloignera le jour du retour ?

On revient vers ce qui n'a pas été fait et s'offre comme un reproche, vers ce qui a été mal fait, vers ce qui vous a craché hors de sa bouche, vers ce qui a été fait et n'aurait pas dû être fait.

Tout cela se trouvait dans un livre, et même Sang et Billes se trouvaient dans un livre.

Dans ce livre la grotte était une rivière dans laquelle marchait un petit garçon nu recouvert de boue glacée. (Mais c'était le sang d'une femme, oui, le sang d'une femme.) Ce livre il l'avait lu du début à la fin. C'était une expression qu'on employait à la maison... *du début à la fin*. Koko se souvenait d'avoir acheté ce livre parce que dans une autre vie il en avait connu l'auteur et le livre s'était retourné et avait grandi entre ses mains et s'était transformé en un livre à propos de lui. Koko s'était senti comme en chute libre... comme si on l'avait poussé d'un hélicoptère en vol. Son corps s'était quitté lui-même, empreint d'une peur totale et familière son corps s'était levé et avait rejoint le livre entre ses mains.

Une peur totale et familière.

Il s'était rappelé la chose la plus terrible du monde. C'était vrai... il existait une chose qui était la plus terrible. C'était la façon dont son corps avait appris à se quitter lui-même. C'était Sang qui ouvrait le soir la porte de sa chambre et se glissait dans la petite pièce. De son corps émanait l'odeur chaude et mouillée du monde éternel. Dans l'obscurité ses cheveux blonds étaient presque argentés.

Es-tu réveillé ?

Tous ceux qui étaient réveillés pouvaient voir les voitures de police, tous ceux qui étaient réveillés pouvaient voir ce qui se passait. Koko se tenait au coin de la rue et regardait les deux voitures s'arrêter devant la YMCA. Ils n'attendaient plus que de l'y voir entrer.

C'était le Noir, qui avait dit *tuer c'est un au revoir*. En sortant, il avait parlé de la chambre à M. Partridge, qui se tenait derrière son bureau, en bas. M. Partridge était entré dans la chambre de Koko, et le corps de Koko était sorti de son corps.

– Qu'est-ce que ça veut dire ? avait lancé M. Partridge. Il faut toujours que les cinglés aboutissent ici. Vous n'avez donc pas d'autre endroit où aller ?

– C'est ma chambre, pas la vôtre, avait dit Koko.

– On verra ça, avait dit M. Partridge en sortant, non sans avoir jeté auparavant un long coup d'œil aux murs.

Les enfants se mirent à crier derrière lui.

– Vous n'êtes pas un agent de voyages, dit le Noir. Vous-même vous n'avez qu'un aller simple.

Koko tourna les talons et se dirigea vers le métro. Désormais il emportait tout ce qui lui était nécessaire dans son sac à dos, et on trouvait toujours un endroit où loger.

Il se rappela alors qu'il avait perdu les cartes à l'Éléphant cabré ; il s'immobilisa, la main sur le ventre. Sang se dressait devant lui, les cheveux d'argent, la voix glaciale, ivre de rage.

Tu les as perdues ?

Sa vie entière lui semblait aussi lourde à porter qu'une enclume. Il éprouva l'envie de jeter l'enclume. A présent, quelqu'un d'autre pouvait se charger du travail... après tout ce qu'il avait déjà fait, il serait aisé de le terminer. Il pouvait abandonner. Il pouvait se livrer, ou il pouvait fuir.

Koko le savait bien... il pouvait prendre un avion sur-le-champ et partir n'importe où. Pour le Honduras, on allait à la Nouvelle-Orléans. Il y avait déjà songé. On allait à la Nouvelle-Orléans et là il y avait l'avion. *Bird* égale Liberté.

Une image du livre, qui l'avait tellement surpris, flottait dans son esprit, et il se voyait, enfant perdu, recouvert de boue glacée, errant tout nu au milieu d'une ville, le long d'une rivière sale. Chiens et loups montraient leurs crocs acérés sur son passage, la porte s'ouvrait avec un craquement, et, de la boue gelée, émergeaient des bouts de doigts verdis par la putréfaction. Un sentiment de malheur et de terreur l'envahit ; chancelant, Koko alla chercher refuge dans l'embrasure d'une porte.

Les enfants morts se cachaient le visage dans leurs mains grêles.

Il n'avait pas de foyer, et il ne pouvait pas abandonner.

S'efforçant de ne pas pleurer ou tout au moins de dissimuler qu'il pleurait, il s'assit sur le seuil. De l'autre côté de la haute porte vitrée un couloir en marbre menait à une rangée d'ascenseurs. Il vit les vestes sur leurs cintres, les chemises dans les placards. (Les cartes sur la coiffeuse.) Des larmes roulaient sur ses joues. Son rasoir, sa brosse à dents. Des choses emportées, des choses perdues, des choses violées et laissées hébétées, mourantes, mortes...

Koko vit Harry Beevers dans l'obscurité au fond de la grotte. Son père chuchotait sa question. Harry Beevers se penchait vers lui les yeux brillants, ses dents, tout son visage luisants, étincelants. *Fous le camp d'ici, soldat*, dit-il, et une chauve-souris s'envola de sa bouche. *Ou alors partage la gloire.* Dans le fatras qui encombrait le sol, devant le lieutenant, il distingua une petite main dressée, les doigts repliés sur la paume. Le corps de Koko était sorti de lui-même. Sous la puanteur de l'éternité, rôdait l'odeur de la poudre, de la pisse, de la merde. Beevers se tourna vers lui, et Koko vit son long pénis en érection jailli de son pantalon. Son histoire se referma sur lui... il se rencontra, il voyageait *du début à la fin*.

A l'abri de la porte, il vit passer une voiture de police bleu et blanc, suivie de près par une deuxième voiture de police. Ils avaient quitté sa chambre. Peut-être restait-il un policier sur place. Peut-être pourrait-il y aller et lui parler du lieutenant.

Koko se mit debout et se redressa. Dans sa chambre il y aurait un homme à qui il pourrait parler, et cette pensée lui fit l'effet d'une substance inhabituelle dans le sang. Après avoir parlé, tout serait différent, et il serait libre, car après l'avoir entendu, l'homme comprendrait *du début à la fin*.

Pendant quelques secondes, Koko se vit lui-même comme depuis très loin : un homme debout dans l'embrasure d'une porte, les bras serrés autour de son corps parce qu'il était oppressé par une douleur immense. La lumière uniforme du jour, la lumière de la réalité ordinaire baignait toute chose devant lui. Au cours de ces quelques secondes, Koko aperçut sa propre terreur, et ce qu'il vit lui causa une frayeur et une stupéfaction profondes. Il pouvait s'en retourner et dire : j'ai commis une faute. Ni anges ni démons ne l'entouraient ; le drame de la rédemption surnaturelle dans lequel il avait été si longtemps enveloppé s'était enfui au long de la rue encombrée de taxis, et il n'était qu'un homme ordinaire, tout seul dehors dans le froid.

Il tremblait, mais il ne pleurait plus, plus du tout. Il se souvint alors du visage de la fille dans le salon de Tina Pumo, et ce visage lui fit penser à un quartier de la ville où il se sentirait chez lui.

Il porterait l'enclume un peu plus longtemps, et il verrait bien ce qui se passerait.

Et lorsqu'il sortit du métro à la station Canal Street, tout son corps lui dit qu'il avait eu raison. Le métro l'avait conduit dans un endroit tout à fait en dehors de l'Amérique. Il se trouvait à nouveau dans un univers asiatique. Même les odeurs étaient soudain plus denses et plus subtiles.

Koko dut se forcer à marcher doucement et à respirer normalement. Le cœur battant, il passa sous une enseigne en caractères chinois et prit Mulberry Street vers le sud. Jamais au cours de cette semaine il ne lui avait semblé avoir plus faim. Le seul repas dont il se souvenait lui avait été servi par une hôtesse de l'air.

Soudain, Koko fut saisi par une telle faim qu'il aurait pu engloutir tous les magasins, les briques, les enseignes d'un jaune criard, les théières et les baguettes, les canards et les anguilles, les hommes et les femmes qui marchaient dans la rue, ainsi que les panneaux de signalisation, les feux de signalisation, les boîtes aux lettres et les cabines téléphoniques.

Il s'arrêta un instant pour acheter dans un kiosque le *New York Times*, le *Post* et *Village Voice*, puis se précipita dans le premier restaurant où une rangée de canards couleur de miel de sarrasin étaient suspendus au-dessus de pots de soupe marron et de gruau blanc et gluant.

Lorsque la nourriture arriva sur la table, le monde s'estompa, le temps s'estompa, et au fur et à mesure qu'il mangeait il revenait aux temps où il vivait au sein de l'éléphant, et à chacune de ses respirations il respirait l'éléphant.

Dans les quotidiens du jour, un chauffeur de bus avait gagné près de deux millions de dollars à quelque chose appelé loto. Un garçon de dix ans nommé Alton Cedarquist avait été jeté du haut d'un toit dans un quartier appelé Inwood. Dans le Bronx, un pâté d'immeubles avait entièrement brûlé. En Angola, un homme nommé Jonas Savimbi posait avec une affreuse mitrailleuse suédoise et jurait de combattre pour l'éternité; au Nicaragua, un prêtre et deux religieuses avaient été tués et décapités dans un petit village. Du début à la fin, effectivement. Au Honduras, le gouvernement des États-Unis revendiquait cent hectares de terres comme terrain de manœuvres... c'était à eux et maintenant c'est à nous. Bien sûr, la main sur le cœur nous promettions qu'un jour ou l'autre ils récupéreraient ces terres. En attendant, cent hectares avaient disparu dans nos bouches grandes ouvertes. Koko sentait l'odeur de la graisse dans laquelle sont empaquetées les armes; il entendait le crissement des brodequins, le claquement des mains sur la crosse des fusils.

Les seigneurs de la terre tournaient vers lui leurs visages interrogateurs.

Mais les pages d'annonces immobilières, dans lesquelles il avait espéré trouver une chambre à louer pour un prix modique, étaient rédigées dans un code qu'il ne comprenait presque pas, et ne proposaient pratiquement pas de locations à Chinatown. La seule annonce pour ce quartier concernait un deux-pièces à Confucius Plaza, mais si cher qu'il crut d'abord à une coquille typographique.

Rien d'autre? demanda le serveur en cantonnais, langue dans laquelle Koko avait passé sa commande.

J'ai terminé, merci, répondit Koko; le serveur griffonna quelque chose sur une feuille de bloc, la détacha et la déposa sur la table, à côté de son assiette. Une tache de graisse se mit immédiatement à fleurir au centre de la petite feuille de papier vert.

Koko observa la tache de graisse grossir encore de deux centimètres. Il déposa l'argent sur la table. Puis il regarda le serveur qui se dirigeait lentement vers le fond du restaurant.

On m'a pris mon logement, dit-il.

Le serveur se retourna, fronça les sourcils.

Je n'ai plus de logement à présent.

Le serveur hocha la tête.

D'où venez-vous?

Je viens de Hong Kong, dit le serveur.

Connaîtriez-vous un endroit où je puisse loger?

Le serveur secoua la tête. Puis il dit : *Vous devriez aller vivre avec les gens comme vous.* Il tourna le dos à Koko et gagna l'entrée du restaurant; penché au-dessus de la caisse enregistreuse, il se mit à parler à un homme d'une voix à la fois forte et geignarde.

Koko passa à la dernière page de *Village Voice* et se mit à lire des mots, qui au début lui semblèrent aussi dépourvus de sens que le code des annonces immobilières : BAVARDAGE : LE PLUS BÊTE QUE J'AIE JAMAIS JOUÉ. LA DOULEUR EST TON ILLUSION. SUR-VIVRE. CADRAN LUMINEUX. En dessous de celle-ci, s'en trouvait une autre adressée à l'univers entier et peut-être à quelqu'un d'autre semblable à lui : UNE DOULEUR ÉTOUFFÉE ASSOUPIE IMPASSIBLE. OU NOUS TROUVERONS CE QUI A ÉTÉ PERDU. Koko sentit sa tension se briser au fond de lui, comme si cette annonce avait été placée à son intention par quelqu'un qui le connaissait et le comprenait.

Mais entre-temps, l'autre homme à l'entrée du restaurant, plus prospère et directorial que le serveur, le regardait, la tête penchée, et avec dans l'œil une lueur que seule la promesse d'un gain pécuniaire pouvait avoir allumée. Koko replia son journal et se leva. Il savait déjà qu'il avait trouvé une chambre.

Suivirent alors les formalités d'usage, y compris l'habituelle surprise face à l'aisance de Koko en cantonnais.

J'ai un grand amour pour tout ce qui est chinois, dit Koko. *Il est très dommage que ma bourse ne soit pas aussi large que mon cœur.*

Dans l'œil du restaurateur, la lueur cupide diminua quelque peu d'intensité.

Mais je payerai volontiers un bon prix pour tout ce que vous voudrez bien me proposer, et je vous assure également de ma gratitude éternelle.

Comment se fait-il que vous n'ayez plus de logement?

Mon propriétaire a repris sa chambre pour d'autres usages.

Et vos affaires?

J'ai avec moi tout ce que je possède.

Vous n'avez pas de travail?

Je suis écrivain, j'ai une petite réputation.

Le propriétaire tendit une main grassouillette. *Je me présente : Chin Wu-Fu.*

Timothy Underhill, dit Koko en prenant la main de l'homme.

Chin lui fit signe de le suivre. Koko prit son sac à dos et le suivit dans le froid; un peu plus loin, ils tournèrent dans Bayard Street. Chin Wu-Fu se hâtait devant lui, les épaules rentrées pour lutter contre le froid. Koko le suivit ainsi sur deux blocs, puis dans Elizabeth Street, vide à cette heure-là. Chin remontait vers le nord. A mi-chemin du premier bloc, il s'enfonça sous un porche et disparut. Puis il ressortit la tête et fit signe à Koko de le suivre dans une cour de briques qui sentait un peu la friture. Koko s'aperçut que le soleil ne devait jamais pénétrer dans cette cour. Entourée par les murs des immeubles miteux qu'escaladaient les escaliers de secours, gigantesques mantes religieuses, la cour n'était en fait qu'un espace mort, isolé entre les immeubles crasseux et Elizabeth Street. Le Chinois en complet sombre poussa l'une des portes donnant sur la cour.

On descend, dit le propriétaire en plongeant dans la froide obscurité de la cage d'escalier.

Koko le suivit.

Arrivé en bas, Chin alluma une ampoule nue, se mit à fouiller dans un trousseau de dizaines de clefs et finit par ouvrir une porte. Sans un mot, il fit signe à Koko d'entrer.

Koko pénétra dans une obscurité moite et froide. Il sut aussitôt que cet endroit était exactement ce qu'il lui fallait; avant que Chin Wu-Fu eût allumé la lumière, il imagina la pièce rectangulaire sans fenêtre, la peinture des murs, vert sombre et écaillée, le matelas taché sur le sol, la population de cafards, la chaise bancale, et enfin l'évier rouillé et la cuvette des toilettes derrière un paravent. Il ne pouvait pas parler à la police, mais il pourrait parler à Michael Poole, et Michael Poole était un homme qui comprendrait du *début à la fin*. Harry Beevers était le chemin du début, et Michael Poole le sentier étroit qui menait vers la fin, hors de sa cellule. Une deuxième ampoule nue s'alluma. Il sentit sur sa peau le vent froid qui soufflait sur la rivière gelée. La douleur était ton illusion.

Sixième partie

UN GOÛT D'AUTHENTIQUE

27

PAT ET JUDY

1

– C'est si terrible que ça ? demanda Pat.

– Et encore, tu ne sais pas tout.

Judy Poole poussa un soupir, visiblement satisfaite d'en être arrivée à cette partie de leur conversation. Michael était rentré depuis trois jours, il était sept heures et demie du soir, et les deux femmes parlaient au téléphone depuis près de vingt-cinq minutes.

Entendant également un soupir à l'autre bout du fil, Judy se hâta de demander :

– Je ne t'empêche pas de faire quelque chose, au moins ?

– Non, pas vraiment. Harry ne m'a appelée qu'une seule fois, alors je ne peux pas dire grand-chose. Ils ont toujours l'intention d'aller voir la police, n'est-ce pas ?

Le sujet avait déjà été abordé pendant dix minutes au début de leur conversation, et Judy dissimula mal son impatience.

– Je te l'ai déjà dit... je crois qu'ils savent quelque chose à propos du meurtre de Tina. Tu ne crois pas qu'ils sont en train de rêver ? J'aimerais mieux ça.

– Tout ça me semble si familier, dit Pat. Harry a toujours su des tas de secrets.

– De toute façon, dit Judy en revenant au sujet précédemment abordé, tu ne sais pas le pire. Je ne sais plus quoi faire. Je suis terriblement anxieuse. J'ai toutes les peines du monde à me lever le matin, et lorsque les cours sont terminés, et qu'il est temps de rentrer chez moi, je traîne, je traîne, mais c'est à peine si je me rends compte de ce que je fais. Je traîne dans l'école pour voir s'il n'y a pas de désordre. Je m'assure que les portes des classes sont bien fermées. Et de retour à la maison, c'est comme... je ne sais pas, comme si une bombe avait tout dévasté et qu'il n'y avait plus que ce terrible silence.

Judy s'interrompit, moins pour ménager ses effets que pour se permettre d'accepter ce qui lui était brusquement venu à l'esprit.

– Tu sais à quoi ça ressemble, en fait ? A ce qui s'est passé après la mort de Robbie. Mais au moins à cette époque-là Michael restait à la maison, il allait à son travail et faisait ce qu'il y avait à faire. Le soir, il était là. Et je savais ce qui lui arrivait, donc je savais quoi faire.

– Et maintenant tu ne sais pas quoi faire ?

– Exactement. Voilà pourquoi j'ai du mal à rentrer chez moi le soir. Michael et moi n'avons pratiquement pas parlé depuis... il n'est pas allé à son travail, ça je peux te le dire. Tu crois que Harry est allé travailler ? J'en doute.

– Harry ce n'est pas mon problème, se hâta de dire Pat. Je lui souhaite bonne chance. J'espère qu'il va vraiment se mettre au travail. Tu sais qu'il a perdu son emploi. Mon frère ne pouvait plus le supporter et il lui a demandé de partir.

– Ton frère a l'air d'être un homme très bien.

L'espace d'un instant, Judy éprouva à nouveau la vieille amertume de n'avoir jamais fait la connaissance du très distingué frère aîné de Pat Caldwell.

– Je crois que Charles lui a donné un peu d'argent, dit Pat. Charles a bon cœur. Il n'a pas envie de voir Harry souffrir. Disons que c'est un gentleman chrétien.

– Un gentleman chrétien... répéta Judy, d'un air envieux. Il existe donc encore de tels êtres ?

– Chez les avocats de cinquante-huit ans, probablement.

– Puis-je te poser une question personnelle ? Je te promets que ça n'est pas dicté par la curiosité... Tu ne veux pas me parler de ton divorce ?

– Qu'est-ce que tu veux savoir ?

– Tout ou presque.

– Oh, ma pauvre Judy... Bon, je vois. Ça n'est jamais facile... et même divorcer de Harry Beevers ça n'a pas été facile.

– Il te trompait ?

– Bien sûr qu'il me trompait. Tout le monde est infidèle.

Nul cynisme dans sa voix lorsqu'elle disait cela.

– Michael ne m'a pas trompée.

– Mais toi oui, ce qui me semble être le véritable sujet de cette discussion. Mais si tu veux savoir comment j'ai quitté Harry, ça ne me gêne pas du tout d'en parler. D'une certaine façon, la véritable raison a été Ia Thuc.

– J'ai du mal à te croire.

– Oui, ce qu'il a fait à Ia Thuc. Je ne sais toujours pas ce qui s'est passé exactement. D'ailleurs, je crois que personne ne le sait.

– Tu crois que finalement il a tué ces enfants ?

– Je suis sûre qu'il a tué les enfants, mais je parle d'autre chose. Je ne sais pas ce que c'est et de toute façon je ne veux pas le savoir. Un matin, après dix ans de mariage, je l'ai regardé attacher son nœud papillon devant son miroir, et j'ai su que je ne pourrais plus vivre avec lui.

– Hein, qu'est-ce que tu dis ?

– C'est le noir total. Je ne sais pas. Charles m'a dit avoir le sentiment que Harry porte un démon en lui.

– Mais enfin ne me dis pas que tu as divorcé à cause d'une sorte de sentiment mystique à propos de quelque chose qui s'était passé dix ans auparavant ! Et en plus, Harry avait été jugé pour ça, et il a été acquitté.

– J'ai divorcé parce que je ne supportais pas l'idée qu'il puisse encore me toucher. (Elle s'interrompit pendant un instant.) Il n'était pas comme Michael. Michael avait le sentiment qu'il lui fallait expier ce qui s'était passé là-bas, mais Harry n'a jamais éprouvé le moindre remords.

Judy n'avait rien à répondre à cela.

– Alors je l'ai regardé attacher son nœud papillon et j'ai su ; je n'ai même pas réfléchi, je lui ai dit qu'il fallait qu'il parte et qu'il m'accorde le divorce.

– Et qu'est-ce qu'il a fait ?

– Il a fini par comprendre que j'étais sérieuse, et pour ne pas compromettre sa carrière avec Charles, il est parti sans faire trop d'histoires... Bien entendu, je pensais que je lui devais une pension, et c'est ce que j'ai fait. Harry peut vivre décemment le reste de ses jours sans avoir à travailler.

Que représentait « une vie décente » ? se demanda Judy. Vingt mille dollars ? Cinquante mille dollars ? Cent mille dollars ?

– Si je comprends bien, reprit Pat, tu t'intéresses aux modalités pratiques du divorce.

– On ne peut rien te cacher.

– Bah ! on m'a si souvent caché des choses ! dit Pat en riant de façon un peu théâtrale, alors pourquoi pas toi ? Michael t'a dit quelque chose ?

– Il en a dit suffisamment. (Un instant de silence.) Non. (Nouveau moment de silence.) Je ne sais pas. Il a l'air complètement sonné par la mort de Tina.

– Alors tu n'en as pas encore parlé avec lui.
– C'est comme... comme s'il allait se noyer et qu'il ne me laissait pas le ramener à la vie. A sa vie, avec moi.

Pat attendit que Judy eût fini de pleurer, puis elle dit :

– Tu lui as parlé de l'homme que tu as vu pendant qu'il était parti ?

– Il me l'a demandé, gémit Judy, qui fondait à nouveau en larmes. Ça n'est pas que je voulais le cacher, ça n'est pas ça... c'est la façon dont il me l'a demandé. C'est comme s'il m'avait dit : « Est-ce que tu as retrouvé les clefs de la voiture ? » Il s'intéressait beaucoup plus à Stacy Talbot qu'à moi. Je sais qu'il déteste Bob.

– Cet homme charmant qui fait de la voile et joue au tennis ?

– Oui.

– Ça n'a pas d'importance, mais je ne savais pas qu'ils se connaissaient.

– Ils se sont rencontrés un jour à une soirée de Noël, et Michael l'a trouvé prétentieux. C'est vrai que Bob est peut-être un petit peu prétentieux, mais c'est un homme très dévoué... il enseigne l'anglais dans un lycée parce qu'il trouve que c'est important, mais en réalité il n'a pas besoin de travailler.

– On dirait que Michael a décidé de ne plus garder son cabinet, dit Pat.

Et, pour elle-même, elle ajouta : « Ni sa femme. »

– Mais pourquoi est-ce qu'il ne veut plus le garder ? demanda Judy d'une voix plaintive. Pourquoi avoir travaillé si dur si ce n'est pas pour conserver ce cabinet ?

Ce n'était pas la véritable question qu'elle posait, et Pat n'y répondit pas.

– J'ai peur, dit Judy. C'est très humiliant. J'ai horreur de ça.

– Tu crois que tu as un avenir avec ton ami ?

– Bob n'a guère de place dans sa vie, dit Judy, qui semblait à présent plus sûre d'elle. Et pourtant on jurerait le contraire. Il a sa voiture de sport. Son voilier et son tennis. Il a son travail et ses élèves. Il a Henry James. Il a sa mère. Je crois qu'il n'aura jamais de place dans sa vie pour une épouse.

– Ah bon... mais quand tu as commencé à le fréquenter, n'avais-tu un peu dans l'idée de l'épouser ?

– Oui... c'est une idée rassurante. Attends une minute, veux-tu...

Judy posa le combiné et Pat dut attendre quelques minutes. Elle entendit le craquement des glaçons dans le bac à glace. Puis le tintement des glaçons dans un verre.

– Bob aime bien les bouteilles de whisky présentées dans un petit sac bleu avec un cordon. Alors je me laisse un peu aller. Peut-être aurais-je dû l'amener ici dans un petit sac bleu avec un cordon.

Pat entendit le bruit des glaçons qui s'entrechoquaient : Judy devait lever ou poser son verre.

– Tu ne te sens jamais seule ? demanda Judy.

– Passe-moi un coup de fil si tu as besoin de moi, dit Pat. Si tu veux, je viendrai te tenir un peu compagnie.

28

UN ENTERREMENT

1

– Qu'est-ce que ça veut dire, « la police sera là » ? demanda Judy. Je trouve que c'est complètement ridicule.

Il était dix heures du matin, et Michael et Judy se rendaient aux obsèques de Tina, dans la petite ville de Milburn, État de New York, en compagnie de Harry Beevers et Conor Linklater. Cela faisait deux heures qu'ils roulaient, et grâce aux judicieux conseils de Harry qui connaissait un raccourci, ils avaient réussi à se perdre. Harry se trouvait devant, à côté de Michael, qui conduisait son Audi, et tripotait nerveusement les boutons de la radio; Judy était assise à l'arrière en compagnie de Conor qui tenait une carte dépliée sur les genoux.

– Tu ne connais rien aux méthodes de la police ! s'exclama Harry. Tu as toujours l'ignorance aussi péremptoire ?

Judy accusa le coup, stupéfaite, et Harry se hâta de rattraper sa sortie :

– Je m'excuse, je regrette... je n'aurais pas dû dire ça. Excuse-moi, excuse-moi. Je suis bouleversé par la mort de Tina, et je suis aussi un peu susceptible. Je suis sincère, hein, Judy, je regrette ce que j'ai dit.

– Suis les panneaux direction Binghamton, dit Conor. On est à une centaine de kilomètres à présent. Dis donc, Harry, t'entends quelque chose avec cette friture ?

– C'est une affaire de meurtre, dit Harry en ignorant Conor mais en changeant tout de même de station. C'est une grosse affaire. L'inspecteur qui en est chargé sera certainement à l'enterrement, pour nous voir et voir tout le monde. C'est une occasion unique de voir toute une galerie de portraits. Et il doit se dire aussi que l'assassin de Tina peut fort bien assister à l'enterrement. Les flics viennent toujours à ce genre de cérémonies.

– Je regrette que Pat ne soit pas venue avec nous, dit Judy. Et puis je déteste les grands orchestres, toute cette nostalgie en toc.

Harry éteignit la radio.

A son arrivée à Westerholm, Judy avait accueilli Michael avec un baiser qui avait un goût de ressentiment. Elle lui avait posé des questions sur Singapour, sur Bangkok, sur son voyage avec Harry; elle lui versait une large rasade d'un whisky coûteux qu'elle devait avoir acheté pour l'occasion, et que visiblement elle avait largement honoré en son absence. Elle le suivit en haut et le regarda défaire sa valise. Elle le suivit dans la salle de bains tandis qu'il se faisait couler un bain. Elle était assise dans la salle de bains et l'écoutait raconter son voyage, lorsqu'il lui avait demandé si son dîner avec Bob Bunce s'était bien passé.

Elle hocha nerveusement la tête.

Il avait failli oublier de lui en parler, mais il eut l'impression qu'elle avait envie de hurler ou de lui jeter quelque chose à la tête. Elle leva son verre et but une gorgée du coûteux whisky.

Il lui posa la question dont il connaissait déjà la réponse, et elle nia, sèchement.

« D'accord », dit-il, mais il savait, et elle savait qu'il savait. Elle termina son verre d'une traite et sortit de la salle de bains.

2

La cathédrale Saint Michael était de dimension colossale pour une aussi petite bourgade, et dans cette nef immense, les fidèles rassemblés pour les obsèques d'Anthony Francis Pumo avaient l'air de nains. Michael observa l'assistance : quelques vieilles femmes, une demi-douzaine d'hommes au visage rougeaud qui devaient être allés à l'école avec Tina, quelques couples plus jeunes, des hommes et des femmes âgés, seuls, magnifiquement dignes, et un Asiatique trop maigre tenant par la main une enfant resplendissante de beauté. Vinh et sa fille. Au fond de l'église se tenaient un homme de haute taille, moustachu, vêtu d'un beau complet, et un autre homme, plus jeune, vêtu d'un complet encore plus beau et dont le visage espiègle semblait vaguement familier à Michael. Parmi les autres personnes tenant les cordons du poêle, se trouvaient un homme trapu, l'air brutal, dont le visage, en plus large et en moins intéressant, rappelait celui de Tina, et un homme plus âgé, puissant, les épaules larges et les mains comme des fers de pelle : c'était le frère de Tina, qui tenait un commerce, et son père, un agriculteur à la retraite.

Un prêtre anguleux aux cheveux blancs comme neige évoqua un garçon à la fois joyeux et timide qui « s'était distingué au Vietnam, et avait fait la preuve de sa force de caractère en réussissant dans le métier difficile de la restauration, au milieu d'une ville qui avait fini par lui ôter la vie ». C'était donc ainsi que les choses apparaissaient vues d'ici : un de leurs enfants s'était aventuré dans la jungle de New York, et il avait été la proie des bêtes féroces.

Au cimetière de Pleasant Hill, Michael se tenait aux côtés de Judy, Conor et Harry tandis que le prêtre lisait la prière des morts. De temps à autre, Michael regardait les lourds nuages de granit gris. Il se rendait compte de l'hostilité dont faisait preuve Tommy Pumo, le frère de Tina, à l'égard de Vinh. Visiblement, Tommy était un gaillard pas commode.

Ce fut d'abord le tour du frère et du père, puis chacun lança une poignée de terre sur le cercueil descendu dans la tombe.

En sortant du cimetière, Michael entendit une voix forte au pied de la colline. Près des voitures, Tommy Pumo s'adressait de façon véhémente, en agitant les bras, à l'homme bien habillé dont le visage avait semblé familier à Michael. Le frère de Tina s'avança vers l'homme d'un air furieux. L'homme eut l'air surpris, et Tommy Pumo fit un nouveau pas en avant.

– Allons voir ce qui se passe, dit Harry en se dirigeant vers eux.

– Excusez-moi, monsieur.

Michael se retourna et se retrouva face au grand moustachu qu'il avait aperçu dans la cathédrale. De près, sa moustache était épaisse et brillante, mais l'homme ne donnait aucune impression de vanité... il émanait de lui une calme aisance, un air d'autorité tranquille. Il était un tout petit peu plus grand que Michael et solidement bâti.

– Vous êtes le docteur Poole ? Madame Poole ?

Harry, qui avait commencé à descendre la colline, s'était retourné et attendait.

– Et vous êtes monsieur Beevers ?

Le visage de Harry se radoucit, comme si on venait de lui adresser un véritable compliment.

– Je suis le lieutenant Murphy, et je suis l'inspecteur chargé de l'enquête sur la mort de votre ami.

– Ha, ha, dit Harry à l'intention de Judy.

Murphy eut l'air surpris.

– Nous nous demandions quand nous allions faire votre connaissance, expliqua Harry.

– J'aimerais que nous ayons une petite conversation dans la maison du père, dit le policier. Vous comptiez bien vous y rendre avant de rentrer en ville, n'est-ce pas ?

– Nous sommes à votre disposition, lieutenant, dit Harry.

En souriant, Murphy tourna les talons et descendit la colline.

D'un air interrogateur, Harry demanda silencieusement à Michael s'il avait parlé à Judy de la présence d'Underhill. Michael secoua la tête. Ils virent l'inspecteur atteindre le bas de la colline et adresser quelques mots au père de Tina.

– Pourquoi est-ce qu'il veut vous parler ? demanda Judy.

– Pour parler un peu du passé, pour remplir les blancs, avoir une vision d'ensemble.

Harry fourra les mains dans les poches de son manteau et se tourna pour regarder le cimetière. Il ne restait plus que quelques gens âgés.

– Cette petite Maggie ne s'est pas pointée. Je me demande ce qu'elle a raconté à Murphy au sujet de notre petite balade.

Il allait ajouter quelque chose, mais il se ravisa car quelqu'un approchait. C'était l'homme contre lequel s'était emporté le frère de Tina. Harry s'éloigna de quelques pas.

En souriant d'un air un peu contraint, l'homme se présenta à Michael et Judy comme David Dixon, l'avocat de Tina.

– Vous devez être ses vieux camarades d'armée. Je suis heureux de faire votre connaissance. Mais, dites-moi, ne nous sommes-nous pas déjà rencontrés ?

Michael et lui finirent par se rappeler s'être déjà croisés au Saigon quelques années auparavant.

Harry étant revenu se joindre au petit groupe, Michael fit les présentations.

– C'est gentil à vous d'être venu, dit Harry.

– Tina et moi passions beaucoup de temps ensemble, nous travaillions sur diverses petites choses. J'aime à penser que nous étions amis, et pas seulement avocat et client.

– Les meilleurs clients deviennent des amis, dit Harry en adoptant instantanément l'attitude professionnelle que Michael lui avait vue à Washington. Au fait, nous sommes confrères : je suis moi aussi avocat.

Dixon ne prêta aucune attention à ce bavardage.

– J'ai proposé à Maggie Lah de l'emmener avec moi, mais elle n'avait pas le courage de supporter une telle cérémonie. Et elle ne savait pas non plus comment la famille de Tina allait l'accueillir.

– Vous avez le numéro de Maggie ? demanda Harry. J'aimerais la joindre, alors si vous l'avez...

– Pas ici, dit Dixon.

Michael meubla le silence qui menaçait de s'installer en s'enquérant du cuisinier vietnamien. Il se demandait s'il s'était rendu dans la maison familiale avec tout le monde.

Dixon s'esclaffa.

– Il n'aurait pas été très bien accueilli. Vous n'avez pas vu Tommy Pumo qui devenait à moitié fou, là-bas en bas ?

– Il doit être bouleversé par la mort de son frère, dit Judy.

– Il s'agissait plus de cupidité que de chagrin, répondit Dixon. Tina a tout laissé, y compris l'appartement et le restaurant, à la personne qui à son avis avait le plus contribué au succès de l'entreprise.

Tout le monde lui prêtait attention.

– Et il s'agissait de Vinh, bien entendu. Il va continuer à faire marcher le restaurant. Nous devrions ouvrir à la date prévue.

– Le frère voulait le restaurant ?

– Tommy voulait l'argent. Il y a des années de ça, Tina a emprunté de l'argent à son père pour acheter les deux premiers étages de l'immeuble. Vous imaginez quel prix cela vaut maintenant. Tommy a cru qu'il allait devenir riche, et il est fou furieux.

L'un des deux vieux couples qui s'étaient attardés au cimetière s'approcha alors timidement de Michael et offrit de les conduire à la maison des Pumo.

Tandis qu'ils roulaient sur une allée non goudronnée et bordée de vieux chênes, la vieille dame, une tante de Tina, dit :

– Garez-vous sur l'allée, le long de la maison, tout le monde fait comme ça, en tout cas c'est ce que Ed et moi on a toujours fait.

Ils arrivaient en vue d'une jolie ferme de deux étages, entourée d'une véranda. La vieille dame se tourna vers Conor qui avait pris Judy sur ses genoux.

– Dites-moi, jeune homme, vous n'êtes pas marié, n'est-ce pas ?

– Non.

– Eh bien je vais vous présenter ma fille... elle doit se trouver en ce moment dans la maison, elle doit aider pour le repas et le café. C'est une belle fille, et elle porte le même nom que moi : Grace Hallet. Je suis sûre que vous vous entendrez bien.

– Et moi ? demanda Harry. Je serais également très heureux d'aider votre fille à servir l'hydromel et la tarte aux patates douces.

– Oh, vous, vous êtes trop distingué, mais ce garçon ici, est parfait pour ça. Vous travaillez de vos mains, n'est-ce pas ?

– Je suis menuisier, dit Conor.

– Ça se voit bien, dit Grace.

3

Dès qu'ils eurent franchi le seuil, Walter Pumo, le père de Tina, prit Michael et Harry à part et leur dit qu'il voulait leur parler en privé. Dans la salle à manger, la table croulait sous la nourriture : un jambon coupé en tranches, une dinde qui n'attendait plus qu'à être découpée, des saladiers de la taille de chaloupes remplis de salade de pommes de terre, des assiettes de viande froide avec des pots de moutarde, des petits pains ronds et du beurre. Des gens se pressaient autour de la table, une assiette à la main, discutant. Le reste de la pièce semblait occupé seulement par des femmes. Pris d'autorité par la main, Conor avait été présenté à une ravissante jeune fille blonde qui avec son air égaré semblait protégée par une carapace impénétrable.

– Je sais où il y a un endroit tranquille, dit Walter Pumo. Enfin, je l'espère. Quant à votre ami, il a l'air suffisamment occupé avec la jeune Grace.

Il les conduisit le long d'un couloir menant à l'arrière de la ferme.

– Si quelqu'un vient nous déranger, on le mettra dehors.

Il était d'une tête plus court que les deux hommes, mais aussi large qu'eux deux réunis. Ses épaules occupaient presque toute la largeur du couloir.

Le vieil homme passa la tête par l'embrasure d'une porte, puis lança :

– Entrez, les garçons !

La pièce était petite ; s'y entassaient un vieux canapé en cuir, une table ronde débordant de magazines d'agriculture, un meuble de rangement métallique, un bureau sur lequel régnait le plus grand désordre et une chaise de cuisine devant. Les murs étaient recouverts de coupures de presse, de photographies et de certificats encadrés.

– Mon épouse, qui est à présent décédée, appelait ça mon antre. Je n'ai jamais aimé ce mot antre. Les ours vivent dans des antres, les blaireaux vivent dans des antres. Je lui disais toujours : « appelle ça un bureau », mais chaque fois que je venais ici, elle me disait : « Tu vas te réfugier dans ton antre ? »

Visiblement, il cherchait à masquer sa nervosité.

Le père de Tina enfourcha la chaise de cuisine en plaçant le dossier devant lui et fit signe aux deux hommes de prendre place sur le canapé. Il leur sourit, et Michael éprouva d'emblée beaucoup de sympathie pour le vieil homme.

– Tout change, pas vrai ? A une époque, j'aurais juré connaître mieux mon fils que n'importe qui au monde. Mes deux fils. Maintenant, je ne sais même pas par où commencer. Vous avez fait la connaissance de Tommy ?

Michael hocha la tête; il sentait grandir l'impatience de Harry.

– Tom est mon fils, et je l'aime, mais je ne pourrais pas dire que j'ai beaucoup d'estime pour lui. Mais Tommy se moque qu'on l'estime ou pas. Il fait partie de ces gens qui ne veulent que ce qu'ils peuvent obtenir sans se fatiguer. Mais Tina... Tina a fini par aller vivre sa vie, comme doivent le faire tous les garçons. Vous deux, jeunes gens, vous le connaissiez mieux que moi, et c'est pour ça que j'ai voulu vous voir seuls un moment.

Michael se sentait moins à l'aise, à présent. Harry ne cessait de croiser et de décroiser les jambes.

– Je veux savoir exactement comment il était. Aidez-moi à voir plus clair. Et ne soyez pas gênés : rien de ce que vous direz ne pourra me choquer. Je suis prêt à entendre n'importe quoi.

– C'était un bon soldat, dit Harry.

Le vieil homme baissa les yeux; visiblement il était la proie de sentiments contradictoires.

– Écoutez... à la fin, tout devient mystérieux. Écoutez-moi, lieutenant. Cette terre, ici, mon grand-père l'a travaillée, l'a labourée, l'a soignée toute sa vie, et mon père a fait de même après lui, et moi ensuite, pendant près de cinquante ans. Tommy n'avait pas l'amour qu'il faut pour une terre quand on veut la travailler, quant à Tina, c'est tout juste s'il l'a regardée, cette ferme : il avait toujours les yeux tournés vers l'extérieur. La dernière fois que mon nom est paru dans le journal de Milburn, on m'a qualifié de grand propriétaire. Je ne suis pas un grand propriétaire, mais je ne suis pas vraiment un paysan non plus. Je suis un fils de paysan, voilà ce que je suis. Et croyez-moi, c'est pas si mal que ça...

Il regarda Michael droit dans les yeux, et celui-ci se sentit traversé par un courant de sympathie.

– Tina a été appelé à l'armée. Tommy était trop jeune, mais Tina est parti à la guerre. C'était un garçon... un beau garçon. Je ne crois pas qu'il ait fait un bon soldat. Il avait envie de vivre. Mais quand il est revenu, il ne savait même plus qui il était.

– Je maintiens que c'était un bon soldat, dit Harry. C'était un homme. Vous pouvez être fier de lui.

– Vous savez ce qui à moi me prouve que Tina était un homme? C'est qu'il a laissé ce qui lui appartenait à quelqu'un qui le méritait. Tommy était décidé à attaquer le testament en justice, mais je l'en ai dissuadé. Et j'ai parlé à sa petite amie au téléphone. Maggie. Elle m'a bien plu. Avant même que j'aie parlé, elle savait ce que j'avais en tête... un homme doit rencontrer une femme comme ça dans sa vie, s'il a de la chance. Elle a failli être tuée aussi, vous savez. (Il secoua la tête.) Je ne vous laisse pas parler, les garçons.

– Tina était quelqu'un de bien, dit Michael. C'était un homme responsable et généreux. Il n'aimait pas perdre son temps et il aimait son travail. La guerre a profondément marqué tous ceux qui y ont participé, mais Tina s'en est sorti mieux que d'autres.

– Est-ce qu'il comptait épouser Maggie ?

– C'est probable, dit Michael.

– Cela m'aurait fait plaisir.

Michael ne répondit rien : il voyait bien qu'une autre question brûlait les lèvres du vieil homme.

– Qu'est-ce qui lui est arrivé, là-bas, au Vietnam ? Pourquoi est-ce qu'il avait peur ?

– Non, il a simplement fait la guerre, dit Michael.

– On aurait dit... qu'il s'attendait à quelque chose. Quelque chose d'inéluctable. (A nouveau, il regarda Michael droit dans les yeux.) Mon grand-père aurait soudoyé le flic, là, il aurait amené l'assassin dans un champ et il l'aurait frappé jusqu'à ce que mort s'ensuive. Ou du moins il n'aurait cessé d'y penser. Mais je n'ai même plus de champ à moi.

– Il est encore un peu tôt pour soudoyer le lieutenant Murphy, dit Harry.

Le vieil homme posa les deux mains sur ses genoux.

– Il me semble que Murphy vous a parlé, à Pleasant Hill.

– Excusez-moi, dit soudain Harry, un besoin pressant.

Le père de Tina se cala contre le dossier de sa chaise et regarda Harry quitter la pièce. Les deux hommes l'entendirent tourner à gauche en direction du salon.

– Tina n'aimait pas beaucoup ce gars-là, dit le père.

Michael sourit.

– Mais vous, il vous aimait bien, docteur. Vous permettez que je vous appelle Michael ?

– Avec plaisir.

– La police a arrêté un type, ce matin... Murphy me l'a appris dès son arrivée ici. Il n'a pas encore été identifié. Ils pensent quand même que c'est lui l'assassin.

Dès qu'ils furent de retour dans le salon, une foule de parents entoura Walter Pumo. De l'autre côté de la pièce, où elle était en grande discussion avec un homme un peu plus âgé qu'elle, Judy lui lança un coup d'œil interrogateur.

Harry prit alors Michael par le coude et l'attira dans une embrasure de porte. Il avait dû tellement se raidir pour cacher son anxiété, devant le père, qu'à présent il semblait presque incapable de se pencher. Il lui glissa pourtant à l'oreille :

– C'est terrible, Michael. Ils l'ont arrêté ! Il a avoué !

Par-dessus l'épaule de Harry, Michael aperçut le lieutenant Murphy qui les regardait.

– Mais qui ça, Spitalny ?
– Mais qui d'autre, enfin ?
Le lieutenant s'était approché, et leur glissa un regard de conspirateur qui avait presque valeur d'ordre.
– Calme-toi, dit Michael à Harry.
Le policier se planta à côté d'eux.
– Je voulais vous apprendre une bonne nouvelle, dit-il à Michael. A moins que M. Beevers ne vous en ait déjà fait part.
– Je n'ai rien dit, rétorqua Harry.
Murphy lui adressa un regard indulgent.
– Ce matin, nous avons obtenu ce qui ressemble fort à des aveux. Je n'ai pas encore vu le suspect, parce que j'étais en chemin pour venir ici quand il a été arrêté ce matin, pour une autre affaire. Il a avoué au cours de l'interrogatoire.
– Pour quelle affaire ? Et comment s'appelle-t-il ?
– Je crois que notre homme n'a pas toute sa raison, et il refuse de donner sa véritable identité. J'aimerais bien que vous alliez le voir.
– Pourquoi voulez-vous que nous allions le voir ? demanda Harry. Il a déjà avoué.
– Eh bien, nous pensons que vous l'avez peut-être connu au Vietnam. Il est possible qu'il ne se souvienne même pas de son nom. Je voudrais être certain de son identité, et je pense que vous pourriez m'aider.
Michael et Harry acceptèrent d'assister à une reconnaissance le lundi suivant dans un commissariat de Greenwich Village.
– Ce type a été arrêté pour tentative de meurtre et coups et blessures avec arme, dit Murphy. L'histoire est assez curieuse. Notre bonhomme a piqué une crise dans un cinéma de Times Square qui projetait *Les monstres suceurs de sang*, ou un chef-d'œuvre du même genre. Il a sorti un couteau et a commencé à découper la tête d'un type qui lui avait mis la main à la braguette. Une fois cette tâche accomplie, il s'en est pris aux spectateurs devant lui. Apparemment, eux ne s'étaient même pas rendu compte qu'on décapitait quelqu'un dans la rangée derrière. En tout cas, ils ont fait tellement de raffut que le videur de l'établissement est accouru et a alpagué notre gaillard. Mal lui en a pris : il a reçu un coup de couteau en plein poumon ; notre héros a alors commencé à haranguer les spectateurs : les pécheurs l'avaient suffisamment dégradé comme ça, maintenant il allait remettre les choses en ordre. A commencer par la 42e Rue.
Conor et la jeune Grace s'étaient approchés pour écouter le récit de l'inspecteur. La jeune fille serrait la main de Conor dans la sienne.
– Nous nous retrouvons donc avec un videur au poumon perforé, un homme saigné à mort, deux autres personnes sérieusement blessées et une crise d'hystérie dans le cinéma.

Murphy avait un réel talent de conteur et il aimait les feux de la rampe. Il avait le sourcil levé, l'œil brillant.

– Notre type a été quand même obligé de s'enfuir vers le hall. On nous avait déjà appelés, et quatre hommes de patrouille l'ont alpagué près du distributeur de pop-corn. Il a été conduit au poste et nous avons recueilli une dizaine de témoignages. Le plus curieux, c'est que dès qu'il est arrivé au poste, notre homme est redevenu parfaitement calme. Il s'excusait pour le dérangement. Il espérait ne pas rester trop longtemps en prison parce qu'il avait encore des choses importantes à accomplir pour le Seigneur. On l'a fiché et on lui a dit qu'il allait devoir rester un bout de temps avec nous, et c'est alors qu'il nous a dit : « Vous devriez savoir que c'est moi qui ai tué ce type, Pumo, la semaine dernière, dans son appartement au-dessus d'un restaurant de Grand Street. »

Conor baissa les yeux et secoua la tête d'un air navré; Harry se mordit les lèvres.

– L'homme est capable de décrire l'appartement dans ses moindres détails, mais il y a quelques petites choses qui ne collent pas. Alors après la reconnaissance, j'aimerais éclaircir un certain nombre de points avec vous trois.

Après que Murphy se fut éloigné, Judy s'approcha de Michael.

– Tu as parlé avec l'inspecteur ? On dit qu'ils ont arrêté l'assassin de Tina.

– Ça m'en a tout l'air.

Et il lui apprit qu'ils devraient se rendre à une reconnaissance.

4

Toute la journée du dimanche, Michael et Judy se conduisirent l'un avec l'autre d'une façon à la fois courtoise et empruntée qui aurait pu les faire prendre, par un observateur extérieur, pour des gens relativement étrangers l'un à l'autre et même légèrement hostiles. C'était la première journée complète qu'ils passaient ensemble depuis le retour de Michael, et leur vie conjugale semblait aussi fragile qu'une coquille d'œuf. Michael voyait bien que Judy avait le désir « d'oublier le passé », ce qui pour tous les deux signifiait vivre exactement comme ils le faisaient depuis quatre ans, c'est-à-dire depuis la mort de leur fils. S'il acceptait de pardonner sa brève aventure – pardonner, pour elle, signifiait l'enfouir dans le silence – elle ferait en sorte qu'elle n'ait jamais eu lieu.

Judy posa une tasse de café et le *Sunday Times* sur la table de nuit.

Plein d'égards, Michael but le café et déplia le journal, tandis que Judy lui racontait d'un ton léger les événements survenus à son école au cours des dernières semaines. C'est la vie normale, semblait-elle dire ; c'est comme ça que nous vivons. Tu t'en souviens ? N'est-ce pas bien ainsi ?

Ils passèrent tant bien que mal la journée ensemble. Ils prirent un brunch au General Washington Inn : Bloody Mary, gombos en pickles et poissons fumés, car c'était une « journée cajun ». Ils firent une longue promenade dans le quartier, au milieu des pelouses pelées par l'hiver et où s'affichaient des panneaux « A vendre », au milieu des maisons nouvelles, rêves de verre et de chrome jaillis au milieu de terrains labourés par les pneus de camion. La promenade se termina devant un long étang, au beau milieu de Thurlow Park. Des canards sillonnaient tranquillement la surface de l'étang, et les mâles à la tête verte éloignaient systématiquement les autres mâles qui faisaient mine d'approcher leurs compagnes. Michael s'assit sur un banc et pendant un moment regretta de ne plus être à Singapour.

– Quel effet ça t'a fait de refaire l'amour après tout ce temps ? demanda-t-il.

– C'était dangereux.

La réponse était meilleure que celle qu'il attendait.

Après un moment, elle lui dit :

– Michael, c'est dans cette ville que nous sommes à notre place.

– Moi, je ne sais pas où est ma place.

Elle lui dit alors qu'il s'apitoyait sur lui-même. Derrière ces mots, il devinait la certitude inébranlable que pour elle leur vie était définitivement fixée, inévitable ; la vie qu'ils menaient, c'était la Vie, avec une majuscule.

Michael avait le sentiment que quelqu'un d'autre que lui vivait cette journée. C'est ce que doivent ressentir les acteurs, se dit-il, et il se rendit compte, alors, que toute la journée il avait joué au mari.

Il alla se coucher de bonne heure, laissant Judy regarder « Masterpiece Theater » à la télévision ; elle semblait heureuse. Il se déshabilla, enfila son pyjama, et tout en se brossant les dents, il se mit à lire la revue littéraire du *Time*.

Judy pénétra alors dans la salle de bains, et à sa grande stupéfaction, lui adressa un clin d'œil dans le miroir. Chose également stupéfiante, elle portait une chemise de nuit de soie rose et manifestait clairement l'intention de se mettre au lit avant la fin de « Masterpiece Theater ».

– Surprise ! dit-elle.

Le personnage qu'il jouait répondit :

– Bonsoir !

– Ça t'ennuie si je me mets à côté de toi ?

Elle prit sa brosse à dents et le repoussa un petit peu sur le côté. Elle étendit le dentifrice sur la brosse, la passa sous l'eau... puis, avant de commencer à se brosser les dents, elle le regada dans le miroir.

– Tu es surpris, n'est-ce pas ?

Alors il comprit : elle aussi jouait un rôle. Voilà qui était rassurant. La moindre bribe de réalité dans cette scène lui aurait causé une douleur et une frayeur insupportables.

Lorsqu'il quitta la salle de bains, elle lui adressa un petit signe de sa main libre :

– Au revoir.

Les pieds d'un autre conduisirent Michael jusqu'au lit, les doigts d'un autre allumèrent la lampe de chevet, et ce furent les jambes d'un autre qu'il glissa sous les couvertures. Puis il prit *Les ambassadeurs*, et fut considérablement soulagé de découvrir que c'était bien lui qui lisait et non quelqu'un d'autre.

Lorsque Judy vint le rejoindre dans le lit, elle s'approcha de lui plus que de coutume.

– C'est un très bon livre, dit-il.

La déclaration était presque sincère, mais il n'en jouait pas moins son rôle.

– Tu as l'air passionné, en tout cas.

Il posa son livre pour s'assurer que Judy continuait bien de jouer son rôle. C'était le cas.

– J'ai peur que tu me prennes pour Tom Brokaw, dit-il.

– Je ne veux pas te perdre, Michael. (Elle jouait un rôle, mais elle était sincère.) Pose donc ce livre.

Il posa le livre sur la table de chevet et accueillit Judy dans ses bras. Elle l'embrassa. Il joua à lui rendre son baiser. Judy glissa la main dans la ceinture de son pyjama et se mit à le caresser.

– Je ne rêve pas ? demanda Michael.

– Oh, Michael.

Et en un tournemain elle se débarrassa de sa chemise de nuit.

Il lui embrassa le dos avec toute la ferveur d'un acteur chevronné. Pendant un moment son pénis se dressa sous l'effet de ses caresses, mais son pénis ne savait pas jouer la comédie, et il finit par retomber.

Elle l'enserra alors entre ses bras et se hissa sur lui. L'humour de cette scène s'en était allé : ne restait plus que la douleur. Judy se tortilla un long moment sur lui, couvrant de baisers son visage et son cou.

Elle lui lécha le cou et lui posa les seins sur le visage. Il avait oublié la sensation des seins de Judy dans sa bouche, ronds et furtifs. Pendant un instant, ivre de danger et de violence, il se rappela la façon dont les seins de Judy avaient gonflé aux tout premiers temps de sa grossesse, et son sexe durcit dans la main de Judy. Mais elle changea de position, et il éprouva comment les émotions véritables qu'elle ressentait faisaient du corps de Judy une construction de bois et d'acier ; le sexe de Michael retomba dans le sommeil. Judy se démena encore longtemps sur lui, puis finit par renoncer. Ses bras tremblaient.

– Tu as eu horreur de ça, dit-il. Sois franche : ça t'a dégoûtée.

Elle émit un son grave, un feulement semblable à de la soie qu'on déchire, se mit à genoux et le frappa violemment à la poitrine. Elle avait le visage tordu par la haine et le dégoût. Puis elle bondit hors du lit et traversa la pièce comme un éclair. Michael se demanda combien de fois en quatre ans, il avait essayé, tout en sachant ses tentatives vouées à l'échec, de faire l'amour avec elle. Cent fois peut-être... et pas toutes au cours de la dernière année. Judy ramassa sa robe de chambre et la glissa sans cérémonie par-dessus sa tête. Elle sortit de la chambre en claquant la porte.

Il l'entendit traverser le vestiaire, s'asseoir sur la chaise qui émit un craquement. Elle composa un numéro de téléphone dans la localité, vu le nombre de chiffres. Puis elle raccrocha si fort qu'elle fit tinter la sonnerie. Michael commençait à se détendre et à réintégrer son propre corps. Judy composa à nouveau un numéro dans la localité, probablement le même. Il l'entendait respirer et il savait que son visage avait la rigidité d'un masque. Le combiné s'abattit à nouveau avec fracas. Il l'entendit dire : « Merde ! » Puis elle composa un numéro à neuf chiffres, probablement celui de Pat Caldwell. Au bout de quelques secondes, il entendit des mots prononcés à voix basse, des chuchotements entrecoupés de sanglots.

Michael reprit le roman de Henry James, mais s'aperçut rapidement qu'il était incapable de lire... les mots semblaient avoir pris vie, et se tortiller sur les pages. Michael s'essuya les yeux et la page s'éclaircit.

Judy soudain fit irruption dans la pièce, sans le regarder. Elle gagna le palier et il l'entendit descendre les escaliers. Divers bruits dans la cuisine. Décidément, Michael était bien de retour dans sa véritable existence. Ce corps, c'était bien le sien, et non celui d'un acteur. Il ferma son livre et se leva.

Dans le petit vestiaire de Judy, le téléphone sonnait. Michael faillit décrocher, puis il se rappela que le répondeur devait être branché. Il s'éloigna et entendit alors une voix d'homme.

– Le monde se trouve au même instant du début à la fin, et y a-t-il une douleur semblable à la mienne ? J'attendrai, j'attends à présent. J'ai besoin de ton aide. L'étroit chemin s'évanouit sous mes pieds.

Michael était frappé : cette voix était celle d'un fantôme.

Lorsqu'il pénétra dans la cuisine, Judy s'éloigna de la cuisinière, où elle avait mis une bouilloire au feu, et alla s'adosser à la fenêtre, les bras ballants le long du corps. Elle le regardait comme s'il avait été un fauve prêt à bondir sur elle.

Si elle avait souri ou prononcé quelque phrase banale, il se serait immédiatement retrouvé en position d'acteur, mais elle ne sourit ni ne parla.

Michael contourna l'étal de boucher et s'y appuya. Judy semblait plus petite et plus vieille que la femme aux yeux flamboyants qui l'avait frappé quelques instants auparavant.

– Ton cinglé a appelé, dit-il.

Judy secoua la tête et se rapprocha de la cuisinière.

– J'ai l'impression qu'il est perdu. C'est un sentiment que je comprends.

– Ça suffit ! dit-elle en serrant les poings.

La bouilloire se mit à siffler. Judy desserra les poings et versa de l'eau chaude sur le café soluble. Elle le délaya ensuite à petits coups de cuiller rapides.

– Je n'ai pas l'intention de perdre tout ce que je possède, finit-elle par dire. Je suis étonnée que tu aies réussi à reposer ton livre idiot.

– Si tu le trouvais idiot, pourquoi me l'as-tu donné ?

Elle détourna le regard, comme une enfant prise en faute.

– Tu n'arrêtes pas de donner des livres à ta petite copine. Et celui-là, c'est quelqu'un qui me l'a donné. Je me suis dit que ça pourrait t'aider à te calmer.

Il la dévisagea.

– Je n'ai pas l'intention de quitter cette maison, dit-elle.

– Tu n'y es pas obligée.

– Je n'ai pas l'intention de me retrouver sans rien simplement parce que tu es cinglé.

Son regard étincelait, puis il sembla rentrer à nouveau en elle-même.

– L'autre jour, reprit-elle, Pat m'a parlé de Harry. Elle disait qu'il la dégoûtait... elle ne supportait pas l'idée qu'il la touche. C'est ce que tu éprouves avec moi.

– C'est valable dans l'autre sens. C'est aussi ça que tu ressens pour moi.

– Cela fait quatorze ans que nous sommes mariés, je sais quand même ce que j'éprouve !

– Moi aussi, je devrais, dit-il. J'aimerais te dire ce que je ressens, ce que j'éprouve pour toi, mais tu ne me croirais pas.

– Tu n'aurais jamais dû partir pour ce voyage de fou, dit-elle. Nous aurions dû rester à la maison au lieu d'aller à Milburn avec Harry. Ça n'a fait qu'aggraver les choses.

– Tu n'as jamais envie que j'aille nulle part, rétorqua-t-il. Tu estimes que c'est moi qui ai tué Robbie, et tu voudrais me voir rester ici et expier ma faute à jamais.

– *Oublie Robbie!* hurla-t-elle. *Oublie-le! Il est mort!*

– Je vais faire une psychothérapie avec toi, dit-il. Tu m'écoutes? Nous allons faire tous les deux une psychothérapie. Ensemble.

– Tu sais qui devrait faire une psychothérapie? Toi! C'est toi qui es fou! Pas moi! Notre couple allait bien avant que tu ne partes.

– Avant que je ne parte où?

Michael quitta la pièce en silence et remonta à l'étage.

Il demeura longtemps allongé dans le lit à écouter le silence. Portes de placards qu'on ouvre et qu'on ferme dans la cuisine. Finalement, Judy grimpa l'escalier. Surpris, Michael l'entendit se diriger vers la chambre. Elle vint s'appuyer contre la porte.

– Je voudrais simplement te dire quelque chose, même si tu ne me crois pas. Je voulais que ce soit une journée différente des autres. Une journée consacrée à toi.

– Je sais.

Même dans l'obscurité, il sentait la rage, le dégoût, et une manière d'incrédulité qui émanaient d'elle.

– Je vais aller dormir dans la chambre d'ami, dit-elle. Je ne suis pas sûre que nous soyons encore mariés, Michael.

Michael demeura encore éveillé une demi-heure, les yeux fermés, puis il renonça, alluma la lumière et prit le roman de Henry James. Le livre était un petit jardin parfait entrevu au pied d'une montagne de détritus. Des mouettes poussaient des cris stridents au-dessus de la montagne d'ordures, des rats grouillaient partout, mais au pied de ce tertre immonde, sains et saufs au milieu des pages, des hommes et des femmes radieux d'intelligence dansaient une danse magnifique et implacable. Michael descendait prudemment la montagne d'ordures, mais à chacun de ses pas le jardin parfait s'éloignait.

5

Il fut réveillé par le bruit de la douche que prenait Judy. Quelques minutes plus tard, elle fit son apparition dans la chambre, enveloppée d'une longue serviette rose.

– Bon... il faut que je parte au travail. Tu es toujours décidé à aller à New York ce matin?

– Il le faut, dit-il.

Elle prit une robe dans le placard et secoua la tête comme si elle avait affaire à un cas désespéré.

– J'imagine que tu n'auras le temps d'aller ni à ton cabinet ni à l'hôpital, ce matin.

– Je passerai peut-être en coup de vent à l'hôpital.

– Tu comptes passer en coup de vent à l'hôpital et ensuite aller à New York.

– C'est ça.

– J'espère que tu te souviens de ce que j'ai dit hier soir.

Elle dégagea la robe du cintre, entra dans le petit vestiaire et claqua la porte derrière elle.

Michael se leva. Il se sentait fatigué et déprimé, mais il n'avait pas l'impression d'être un acteur, ou d'avoir été déplacé dans le corps d'un inconnu. Son corps et son malheur étaient bien à lui. Il voulait amener un livre à Stacy Talbot et se mit à regarder dans sa bibliothèque. Il finit par se décider pour *Les hauts de Hurlevent*; un exemplaire un peu défraîchi dont certains passages avaient été soulignés.

Avant de partir, il se rendit au sous-sol et alla ouvrir une malle dans laquelle il avait placé quelques affaires de Robbie après la mort de l'enfant. Il n'en avait pas parlé à Judy, car celle-ci avait insisté pour qu'ils donnent ou détruisent tout ce qui avait appartenu à leur fils. La malle était une curieuse relique de l'époque où les parents de Michael partaient en croisière, et Michael et Judy l'avaient remplie de livres et de vêtements lorsqu'ils s'étaient installés à Westerholm. Michael s'agenouilla devant la malle ouverte. Il y avait une balle de base-ball, une chemise à manches courtes avec des chevaux en impression et une série de petits dinosaures en plastique. Tout au fond, se trouvaient deux livres : l'*Histoire de Babar*, et *Le roi Babar*. Il prit les deux livres et referma la malle.

29

LA RECONNAISSANCE

1

Une heure et demie plus tard, alors qu'il roulait vers Manhattan en ayant l'impression d'avoir branché le pilote automatique, Michael finit par remarquer sur le siège un livre un peu défraîchi : *Les hauts de Hurlevent*, dans la vieille édition Riverside. Il se rendit compte alors qu'il l'avait gardé à la main tout le temps qu'avait duré sa visite à l'hôpital. Comme les lunettes que l'on cherche partout alors qu'on les a sur le nez, le livre était devenu transparent et sans poids. A présent, comme pour se venger de sa discrétion première, le roman semblait plus dense qu'un pavé, et prêt à écraser la suspension de la voiture. D'abord il eut envie de jeter le livre par la fenêtre, puis il songea à s'arrêter à une station-service et à appeler le lieutenant Murphy pour lui dire qu'il ne pourrait assister à la reconnaissance. Harry et Conor pourraient identifier Spitalny, Maggie confirmerait que c'était l'homme qui avait essayé de la tuer, et l'affaire serait close.

Puis il se dit qu'il avait besoin de lester sa journée d'un peu de réalité, et la route jusqu'à New York et une reconnaissance dans un commissariat pouvaient fort bien y pourvoir.

Il gara sa voiture dans un parking de University Place et marcha jusqu'au commissariat.

– J'ai rendez-vous à onze heures avec le lieutenant Murphy pour une reconnaissance.

Le jeune homme disparut de derrière la vitre; un bourdonnement, et Michael put pousser la porte. Le jeune homme consulta alors un tableau.

– Ils sont au deuxième étage. Je vais demander qu'on vous y accompagne.

Derrière lui, des policiers en uniforme jetèrent un regard distrait à Michael. Il régnait en ces lieux une atmosphère de travail et de communauté masculine. Michael ne put s'empêcher de penser à la salle de réunion des médecins à l'hôpital Saint Bartholomew.

Un autre policier en uniforme, plus jeune encore que le premier, conduisit Michael le long de couloirs dont les murs étaient placardés d'affiches. L'homme avait un visage mou, charnu, dépourvu d'intelligence, une peau olivâtre et un cou épais. Pas une seule fois il ne regarda Michael dans les yeux. « C'est en haut », dit-il lorsqu'ils arrivèrent au pied d'un escalier. Ils suivirent un nouveau couloir et le policier s'arrêta bientôt devant une porte où était inscrite la lettre B.

– Ah, voilà notre homme! s'exclama Harry.

Il était appuyé contre le mur, les bras croisés sur la poitrine, et parlait avec une jeune Chinoise de petite taille et au visage rond. Michael salua Harry et Maggie qu'il avait vue deux ou trois fois au Saigon. La jeune femme semblait avoir mis entre Harry et elle une manière de distance ironique qui n'échappa pas à Michael. Elle lui serra la main avec franchise et vigueur. Un petit sourire en coin creusait une fossette sur l'une de ses joues. Elle était extraordinairement jolie, et tout son être respirait l'intelligence.

– C'est gentil à vous d'avoir fait tout ce chemin depuis le Westchester, dit-elle.

Elle parlait sans le moindre accent, et la précision avec laquelle elle détachait les consonnes avait quelque chose de britannique.

– Le malheureux a dû se mêler à la plèbe de cette ville crasseuse, dit Harry.

Michael remercia Maggie, ignora Harry et alla s'asseoir à côté de Conor. « Salut », lui dit Conor. La ressemblance avec un lycée persistait. La salle B était une salle de classe sans l'estrade du professeur. Devant Michael et Conor, au fond de la pièce, se trouvait un long tableau vert. Harry disait quelque chose à propos de droits cinématographiques.

– Ça va, Mikey? demanda Conor. Tu as l'air bien abattu.

Michael revit *Les hauts de Hurlevent* sur le siège avant de sa voiture.

Harry les regarda.

– Mais enfin réfléchis un peu! Bien sûr qu'il est abattu. Il a dû quitter une belle ville, où l'air est pur, où ils n'ont même pas besoin de trottoir tellement il y a peu de circulation : il n'y a que des haies; et il a dû passer plusieurs heures sur une autoroute puant les gaz d'échappement. Là d'où il vient, mon vieux Conor, il y a des faisans et des perdrix à la place de pigeons. Il y a des cerfs et des chiens de chasse à la place de rats. Tu ne serais pas abattu, toi ? Il faut le comprendre!

– Eh bien moi je suis de South Norwalk, rétorqua Conor. On n'a pas non plus de pigeons, là-bas, on a des mouettes.

– Bah, ce sont des oiseaux de décharge!

– Calme-toi, Harry, dit Michael.

– On peut encore s'en sortir bien, dit Harry en changeant de sujet. Il n'y a qu'à pas en dire plus que le nécessaire.

– Alors, que s'est-il passé ? chuchota Conor à Michael.

– Une de mes patientes est morte ce matin.

– Un enfant ?

– Oui, une petite fille. (Il eut soudain besoin de prononcer son nom.) Elle s'appelait Stacy Talbot.

Le fait de mettre des mots sur cette perte eut un effet presque physique sur lui. Sa douleur ne disparut pas, mais elle devint plus concrète : la mort de Stacy prenait un aspect physique, comme celui d'un cercueil plombé au plus profond de sa poitrine. Il se rendit compte alors que Conor était la première personne à qui il eût parlé de cette mort.

La dernière fois qu'il l'avait vue, Stacy était fiévreuse et épuisée. La lumière lui faisait mal aux yeux; son courage habituel semblait avoir presque disparu. Mais elle avait semblé s'intéresser à son petit lot d'histoires, elle lui avait pris la main et lui avait dit qu'elle avait adoré le début de *Jane Eyre*, particulièrement la première phrase.

Michael ouvrit le livre pour lire la phrase. *Ce jour-là, il n'y avait aucune possibilité d'aller se promener.*

Stacy lui souriait.

Ce matin-là, une infirmière avait tenté de le héler lorsqu'il était passé devant leur bureau, mais il l'avait à peine remarquée. Il avait poussé la porte de la chambre de Stacy.

Un homme entre deux âges, chauve, une moustache grise, une intraveineuse dans le bras, dormait dans le lit de Stacy, le *Wall Street Journal* déplié sur la poitrine. L'homme ne se réveilla pas et ne lui adressa pas de clin d'œil comme un acteur d'un film comique, il dormait sans bruit, mais Michael sentit brusquement un vide se créer en lui, comme cette soudaine chaleur immobile qui précède un ouragan. Il ressortit de la pièce pour vérifier le numéro de la chambre. Bien entendu c'était le bon numéro. Il entra à nouveau et regarda le richard drogué. Cette fois-ci il le reconnut. C'était un promoteur immobilier nommé Pohlmann dont les enfants allaient à l'école de Judy, et qui possédait une imitation de château avec un toit de tuiles rouges et un garage pour cinq voitures à trois kilomètres seulement de la maison des Poole. Michael sortit de la chambre de Pohlmann.

L'espace d'un instant, il eut l'impression que le vieux livre vert qu'il tenait à la main pesait dix à quinze kilos. Il vit l'infirmière qui le regardait tout en parlant au téléphone. Dès qu'il rencontra ses yeux, il sut ce qui s'était passé. Il le sut aussi à la façon dont elle raccrocha le téléphone. Il ne s'en dirigea pas moins vers le bureau et demanda :

– Où est-elle ?

– Je craignais que vous ne l'ayez pas encore appris, docteur...

Il eut l'impression de se trouver dans un ascenseur en chute libre.

– C'est triste, dit Conor. Ça doit te rappeler ton fils.

– Mais Michael est médecin, dit Harry. Des choses comme ça il en voit tous les jours. Il sait être détaché.

Michael se sentait effectivement détaché, mais pas de la façon dont l'imaginait Harry.

La tête du lieutenant Murphy apparut dans l'encadrement de la fenêtre à mailles découpée dans la porte. Il avait la pipe à la bouche, et leur sourit.

– Je suis heureux que vous ayez tous pu vous libérer, dit-il en pénétrant dans la pièce. Excusez-moi, je suis un peu en retard.

Avec sa veste en tweed et son pantalon brun il avait tout à fait l'allure d'un professeur d'université.

– Tout est prêt pour la reconnaissance et nous y descendrons dans quelques instants, mais avant cela j'aimerais vous entretenir de quelques petites choses.

Harry lança un coup d'œil à Michael et toussota discrètement.

Murphy s'assit en face d'eux. Il retira la pipe de sa bouche et la tint à bout de doigts comme s'il se livrait à une inspection détaillée. C'était une grosse Peterson courbe, noire et sablée, avec un anneau en argent terni à la jonction du bec et du fourneau. La pipe était remplie de tabac gris.

– Nous n'avons pas vraiment eu l'occasion de parler à Milburn, bien que j'aie eu un certain nombre de questions à vous poser ; il est vrai qu'à ce moment-là nous pensions que l'affaire était réglée.

Il les considéra l'un après l'autre.

– J'en étais heureux, et je crois que ça se voyait. Mais ce n'est pas une affaire ordinaire, pas du tout même, d'ailleurs une affaire de meurtre est rarement ordinaire. Mais depuis lors il s'est passé un certain nombre de choses.

Murphy baissa les yeux sur la pipe qu'il tenait en équilibre au bout des doigts, et Harry rompit le silence.

– Vous voulez dire que l'homme que vous avez arrêté a fait une fausse déclaration ?

– Pourquoi avez-vous l'air si content ? demanda Murphy. Vous n'avez pas envie que nous mettions la main sur l'assassin ?

– Je ne pensais pas du tout avoir l'air content. Bien sûr que j'ai envie que vous arrêtiez l'assassin.

Murphy le considéra sans broncher pendant un moment.

– Il y a un grand nombre d'informations touchant cette affaire que le public ne connaît pas encore. Et le public ne doit pas être au courant si nous ne voulons pas gêner l'enquête. Et même, au pis, la compromettre définitivement. Je voudrais vérifier certaines de ces informations avant de nous rendre à la reconnaissance, et vous, mademoiselle Lah, si jamais vous savez quelque chose, je vous en prie, faites-nous-en part.

Maggie acquiesça.

– Mademoiselle Lah nous a déjà été fort utile.

– Merci, dit-elle très doucement.

– Donc, messieurs, vous avez tous connu M. Pumo au Vietnam, où vous faisiez partie de la même section ? Et vous, monsieur Beevers, vous étiez le lieutenant de cette unité ?

– C'est exact, dit Harry en souriant et en lorgnant Maggie du coin de l'œil.

– Savez-vous combien de membres de cette section, en dehors de vous, sont encore vivants ?

Harry fit la moue et secoua la tête.

– Docteur Poole ?

– Je n'en sais vraiment rien, dit Michael. Je crois que nous ne sommes pas nombreux à être encore vivants.

– Vous ne savez donc pas ? demanda à nouveau Murphy en élevant un peu la voix. Aucun d'entre vous ?

– Je crois que nous serions très heureux si vous pouviez nous donner des renseignements à ce sujet, dit Harry, mais j'ai peur de ne pas très bien comprendre où vous voulez en venir.

Murphy leva un sourcil faussement surpris et se mit à tirer des bouffées de sa pipe. Le tabac de couleur terne se mit à rougeoyer, et l'inspecteur laissa échapper la fumée entre ses lèvres.

– Pourtant, le nom de Koko vous est familier.

Harry fronça les sourcils en regardant Maggie.

– Mlle Lah nous a fourni un certain nombre d'informations. Pensez-vous qu'elle ait eu tort, monsieur Beevers ?

– Bien sûr que non, dit Harry en toussotant.

– J'en suis heureux. (La bouche de Murphy se tordit en un vague sourire.) Outre vous trois, il semble qu'il n'y ait plus que quatre survivants de la section ayant participé aux événements de Ia Thuc. L'ancien soldat de première classe Wilson Manly vit en Arizona...

– Manly est vivant? s'écria Conor. Bon sang!

Michael aussi était surpris. A l'instar de Conor, il avait vu pour la dernière fois Manly étendu sur un brancard : il avait perdu une jambe et beaucoup de sang, et Michael avait pensé qu'il ne s'en tirerait pas.

– Wilson Manly est invalide, mais il possède une affaire de systèmes de sécurité à Tucson.

– Qui y a-t-il d'autre? demanda Michael.

– George Burrage travaille comme conseiller en matière de toxicomanie à Los Angeles.

– Spanky! s'exclamèrent Conor et Michael presque à l'unisson. Lui aussi avait été évacué après une fusillade, et depuis lors personne n'en avait plus entendu parler. Tout le monde le croyait mort également.

– Tous deux me chargent de vous transmettre leur bon souvenir; ils se souvenaient très bien de M. Pumo et ont été très touchés par la nouvelle.

– C'est évident, dit Harry. Vous avez fait votre service, n'est-ce pas, lieutenant? Vous êtes parti au Vietnam?

– J'étais trop jeune pour le Vietnam, dit Murphy. M. Manly comme M. Burrage se souviennent très bien des incidents au cours desquels est apparu le nom de Koko.

– Le contraire serait étonnant! s'exclama Harry.

– Un soldat de première classe du nom de Victor Spitalny pourrait également être vivant, dit Murphy. On perd sa trace depuis sa désertion à Bangkok en 1969. Mais vu les circonstances dans lesquelles il a disparu, il ne semble pas très vraisemblable qu'il lui soit brusquement passé par la tête d'aller tuer des journalistes et les membres de son ancienne section. Qu'en pensez-vous?

– Difficile à dire, dit Harry. Mais pourquoi avez-vous dit « des journalistes »?

– Celui qui se fait appeler Koko a tué les journalistes étrangers et américains qui ont couvert l'affaire des atrocités de Ia Thuc. Il s'est même montré très consciencieux.

Il posa sur Harry un regard calme et détaché, puis regarda Michael de la même façon.

– Cet homme a tué au moins huit personnes. Et peut-être même un autre homme.

– Qui ça? demanda Harry.

– Un homme d'affaires du nom d'Irwin; il y a quelques semaines de cela, à l'aéroport Kennedy. En recoupant des informations venues du monde entier nous sommes parvenus à reconstituer l'affaire. Il est déjà difficile de faire coopérer différentes unités de police qui se trouvent la porte à côté, alors je dois vous dire que nous sommes assez fiers de ce que nous avons réalisé là. Nous sommes prêts maintenant, et nous allons lui mettre la main dessus. Mais pour cela, nous avons besoin de votre entière coopération. Et j'ai le sentiment que ce n'est pas tout à fait le cas.

Mais avant que quelqu'un ait pu protester, il sortit une enveloppe de la poche de sa veste, l'ouvrit et en sortit trois cartes à jouer glissées chacune dans un étui en plastique.

– Voulez-vous jeter un coup d'œil à ceci, s'il vous plaît.

Il utilisa un crayon pour séparer les cartes sur la table. Michael les regarda. Son sang se figea dans ses veines. Il y avait un éléphant cabré, reproduit trois fois. Sous la figure, une devise : « Une tradition d'honneur ». Michael n'avait pas vu de cartes à jouer militaires depuis qu'il avait quitté le Vietnam. L'éléphant semblait plus menaçant que dans son souvenir.

– Où avez-vous trouvé ça ? demanda Conor.

Murphy retourna les cartes. Trois fois, le même mot se répétait, gribouillé comme autrefois : KOKO. Devant Harry il y avait un huit de trèfle ; devant Conor un deux de cœur ; devant Michael un six de pique. Le cœur battant, Michael vit alors son nom écrit à l'encre pâle sur la carte devant lui.

– M. Pumo avait dans la bouche une carte semblable à celles-ci, avec son nom inscrit dessus.

Sur les autres cartes, inscrits à la même encre pâle, Michael lut les noms de Linklater et Beevers.

La reconnaissance n'avait été qu'un prétexte pour les réunir tous les quatre. On les avait convoqués non pour identifier un tueur, mais pour les effrayer et les amener à en dire plus qu'ils ne le désiraient.

Harry et Conor prirent la parole en même temps.

– Où les avez-vous trouvées ? Vous avez dû le serrer de près.

Murphy acquiesça.

– Nous avons appris où il se trouvait grâce à un tuyau. Malheureusement, nous ne l'avons pas trouvé ; il a dû être prévenu. Nous avons dû le manquer de quelques minutes seulement. Mais quand on est passé aussi prêt d'une arrestation, elle finit toujours par avoir lieu, croyez-moi.

A l'aide de son crayon, Murphy remit les cartes dans son enveloppe.

– Il y a un autre survivant de votre section.

Pendant un moment, Michael ne parvint pas à se rappeler son nom.

– Vous vous souvenez tous de Tim Underhill.

– Bien sûr, dit Conor.

Les deux autres opinèrent du chef.

– Que pouvez-vous me dire à son sujet?

Quelques secondes de silence suivirent la question du lieutenant.

– Je n'arrive pas à vous comprendre! s'exclama Murphy.

Michael se rappela alors Judy lui parlant de Bob Bunce : les dénégations mensongères sont toujours maladroites.

– Nous avons recherché Underhill à Singapour, dit-il.

Puis il s'interrompit en sentant le lourd soulier de Harry lui écraser le pied.

– C'était une espèce de blague, dit Harry. Nous étions en vacances dans ce coin-là, et nous nous sommes dit que nous arriverions peut-être à le trouver. Nous n'en avons retrouvé que la trace. Des gens qui l'avaient connu ou qui avaient entendu parler de lui. Nous avons fait un circuit dans trois pays différents. En vain.

– Dites-moi, vous avez fait un sacré périple pour retrouver un vieux copain d'armée, dit Murphy.

– Ça c'est vrai!

Harry glissa un coup d'œil à Maggie, puis regarda à nouveau Murphy d'un air candide.

– On a fait un voyage terrible.

– Aucune trace, vraiment?

– Non. Il a disparu. Vous croyez vraiment que ce Koko est Tim Underhill?

– C'est l'une des possibilités que nous avons envisagées.

Il adressa à Harry un sourire aussi faussement candide que le sien.

– Ce n'est certainement ni Wilson Manly ni Spanky Burrage ni aucun d'entre vous.

D'autres questions se pressaient dans son esprit, mais Harry posa celle qui lui brûlait les lèvres :

– Dans ce cas, qui est ce type qui est devenu fou dans le cinéma de Times Square?

– Eh bien, essayons de le découvrir, dit Murphy en se levant.

2

Murphy descendit l'escalier aux côtés de Michael.

– Notre ami refuse toujours de dire son nom. Il prétend l'avoir oublié. Il dit même qu'il est né à New York à l'âge de dix-huit ans. (Il toussota.) Dans l'arrière-salle d'un bar nommé l'Enclume.

Il adressa à Michael un regard presque humain.

– Il nous a dressé un plan de l'appartement de Pumo. Puis il s'est refermé comme une huître et a refusé d'en dire plus, sauf qu'il avait pour mission de nettoyer le monde de ses ordures.

Murphy leur fit traverser l'immense rez-de-chaussée encombré de bureaux, puis ouvrit une porte donnant sur un large escalier. Malgré le bruit des machines à écrire, Michael entendit Harry parler à Maggie d'une voix précipitée.

– Nous y voilà, dit Murphy.

Il ouvrit une large porte à deux battants donnant sur une pièce semblable à une salle de théâtre, avec ses rangées de sièges, son estrade et ses projecteurs au plafond.

Murphy leur fit signe de s'installer au deuxième rang; Maggie s'engagea entre les sièges à la suite de Michael, suivie de Harry et de Conor. Puis le policier gagna une petite estrade aménagée dans l'allée centrale un rang derrière eux, et alluma les projecteurs de la scène. Il prit un micro, et chercha un instant le bouton avant de le trouver.

– Bon, nous y sommes, dit-il dans le micro. Je mets l'écran en place et vous pourrez faire entrer tout le monde.

Il appuya sur un autre bouton et un long écran se déroula sur un rail en travers de la scène.

– Tout est prêt, dit Murphy. Chaque homme sur sa marque. Lorsque tout le monde sera sur scène, je demanderai à chacun de s'avancer et de nous dire quelques mots à son propos, puis de revenir à sa place.

Cinq hommes firent leur apparition sur le côté gauche de la scène et se dirigèrent d'un pas incertain vers ce qui devait être des marques inscrites sur le sol. Au premier coup d'œil, les trois hommes petits aux cheveux sombres auraient pu être Victor Spitalny. L'un portait un complet gris de confection, l'autre une veste de sport à carreaux, et le troisème une veste et un pantalon en jeans. Celui qui ressemblait le plus à Spitalny était l'homme à la veste à carreaux, mais il avait les yeux plus espacés et le menton plus fort. Il avait l'air de s'ennuyer et semblait pressé de partir. Le quatrième était un blond solidement bâti, un visage d'Irlandais. Le cinquième était vêtu d'une chemise kaki, de pantalons de treillis, et chaussé d'une paire de bottes de cow-boy; il avait dû se raser la tête peu de temps auparavant, car ses cheveux sombres qu'il laissait repousser uniformément laissaient encore voir la peau du crâne. Lui seul souriait à l'adresse des gens qui l'observaient.

Murphy fit l'appel des numéros d'une voix sans timbre.

– Je m'appelle Bill et je travaille comme barman dans l'Upper East Side.

– Je m'appelle George. Je dirige la troupe des boys-scouts de Washington Heights.

– Je m'appelle Franco, et je vis sur Ocean Avenue, à Brooklyn.

– Je m'appelle Liam. Je travaille dans une société de gardiennage.

Lorsque Murphy appela le numéro cinq, le dernier homme fit un pas en avant.

– Je n'ai pas de nom parce que je n'ai pas de passé.

– Oh, mon Dieu! s'écria Maggie. Je n'arrive pas à y croire!

Murphy ordonna au cinquième homme de reculer, puis leur donna l'ordre à tous de quitter la scène. Lorsque tout le monde fut parti, il se pencha vers Maggie.

– Alors?

– Le dernier, celui qui est en train de changer de sexe, on dirait, eh bien il portait les bottes de Tina. J'en suis sûre. Et je sais qui c'est.

– Qui est-ce?

– Enfin... je ne connais pas son vrai nom, il se faisait appeler Dracula, et avant il avait une coiffure à l'iroquoise. Tina l'a dragué dans une boîte il y a quelque temps, ou il s'est fait draguer. Il se faisait passer pour une fille. Une fois arrivé dans son appartement, il a assommé Tina et a volé plein de choses. Dont les bottes qu'il porte aujourd'hui. C'étaient les bottes préférées de Tina. Je crois qu'elles lui avaient coûté très cher.

– Dracula... dit Murphy.

– Mais ce n'est pas l'homme que j'ai vu dans l'appartement.

– Je m'en doutais, dit Murphy. Messieurs, vous pouvez partir. Je vous remercie pour votre aide, et j'aurai encore l'occasion de m'entretenir avec vous personnellement. Si jamais vous pensiez à un détail qui pourrait être utile à l'enquête, je vous serais reconnaissant de m'appeler. Mademoiselle Lah, s'il vous plaît, voudriez-vous m'accompagner en haut?

Maggie se leva avant les autres et rejoignit Murphy dans l'allée centrale. Elle croisa le regard de Michael et leva un sourcil interrogateur. Michael répondit par un hochement de tête, puis se leva en même temps que ses compagnons.

3

Michael accompagna Conor et Harry jusqu'à un taxi, leur promit de les retrouver une demi-heure plus tard à l'appartement de Harry, puis retourna au commissariat de la 10 e Rue et attendit dehors. Le temps était encore trop froid pour être agréable, mais Michael prit plaisir à attendre ainsi en pleine rue. Le soleil faisait scintiller les pierres brunes des bâtiments. Il se sentait comme suspendu entre la fin d'une période de sa vie et le début d'une autre. Stacy Talbot avait été son dernier lien avec Westerholm... tout ce qui le retenait encore là-bas pouvait tenir dans une valise.

Sa vie était devenue un feuilleton de télévision. La routine quotidienne du travail, les enfants enrhumés et leurs mères inquiètes, Judy et ses angoisses, le morne étirement des matinées à deux, la belle maison blanche, les promenades jusqu'à l'étang, les *brunches* du dimanche au Bloody Mary, les détails glaçants qui accouraient en foule à son esprit.

La porte du commissariat s'ouvrit avec le bruit sec d'un os brisé, et Michael se redressa en voyant paraître Maggie. Le soleil jetait des reflets mordorés dans sa douce chevelure d'un noir profond.

– Ah, tant mieux, dit-elle. J'avais peur que vous ne soyez pas là. Je n'ai rien pu vous dire dans le commissariat.

– Je sais.

– C'était vous que je voulais voir, dit Maggie. Conor est quelqu'un de merveilleux, mais il est encore un peu méfiant à mon égard. Et Harry Beevers est une... énigme.

– Surtout pour lui-même.

– Ils peuvent se passer de vous pendant quelque temps ?

– Tout le temps que vous voudrez.

– Alors ils ne vous récupéreront peut-être jamais, dit Maggie en glissant son bras sous celui de Michael. Je voudrais que vous m'accompagniez quelque part. Vous voulez bien ?

– Je suis à votre entière disposition.

Michael éprouva alors le sentiment que Maggie et lui étaient les seuls êtres qui aient survécu à Tina ; tout autant que Walter et Tommy Pumo, ils étaient la famille que Tina avait laissée derrière lui.

– Ce n'est pas très loin. C'est seulement un petit restaurant. Tina et moi nous y allions ensemble... c'était son coin à lui, il le partageait avec moi, et j'aimerais ne pas m'évanouir chaque fois que je passerai devant. Ça vous ennuie ?

– Je vous y accompagne bien volontiers, dit Michael.

Ils marchaient bras dessus, bras dessous, du même pas.

– Puis-je vous accompagner ailleurs après cela ? demanda Michael.

Elle leva les yeux vers lui.

– C'est possible.

Il lui laissa l'initiative de la conversation.

– J'aimerais vous connaître, dit finalement Maggie.

– J'en suis flatté.

– De tous ceux avec qui il était là-bas, c'est vous qu'il aimait le mieux.

– Ça me fait plaisir de le savoir.

– Il était toujours très content quand vous veniez au Saigon. Par certains côtés, Tina était très anxieux. C'était important pour lui de savoir que quand vous veniez à New York, vous veniez toujours lui rendre visite. Ça lui prouvait que vous ne l'aviez pas oublié.

– Non, je ne l'ai pas oublié, Maggie.

Elle resserra l'étreinte de son bras.

– Ce n'est plus très loin, dit Maggie d'une voix tremblante.

Michael hocha la tête.

– C'est comme vivre avec... un grand vide, reprit-elle. C'est tellement dur. Et la peur rend tout ça pire encore. Je vous en parlerai quand nous serons arrivés.

Quelques minutes plus tard, ils grimpaient les marches de La Groceria. Une femme de haute taille, les cheveux sombres, vêtue d'un justaucorps noir, les conduisit à une table près de la fenêtre. Le soleil faisait briller les tables en bois couleur caramel. Ils commandèrent des salades et du café.

– Je n'aime pas la peur, dit Maggie. Mais le chagrin, toute seule, c'est trop dur à supporter. La douleur arrive quand on n'y pense pas. Elle aveugle.

Elle lui adressa alors un regard dans lequel il lut à la fois de l'intelligence et de la compréhension.

– Vous avez parlé à Conor d'une de vos patientes... ?

Michael acquiesça.

– Avant de venir ici, j'ai appris sa mort.

Il s'efforça de lui sourire et fut heureux de ne pas avoir à contempler le résultat dans une glace.

Le visage de Maggie s'adoucit, elle sembla s'abîmer dans un univers intérieur.

– A Taïpeh, ma mère attrapait des rats avec des pièges, dans le jardin. Le piège ne tuait pas les rats, il les empêchait seulement de sortir. Ma mère leur versait alors de l'eau bouillante dessus. Les rats comprenaient très bien ce qui allait leur arriver. D'abord ils se débattaient et essayaient de sauter au visage de ma mère, mais finalement ils renonçaient et n'étaient plus que des blocs de peur. De la peur à l'état pur.

Quelque part à l'est de la Sixième Avenue, un nuage se déchira, et la lumière du soleil redoubla de couleur et d'intensité. Elle le considérait d'un air à la fois troublé et méfiant, et Michael reçut cette attention qu'elle lui portait comme une bénédiction. Dans le ruissellement soudain du soleil, il admira la douce rondeur de ses bras, le doré merveilleux de sa peau, le dessin intelligent de sa bouche. La jeunesse n'était pas, et de loin, son principal attrait; c'eût été une grande erreur de s'en tenir à cet aspect superficiel. De même, un moment auparavant il avait été bouleversé par sa beauté, et à présent il voyait tellement d'autres choses dans ce visage que sa beauté en paraissait presque irréelle.

– C'était terrible quand elle faisait ça, reprit Maggie. Et je me suis sentie un peu comme ça quand... ça s'est passé. Quand il a failli m'attraper.

Elle s'interrompit un instant, et son visage s'assombrit au souvenir de ce qu'elle avait vécu.

– Je le voyais, mais je ne distinguais pas son visage. Je devais être comme folle. J'avais l'impression d'être recouverte de sang, et je cherchais sur moi, mais il n'y en avait pas une goutte.

– Vous voudriez lui verser de l'eau bouillante dessus, dit Michael.

– Peut-être, dit-elle avec un drôle de petit sourire. Mais est-ce que quelqu'un comme ça peut avoir peur ?

Comme Michael ne répondait pas, elle poursuivit avec hâte :

– Quand j'étais dans l'appartement... à ce moment-là... si vous l'aviez vu, vous auriez pensé qu'un être pareil ne pouvait pas avoir peur. Il parlait avec beaucoup de douceur. Il se montrait presque séduisant. Je ne dis pas qu'il n'est pas complètement fou, parce qu'il l'est, mais il était parfaitement maître de lui. Sûr de lui. Il essayait de me charmer pour me faire sortir de ma cachette, et s'il n'y avait pas eu le corps de Tina juste devant moi, il y serait peut-être arrivé.

Ses mains avaient commencé de trembler. Michael remarqua les nuances dorées de la peau, les doigts longs et élégants, et les poignets curieusement épais et carrés par comparaison.

– Il avait l'air d'un... d'un démon. J'ai cru que je n'arriverais jamais à lui échapper.

Elle avait l'air égarée, et lui prit la main.

– Ça a l'air drôle, mais j'ai l'impression que c'est un homme qui a eu peur toute sa vie, dit Michael.

– Vous avez presque l'air de le plaindre.

Michael songeait au long travail d'Underhill.

– Ce n'est pas vraiment ça... j'ai plutôt l'impression que pour le comprendre, il faut l'inventer.

Maggie retira lentement sa main de dessous la sienne.

– C'est votre ami Timothy Underhill qui a dû vous enseigner cela.

– Hein ?

Maggie se prit le menton dans la main.

– Votre ami Harry Beevers n'est pas un très bon acteur.

Ainsi elle savait : elle avait compris.

– Non, pas vraiment, dit-il.

– Underhill est revenu avec vous.

Michael acquiesça.

– Vous êtes merveilleuse.

– C'est Harry Beevers qui est merveilleux. J'imagine qu'il veut que la police perde du temps à retrouver Tim Underhill tandis que lui il retrouvera le vrai Koko.

– Ça doit être quelque chose comme ça.
– Vous devriez faire attention, docteur.
Cet avertissement semblait en receler bien d'autres, non exprimés, et Michael se demanda si elle lui conseillait de se méfier de Koko ou de Harry Beevers.
– Vous auriez le temps de m'accompagner ailleurs ? demanda-t-elle. Je n'ai pas envie d'y aller toute seule.
– Inutile de vous demander où nous allons.
– Inutile en effet, dit-elle en se levant.
Leur conversation semblait avoir assombri la Sixième Avenue. Michael avait l'impression que Koko, Victor Spitalny, les épiait de derrière les grandes fenêtres des immeubles de l'autre côté de la rue, ou bien à la jumelle depuis quelque observatoire dissimulé.
– Appelez un taxi, dit-elle. J'ai encore quelque chose à faire.
Elle alla acheter quelque chose au kiosque et retrouva Michael au moment où le taxi se rangeait le long du trottoir. Elle s'installa avec lui sur le siège arrière. Michael vit alors qu'elle venait d'acheter *Village Voice*.
Michael dit au chauffeur de les conduire d'abord à Grand Street, sur West Broadway, puis de l'emmener ensuite au coin de la 24e Rue et de la Dixième Avenue.
– C'est un cadeau pour vous remercier de m'avoir invitée à déjeuner.
Elle poussa l'épais journal sur les genoux de Michael, sortit une paire de grosses lunettes noires de son sac et les mit sur son nez. Pendant un moment elle sembla lire les annonces placardées sur la vitre en plastique qui les séparait du chauffeur : *Prière de ne pas fumer : le chauffeur est allergique.* Ou bien : *Le chauffeur n'est pas tenu de faire la monnaie sur plus de vingt dollars.*
– Vous êtes sûre de vouloir aller au Saigon ?
– Je veux voir Vinh, dit-elle. J'aime bien Vinh. Lui et moi avons de longues conversations. Nous sommes par exemple tombés d'accord sur le fait que les Blancs américains sont des gens à la fois exotiques et incompréhensibles.
– Vous y êtes retournée depuis ce soir-là ?
– A votre avis ?
Elle ôta ses lunettes de soleil et lui adressa un regard presque maussade.
– Je suis heureux que nous ayons pu parler, dit-il.
Comme mue par un réflexe, elle lui prit la main ; il sentait battre son pouls dans sa petite main chaude et sèche.
Devant le Saigon, Michael découvrit avec surprise un porte-menu en cuivre ; une affichette était également apposée dans la vitrine.

– C'est bien, non ? lui demanda-t-elle d'une voix un peu altérée. Nous ouvrirons dès que le tribunal aura donné l'autorisation. Vinh m'a demandé de venir l'aider. Je suis heureuse d'avoir ce travail. J'ai un peu l'impression de ne pas l'avoir perdu tout à fait.

Elle ouvrit la portière du taxi et lui dit :

– Je ne devrais peut-être pas vous dire ça, mais vous avez l'air très perturbé. Il y a de la place pour vous ici... dit-elle en indiquant l'immeuble d'un mouvement de menton, si vous avez besoin de vivre ailleurs que chez vous.

Elle attendit sa réponse.

– Je viendrai vous voir très bientôt. Vous avez l'intention de rester ici, maintenant ?

Elle secoua la tête.

– Appelez-moi chez le général.

Puis elle sourit de sa plaisanterie et descendit du taxi.

– Qui est le général ?

Maggie posa le regard sur le journal qu'elle avait laissé sur les genoux de Michael.

Il regarda alors la première page : elle avait réussi à griffonner un numéro de téléphone. Lorsqu'il releva les yeux, elle ouvrait déjà la porte du restaurant.

30

DEUXIÈME RÉUNION

1

– C'est ça une demi-heure, pour toi ? demanda Harry en faisant entrer Michael dans son studio.

Assis sur une chaise, Conor lui sourit d'un air mystérieux ; Tim Underhill, vêtu d'un jean et d'un vieux sweat-shirt, lui adressa un petit signe amical. Le studio était sombre, mais Michael trouvait que Tim ressemblait plus à l'image qu'il avait gardée de lui lors de leur rencontre à Bangkok : il semblait en meilleure santé, moins abattu. Avec son large sourire, Tim Underhill n'avait rien d'un criminel, rien d'un fou, rien de l'homme que Michael était parti traquer en Asie.

– On a commandé des pizzas, dit Harry. On t'en a laissé.

Sur la table tachée de graisse, se trouvait une part de pizza ratatinée dans une boîte en carton.

Michael refusa ; Harry referma la boîte et l'apporta à la cuisine.

Conor lança un clin d'œil à Michael.

– Maintenant qu'il est arrivé, dit Harry depuis la cuisine, est-ce que quelqu'un veut boire quelque chose ?

– Bien sûr, dit Conor.

– Un café, dit Tim.

Et Michael ajouta :

– Moi aussi.

Ils entendirent des bruits de portes de placards, de verres entrechoqués, le bruit de la porte du réfrigérateur, le craquement des glaçons dans leur bac.

– Pourquoi est-ce que tu as mis si longtemps? lança Harry d'une voix forte. Tu crois qu'on joue aux billes, ici? Tu devrais commencer à prendre ça un peu au sérieux!

Underhill sourit à l'adresse de Michael. Sur la petite table où était posé le téléphone, à côté de lui, se trouvait une pile de feuilles de papier.

– Tu écris quelque chose? demanda Michael.

Tim hocha la tête en signe d'acquiescement.

– Parfois j'ai l'impression d'être le seul à prendre cette affaire au sérieux, s'écriait Harry, toujours occupé à la cuisine.

Il réapparut avec deux verres remplis de glaçons et d'un liquide clair; il en posa un devant Conor. Puis il contourna vivement Michael pour gagner l'autre côté de la table, où visiblement il était assis avant l'arrivée de Michael.

– Tu peux te faire toi-même ton café, tu vis ici aussi, dit-il à Underhill.

Celui-ci se leva immédiatement et se rendit à la cuisine.

– Je crois que le mieux c'est de raconter au Dr Poole ce dont nous parlions avant son arrivée, dit Harry.

Il semblait à la fois bourru et content de lui.

– Mais d'abord, je tiens à régler quelque chose.

Il leva son verre et jeta par-dessus le bord un regard déplaisant à Michael.

– J'espère que tu n'as pas attendu notre départ pour aller raconter tout ce que tu sais à Murphy. N'est-ce pas, Michael? Ça n'est pas ça, hein?

– Pourquoi aurais-je fait ça?

Malgré sa surprise, Michael avait envie de rire. Harry était bien tendu.

– Tu aurais pu vouloir bousiller tout notre projet, simplement pour te mettre bien avec Murphy. Tu pourrais vouloir jouer les agents doubles pour te protéger en cas de pépin.

– Un agent double... répéta Conor, en écho.

– Tais-toi! coupa Harry. Bon, Michael... je veux savoir.

A la façon dont ils le regardaient, Michael vit alors que Conor et Tim savaient qu'il avait passé plus d'une heure avec Maggie.

– Mais bien sûr que non, je ne suis pas allé voir Murphy. De toute façon, il était occupé avec Maggie.

– Alors qu'est-ce que tu as fait?

– J'avais un certain nombre de choses à ramener à Judy.

Underhill sourit.

– Je ne comprends pas pourquoi vous êtes tous contre moi, s'écria Harry. Je travaille nuit et jour sur un truc qui va peut-être faire votre fortune à tous.

Il coula un nouveau regard soupçonneux vers Michael.

– Mais si Judy avait besoin de quelque chose, pourquoi n'a-t-elle pas demandé à Pat de le lui ramener ?

– Pat va à Westerholm ?

– Oui, cet après-midi. Elle me l'a dit ce matin. Tu ne le savais pas ?

– Je suis parti très rapidement ce matin.

Michael replia le journal sur ses genoux.

Underhill lui apporta sa tasse de café, et Michael se mit à boire, heureux de cette diversion. Il n'était jamais venu dans l'appartement de Harry, et il le considérait à présent avec curiosité. La deuxième impression confirmait la première : ce n'était pas seulement du désordre qui y régnait, mais un véritable capharnaüm. Sur la table, une pile d'assiettes sales couronnée de couverts également sales. Les sacs et les valises de Tim se trouvaient derrière sa chaise, à côté d'un tas de journaux et de magazines. Michael remarqua au passage que Harry lisait toujours *Playboy* et *Penthouse*. Mais ce qui donnait à la pièce une allure particulièrement désordonnée, c'étaient les cassettes vidéo éparpillées partout sur le sol. Il y en avait des centaines, avec ou sans boîte, jetées au hasard sur la moquette comme si un enfant avait joué avec elles avant de les y abandonner. Sur le canapé convertible où Tim avait dû dormir, étaient jetés des chemises sales, des sous-vêtements et un pantalon kaki. Sur un mur s'étalait une photographie de l'actrice Nastassia Kinsky, un serpent enroulé autour du corps. A côté de cette affiche, deux couvertures de magazine encadrées, représentant le visage hagard du lieutenant Beevers. Dans une petite alcôve en forme de L, se trouvait un petit lit, semblable à un lit d'enfant, avec un oreiller recouvert d'une taie noire et des draps également noirs que l'on apercevait sous un duvet froissé. L'appartement sentait la pizza et le linge sale.

Tous les soirs, Harry, avec sa chemise immaculée, son pantalon impeccable au pli maintenu par des bretelles et son nœud papillon, rentrait dans cette porcherie sordide. Le seul endroit ordonné de l'appartement était le petit îlot qu'Underhill avait réussi à ménager avec sa chaise et la petite table sur laquelle il avait posé ses papiers.

– Je sais que l'appartement est un peu en désordre, dit Harry. Qu'est-ce que tu crois qu'il arrive quand on met ensemble deux célibataires ? Je compte ranger tout ça très bientôt.

Il promena autour de lui un regard décidé, comme s'il avait l'intention de se mettre immédiatement à l'ouvrage, mais son regard s'arrêta bientôt sur Conor, qui se tortilla sur sa chaise, mal à l'aise.

– Je n'ai pas du tout l'intention de nettoyer ton appartement, dit Conor.

– Dis-lui de quoi nous avons parlé, dit alors Harry.

2

– Harry a envie qu'on fasse un certain nombre de choses pour lui, dit Conor, agacé par la façon dont Harry prenait plaisir à tout diriger autour de lui.

– Pour moi? Comment ça, pour moi?

– D'accord... t'as qu'à expliquer toi-même si tu n'aimes pas la façon dont je le fais.

– J'ai mes raisons.

Avec Harry on n'en avait jamais fini de ces petits jeux.

– Bon, reprit Conor, alors qu'on était en train de bavasser, on a eu une idée... Y a quelque chose que je ne vous ai pas dit à propos de Bangkok. Je voulais d'abord y réfléchir, et puis, bon, y a eu la mort de Tina, on est revenus, et tout ça...

Michael hocha la tête.

– Tu te souviens quand on a parlé de cet endroit où on va... enfin où des richards vont voir un type tuer une fille?

– Je m'en souviens.

– Eh bien je me disais que Tim mentait quand il disait qu'il n'y était jamais allé. Parce que moi j'y suis entré en utilisant son nom. C'est comme ça que j'ai réussi à entrer. Le nom de Tim était une sorte de code, un mot de passe.

– Exactement, dit Underhill.

– Alors dans l'avion, quand il se montrait vague sur ce sujet, je me suis dit qu'il ne voulait pas admettre avoir participé à ce petit trip macabre.

– Mais je n'y suis jamais allé, dit Underhill.

– Mais il y a encore des tas d'autres choses, reprit Conor. Il ne connaissait personne nommé Cham, mais le Cham que j'ai rencontré savait tout de lui. Et il n'a jamais été renvoyé des bars et des clubs où je suis allé, alors que le type qui me faisait faire la tournée entendait dire que Tim Underhill avait été viré au moins de la moitié de ces endroits.

– Je croyais que tu avais une photo, dit Michael.

– Eh bien ce jour-là je l'avais oubliée. Mais tout le monde connaissait son nom, alors je me suis dit que ça devait être Tim. Mais...

– C'était quelqu'un d'autre, compléta Michael.

– Dans le mille!

– C'est vrai, dit Tim. A Bangkok je ne bougeais presque pas. J'étais trop occupé à me reprendre en main. J'essayais surtout de me remettre au travail. Au cours des deux années que j'ai passées à Bangkok, je n'ai pas dû mettre plus de deux fois les pieds à Patpong.

Harry ne parvint pas à garder plus longtemps le silence.

– Et tu te souviens du jour où on est allés au Goodwood Park ?

– Il s'était servi du nom de Tim.

– Il s'est toujours servi du nom de Tim. Partout où il est allé. Même quand ils se trouvaient dans la même ville.

– Ce qui explique que ma réputation était encore pire que si je m'en étais chargé moi-même, dit Underhill. Ce curieux Victor Spitalny se baladait partout en se faisant passer pour moi.

– Donc c'est parfait que Murphy recherche Underhill, dit Harry. Et ce que j'ai proposé à nos amis pendant qu'on t'attendait, c'est la logique même. C'est ce dont on a discuté dans l'avion. Nous aussi on va le chercher. Comme on a fait à Singapour et partout ailleurs.

Très content de lui, il avala une longue gorgée de son verre.

– On fera exactement ce qu'on a fait jusqu'à présent. Avec une différence. Maintenant on sait exactement qui on cherche. Je crois qu'on a plus de chance de le retrouver que la police. Où croyez-vous qu'il se sentira le mieux ?

Personne ne répondit.

– Dans quel quartier de New York ?

Conor n'y tint plus.

– Allez, vas-y, dis-le !

Harry fit une grimace.

– A Chinatown. Il va se précipiter sur Mott Street comme la pauvreté sur le monde. Ça fait quinze ans qu'il n'est pas revenu aux États-Unis ! Quel effet ça lui fait, à votre avis ? Pour lui, c'est un pays étranger.

– Tu veux qu'on se précipite à Chinatown pour aller le chercher ? dit Conor. J'en sais trop rien, moi.

– On est à un mètre de la ligne d'arrivée, Conor. Et tu veux abandonner maintenant ?

Michael demanda à Harry s'il imaginait Tim Underhill arpenter Chinatown à la recherche de lui-même.

– Non, pour toi et Tim j'ai une autre idée. Je ne pense pas qu'il faille seulement faire la tournée des serveurs de restaurant et des barmans de Chinatown : ça je me le réserve. Mais vous vous souvenez que j'avais parlé de publicité ? Je veux placarder le nom de Tim partout où Koko est susceptible de le voir. Il faut qu'il y en ait partout. Et quand il se sentira complètement traqué, on lui offrira une porte de sortie. C'est là qu'il tombera dans un piège.

– Un piège à rats, dit Michael.

– Un piège, tout simplement. On le capture, on écoute ce qu'il a à nous dire et on le livre à la police.

Il promena le regard autour de lui, prêt à repousser toute objection.

– On a dépensé trop d'argent dans cette histoire, maintenant il faut y mettre le paquet, reprit-il. Spitalny a tué Tina. Maintenant il est dans la nature, et c'est nous qu'il cherche à tuer. Au moins trois d'entre nous, puisqu'il ne sait pas que Tim est avec nous... et la police non plus, d'ailleurs. (Il avala une gorgée de whisky.) Je suis dans l'annuaire, Michael. Je suis sûr que maintenant il sait où je vis. J'ai toutes les raisons du monde de vouloir mettre ce cinglé hors d'état de nuire. Je ne veux pas passer le reste de ma vie à me demander s'il n'y a pas un fou furieux planqué dans un coin prêt à me trancher la gorge.

Parfois, Conor en arrivait presque à admirer Harry.

– Je me propose donc de mettre des petits placards partout, sur les lampadaires, les arrêts de bus, partout où il pourra les voir. Et j'ai aussi rédigé quelques annonces pour *Village Voice*. On a une chance minime, mais ça vaut le coup de la tenter. Et j'ai une autre idée : Tim était intéressé... je voudrais que tu y réfléchisses sérieusement, Michael. Tous les deux, vous pourriez aller à Milwaukee pour voir les parents de Spitalny, ses anciennes petites amies, ou les gens qui l'ont connu. Vous pourriez apprendre des choses très importantes. Il est possible qu'il ait écrit, qu'il ait téléphoné, je ne sais pas moi...

Harry avait les yeux brillants. D'abord, cela éloignait Tim Underhill pendant quelques jours. Harry avait déjà proposé à Conor de se rendre à Milwaukee, mais celui-ci avait refusé. Ben Roehm lui avait proposé un autre petit chantier, et il lui avait dit que Tom Woyzak « ne constituait plus un problème ». Sa nièce Ellen avait demandé le divorce en décembre. Woyzak l'avait frappée une fois de trop, et suivait à présent une cure dans un centre de désintoxication pour drogués et alcooliques.

A la grande surprise de Conor, Michael répondit :

– J'y avais moi-même pensé. Tu veux qu'on essaye, Tim ?

– Ça pourrait être intéressant, dit Tim.

– Dis-moi d'abord ce que tu penses de mes annonces pour le journal.

Harry tendit à Michael une feuille de papier sur laquelle il avait écrit en majuscules les messages destinés à la dernière page de *Village Voice* :

TIM UNDERHILL. LA GUERRE EST FINIE. REVIENS. APPELLE HARRY BEEVERS AU 555-0033.

UNDERHILL – LE SANGLIER PEUT CESSER DE FUIR. 555-0033.

– Et puis voilà l'un des papillons que j'ai fait faire.

Harry alla chercher la première feuille d'une ramette posée sur une étagère.

– J'en ai fait tirer trois cents dans une petite imprimerie au coin de la rue. On peut en mettre sur chaque lampadaire... il les verra, vous inquiétez pas.

Sur la feuille jaune, un texte était imprimé en grosses lettres noires :

TIM UNDERHILL
TU ÉTAIS À IA THUC
ET DERNIÈREMENT À BANGKOK
REVIENS
NOUS CONNAISSONS TON VRAI NOM
NOUS FAISONS APPEL À TA NOBLESSE
ET À TA PATIENCE
APPELLE LE LIEUTENANT
555-0033

3

Michael hocha la tête, prononça quelques mots approbateurs et reposa la feuille.

– Tu crois que ça va marcher ? demanda Conor.

– Possible, dit Michael.

Il avait l'air mal réveillé. Conor se demandait ce qui était arrivé entre Judy et Michael depuis l'enterrement de Tina, mais il n'avait pas besoin de connaître précisément les détails pour se rendre compte que leur couple se défaisait. Quelques mois auparavant, à Washington, il n'aurait pas été attentif à ces signes-là, ou n'aurait pas su les interpréter. A Washington, il s'était senti le seul raté au milieu d'hommes qui avaient réussi, et il avait bu comme une brute. Il considéra un instant le verre qu'il tenait en main, et le reposa délicatement sur la table. Il n'en avait plus besoin. Il souhaitait à Michael de se sortir au mieux de cette situation. D'arriver à faire quelque chose. N'importe quoi. L'important, pour s'en sortir, était d'arriver à faire quelque chose.

Un moment, Conor songea à inviter Michael chez lui à South Norwalk ; il pourrait demander à Ben Roehm de le prendre, gratuitement, sur le chantier. Taper sur des clous et porter des feuilles de placo serait sans doute une excellente thérapeutique. Mais Conor y renonça : il serait aussi impossible à Michael de se livrer à ce genre de travail qu'à lui de l'accompagner dans ses tournées à l'hôpital. En attendant, le mieux pour lui était encore d'accepter la proposition de Harry et d'aller passer quelques jours dans le Midwest sur les traces de Spitalny.

– A partir de maintenant, dit Harry, c'est pour moi un travail à plein temps. Une fois les annonces parues et les affichettes collées partout, je reste ici vissé au téléphone. Tim peut aller à Milwaukee... c'est capital dans notre stratégie. Vous trois, vous devriez partir aussitôt que possible, et moi il est logique que je reste ici.

– Tu nous préviens dès que quelque chose arrive, n'est-ce pas, patron ?

– Bien entendu.

Il secoua la tête d'un air navré. Puis il tendit son verre en direction de Michael.

– Et lui, qu'est-ce qu'il a fait ? Hein, à ton avis ? Est-ce qu'il m'a appelé après avoir retrouvé Tim ? (Il se tourna vers Underhill.) M'a-t-il donné la possibilité de parler avec toi ? Quand vous posez des questions, les gars, adressez-vous à la bonne porte !

– J'ai arrangé les choses de façon à revenir tous aux États-Unis le plus rapidement possible, dit Michael. Je regrette vraiment que tu te sois senti floué.

– Parfois, dit Tim, je me demande ce qui se serait passé si c'était toi qui m'avait vu le premier.

– Ça se serait passé exactement de la même manière, dit Harry, le visage rouge, visiblement furieux. Je précise un certain nombre de choses, c'est tout. Pas besoin d'être parano.

Michael en avait assez : il se leva. Conor l'imita.

– On ira coller les premières affichettes cet après-midi, dit Harry d'une voix tendue et désagréable. Vous avez l'air prêts à rentrer dans vos banlieues verdoyantes, mais il y a du travail à faire ici. Je vous préviendrai s'il se passe quelque chose, mais je parie qu'il faudra au moins une semaine avant qu'il réagisse.

– Je m'occupe des billets d'avion pour Milwaukee, dit Michael. On partira dès que j'aurai réglé un ou deux trucs.

Conor s'en voulait de laisser Tim dans cet appartement.

Dehors, l'air sentait le printemps, et la tiédeur de la journée poussa Conor à se jeter à l'eau.

– Écoute, Mikey, je ne sais pas pourquoi je te dis ça, mais si tu as besoin d'aller vivre ailleurs pendant un bout de temps, tu n'as qu'à m'appeler. Tu seras toujours le bienvenu chez moi.

Michael ne se moqua pas de lui. Il lui posa la main sur l'épaule d'un geste affectueux.

– Pourquoi ne viens-tu pas avec nous à Milwaukee ?

– Faut bien bouffer. J'ai un boulot... mais ça m'aurait bien plu. Mais à part ça, je commence à me demander... tu crois pas qu'il vaudrait mieux laisser tomber et tout raconter aux flics ? On est tous là à suivre Beevers, mais à mon avis on se plante.

– Tenons encore quelques jours. Et puis je suis dans une drôle de période de ma vie, et ça me donne quelque chose à faire.

Conor hocha la tête en signe d'assentiment; il aurait aimé dire quelque chose, mais il ne trouvait pas les mots. Ils se séparèrent. Conor fit quelques pas en direction du métro, puis se retourna : Michael prenait le chemin de la Neuvième Avenue. Avait-il un but précis ou marchait-il comme cela au hasard ? Pendant une seconde, Conor eut envie de courir le rattraper.

4

Entre-temps, au beau milieu d'une conversation, Maggie avait décidé de dire à Vinh que l'écrivain Timothy Underhill, l'ami de Tina au Vietnam, était revenu aux États-Unis et qu'il vivait chez Harry Beevers. Pour Maggie, cela constituait une preuve supplémentaire de l'instabilité de Beevers. Elle savait que Vinh détestait Beevers et elle pensait qu'il partagerait son point de vue sur sa volonté de retrouver lui-même l'assassin de Tina. Elle savait aussi que l'on pouvait faire confiance à Vinh : il était capable de garder un secret. Mais elle fut stupéfaite par la réaction de Vinh : il la regarda longuement, puis lui demanda de répéter ce qu'elle venait de dire. Tout le reste de l'après-midi il travailla en silence, puis vers cinq heures, un peu avant le départ de Maggie, il déclara : « Il faut que je l'appelle. » Il reposa ses plans et se dirigea vers le téléphone, dans la cuisine.

5

Michael remonta la vitre de sa voiture, glissa dans l'autoradio une cassette d'un concerto de Mozart joué par Murray Parahia, et sortit sur University Place. Une musique délicate et mélancolique s'éleva. Ce n'était pas ce qui convenait. Michael sortit la cassette, la remit dans sa boîte et en plaça une autre dans l'appareil. Les premières mesures de *Don Juan* emplirent l'espace de la voiture. Cet opéra l'accompagnerait jusque chez lui.

Sur l'autoroute, il se rappela les livres de Babar dans son coffre. Pourquoi les avoir mis là ? se demanda-t-il.

Parce qu'il voulait les avoir avec lui s'il ne retournait pas à Westerholm. Si Judy les avait trouvés, elle les aurait jetés, et il ne voulait pas les perdre.

Mais une heure plus tard, le bon Dr Poole s'engageait sur la bretelle d'accès à Westerholm. Dans sa petite voiture, il parcourut les rues sans panneaux indicateurs ni éclairage, mais bordées de haies et d'arbres qui ne tarderaient pas à bourgeonner; il suivit la Grand'Rue de Westerholm, avec ses magasins Laura Ashley et Baskin Robbins, le garage où le patron « discutait » de scientologie en servant l'essence, passa devant la Washington Inn et l'étang aux canards, tandis que Don Juan brâmait : « Ô misère, misère, *Lascia le donne? Pazzo!* Abandonner les femmes? Tu es fou... elles me sont plus nécessaires que le pain que je mange, que l'air que je respire. » Il tourna dans son allée, faisant crisser le gravier sous ses pneus. Il était chez lui, à l'abri. Zerlina chantait : « Passons nos nuits et nos jours dans le bonheur et la joie. » La musique traversait l'espace comme une lueur magique traversant la pierre, la brique, le plomb, le bois et la peau. Michael s'arrêta devant le garage et coupa le contact. La cassette s'arrêta et jaillit bruyamment de la fente de l'appareil. Michael prit le livre sur le siège à côté de lui et sortit de la voiture. Il vit alors sa femme et Pat Caldwell qui le regardaient par la fenêtre du salon. Elles se séparèrent dès qu'il se dirigea vers la porte d'entrée.

31

RENCONTRES

1

– Eh bien elle me plaît, dit Conor. J'ai peine à y croire, mais non seulement elle me plaît, mais j'arrête pas de penser à elle. Tu sais ce qu'elle m'a dit ? Qu'elle aimait la façon dont je parlais.

– Elle n'a pas d'enfants ?

– Non. Parle pas de malheur ! Woyzak, son ex, n'en a jamais voulu. Les gosses ça le rendait fou. Mais lui, tout le rendait fou. Je ne t'en ai jamais parlé ?

Michael secoua la tête. Conor commanda alors une nouvelle tournée et raconta à Michael comment il avait aussitôt pensé à Spitalny en voyant Tom Woyzak pour la première fois. Ils se trouvaient chez Donovan ; on était vendredi et Michael avait quitté New York le lundi. Le mardi soir, Michael était arrivé chez Conor avec une valise à la main. Tous les jours il se rendait à son travail en voiture ; il assurait ses consultations et s'occupait de ses affaires, puis rentrait le soir à South Norwalk.

– Ce que je veux dire, c'est que rien ne disparaît jamais complètement. On aurait dû se douter que c'était Spitalny. Il était présent. Il était présent dans tout.

Les yeux de Conor brillaient d'une inspiration inhabituelle.

– On en a même parlé à Washington, tu te souviens ?

– Je m'en souviens. Mais Harry était tellement sûr de lui. Et moi je pensais que Spitalny était mort. Je ne l'imaginais pas se faisant appeler Koko et allant assassiner des gens un peu partout.

Conor hocha la tête.

– Bon, au moins maintenant on a fait des progrès. Harry m'a dit qu'il n'avait pas encore eu la moindre réponse.

Michael aussi avait parlé avec Harry, qui s'était plaint de la façon dont Tim Underhill avait quitté son appartement.

– Il est furieux contre nous.

Il est furieux contre tout le monde.

– En tout cas, je ne savais pas, à propos de Vinh.

– Personne d'entre nous ne savait, pour Vinh.

Harry était encore furieux que Michael ait révélé à Maggie la présence à New York d'Underhill, car Maggie en avait parlé à Vinh.

– Alors qu'est-ce qu'ils font ? demanda Conor. Est-ce qu'Underhill, Vinh et sa fille vivent tous au restaurant ?

– Je ne crois pas. Je crois que Vinh et sa fille vivent chez des gens de la famille. Je crois qu'autrefois Tim a aidé la famille de Vinh, et qu'à présent c'est Vinh qui lui rend service.

– J'espère que pour toi ça marche comme tu veux, dit Conor.

Dès que Michael avait aperçu Pat Caldwell derrière la fenêtre, il avait compris que c'en était fini de son mariage. Judy n'avait pu lui adresser un mot et s'était réfugiée dans la chambre à coucher. Pat, mal à l'aise dans son rôle, laissa entendre que Judy aurait plus tard un entretien seul à seul avec lui ; elle ajouta que Judy se sentait blessée, bafouée par quelque chose qui s'était passé entre eux. Elle ne voulait plus rester seule avec lui. Pat était donc venue lui apporter un réconfort moral, lui offrir le soutien d'une autre femme en ces moments difficiles... et constater ce que Judy percevait comme une humiliation.

– Bien sûr, tu peux me dire de partir, et je m'en irai d'ici sans discuter, avait dit Pat. Je n'ai qu'une idée assez vague de ce qui se passe entre vous, Michael. Je vous aime bien tous les deux. Mais Judy m'a demandé de venir, alors je suis venue...

Michael avait passé la nuit sur un canapé, en bas, dans son petit bureau, et Pat dans la chambre d'amis. Le lendemain, Judy lui avait dit qu'elle ne lui pardonnerait jamais la façon dont il s'était conduit avec elle – elle semblait sincère – et Michael était allé passer deux nuits au George Washington, qui possédait quelques chambres pour les petits amis et les grands-parents de passage. Le mardi soir, il s'était rendu chez Conor. Depuis lors, il passait de longues heures à discuter avec Max Atlas, son avocat, qui arrivait mal à cacher qu'à son avis son client était devenu fou. De toute manière, Max Atlas ne souriait jamais : son visage large et bouffi n'exprimait naturellement que la tristesse et le pessimisme. Mais au cours de ses entretiens avec Michael, ses fanons semblaient s'affaisser plus encore, et ses oreilles se décoller ; ce n'étaient pas les difficultés conjugales de Michael qui le déprimaient, mais le fait qu'un de ses clients puisse abandonner une affaire au moment même où elle allait commencer à rapporter de l'argent.

– Un jour elle est venue sur le chantier, dit Conor. En blazer. Un blazer magnifique. Elle avait belle allure, crois-moi. On voyait quand même que ça lui faisait quelque chose que son ancien mec ait été interné. Ben Roehm est venu me tirer de là où je bossais et il m'a dit : « Conor, il faut que je te présente ma nièce Ellen. » D'abord, j'ai cru que j'aurais aucune chance avec cette fille. Mais elle m'a appris que son père était menuisier, que son grand-père avait été menuisier, Ben Roehm est son oncle, et même son mari, qui était complètement tapé depuis son retour de la guerre, était aussi une sorte de menuisier, même s'il bossait comme un manche. Devine un peu ce qu'elle aime ?

– Je crois que j'ai deviné, dit Michael.

– Non, sans déconner, ce qu'elle aime faire dans la vie.

– Les mêmes choses que toi.

Une expression de profond étonnement se peignit sur les traits de Conor.

– Elle aime bien rester à la maison et bavarder. Elle aime les bistrots. On passe de très bons moments ensemble. Elle arrête pas de me dire que je lui manque. Elle voudrait avoir une petite maison dans le Vermont. Elle voudrait vivre avec un homme. Elle veut des enfants. Cet enfoiré ne voulait pas lui donner d'enfants, ce qui prouve que c'était une vraie tare, ce mec. Moi j'aimerais avoir des enfants, Mikey. C'est lassant, à la fin, de vivre tout seul.

– Combien de fois es-tu sorti avec Ellen ?

– Quatorze fois et demie ! Une fois, on a eu juste le temps de se boire une bière avant que ses parents viennent la chercher. Ils se font du souci pour elle.

Il se mit à faire tourner son verre sur le comptoir.

– Ben Roehm lui donne un petit peu d'argent, mais elle est aussi fauchée que moi.

– Je ne devrais pas rester chez toi, dit Michael. Je te gêne en restant dormir là-bas. Tu aurais dû me le dire quand je t'ai appelé. Je peux aller ailleurs, tu sais.

– Non, non, sa mère est un peu malade en ce moment, et Ellen s'en occupe. Alors de toute façon pendant quelques jours on n'aurait pas vécu ensemble. En plus, j'avais envie de te parler d'elle.

Conor détourna les yeux pendant un moment.

– Mais je me demandais quand même quand tu allais partir pour Milwaukee. Sa mère commence à aller mieux, ces jours-ci.

– Je pourrais partir après-demain, dit Michael en riant. Je dois assister à un autre enterrement. Tu sais, la petite malade dont je t'ai parlé l'autre fois.

– Dis, Michael, est-ce que ça t'ennuierait si... enfin... tu sais...
– Bien sûr que non.
– Tu verras, elle te plaira.

Conor se glissa à bas de son tabouret et se dirigea vers les cabines téléphoniques.

Dix minutes plus tard, il s'en revenait, un large sourire aux lèvres.

– Elle sera là dans un quart d'heure. (Il continuait de sourire.) C'est drôle. J'ai l'impression de retomber sur terre... c'est comme si avant je flottais dans l'espace, et comme si brusquement j'étais retombé sur terre. Ça a pris longtemps.

– Oui, dit Michael.

– Tout ce temps qu'on a passé dans ce trip, quand j'y repense, c'est comme si j'étais pas vraiment là. J'ai l'impression que je nageais sous l'eau avec les yeux ouverts. C'est comme dans un rêve, quand il n'y a rien de réel. J'étais comme un somnambule. Et maintenant je suis réveillé.

Conor termina sa bière et posa le verre sur le comptoir.

– J'ai dit ça comme y fallait ?

– Je suis comme Ellen, répondit Michael. J'aime bien t'écouter parler.

2

Un petit peu plus tard, Michael alla téléphoner, avec le sentiment qu'il en allait un peu de même pour lui. Au cours de leur séjour à Singapour et à Bangkok, tout avait semblé clair et tranchant... l'époque du Vietnam lui revenait en mémoire. Mais rapidement, tout s'était inversé. Singapour et Bangkok évoquaient la paix et ce qu'il voyait autour de lui lui rappelait le Vietnam. Un autre Elvis le suivait. Comme Conor, Michael n'avait pas eu l'impression d'être un somnambule lorsqu'il déambulait dans les jardins du Baume du Tigre, et dans Bugis Street, mais peut-être son premier instant de réveil l'avait-il éprouvé sur le pont branlant face au bidonville de carton. C'est là qu'il avait commencé à lâcher prise.

Il glissa les pièces dans l'appareil et composa le numéro de Judy. Il s'attendait à entendre le message au répondeur, mais quelqu'un décrocha après la première sonnerie.

Silence.

– Bonjour, qui est à l'appareil ? demanda-t-il.

– Mais... à mon tour de le demander : qui est à l'appareil ? dit une voix de femme, inconnue.

Puis il comprit à qui il parlait.
– Bonjour, Pat. C'est Michael. Je voudrais parler à Judy.
– Je vais voir ce que je peux faire.
– Merci.
Michael attendit de longues minutes tout en regardant Conor qui gardait les yeux fixés sur la porte du bar. Il fallait quitter l'appartement de Conor et réserver une chambre d'hôtel pour le soir même. Ce n'était pas très sympathique de sa part de l'empêcher de voir sa petite amie.
Il entendit alors la voix de Pat.
– Elle ne veut pas venir, Michael. Je regrette. Elle ne veut pas te parler.
– Essaye encore, s'il te plaît.
Cette fois-ci, Judy prit le téléphone presque aussitôt.
– Tu ne crois pas qu'on devrait se voir et mettre certaines choses au point ? dit-il.
– Je crois plutôt que nous n'avons rien à nous dire.
– Mais si, nous avons des tas de choses à nous dire. Tu tiens vraiment à ce que ce soient les avocats qui règlent tout ?
– Je ne veux pas te voir ici, dit Judy. Je ne veux pas que tu viennes, je ne veux pas que tu dormes sur le canapé, et en ce moment je ne veux pas te parler.
Ce n'était qu'un jeu... tôt ou tard, Judy voudrait que tout redevienne comme avant. Pour l'instant, elle voulait le voir souffrir. Il l'avait empêchée de se livrer à quelque chose auquel elle faisait semblant de prendre un immense plaisir.
– Comme tu voudras, dit-il.
Mais elle avait déjà raccroché.
Michael revint au comptoir.
– Tu sais, lui dit Conor, Ellen et moi on peut toujours rester chez elle. Si on va chez moi, c'est qu'elle vit à Bethel, et que ça me prendrait un peu plus longtemps pour arriver au travail, mais la vraie raison, c'est que Woyzak a collé tout son bataclan sur les murs : des photos de lui en uniforme, une tripotée de médailles, toutes encadrées, partout y a Tom Woyzak en train de te zyeuter. A la fin, ça pèse.
Michael s'excusa et retourna au téléphone. A présent, le bar était plein et il entendait à peine la voix mécanique lui donner des instructions sur l'utilisation de sa carte magnétique.
Ce fut un homme qui lui répondit ; il lui demanda son nom et lui dit qu'il allait chercher Maggie. Il avait l'air très paternel.
Un instant plus tard, Maggie prenait le téléphone.
– Mais c'est le docteur Poole en personne. Quel honneur!
– J'ai une idée qui pourrait vous intéresser.
– Ça me semble déjà intéressant.

– Tim Underhill vous a-t-il parlé de notre voyage à Milwaukee ? Il ne l'avait pas fait.

– Ça n'est pas encore tout à fait organisé. Nous comptons aller voir les parents de Victor Spitalny et voir également si nous pouvons rassembler quelques informations à son sujet. Il a peut-être envoyé une carte postale, il y a peut-être quelqu'un qui a entendu parler de quelque chose... c'est un pari risqué, mais ça vaut le coup de le tenter.

– Et ?

– Eh bien je me suis dit que peut-être vous pourriez nous accompagner. Vous pourriez identifier Spitalny sur une photo. Et vous êtes mêlée à tous ces événements.

– Quand partez-vous ?

Michael expliqua qu'il comptait faire les réservations le soir même pour le dimanche, et qu'ils ne comptaient rester que quelques jours.

– Le restaurant doit ouvrir dans une semaine.

– Ça ne prendra peut-être qu'un jour ou deux. On se rendra peut-être compte très vite que la piste est froide.

– Alors pourquoi voulez-vous que je vienne ?

– Parce que ça me ferait plaisir.

– Dans ce cas, je viens. Rappelez-moi pour me donner les horaires du départ, et je vous retrouve à l'aéroport. Je vous ferai un chèque pour le billet.

Michael raccrocha en souriant.

En se retournant, il aperçut Conor debout face à une femme plus grande que lui de quelques centimètres. Elle avait des cheveux bruns qui retombaient en cascade, portait une chemise écossaise, une veste sans manches un peu passée, et des jeans serrés et délavés. Conor fit un mouvement de tête dans la direction de Michael, et la femme se tourna pour le regarder. Elle avait un front haut, profondément marqué, des sourcils bien dessinés, un visage énergique et intelligent. Elle ne ressemblait pas du tout à l'image que Michael s'en était faite.

– Voilà le gars dont je t'ai parlé, dit Conor. Le Dr Michael Poole, Mike pour les intimes. Mike, je te présente Ellen.

– Bonjour, docteur, dit-elle en lui serrant la main.

– Appelez-moi plutôt Michael. Moi aussi j'ai entendu parler de vous, et je suis très heureux de faire votre connaissance.

– J'ai dû m'absenter quelque temps pour prendre soin de ma mère, dit Ellen.

– Si un jour vous avez des enfants, j'espère que vous me choisirez comme pédiatre.

Tous les trois debout, dans ce bar bruyant, ils se souriaient.

3

Lorsque Michael se glissa sur le dernier banc de l'église Saint Robert, sur la place du village, le service avait déjà commencé. Les deux premiers bancs étaient occupés par des enfants : probablement des camarades de classe de Stacy. Tous semblaient plus grands, plus âgés, et tout à la fois plus innocents et plus mûrs qu'elle. Les parents de Stacy, William et Mary, « comme l'université », disaient-ils aux gens qu'ils voyaient pour la première fois, se tenaient de l'autre côté de l'église avec des membres de la famille. William lui adressa un regard reconnaissant. Des deux côtés de l'église, des vitraux poussiéreux laissaient passer des rais de lumière. Michael se faisait l'effet d'un fantôme... il avait l'impression que petit à petit il devenait invisible, tandis que dans cette église riante un prêtre épiscopalien récitait avec sincérité des lieux communs sur la mort.

Il retrouva les parents de Stacy à la fin du service, à la porte de l'église. William Talbot était un homme robuste, généreux, qui avait fait fortune grâce à des placements judicieux.

– Je suis heureux que vous soyez venu, Michael.

– Nous avons entendu dire que vous alliez quitter votre cabinet.

Mary Talbot avait prononcé cette phrase de façon interrogative, mais Michael crut y discerner une critique voilée. A Westerholm, les médecins ne quittaient leur cabinet que morts ou à la retraite.

– J'y songe, effectivement.

– Vous venez au Memorial Park ?

Mary Talbot commençait à avoir l'air curieusement préoccupée et dubitative.

– Bien sûr, dit Michael.

Il y avait deux cimetières à Westerholm, situés aux deux extrémités de la ville. Le plus ancien des deux, Burr Grove, avait cessé d'accueillir de nouvelles tombes peu de temps avant la Seconde Guerre mondiale ; c'était un endroit vallonné, ombragé, où s'alignaient des rangées de tombes du XVIIIe siècle. A Westerholm, pour évoquer Burr Grove, on disait simplement « le cimetière ». Memorial Park, un cimetière ultramoderne, occupait un large terrain entouré de bois, le long de l'autoroute, au nord de la ville. Ce cimetière était impeccable, soigneusement entretenu, et totalement dépourvu de charme ou de caractère. A Memorial Park, nulle pierre tombale inclinée, nulle statue d'ange, de chien, de femme éplorée à la longue chevelure, nul tombeau témoignant de la fortune des familles de marchands... seulement des rangées de petites pierres tombales blanches, et de longues bandes de terrain attendant encore d'être utilisées.

La tombe de Stacy Talbot se trouvait à l'extrémité de la section occupée. Le monticule de terre retirée pour creuser le trou avait été recouvert de bandes de moquette imitant le gazon, d'un vert chimique. Le jeune prêtre de Saint Robert se tenait sous un dais, et semblait à Michael un peu trop satisfait de l'onctuosité de ses gestes. Les enfants, que l'on jugeait probablement trop jeunes pour assister à une mise en terre, n'étaient pas présents. William et Mary Talbot, la tête inclinée, se tenaient au milieu de la famille et des voisins. Michael connaissait plus de la moitié des assistants, qui semblaient plus nombreux, ici dans le cimetière, qu'à l'église Saint Robert. C'étaient les parents de ses patients, parfois ses propres voisins. Michael se tenait à une certaine distance d'eux. Dans cette ville, il n'était que le médecin : il n'y avait aucun ami. Judy était trop occupée et trop anxieuse pour inviter des gens chez elle ; en outre, elle méprisait secrètement leurs ambitions et la vie qu'ils menaient. Pendant la cérémonie, certains remarquèrent sa présence : il y eut des chuchotements, quelques coups d'œil et quelques sourires. Michael ne pouvait s'empêcher de songer à Robbie. Un chagrin trop récent encore l'envahissait.

La mise en terre fut bientôt terminée, et les gens qui avaient connu Stacy se dirigeaient à présent vers leurs voitures. William Talbot s'approcha de Michael, passa le bras sous le sien et fit quelques pas avec lui. Mary Talbot, visage de patricienne, le serra dans ses bras.

– Oh, comme je la regrette, dit Michael.

– Merci, murmura Mary.

Dans l'obscurité, songea Michael, qui pour l'heure ne se rappelait plus où il avait vu ou entendu cette phrase.

Michael prit congé des Talbot et s'engagea dans l'une des étroites allées s'enfonçant dans le cimetière entre les tombes soigneusement alignées.

Au cours des années précédentes, il était venu ici chaque semaine. Judy était venue avec lui deux fois, puis avait cessé ses visites : elle les jugeait morbides. Peut-être était-ce morbide : Michael n'en avait que faire, car ces visites lui étaient nécessaires. Au bout d'un certain temps, elles avaient cessé de lui être aussi nécessaires. La dernière fois qu'il était venu, c'était la veille de son voyage à Washington pour y rencontrer Harry, Conor et Tina.

Derrière lui, des bruits de portière : les personnes venues assister à l'enterrement de Stacy commençaient à s'en aller.

Michael aurait aimé que Tim Underhill fût présent à ses côtés en cet instant. Underhill aurait su donner un sens à ce qui se passait, il aurait su faire justice de la douleur. Michael avait le sentiment d'avoir assisté à la cérémonie dans une sorte de brouillard d'insensibilité dont il n'avait émergé qu'à la dernière minute. Michael quitta l'allée et se mit à suivre un chemin invisible entre les tombes, en direction des bois qui entouraient le cimetière.

Dans l'obscurité, se dit à nouveau Michael, et il se rappela alors le rêve du garçon, du lapin et de la rivière grise, froide et tumultueuse.

Un vertige le saisit. L'air s'assombrit puis redevint clair, et le vertige se dissipa.

Un parfum de fleurs ensoleillées avait soudain envahi l'air frais, et ce parfum était si beau et si puissant qu'il souleva presque Michael de terre ; alors, dans un éclair, il aperçut un homme très grand, de plus d'un mètre quatre-vingt-dix, qui se tenait entre lui et la tombe de Robbie. L'homme lui souriait. Il avait les cheveux châtains, bouclés, et semblait pouvoir se déplacer à une grande vitesse. Michael éprouva aussitôt un grand amour pour cet homme, avant de se rendre compte que ce n'était nullement un homme. Le temps s'était arrêté. Michael et cet être étaient enchâssés dans une bulle de silence ; puis l'être se déplaça avec grâce sur le côté, révélant à Michael la pierre tombale de Robbie...

... une portière qui claque, des murmures de voix du côté de la tombe de Stacy, un vol de moineaux au-dessus de sa tête, ces moineaux se posent un instant et puis s'envolent à nouveau en direction des bois. La tête lui tournait, il avait mal aux yeux. Il fit un pas en avant et se trouva enveloppé dans les derniers lambeaux du soleil et les derniers effluves tenaces des fleurs. L'être avait disparu.

Devant lui, la blanche pierre tombale de Robbie : le nom de Robbie, qui semblait à présent bien dérisoire, et puis ses dates de naissance et de mort.

L'odeur surnaturelle avait elle aussi disparu, mais il semblait à Michael que comme par compensation, toutes les odeurs terrestres avaient doublé d'intensité. Il était pénétré par des senteurs d'herbe, par la vie et la fraîcheur du sol, par le parfum des rosiers plantés dans une vasque près de la tombe voisine, celle d'Alice Alison Leaf, 1952-1978, par l'odeur forte et un peu poussiéreuse des allées. Enfin, les couleurs elles aussi jaillissaient, plus intenses que jamais. Le monde semblait s'être ouvert comme une pêche, révélant des saveurs à la fois douces et puissantes.

Qui était apparu devant lui ? Un dieu ?

Les couleurs parfumées se dissipaient peu à peu. Michael sentit le regard du prêtre posé sur lui et se retourna. Face à lui, il n'y avait qu'un paysage indifférent. Les dernières voitures avaient presque atteint les portes du cimetière, et seuls étaient encore visibles dans une allée son Audi et le fourgon mortuaire. L'ordonnateur des pompes funèbres et l'un de ses assistants démontaient le treuil électrique qui avait servi à descendre dans la fosse le cercueil de Stacy. Deux hommes en pantalon vert et grosse veste de travail, des employés du cimetière, retiraient la moquette en imitation pelouse et s'apprêtaient à combler le trou. Une pelleteuse jaune sortait de derrière une haie. Michael avait l'impression d'avoir traversé une sorte de bulle psychique ayant le pouvoir de soumettre ces activités somme toute triviales à la puissance de son jusant, et de n'avoir plus devant lui que les traces visibles d'une gloire immense.

Persuadé d'être toujours épié, Michael se retourna à nouveau et sentit plus qu'il ne vit un mouvement rapide à la lisière des bois. Une vague silhouette battait à présent en retraite au milieu des arbres. Il éprouva un haut-le-cœur. L'extraordinaire sensation de bien-être qu'il avait éprouvée quelques instants auparavant s'évanouit complètement. Ce qui s'était fondu au milieu des arbres, à une trentaine de mètres de là, se déplaçait à présent à une vitesse vertigineuse entre les troncs. Michael s'avança entre la tombe de son fils et celle d'Alice Alison Leaf.

Cette fois-ci, Michael savait qu'il avait vu Koko. Celui-ci l'avait suivi dans le cimetière, ce qui voulait dire qu'il l'avait suivi jusqu'à l'appartement de Conor.

Michael s'avança entre les tombes jusqu'à la partie encore inutilisée du cimetière, puis foula l'herbe jaune et sèche jusqu'aux arbres. Plus loin, dans l'obscurité du bois, il lui sembla voir une silhouette pâle qui l'observait.

– Sors de là! hurla Michael.

Mais la silhouette ne bougea pas.

– Sors de là et viens me parler! hurla à nouveau Michael.

L'ordonnateur des pompes funèbres et les ouvriers du cimetière interrompirent leur tâche pour l'observer.

La silhouette dans le bois se mit à bouger comme la flamme d'une allumette. Michael s'approcha des premiers arbres dénudés, et la silhouette disparut pour réapparaître plus loin, derrière un tronc massif.

– Sors de là! cria Michael.

– Ça va? s'écria une voix.

Michael se retourna et aperçut un homme à la carrure de catcheur, debout sur le bulldozer, les mains en porte-voix.

Michael lui fit signe que tout allait bien, et se mit à courir en direction du bois. La silhouette avait disparu. Le bois, où se mêlaient bouleaux, chênes et érables, et qui abritait quelques familles de renards et de ratons-laveurs, s'ouvrait sur un ravin à une cinquantaine de mètres de là, et escaladait ensuite une crête avant de redescendre vers l'autoroute.

Une ombre furtive, pâle à présent et non plus sombre, jaillit comme un cerf entre deux chênes.

Michael lui cria de s'arrêter et fonça entre les premiers arbres. Devant lui, un enchevêtrement de taillis bas, la diagonale grise d'un frêne abattu, une amorce de sentier contournant les taillis, passant sous le frêne, et se poursuivant entre les arbres jusqu'à se diviser en une multitude de petites sentes étroites faites de feuilles mortes et de paillettes de lumière. La petite ombre se dirigeait petit à petit vers le ravin, l'invitant à la suivre de façon presque provocatrice.

Jetant un regard par-dessus son épaule, Michael aperçut les quatre hommes autour de la tombe de Stacy, dont l'impressionnant conducteur du bulldozer, qui le regardaient.

Il contourna les taillis en courant, tout en se disant que le dieu qui était apparu devant la tombe de son fils l'invitait à poursuivre, passa sous le frêne abattu, et aperçut alors un fil de fer fin comme le fil d'une toile d'araignée, qui luisait sur le tapis de feuilles mortes et de brindilles. S'il avait couru de façon normale, jamais il ne l'aurait vu. Un instinct qu'il ne croyait plus posséder lui fit sauter à pieds joints au-dessus du fil sans le toucher. Tendu en l'air, presque parallèle au sol, il eut le temps de se sentir fier de lui ; puis il atterrit brutalement. Il se releva d'un bond, l'épaule recouverte de terre grasse.

Tout en frottant son épaule endolorie, il poursuivit sa course dans le bois. Spitalny apparaissait brièvement entre des bouleaux puis disparaissait à nouveau. Michael savait qu'il ne pourrait le rattraper. Il n'aurait pas descendu la moitié du ravin que Spitalny aurait déjà gagné sa voiture et franchi quelques kilomètres vers le sud.

Michael avança encore de quelques pas, scrutant le sol. Un fil de détente, cela voulait dire une mine ou des explosifs bricolés. Même un fou comme Victor Spitalny pouvait probablement se procurer des explosifs à New York. Il n'aurait pas pu trouver des mines antipersonnelles ou des bombes à fragmentation, pas plus que des roquettes antichars, mais sur le marché parallèle des armes on trouvait toutes sortes d'armes automatiques et semi-automatiques, du plastic et des grenades. Peut-être même pouvait-on trouver des caisses de vieilles mines à plastic M-14.

Michael avança avec précaution sur le tapis de feuilles mortes, examinant soigneusement le sol avant d'y poser le pied. Un pas, et puis un autre, la terre ployait sous la semelle de ses chaussures.

Le rire cynique d'un corbeau éclata au-dessus de sa tête. Il leva les yeux vers les frondaisons épaisses. La lumière du soleil pénétrait jusqu'à mi-hauteur, puis éclatait, se fracturait contre un nid d'écureuil et un gros tronc noir, moussu, semblable à une tumeur. Il continua d'avancer lentement en direction du ravin. Koko avait dû disposer ses pièges avec le plus grand soin, et ils resteraient en place jusqu'à ce qu'ils sautent. Spitalny n'avait pas été soldat pour rien. Il fallait trouver ces mines et les désamorcer avant qu'un enfant ne saute dessus en jouant dans le bois.

Un petit garçon.

Michael secoua la tête, puis continua d'avancer précautionneusement, examinant le terrain avant le moindre pas. Devant lui, quelque chose brillait sur le tronc d'un mince érable ; à ce moment, il entendit qu'on l'appelait. Il se retourna et vit cinq hommes, les fossoyeurs, l'ordonnateur des pompes funèbres et son assistant, et un autre homme, vêtu d'un manteau gris, avec une cravate sombre, qui se tenaient à la lisière du bois, sur l'herbe sèche, dans la partie non encore utilisée du cimetière.

– N'avancez pas ! hurla-t-il en leur faisant le geste de reculer.

L'homme au manteau gris mit ses mains en porte-voix et lui cria quelque chose qu'il ne comprit pas ; il entendit seulement le mot « privé ».

– ... police ! hurlait l'homme.

Michael continua de faire des gestes et regarda devant lui. Il avait presque atteint le ravin. Si Spitalny avait disposé d'autres engins piégés, il les aurait vus.

– ... sortez... police...

– Ne bougez pas ! hurla Michael. J'arrive tout de suite... Restez où vous êtes !

Il s'efforça de retrouver ce qu'il avait vu un instant auparavant. Quelque chose d'incongru : une tache de couleur ? En scrutant les arbres proches de lui il n'aperçut qu'un écureuil qui faisait le tour d'un chêne. Derrière, des taillis s'étendaient jusqu'au ravin. Spitalny avait traversé cet espace qui paraissait impénétrable en quarante secondes environ... il était devenu meilleur combattant de la jungle qu'au Vietnam. C'est alors qu'il aperçut le rectangle blanc se détachant sur l'écorce sombre d'un érable.

On eût dit d'abord un morceau de fourrure blanche ; puis il s'aperçut qu'il s'agissait d'une carte à jouer.

D'un geste du bras, il fit signe aux hommes derrière lui de ne pas avancer.

– Restez où vous êtes ! C'est dangereux !

Pourvu qu'ils l'aient entendu ! Il cria encore, agita les bras, puis s'approcha de l'arbre où était épinglée la carte.

L'arbre se trouvait à présent à un mètre de lui, un peu sur la droite.

Tout son corps était en alerte. Si Koko avait disposé une autre mine, c'était ici qu'il l'avait fait. Il agita encore les bras en sémaphore à l'intention des hommes toujours plantés à la lisière du bois, puis inspecta soigneusement le sol autour de lui. On était près du ravin, et la terre à cet endroit semblait plus molle et plus humide.

– ... Sortez de là ! ... sortez !

– Attendez ! hurla Michael.

Nul fil argenté sur le tapis de feuilles mortes, nul creux, nulle dépression sur le sol bigarré. Des couches successives de feuilles : grises, vertes, rouges, argentées. Chaque feuille semblait à sa place dans le puzzle, toutes les couleurs exposées au soleil et à la pluie semblaient délavées de la même façon ; nulle ligne de démarcation tranchée à l'endroit où l'on aurait disposé des feuilles prises en dessous pour dissimuler quelque chose, à la façon d'un balai effaçant des traces de pas dans le sable... à la façon, songea-t-il soudain, dont une main inconnue avait dissimulé l'œuvre de Harry Beevers dans cet œuf de pierre sous la terre.

Un petit garçon.

Michael s'avança sur le patchwork multicolore de feuilles mortes. Son pied se posa sur le tapis de feuilles qu'il avait si soigneusement inspecté, et...

... s'enfonça à travers la surface soigneusement agencée ; la cheville, le genou, le corps entier, déséquilibré, tombait dans le trou. Il battit des bras, trop tard, et aperçut alors les longues pointes qui allaient s'enfoncer dans sa poitrine, dans son cou...

... mais le sol supporta le poids de son corps, et son pied ne s'enfonça que d'un demi-centimètre dans le terreau de feuilles.

– ... UN ORDRE ! hurlait une voix.

D'abord Michael ne distingua rien sur la carte. C'était un as de cœur. Puis il vit les lettres tracées au crayon entre le cœur disposé au centre et le coin gauche.

Il avança encore d'un pas et approcha le visage de la carte. Les traces de crayon à peine visibles se transformèrent en mots. Il lut les mots en retenant sa respiration. Puis il expira. Très délicatement, il caressa la douce surface de la carte. Elle était fixée au tronc par une épingle minuscule, de celles que l'on trouve dans les chemises sous emballage. Il maintint la carte du bout des doigts et ôta l'épingle. Il relut les mots écrits sur la carte puis mit l'épingle dans sa poche. Il retourna la carte. Au dos, il y avait imprimée en noir et blanc l'image d'un petit garçon rondelet, torse nu, les yeux ronds et les cheveux bouclés, tenant à la main un panier débordant d'orchidées.

4

Sur la carte du Garçon aux orchidées, il y avait un message pour lui :

> JE N'AI NULLE PART OÙ REVENIR JE SUIS ESTERHAZ
> LA MORT EST AVANT LA VIE ÉTERNELLE
> DU DÉBUT À LA FIN

5

Michael glissa la carte dans la poche intérieure de son manteau en prenant bien soin de la tenir par le bord, puis se dirigea vers la lisière du bois. Il cria aux hommes qui l'observaient qu'il arrivait, mais le manteau gris semblait très excité. Tandis que Michael avançait avec précaution, guettant le fil de fer ou le moindre signe insolite, l'homme au manteau gris prit par la manche le plus grand de ses employés tout en continuant à faire de grands moulinets avec l'autre bras. Michael ne pouvait que lancer des phrases incompréhensibles. Il fit de grands gestes pour montrer qu'il arrivait, qu'il n'y avait aucune raison de s'inquiéter, qu'il était un bon citoyen et n'était pas armé. Mais l'homme au manteau gris, probablement le directeur du cimetière, ne prêtait aucune attention à ses efforts. Un homme plus jeune, manteau noir et épaules de déménageur, en qui Michael reconnut l'assistant de l'ordonnateur des pompes funèbres, s'approcha de son patron, qui semblait lui-même embarrassé par l'agitation du directeur du cimetière. Michael avança encore d'un pas, songeant qu'il allait devoir donner la carte à la police, lorsqu'il s'immobilisa, pétrifié.

Il venait à nouveau de respirer le parfum du dieu, ces senteurs merveilleuses de fleurs et de soleil. Ici, il était encore plus fort que du côté de la tombe de Robbie, mais l'air ne s'assombrit pas et il n'y eut pas d'éclairs vibrants. Le parfum du dieu n'avait rien de surnaturel. Il aperçut alors sur sa gauche un tapis de fleurs sauvages blanc et bleu et comprit que c'était de là que s'élevaient les senteurs magiques. Elles avaient éclos à la faveur du beau temps, et avaient résisté à la chute de la température. Il n'arrivait pas à les identifier : elles étaient aussi hautes que des tulipes, et leurs corolles bleues se rayaient de blanc autour du cœur. Elles poussaient devant un bouquet de chênes, et leurs robustes tiges vertes jaillissaient du terreau de feuilles comme des javelots. Une bouffée de ce parfum puissant l'enveloppa à nouveau.

Lorsqu'il releva les yeux, l'homme au manteau gris pointait l'index dans sa direction.

– ... Watkins, je veux que vous fassiez sortir cet homme de là immédiatement !

Watkins avança d'un pas incertain, et le directeur du cimetière le poussa d'une bourrade au creux des reins.

– Allez-y !

Embarrassé, Watkins se dirigea vers Michael. Il mettait la main en visière au-dessus de ses yeux, et Michael comprit que sa silhouette avait dû apparaître et disparaître entre les arbres, comme celle de Koko quelques instants plus tôt. Watkins commençait à courir. Michael distinguait le gros ventre et la tache pâle du visage. L'homme semblait contrarié.

– Ça va, ça va! s'écria Michael, la main tendue devant lui.

Watkins suivait à présent en courant le chemin qu'avait parcouru Michael avant lui. Il se baissa pour passer sous la ligne sombre du frêne abattu.

– Arrêtez! hurla Michael.

L'homme au manteau gris s'avança comme s'il allait lui aussi se mettre à pourchasser Michael. Watkins avança encore d'un pas, puis disparut.

Michael entendit le bruit de sa chute sur le sol et se précipita dans sa direction. La tête bouclée de Watkins apparut au-dessus d'un enchevêtrement de plantes grimpantes. L'expression de surprise qu'il arborait ne tarda pas à se transformer en grimace de douleur. Puis il se mit à crier.

– Fermez-la! dit son patron.

– Je me suis coupé!

– Qu'est-ce que vous racontez?

Watkins exhiba une main ruisselante de sang.

– Regardez, monsieur Del Barca!

Del Barca se planta devant Michael, l'index vengeur.

– Ne faites pas un pas de plus! Je vais vous faire arrêter! Vous avez pénétré sur une propriété privée appartenant au cimetière, et vous avez blessé mon employé.

– Calmez-vous, dit Michael.

– Je veux savoir ce que vous faisiez là-dedans!

– J'essayais de retrouver l'homme qui a posé ces objets piégés.

Michael franchit les quelques pas qui le séparaient de l'homme tombé à terre. Watkins était étendu sur le côté, la jambe gauche étendue devant lui. Il avait le visage cramoisi et ses cheveux bouclés étaient trempés de sueur. Une ligne sanglante qui allait en s'élargissant maculait sa jambe de pantalon.

– Quel objet piégé? demanda Del Barca.

– Calmez-vous, monsieur. Je suis médecin et cet homme a besoin de mon aide. Il s'est pris les pieds dans un fil de fer et s'est blessé à la jambe.

– Qu'est-ce que c'est que cette histoire de fil de fer? hurla Del Barca. Mais qu'est-ce que vous racontez?

Michael se pencha et explora le sol avec la main à quelques centimètres de Watkins. Il trouva le fil, tendu, brillant. Il semblait tranchant comme un rasoir. Il l'effleura du doigt.

– Vous avez de la chance qu'il ne se soit pas tranché la jambe. Vous ne m'avez pas entendu lui dire d'arrêter?

– Vous? Lui dire d'arrêter? La faute à qui?

– A vous bien sûr. Allez plutôt voir à quoi est relié ce fil. S'il est attaché à autre chose qu'à un rocher ou à un tronc d'arbre, n'y touchez pas.

– Allez voir, dit Del Barca à l'autre employé, un homme plus jeune avec une tête de gerboise à moustache.

– Ne touchez à rien! dit Michael.

Puis il s'agenouilla près de l'homme tombé à terre et lui demanda de s'allonger sur le dos.

– Il va falloir faire des points de suture, mais je vais voir à quoi ressemble la blessure.

– J'espère que vous êtes vraiment médecin, dit Del Barca.

– John, John, dit doucement l'ordonnateur, je le connais.

Michael glissa les doigts dans la déchirure du pantalon et tira sur le tissu. Un gros morceau de tissu ensanglanté lui resta dans les mains.

– Ce fil est peut-être relié à des explosifs, dit-il au jeune homme à tête de gerboise.

L'homme retira la main du fil comme s'il avait été électrifié. Il y avait une entaille profonde dans la jambe de Watkins, d'où le sang sortait par pulsations lentes et régulières.

– Il faudra vous transporter aux urgences de Saint Bartholomew.

Puis, se tournant vers Del Barca :

– Donnez-moi votre cravate.

– Ma quoi ?

– Votre cravate. Vous voulez qu'il se vide de son sang?

Del Barca dénoua sa cravate d'un air furieux et la tendit à Michael, puis il se tourna vers l'ordonnateur des pompes funèbres.

– Comment s'appelle-t-il ?

– Je ne me souviens pas de son nom, mais c'est vrai, il est médecin.

Je suis le Dr Poole.

Il fit un garrot avec la cravate de Del Barca et la noua après avoir fait trois tours.

– Ça ira mieux dès que vous serez à Saint Bartholomew.

Il se leva.

– Il faut l'emmener tout de suite. Amenez donc votre voiture jusque ici et conduisez-le à l'hôpital.

Une expression de dégoût passa sur le visage de Del Barca.

– Attendez une minute. C'est vous qui avez posé ce... cet engin piégé.

– Non. Je l'ai seulement reconnu. J'ai fait le Vietnam.

Del Barca se raidit.

– Le fil est seulement attaché à des arbres aux deux extrémités, annonça le jeune homme à tête de lapin. Il a entaillé toute l'épaisseur de l'écorce.

Watkins gémissait.

– Allez-y, Traddles, dit Del Barca. Prenez votre fourgon. Il est plus près.

Traddles acquiesça d'un air sombre et se dirigea vers son fourgon, en contrebas. Son assistant le suivit.

– J'étais venu pour l'enterrement de la petite Talbot, expliqua Michael à Del Barca. Je suis ensuite allé voir la tombe de mon fils, et j'ai vu un homme disparaître entre les arbres. Il avait une attitude tellement bizarre que je l'ai suivi; quand j'ai découvert ce fil de détente, je l'ai suivi encore plus loin dans le bois. C'est alors que vous avez commencé à m'appeler en criant. Le type a réussi à s'enfuir.

– Il devait être garé le long de l'autoroute, dit le jeune homme.

Ils regardèrent le fourgon s'approcher. Arrivé le plus près qu'il le pouvait, Traddles descendit et attendit devant la portière. L'assistant fit le tour du fourgon et ouvrit la portière arrière.

– Allez, emmenez-le, dit Del Barca. Vous pouvez vous mettre debout, Watkins, vous n'êtes pas vraiment amputé.

Puis, d'un air soupçonneux, il se tourna vers Michael.

– Je vais aller expliquer tout ça à la police.

– Excellente idée, dit Michael. Dites-leur de fouiller tout ce coin, mais d'être très prudents.

Les deux hommes observèrent le grand gaillard se diriger vers le fourgon mortuaire, appuyé sur l'épaule de son compagnon plus petit, et gémissant à chaque pas.

– Est-ce que vous connaissez le nom des fleurs qui poussent dans ce bois ? demanda Michael.

– Nous ne plantons pas de fleurs, répondit Del Barca avec un sourire un peu sombre, nous en vendons.

– De grandes fleurs bleu et blanc, insista Michael. Avec un parfum fort, entêtant.

– Des mauvaises herbes! dit Del Barca. Si elles poussent par là-bas, personne n'ira les manger par la racine.

6

De retour dans l'appartement vide de Conor, Michael regarda par la fenêtre donnant sur Water Street. Il ne s'attendait pas vraiment à apercevoir Victor Spitalny, car celui-ci n'aurait eu acun mal à se dissimuler dans la foule des touristes qui envahissaient Water Street les fins de semaine. Spitalny avait une façon bien particulière de se rendre invisible. Michael n'en observa cependant pas moins la foule. Spitalny connaissait l'existence de cet appartement et savait qu'il y vivait.

Michael accorda un dernier regard à Water Street et retourna dans la pièce vide. La veste de Conor n'était pas suspendue au portemanteau fixé au dos de la porte d'entrée. Il aperçut alors sur la table ce qu'il aurait dû voir dès son entrée. Un petit rectangle de papier détaché du bloc qui se trouvait dans la cuisine. Son nom, « MIKEY », se détachait en grosses lettres.

Il sourit et prit connaissance du message :

Je vais passer quelques jours chez Ellen. J'espère que tu me comprends. Bonne chance pour Milwaukee. A bientôt, Conor. P-S : Tu lui as bien plu. RE-P-S : Tu peux me joindre à ce numéro. Suivait un numéro commençant par 203, griffonné au bas de la feuille.

Il prit la carte à jouer dans sa poche et la posa sur la table à côté de la note de Conor. *Je n'ai nulle part où revenir* : Koko avait donc vu les affichettes de Harry. *Je suis Esterhaz* : cela révélait qu'il avait lu le meilleur livre de Tim Underhill, et cela répondait aussi à la phrase de l'affichette : « nous connaissons ton vrai nom ». Et cela annonçait peut-être aussi que Spitalny allait se suicider, comme Esterhaz dans le livre. S'il éprouvait ce qu'éprouvait Esterhaz, alors sa souffrance devait être intolérable : comme Esterhaz, il avait tué trop souvent et il prenait conscience de ce qu'il avait fait. Michael voulait croire que l'apparition de Koko dans le cimetière avait été une sorte de geste d'adieu, un dernier regard jeté depuis les rivages d'une vie ancienne, avant de se taillader les veines ou de se tirer une balle dans la tête et de trouver *la vie éternelle.*

Quant à *Du début à la fin*, c'était le code d'accès, encore secret, au monde d'un fou.

Sur une page blanche du bloc-notes de Conor, Michael recopia les trois lignes du message de Koko. Puis il prit un sachet en plastique dans un tiroir, y glissa l'original avec une pince à épiler, glissa également l'épingle et replia le rabat.

Puis, sur une nouvelle feuille de papier, il écrivit un message à l'intention du lieutenant Murphy : *Je tenais à ce que ceci vous parvienne le plus rapidement possible. Cette carte était épinglée à un arbre dans le bois qui se trouve derrière le cimetière de Memorial Park, à Westerholm. Je m'étais rendu à l'enterrement d'une de mes patientes, et Koko a dû m'y suivre. Je pars en voyage demain et je vous appellerai dès mon retour. Je n'ai tenu cette carte que par le bord. Dr Michael Poole.* Il glisserait le tout dans une enveloppe avant de partir pour l'aéroport et l'enverrait au commissariat de Murphy.

Il téléphona ensuite à Tim Underhill au Saigon.

7

– Alors tu as fui Harry.

– C'était mieux de venir ici, répondit Underhill. Il n'y a pas beaucoup de place, mais je ne suis pas dans les jambes de Harry et je peux me consacrer à l'écriture. Et puis... je peux revoir mon vieil ami Vinh, ce qui est incroyable. Je ne savais même pas qu'il était encore en vie. Mais il a réussi à quitter le Vietnam, il a gagné Paris, s'est marié, et il a pu venir aux États-Unis grâce à des gens de sa famille qui y étaient déjà installés. Sa femme est morte en accouchant de leur fille, Helen, et c'est lui qui l'élève depuis lors. C'est une enfant charmante, et elle m'a tout de suite adopté. Je suis une sorte d'oncle pour elle, ou plutôt une vieille tante. C'est vraiment une enfant adorable. Vinh l'amène ici presque tous les jours.

– Vinh vit là-bas avec toi ?

– Eh bien... moi je n'ai qu'une toute petite pièce derrière la cuisine... parce que la police n'a pas encore enlevé les scellés de l'appartement de Tina. Vinh, lui, s'est installé dans l'appartement où était partie Helen. De toute façon, il restait là-bas la plupart du temps, ce qui explique qu'il n'était pas là la nuit où Tina a été tué. L'un des fils de sa sœur s'est marié et s'est installé à Astoria, alors il y a une chambre libre. De toute façon, je me suis remis à écrire et j'en suis déjà à une centaine de pages.

– Tu es toujours d'accord pour venir à Milwaukee ?

– Plus que jamais. Je suppose que nous aurons la compagnie de Maggie.

– Je l'espère, dit Michael. Il faut aussi que je te dise quelque chose, et c'est d'ailleurs pour ça que je t'ai appelé.

Il lui raconta alors sa rencontre avec Koko et lui lut les trois lignes recopiées sur la carte.

– Il a l'air bien embrouillé, dit Tim. Mais enfin quelque chose l'a touché. Peut-être est-ce qu'il a retrouvé suffisamment de lucidité pour abandonner ce qu'il a entrepris. Le retour aux États-Unis a dû lui faire un choc... du moins si j'en crois ma propre expérience. De toute façon, le fait qu'il ait cité Hal Esterhaz me donne encore plus envie d'aller voir à Milwaukee.

Michael et Tim convinrent de se retrouver le lendemain matin à dix heures et demie à l'aéroport.

Puis il appela Conor, lui raconta également sa rencontre avec Koko, et lui conseilla de rester chez Ellen Woyzak jusqu'à leur retour de Milwaukee. Avant de raccrocher, il donna à Conor le numéro de l'hôtel où il avait réservé des chambres pour les trois nuits à venir.

– Le Pforzheimer ? dit Conor. On dirait une marque de bière.

Il appela à Westerholm, mais Judy refusait toujours de lui parler. Michael dit alors à Pat Caldwell d'allumer les rampes lumineuses qu'il avait installées dans le jardin après la mort de Robbie, et d'appeler immédiatement la police si elle apercevait quelqu'un rôder autour de la maison ou si elle entendait le moindre bruit. Il ne pensait pas que Koko s'en prendrait aux femmes, mais mieux valait qu'elles fussent prévenues. Il lui indiqua également l'endroit de la cave où il avait rangé un fusil après avoir cessé d'allumer toutes les lumières du jardin à la nuit tombée, et lui donna le numéro de téléphone de l'hôtel Pforzheimer. Pat lui demanda si tout cela avait à voir avec l'homme qu'ils étaient partis chercher à Singapour, et Michael répondit que ce n'était pas aussi simple que ça, mais qu'il y avait tout de même du vrai dans sa remarque. Oui, il se rendait à Milwaukee pour enquêter sur cet homme, et oui, il pensait que tout serait bientôt terminé.

Après avoir raccroché, il retourna à la fenêtre, observa le défilé de la foule devant les glaciers et les restaurants, et alla mettre quelques vêtements dans sa valise. Puis il appela à nouveau chez lui. Pat répondit immédiatement.

– Tu t'es installée à côté du téléphone ?

– Eh bien... tes derniers propos n'étaient pas particulièrement rassurants.

– J'ai peut-être un peu exagéré, dit Michael. Je ne crois pas que ce type viendra chez moi. Il ne s'est jamais attaqué à des femmes seules. Ce sont des gens comme Harry et moi qu'il cherche. Tu as allumé les lumières du jardin ?

– J'ai l'impression de me trouver dans une station-service.

– Quand je les ai installées, j'ai tenu à ce que tout soit en pleine lumière, qu'on ne puisse se cacher nulle part.

– Je comprends. Les voisins ne se sont jamais plaints ?

– Il y a quelques années, je les ai allumées tous les soirs pendant des mois, et personne n'a jamais rien dit. Je crois que les arbres forment un écran efficace. Comment va Judy ?

– Ça va, ça va. Je lui ai dit que je te ménageais.

Judy ne voulait toujours pas lui parler, alors il prit congé de Pat. Finalement, il téléphona à Harry.

– Michael à l'appareil.

– Ah, c'est toi. Quelque chose qui te tracasse ? Tu es toujours d'accord pour partir ?

– Je pars demain matin.

– Entendu. Je voulais seulement m'en assurer. Tu es au courant pour Underhill ? Comment il s'est conduit avec moi ? Ça ne lui suffisait pas que je lui offre le gîte et le couvert, que je respecte totalement son intimité ? Ça ne lui suffisait pas à ce junkie cinglé de pouvoir écrire quand il le voulait ? Je te le dis, fais attention à ce type-là. On peut pas lui faire confiance. Moi, je pense que...

– Attends, Harry. Je sais tout ça, mais...

– Ah bon, tu sais tout ça ?

La voix de Harry s'était faite dure, coupante.

– Oui, Harry.

– Tu sais peut-être tout ça, mais qui a été tout raconter à une gamine, et lui a dit que Tim était à New York ? Je ne crois pas que ce soit moi, Michael. Et je ne crois pas non plus que ce soit Conor. Quelqu'un a compromis notre mission, et j'ai bien peur que ce soit toi.

– Je regrette que tu voies les choses comme ça.

– Et moi je regrette que tu te sois conduit comme tu l'as fait. (Harry prit une profonde inspiration.) Je n'ai pas l'impression que tu tiennes beaucoup compte de tout ce que j'ai fait pour toi et pour cette mission. Je n'ai fait que donner, je m'y suis consacré à fond. Je suis passé en cour martiale pour toi, Michael, je me suis retrouvé dans ce baraquement préfabriqué à attendre le verdict, et je te souhaite de ne jamais en passer par là...

– J'ai quelque chose à te dire, coupa Michael.

Il lui raconta alors ce qui s'était passé au cimetière.

– Tu l'as vu comme ça, de loin ? J'espère que tu m'as tout dit.

– Je viens de le faire.

– Bon, eh bien ça veut dire que le jeu touche à sa fin. Il a vu mes affichettes. Tout marche comme on l'avait prévu. J'espère que tu n'as pas prévenu Murphy.

– Non, dit Michael, sans révéler à Harry qu'il comptait envoyer la carte par la poste au lieutenant.

– J'imagine que je dois t'en être reconnaissant, dit Harry. Bon, donne-moi le nom et le numéro de téléphone de ton hôtel à Milwaukee. S'il en est à nous suivre et à nous laisser des petits papiers, les choses ne vont pas tarder à se dénouer. Je vais peut-être avoir besoin de te contacter rapidement.

Michael lut pendant une heure ou deux, mais il était tellement anxieux qu'il se perdait dans les phrases trop longues. A sept heures, il se rendit compte qu'il avait faim, et il sortit dîner. Dans la rue, il vit sa voiture garée devant un glacier et se rappela que les livres de Babar étaient toujours dans le coffre. Il se promit de les reprendre au passage après avoir dîné.

8

Il se rendit dans un petit restaurant italien, et se plongea à nouveau dans la lecture des *Ambassadeurs*. Le lendemain, se disait-il, je plonge dans l'enfance de Koko. Il se sentait au bord d'un changement radical dans son existence, et s'y sentait prêt. Les services de santé de la ville de New York offraient une subvention de cinquante mille dollars aux médecins disposés à ouvrir un dispensaire médical dans les quartiers où les médecins manquaient, et ils prêtaient ensuite, à un faible taux d'intérêt, de l'argent qu'il ne fallait commencer à rembourser qu'au bout de deux ans. Encore trois ou quatre jours, au plus, se disait Michael, et ensuite il traverserait le pont et irait exercer dans des endroits où l'on avait réellement besoin de lui. Tout son corps sembla se réchauffer.

9

De retour à l'appartement après avoir dîné, il alluma toutes les lumières et s'installa sur une chaise de cuisine pour lire. Il avait le sentiment d'une tâche inaccomplie et finit par se rappeler les livres de Babar oubliés dans le coffre de la voiture; il faillit poser son livre et aller les chercher. Il se leva, prêt à aller chercher son manteau, mais en passant devant le téléphone, il se ravisa. Quelque chose d'autre lui était revenu en mémoire.

Il n'avait jamais appelé l'hôtesse de l'air qui avait connu Clement W. Irwin, la première victime de Koko sur le sol américain. Michael était même surpris de s'être si bien souvenu du nom.

Mais quel était celui de l'hôtesse? Il s'efforça alors de se rappeler le nom de leur propre hôtesse. Il ressemblait à son nom à lui, Mikey. Marsha. Michaela, Minnie, Mona. Non! Son nom lui rappelait un film d'Alfred Hitchcock. Grace Kelly. Une blonde... Tippi Hedren, l'actrice qui jouait dans *Les oiseaux*. Puis il se rappela son nom aussi facilement que s'il l'avait vu inscrit sur un badge : Marnie. Et l'amie de Marnie s'appelait... Lisa. Mais le nom de famille? Quel idiot de ne pas l'avoir inscrit! « Quel est le nom de famille de votre amie? » lui avait-il demandé. Et elle avait répondu quelque chose à propos de l'Irlande... Lisa Dublin. Lisa Galway. Il brûlait. Lisa Ulster. Cela avait un rapport avec Hellman, avait-elle dit... Lisa Mayo.

Michael se rua sur le téléphone et appela les renseignements de New York. Bien entendu elle ne serait pas dans l'annuaire, ce serait trop simple, et il allait devoir essayer d'obtenir son numéro par l'intermédiaire de la compagnie aérienne. Il demanda l'annuaire, et le silence succéda à un déclic électronique. Ça y est, se dit Michael, elle n'est pas dans l'annuaire... mais une voix synthétique lui répondit presque immédiatement : « Le numéro que vous avez demandé est le suivant : ... » La machine lui donna un numéro à sept chiffres puis le répéta.

En composant le numéro, Michael priait pour qu'il s'agît de la même Lisa Mayo. Si c'était le cas, elle devait probablement se trouver à trente mille pieds dans les airs, et faire route vers San Francisco.

Il s'apprêtait à raccrocher après la cinquième sonnerie lorsque quelqu'un décrocha.

– Oui, dit une voix de femme.

– Bonjour, je me présente : je suis le Dr Michael Poole et je cherche Mme Lisa Mayo, l'amie de Marnie.

– Marnie Richardson ? Où l'avez-vous rencontrée ?

– Dans un avion qui venait de Bangkok.

– Ah, Marnie est une vraie fofolle ! Euh, vous savez, je ne fais plus grand-chose depuis que j'ai quitté San Francisco. C'est gentil à vous d'avoir appelé, mais...

– Excusez-moi, je crois qu'il y a un malentendu. Je vous appelle au sujet de l'homme qui a été tué il y a environ trois semaines à l'aéroport Kennedy ; Mlle Richardson m'a dit que vous le connaissiez.

– Vous appelez au sujet de M. Irwin ?

– En partie, oui. Vous l'avez vu lors de son dernier voyage ?

– Et comment ! Je le voyais environ une fois par mois. Il faisait l'aller-retour New York-San Francisco presque aussi souvent que moi. (Elle hésita un instant.) J'ai été choquée quand j'ai appris ce qui lui était arrivé, mais on ne peut pas dire que ça m'a beaucoup touchée. Ce n'était pas quelqu'un de très sympathique. Oh... je n'aurais pas dû dire ça. Vous savez, M. Irwin n'était pas très apprécié par le personnel de cabine, c'est tout, c'était un homme très exigeant. Mais que faites-vous exactement, monsieur ? Vous connaissiez M. Irwin ?

– Ce qui m'intéresse surtout, c'est l'homme qui était assis à côté de lui pendant ce vol vers New York. Je me demandais si vous vous souveniez de quelque chose à son sujet.

– Si je me rappelle de lui ? Tout cela est très mystérieux. Écoutez, il se fait tard et je dois me lever tôt demain matin. Vous êtes flic ?

En songeant à ce « lui » qu'évoquait l'hôtesse, Michael sentit la chair de poule se former sur ses bras.

– Non, je suis médecin, mais je suis d'une certaine façon lié à l'enquête sur le meurtre de M. Irwin.

– Lié, dites-vous ?

– Excusez-moi d'être aussi vague.

– Écoutez, si vous croyez que le type qui était assis à côté de

M. Irwin a quelque chose à voir avec cette affaire, vous vous gourez complètement.

– Pourquoi ?

– Parce que c'est tout simplement impossible. Il aurait été incapable d'une chose pareille. Je vois beaucoup de gens dans mon travail, et je peux vous dire que ce garçon était quelqu'un de très agréable, discret... je le plaignais d'être assis à côté de la Bête. C'est comme ça que nous appelions M. Irwin. Mais en y repensant, il a en quelque sorte réussi à charmer la Bête... il a fait en sorte que M. Irwin lui adresse la parole, et il lui a même proposé un pari.

– Vous vous souvenez de son nom ?

– Une sorte de nom espagnol... peut-être Gomez. Ou Cortez.

Michael prit une brève inspiration.

– Pardon ?

– Est-ce que ça ne serait pas Ortiz ? Roberto Ortiz ?

Elle se mit à rire.

– Comment le saviez-vous ? C'est ça... et il a demandé qu'on l'appelle Bobby. Ça lui allait bien comme diminutif.

– Est-ce que vous vous souvenez de quelque chose de particulier à son sujet ? Des choses qu'il aurait dites, n'importe quoi ?

– C'est drôle... quand je repense à lui, tout se brouille... je ne revois qu'un sourire. Je me souviens en tout cas que tout le personnel de cabine l'aimait bien. Mais s'il a dit quelque chose... attendez... attendez...

– Oui ?

– Tenez, je me souviens de quelque chose de drôle. Il a chanté. Oh, pas vraiment une chanson, avec des paroles, mais un petit air, comme ça.

– Ça ressemblait à quoi ?

– Eh bien, c'était assez bizarre. Comme des mots inventés... des mots étrangers. Mais c'était pas une vraie langue étrangère. Ça faisait un peu ça... : « pompo-po, pomo-po, polo, pompo-po », quelque chose comme ça.

La chair de poule était revenue sur les bras de Michael.

– Oui... je vous remercie.

– C'est tout ce que vous vouliez savoir ?

– « Pompo-po, pompo-po... » ou bien quelque chose comme « rip-a-rip-a-rip-a-lo » ?

– Oui, c'est plutôt ça.

Septième partie

LE PIÈGE À RATS

32

PREMIÈRE NUIT AU PFORZHEIMER

1

– Je ne sais pas s'il y a un nom pour ce genre d'expériences, dit Underhill.

Il était assis près du hublot, Michael du côté du couloir et Maggie entre eux deux. Ils étaient quelque part au-dessus de la Pennsylvanie, de l'Ohio ou du Michigan.

– On peut appeler ça une expérience des extrêmes, mais c'est un terme qui peut recouvrir bien des choses. Ou alors l'extase, puisque c'est à ça que ça ressemble. On pourrait même qualifier ça de moment « emersonien ». Tu connais l'essai d'Emerson intitulé *Nature*? Il évoque une métamorphose en œil transparent... « je ne suis rien; je vois tout; les courants de l'Être universel circulent à travers moi ».

– Pour moi, dit Maggie, ça ressemble à une manière différente d'affronter l'éléphant.

Michael et Tim éclatèrent de rire en même temps.

– Tu ne devrais pas autant t'inquiéter, reprit Maggie. Quand tu as vu ton fils, tu aurais dû t'attendre à ce qu'il s'ensuive une telle... *expérience*.

– Je n'ai pas vu mon fils... commença Michael.

Mais ses objections se réduisirent en poussière avant d'avoir franchi ses lèvres. Il avait hésité avant de parler à Tim et à Maggie du « dieu », et bien qu'il s'y fût ensuite résolu, ce n'était pas sans réticence. Mais la phrase de Maggie avait éveillé un écho en lui.

– Mais si, dit Maggie. Tu as vu ce qu'il serait devenu s'il avait atteint l'âge d'homme. Tu as vu le vrai Robbie.

Elle le considéra d'un air un peu narquois.

– Voilà pourquoi tu as aimé la silhouette que tu as vue.

– Tu es à louer ? demanda Underhill.

– De combien d'argent disposes-tu ? demanda Maggie, de la même voix dépourvue d'expression. Si tu veux que je continue à dire des évidences, ça va te coûter très cher.

– L'idée que c'était un ange me plaît.

– A moi aussi, dit Maggie. Et c'est très possible.

Le silence s'installa entre eux. Michael savait que Robbie n'aurait pas pu devenir l'homme qu'il avait vu, mais il se disait qu'il avait eu la vision d'un Robbie parfait, d'un être en qui se seraient épanouis ses meilleurs penchants. Engendrer l'homme qu'il avait vu près de la tombe de son fils, cela aurait représenté un état au-delà même du bonheur, quelque chose comme le ravissement. Et d'une certaine façon, cet homme il l'avait engendré. Au sens propre du terme. Il n'était l'œuvre de personne d'autre. Cet homme n'était pas le produit de son imagination, d'une hallucination : il en était l'auteur.

Avec quelques mots simples, Maggie lui avait rendu son fils. Aussi longtemps qu'il vivrait, ce garçon serait à lui, et cet homme serait son garçon. Son deuil avait pris fin.

Lorsque enfin il put parler, Michael demanda à Tim s'il s'était livré à des recherches pour écrire *L'homme divisé.*

– Est-ce que tu as consulté des guides, des choses comme ça ?

– Je ne crois pas qu'il y a de guides de Milwaukee, dit Tim.

Maggie s'autorisa un petit rire qui ressemblait fort à un ricanement.

– Il n'y a pas de guides sur la plupart des villes des États-Unis, dit Tim. Je me suis surtout rappelé ce qu'en disait M.O. Dengler. Ensuite, j'ai laissé courir mon imagination, et je crois que j'ai fait un travail qui se tient.

– En d'autres termes, dit Michael, on pourrait dire que tu es l'auteur de cette ville.

– Oui... j'en suis l'auteur, dit Tim, un peu étonné par la formule.

L'œil brillant, Maggie se tourna vers Michael et lui tapota le genou comme si elle le félicitait.

– Il y a quelque chose que je n'ai pas suivi ? s'enquit Tim.

– Jusque-là ça va, répondit Maggie.

Tim essaya de croiser les jambes, mais se rendit compte qu'il ne disposait pas de la place nécessaire.

– J'ai pensé à quelque chose à propos des parents de Victor Spitalny, dit-il. Essayez d'imaginer ce que ressentent des parents lorsque leur enfant disparaît. Vous ne croyez pas que même si la disparition dure très longtemps, ils s'imaginent que leur enfant est toujours en vie ?

Je me dis quand même que les parents de Spitalny doivent être un peu différents des autres. Souviens-toi... ils ont fait en sorte que leur fils ait l'impression d'être un orphelin adopté. Ils ont fait de leur fils le Victor Spitalny qu'on a connu, et qui après s'est transformé en Koko. Je vous parie que sa mère va nous dire qu'elle sait qu'il est mort. Elle sait déjà qu'il a tué Dengler. Mais je parie qu'elle sait qu'il a commis d'autres meurtres.

– Alors qu'est-ce qu'elle va penser de nous et de ce qu'on est en train de faire ?

– Elle pensera peut-être qu'on est des cinglés et elle va nous amadouer à coups de tasse de thé. Ou elle peut piquer une colère et nous flanquer dehors.

– Alors qu'est-ce qu'on fiche sur cet avion ? demanda Michael.

– Mais ça peut être aussi une dame charmante qui a un fils maboul. Il peut vous arriver plein de malheurs dans la vie, et son fils a peut-être été le plus terrible. Dans ce cas, elle nous communiquera toutes les informations dont elle dispose.

En voyant l'expression qui se peignait sur les traits de Michael, Underhill ajouta que la seule chose qu'il savait de Milwaukee, c'est qu'il y faisait infiniment plus froid qu'à New York.

– Je commence à comprendre pourquoi il n'y a pas beaucoup de touristes, dit Maggie.

2

A une heure de l'après-midi, Michael Poole se tenait à la fenêtre de sa chambre dans l'hôtel Pforzheimer ; il regardait ce qui aurait dû être une avenue à quatre voies si des congères atteignant presque la hauteur des parcmètres n'avaient pas occupé, des deux côtés, la moitié de la première voie. Ici et là, des voitures avaient été ensevelies sous des amoncellements de neige, et des passages semblables à des cols de haute montagne avaient été ménagés entre ces voitures pour permettre l'accès aux trottoirs. Sur la partie dégagée de l'avenue, de rares voitures, la plupart incrustées de boue gelée de couleur kaki, passaient sur une seule file. Devant l'hôtel, sur Wisconsin Avenue, et à l'extrémité du champ de vision de Michael, le vert du feu de signalisation brillait dans une atmosphère poussiéreuse comme si cela avait été le crépuscule. Il faisait moins dix-huit. Il avait l'impression de se retrouver à Moscou. Quelques personnes emmitouflées dans d'épais manteaux se hâtaient sur les trottoirs vers les feux de signalisation. Le halo vert se mua en halo rouge, et bien que nulle voiture ne fût en vue, les piétons s'immobilisèrent pour obéir au signal « Piétons attendez ».

C'était bien la ville que Dengler avait décrite. Michael avait l'impression d'être un Moscovite observant Moscou avec des yeux neufs. Le long, très long deuil de son fils avait pris fin. Ce qui demeurait de Robbie était désormais enfoui en son sein. Il n'éprouvait même plus le besoin de retrouver les livres de Babar qui se trouvaient toujours dans le coffre de l'Audi. Le monde ne serait plus jamais entier, certes, mais quand avait-il jamais été entier ? Son chagrin avait flambé, puis s'était apaisé, et il considérait désormais la vie avec *des yeux neufs*.

Derrière lui, Tim et Maggie riaient d'une plaisanterie de Tim.

Au coin de l'avenue, le feu passa au vert, le caisson lumineux indiqua « Passez piétons ». Les piétons traversèrent alors l'avenue.

Tim et Michael avaient pris une chambre avec deux grands lits, et Maggie une chambre voisine, à un seul lit. La chambre des hommes était haute de plafond et les murs étaient recouverts de papier peint floqué aux teintes passées. Elle s'ornait également d'un tapis élimé à motif de fleurs et d'un miroir rococo au cadre doré. Aux murs étaient accrochés de grands tableaux du XIXe siècle : scènes de chasse où des chiens haletants posaient à côté d'amoncellements de faisans sanguinolents, et portraits de bourgeois à bedaine en redingote et gilet de satin rayé. Le mobilier était quelconque, vieux et solide, mais la taille de la pièce le faisait paraître petit. Dans la salle de bains, les robinets et les accessoires étaient en cuivre, et la baignoire se dressait comme un lion sur quatre pieds de porcelaine. Les fenêtres, par lesquelles tous les trois à présent regardaient dans la rue, montaient presque du sol au plafond; elles étaient tendues de lourds rideaux de velours marron retenus par des embrasses usées de même couleur. Michael avait le sentiment de se trouver dans quelque vieil et splendide hôtel de Prague ou de Budapest; dans cette vaste chambre à l'élégance fanée, il s'attendait à entendre, venant de la rue, les clochettes d'un traîneau et le martèlement des sabots sur le pavé.

Dans le hall du Pforzheimer, devant le comptoir en acajou poli, se tenaient des nains en uniforme, guère plus hauts que les nombreuses fougères en pot; le concierge, qui portait des demi-lunettes hors d'âge et un nœud papillon étroit, régnait sur un somptueux paysage de cuivres astiqués, de mètres de tapis écossais, de lampes allumées et d'immenses tableaux si sombres qu'on ne distinguait que de vagues silhouettes se détachant sur un fond indéfini. Bien entendu, pas le moindre ordinateur derrière le comptoir. Un vaste escalier menait à une salle dont le nom était indiqué par une plaque : Balmoral Room. Au bout du hall s'ouvrait un couloir où s'alignaient de part et d'autre des arbres en pot et des vitrines présentant des têtes d'animaux empaillées; au fond du couloir, un bar dans la pénombre.

– J'ai l'impression que la Neva n'est qu'à deux pas, dit Michael en regardant par la fenêtre.

– Et des policiers en toque de fourrure et en bottes montant jusqu'aux genoux se pavanent sur la Perspective, dit Underhill.

– Ils s'apprêtent à arrêter les hommes nus que le froid a contraints de sortir de la forêt, dit Maggie.

C'était bien cela. Il devait y avoir une grande forêt à deux ou trois kilomètres, et le soir, en ouvrant les croisées de la salle de bal, on pouvait entendre le hurlement des loups.

– Et si on jetait un œil à l'annuaire du téléphone, dit Michael.

– Et si on trouvait d'abord l'annuaire, proposa Underhill.

Le téléphone lui-même se trouvait sur une petite table au chevet du lit de Michael; c'était un modèle ancien, en bakélite noire, avec un cadran circulaire, mais ne comportant pas les numéros habituels de la réception, de la femme de chambre ou de la teinturerie de l'hôtel.

Les deux hommes se mirent à ouvrir les tiroirs des divers meubles de la pièce. Dans une haute commode, Underhill trouva une télévision posée sur une étagère pivotante. Michael, lui, trouva dans un tiroir tendu de papier-cadeau à motif d'arbres de Noël une Bible Gideon et une brochure intitulée *Histoire du Pforzheimer*. En ouvrant le meuble disposé entre les deux hautes fenêtres, Underhill découvrit des rangées de livres.

– Mon Dieu, une bibliothèque! Et quels livres! *Le joli manchon de Kitty, Baisers brûlants, Résidences historiques de la péninsule malaise*... Oh!

Il exhiba un exemplaire défraîchi de *L'homme divisé*.

– Cela veut-il dire que je suis immortel ou que je suis ridiculement obscur?

– Ça dépend de la façon dont tu vois *Le joli manchon de Kitty,* dit Maggie en prenant le livre sur l'étagère. L'annuaire ne serait pas par là?

Elle se mit à fouiller dans le bas du meuble.

– *Contes et légendes relatives à la naissance, et notamment des confusions qui s'y produisent,* lut Underhill en ôtant un autre livre des étagères.

Maggie tira sur un petit levier à moitié dissimulé, et une étagère pivota à l'arrière du meuble, révélant un shaker en argent contenant un tissu moisi et une araignée ratatinée, un seau à glace terni, une bouteille de gin presque vide, une bouteille de vermouth presque pleine, et un flacon d'olives qui avaient l'air rouillées.

– Ça doit être là depuis la prohibition, dit Maggie. En tout cas, il n'y a pas d'annuaire du téléphone.

Elle haussa les épaules et gagna le canapé avec son livre.

– Ça ne ressemble pas aux voyages avec Harry et Conor, dit Michael. Vous savez ce que m'a répondu Conor quand je lui ai demandé s'il n'avait pas changé d'avis et s'il ne voulait pas venir avec nous ? Il a dit : « J'ai d'autres façons de perdre mon temps. »

Par la fenêtre, il aperçut de gros flocons de neige tourbillonnant dans la pénombre.

– C'est quoi, ton livre ? demanda Underhill.

– Un livre sur la torture, répondit Maggie.

Michael entendit un concert de klaxons et s'approcha de la fenêtre. Les têtes des chevaux apparurent sur sa droite, suivies d'un fiacre vide conduit par un homme au large visage rouge. Le cocher conduisait son fiacre au beau milieu de la chaussée, forçant les voitures venant en sens inverse à lui céder le passage.

– Le mien aussi dit Underhill. Non, je plaisante, Maggie, laisse-le-moi.

– Il n'y a pas d'images dans le tien. Dans le mien il n'y a que des images.

– On est tombés sur les livres qu'il nous fallait.

Maggie s'éloigna d'Underhill, assis sur le canapé, souriant, et s'approcha avec une feinte détermination d'un meuble bas disposé sous le miroir.

– Ha, ha ! s'écria Maggie. Voici le secret du Pforzheimer !

Elle brandissait un annuaire du téléphone de couleur verte, si lourd qu'elle était obligée de le tenir à deux mains.

– Ça y est, je crois qu'elle l'a trouvé ! dit Underhill.

Maggie s'assit au bout du canapé, à côté de Michael, et ouvrit l'annuaire.

– Je ne pensais pas qu'il y aurait autant de noms là-dedans. Qu'est-ce qu'on cherche, au fait ? Ah, oui, la lettre S. Voyons... Sandberg, Samuels, Sbarro... Ah, voilà. Sperber. Et Spitalny. Et Spitalny, et encore Spitalny, Spitalny... je n'aurais pas cru qu'il y en avait autant.

Michael regarda l'endroit où Maggie avait posé le doigt. L'index descendait le long d'une colonne qui commençait par Spitalnik, se muait sur Spitalny et demeurait identique l'espace d'une vingtaine de noms avant de proposer Spitalsky.

Il prit l'annuaire, s'adossa aux coussins à la tête du lit, disposa l'annuaire sur ses genoux et approcha le téléphone.

– Continuez donc à bavarder, dit Michael, perdez votre temps.

– Il ne t'est jamais venu à l'idée que Conor Linklater était un génie ? demanda Tim à Maggie.

– Monsieur Spitalny ? dit Michael. Excusez-moi de vous déranger, je m'appelle Michael Poole, et je recherche des parents d'un homme nommé Victor Spitalny qui était avec moi au Vietnam. Je me demandais si vous étiez de sa famille ou si vous saviez comment je pourrais le joindre... Oui, Victor, c'est ça... ah bon, personne dans votre famille ne s'appelle Victor... oui, oui, il était de Milwaukee... Bon, je vous remercie quand même.

Il appuya sur le support, composa le numéro suivant, laissa sonner un certain nombre de fois et passa au suivant. Un homme qui avait visiblement arrosé la tempête de neige informa Michael d'une voix pâteuse qu'il n'avait jamais existé personne du nom de Victor Spitalny. Puis il raccrocha.

Au septième numéro, E. Spitalny, dans South Mogrom Street, Michael eut plus de chance.

– Vous étiez au Vietnam avec Victor ? lui demanda une jeune femme. Mon Dieu ! Tout cela semble si lointain.

Michael fit signe aux deux autres de lui apporter de quoi écrire.

– Il est de votre famille ?

– Vic était mon cousin, dit la fille. Vous voulez dire qu'il est encore vivant ? Vous n'imaginez pas ce que ça peut me faire.

– Il est possible, en effet, qu'il soit encore vivant. Pourriez-vous me donner le numéro de téléphone de ses parents ? Est-ce qu'ils vivent encore, tous les deux ?

– Si vous appelez ça vivre ! Je n'ai pas leur numéro ici, mais vous pouvez le trouver dans l'annuaire. George et Margaret Spitalny ; oncle George et tante Margaret. Dites-moi, est-ce qu'il n'est pas arrivé quelque chose de bizarre à Vic ? Je croyais qu'il était à l'hôpital, là-bas en Asie. Je pensais qu'il était mort là-bas.

Michael regarda la liste sous ses yeux, et finit par trouver *Spitalny, George, 6835 S. Winnebago St.* ; il entoura le nom et l'adresse d'un trait de stylo.

– Vous pensiez qu'il était hospitalisé ?

– Enfin, il me semblait qu'oncle George... c'était il y a si longtemps, vous savez.

– Vous n'avez plus entendu parler de lui depuis la guerre ?

– Eh bien... non. Même s'il était vivant, il ne m'aurait pas écrit, vous savez. Nous n'étions pas vraiment amis. Pourriez-vous me rappeler votre nom, encore ?

Michael répéta son nom et redit que Victor et lui avaient servi dans la même unité au Vietnam. La fille dit qu'elle s'appelait Evvie.

– Je suis ici avec quelques amis de New York, dit Michael, et nous aimerions savoir si quelqu'un de sa famille a reçu de ses nouvelles.

– Pas que je sache.

– Pourriez-vous me citer les noms de quelques amis de votre cousin ? Les noms de filles avec lesquelles il sortait, par exemple, ou les endroits qu'il fréquentait ?

– Ouh, là, là... je ne sais pas. Vic était plutôt du genre solitaire. Il allait au collège Rufus King, ça je le sais. Et pendant un certain temps il est sorti avec une fille nommée Debbie. Je l'ai rencontrée une fois, quand j'étais très jeune. Elle s'appelait Debbie Maczik. Je la trouvais tellement mignonne. Et je crois qu'il fréquentait un endroit appelé The Polka Dot. Mais il s'occupait surtout de sa voiture, des trucs comme ça, vous savez.

– Vous vous souvenez du nom de certains de ses amis ?

– Il y avait un type nommé Bill, un autre qui s'appelait Mack... c'est tout ce que je sais. Je n'avais que dix ans quand Victor est parti à l'armée. Mon oncle et ma tante pourront vous répondre beaucoup mieux que moi.

– Vous croyez que votre oncle sera chez lui, en ce moment ?

– Vous voulez l'appeler ? Non, il ne sera probablement pas chez lui, il doit être au travail. Moi aussi, d'ailleurs, je devrais être au travail ; je suis secrétaire à la compagnie du gaz, mais je n'ai pas eu le courage d'aller travailler, et j'ai décidé de rester à la maison et de regarder les feuilletons à la télévision. Tante Margaret, elle, par contre, devrait être chez elle. Elle ne sort jamais. (Elle s'interrompit un instant.) Vous devez comprendre que ça me semble tellement étrange. Parler de mon cousin Victor... C'est drôle. On croit que quelqu'un vous est totalement sorti de la mémoire, et puis tout d'un coup, bang ! Y a tout qui revient à la surface. Mon cousin n'était pas quelqu'un de très sympathique, vous savez.

– Non, dit Michael, c'est vrai.

Après qu'Evvie eut raccroché, Michael composa le numéro de Winnebago Street. Une femme âgée, à l'accent nasillard, lui répondit.

– Madame Spitalny ? Margaret Spitalny ?

– Oui, c'est moi.

– Vous ne me connaissez pas, madame Spitalny, mais j'étais au Vietnam avec votre fils. Nous avons servi dans la même unité pendant un an. Je m'appelle Michael Poole. Je suis le Dr Poole maintenant.

– Oh, mon Dieu ! Qu'est-ce que vous avez dit ?

Il répéta presque tout ce qu'il lui avait déjà dit.

– Comment vous avez dit que c'était, votre nom ?

Il répéta son nom.

– Je suis à Milwaukee avec Tim Underhill, un autre membre de notre unité, et une de nos amies. Nous aimerions beaucoup venir vous voir, vous et votre mari. Si cela est possible, bien sûr.

– Nous voir ?

Mme Spitalny semblait ne pouvoir parler que par questions.

– Oui, nous aimerions vous rencontrer, si c'est possible. Nous sommes arrivés ce matin de New York, et nous avons trouvé votre numéro de téléphone dans l'annuaire.

– Vous avez fait tout ce chemin depuis New York pour nous voir, George et moi ?

– Nous désirons vivement vous parler de Victor. J'espère que cela ne vous dérangera pas trop, et je m'excuse du caractère soudain de cette visite, mais est-ce que nous pourrions venir vous voir cet après-midi ou bien ce soir ? Tout ce que vous pourriez nous dire sur Victor nous intéresserait, et même nous montrer des photos, enfin... vous voyez.

– Vous voulez venir chez nous ? Ce soir ?

– Si c'était possible. Mais croyez-moi, nous n'avons nullement l'intention de nous faire inviter à dîner. Nous aimerions seulement que vous nous parliez de Victor.

– Eh bien... c'est qu'il n'y a pas grand-chose à dire. Je pourrais même tout vous dire maintenant... vous n'êtes pas de la police, n'est-ce pas ?

Le cœur de Michael se mit à battre un peu plus vite.

– Non, pas du tout. Je suis médecin, et M. Underhill est écrivain.

– L'autre est écrivain ? Ça a rien à voir avec la police, hein ? C'est promis ?

– C'est juré.

– Parce que sans ça, c'est que ça tuerait mon mari.

– Nous sommes seulement de vieux amis de Victor. Inutile de vous inquiéter.

– J' ferais mieux d'appeler George chez Glax : c'est l'usine où il travaille. Je vais voir avec lui. Il faut que je lui en parle, sinon il va m'attraper. Mais ça semble tellement bizarre. Dites-moi où vous êtes, et je vous rappellerai après avoir téléphoné à George.

Michael lui donna le numéro, puis il demanda soudain :

– Vous n'avez pas eu de nouvelles de Victor, dernièrement ? Nous aimerions bien savoir où nous pourrions le trouver.

– Des nouvelles de lui ? Dernièrement ? Mais personne n'a entendu parler de Vic depuis plus de dix ans, docteur. Bon, je vais vous rappeler.

Michael raccrocha.

– On dirait que tu as raison à propos de ses parents, dit-il à Tim.

– Elle va rappeler ? demanda Maggie.

– Oui, après avoir parlé à George.

– Et si George dit non ?

– Alors ça voudra dire qu'ils ont probablement quelque chose à cacher, et on les harcèlera jusqu'à ce qu'ils nous laissent entrer chez eux.

– Et on saura tout ce qu'ils savent en une heure, dit Underhill. Parce que s'ils agissent comme ça, ça veut dire qu'ils meurent d'envie de soulager leur conscience.

– Alors tu espères qu'elle dira non ?

Underhill sourit et se replongea dans sa lecture.

Après avoir fait pendant une demi-heure les cent pas dans la pièce, Michael s'approcha à nouveau de la fenêtre. Dehors, à Moscou, une petite voiture noire à qui la froide boue hivernale avait donné une indéfinissable couleur de cadavre, était allée percuter un talus de neige sur le côté de l'avenue. Pour pouvoir la doubler, les voitures derrière elle étaient obligées de se ranger sur une seule file.

– Les cartes ont été inventées pour des moments comme ça, dit-il.

– Le mah-jong a été aussi inventé pour des moments comme ça, dit Maggie. Sans parler des drogues et de la télévision.

La sonnerie du téléphone retentit. Michael se précipita.

– George Spitalny à l'appareil, dit une voix d'homme, agressive. Ma femme m'a dit que vous l'avez appelée pour lui raconter une histoire à la mords-moi-le-nœud.

– Je suis heureux que vous ayez appelé, monsieur Spitalny. Je suis le Dr Michael Poole, et j'ai servi au Vietnam dans la même unité que votre fils...

– Écoutez, j'ai une pause d'un quart d'heure. Si vous me disiez tout de suite ce que vous avez derrière la tête.

– J'espérais venir vous voir ce soir en compagnie d'un autre ami de Victor.

– Je pige pas. Pour quoi faire ?

– Nous aimerions en savoir plus sur lui. Victor était une personnalité importante dans notre unité, et il a laissé beaucoup de souvenirs parmi nous.

– Ça me plaît pas, votre histoire. Je suis pas du tout obligé de vous recevoir chez moi, vous et votre ami.

– Non, non, monsieur Spitalny, vous n'êtes nullement obligé. Et je m'excuse de vous prévenir comme ça à la dernière minute, mais mes amis et moi sommes arrivés de New York ce matin, nous ne connaissons personne à Milwaukee, et nous voudrions seulement entendre ce que vous pourriez nous dire à propos de Victor.

– Et qui sont ces amis ?

– Eh bien il y a M. Tim Underhill, et une de nos amies, Maggie Lah.

– Elle était là-bas aussi ?

– Non, non. Elle est seulement venue nous aider.

– Vous avez dit que Victor était une personnalité importante dans votre unité ? Comment ça ?

– C'était un bon soldat. Au feu, on pouvait compter sur lui.

– Des clous, ouais ! Je connaissais Victor mieux que vous, m'sieur !

– Eh bien c'est exactement pour ça que nous voulions vous parler. Nous voudrions en savoir plus à son sujet.

Spitalny grommela quelques mots indistincts.

– Vous avez dit à ma femme qu' vous étiez pas des flics.

– C'est vrai.

– Vous êtes venus ici rien que pour nous voir ? En plein hiver ?

– L'année dernière, nous avons eu une sorte de rassemblement à Washington. Nous ne sommes plus nombreux à être encore vivants. Nous voulions voir ce que nous pourrions apprendre sur Victor et sur un autre gars de notre unité, qui était également de Milwaukee. Et comme nous avions un moment de libre...

– Bon, eh bien puisque vous voulez seulement parler de Vic, vous avez qu'à venir. Vers cinq heures. Moi faut que je retourne au travail.

Il expliqua à Michael comment arriver chez lui et raccrocha.

– Il n'avait pas envie de nous voir, mais il a fini par céder, dit Michael. Il avait l'air nerveux, et ça n'a pas l'air d'être le genre de bonhomme à se laisser démonter facilement.

– Maintenant, c'est moi qui suis nerveuse, dit Maggie.

Michael retourna à la fenêtre. La voiture noire était toujours fichée dans la congère, et ses roues arrière tournaient si vite que de la fumée s'élevait de la chaussée.

– Et maintenant on cherche les parents de Dengler, dit Underhill derrière lui.

Underhill se leva et traversa la pièce. Un autobus jaune s'avançait sur l'avenue ; par ses fenêtres éclairées, Michael apercevait des gens à l'air las, enveloppés dans leurs manteaux et leurs écharpes, alignés comme dans une vitrine de musée. Pendant un moment, l'autobus attendit que la voiture noire se fût dégagée de la congère. Puis le chauffeur de l'autobus ouvrit sa vitre et cria quelque chose. Le propriétaire de la voiture noire descendit alors de voiture et répliqua en criant lui aussi. Il portait une petite casquette en tweed. *Faites le tour*, expliquait-il par gestes. Puis après avoir encore crié quelque chose, il remonta dans sa voiture. L'autobus se mit alors à avancer jusqu'à toucher le pare-choc arrière droit de la voiture noire qui se mit à hoqueter.

– Il n'y a qu'un seul Dengler, dit Underhill. Dans une rue appelée Muffin Street.

Le conducteur jaillit de sa voiture. L'autobus avança encore, et la voiture s'enfonça un peu plus profondément dans le tas de neige. L'homme à la casquette hurlait en direction de l'autobus ; puis il se précipita et se mit à frapper sur la portière. Sa voiture pénétra de quelques centimètres supplémentaires dans la congère. L'homme à la casquette se rua sur le coffre de sa voiture, en sortit un démonte-pneu et se mit à frapper l'avant du bus tout en refermant son coffre de l'autre main. Un des parcmètres commençait à s'incliner dans la neige. L'homme contourna alors l'autobus et se mit à frapper méthodiquement sur la tôle jaune; sa voiture, elle, s'enfonçait de plus en plus profondément dans la neige. La tête du parcmètre disparaissait petit à petit. Puis l'autobus exécuta une marche arrière jusqu'au centre de l'avenue, déclenchant un concert d'avertisseurs. L'homme à la casquette se mit alors à courir derrière l'autobus qui s'éloignait, martelant l'arrière à coup de démonte-pneu. A chaque coup, il s'efforçait d'arracher la publicité L'eggs qui ornait l'arrière de l'autobus. Il avait l'air d'un petit jouet enragé. Les passagers des derniers rangs l'observaient, et avec leurs visages ronds et caoutchouteux, Michael leur trouvait l'allure de nouveau-nés.

3

Lorsqu'ils s'engagèrent sur un pont immense et fort large, Michael regarda par la fenêtre du taxi en s'attendant à voir une rivière. En bas, au fond d'une large vallée, il ne vit que des cheminées d'usine crachant des nuages de fumée grise semblables à des ailes d'oiseaux qui se pétrifiaient et demeuraient suspendues dans l'air noir. De petites flammes rouges dansaient au sommet de certaines cheminées, tandis que des lumières rouges scintillaient à l'avant des trains qui cheminaient lentement au milieu d'une pluie d'étincelles.

– Comment est-ce que ça s'appelle ? demanda Michael au chauffeur.

– Rien du tout.

Le chauffeur était un être sans âge qui sentait le lait caillé et devait bien peser cent cinquante kilos. Ses deux mains étaient recouvertes de tatouages.

– Ça n'a pas de nom ?

– On appelle ça la Vallée.

– Qu'est-ce qu'il y a, là en bas ?

– Des usines. Glax. Dux. Miffinberg. Des sociétés comme ça. Les Fluegelhorn Brothers.

– Des fabricants d'instruments de musique ? demanda Underhill.

– Du matériel de forage, des sacs poubelles, des trucs comme ça.

Plus ils avançaient sur le pont et plus la Vallée ressemblait à une sorte d'enfer surréaliste. Les ailes grises et gelées se muaient en dalles de pierre, les flammes devenaient plus nombreuses. De soudaines illuminations spasmodiques révélaient des rues tortueuses, des trains arrêtés, de longues usines aux fenêtres brisées et bardées de planches. A un kilomètre de là, environ, une enseigne rouge clignotait : Marge'n'al's... Marge'n'al's.

– Il y a des bars, en bas ?

– Y a tout en bas.

– Et il y a des gens qui vivent dans la Vallée ? Il y a aussi des maisons là-bas ?

– Bon, écoutez, dit le chauffeur. Vous me faites chier ! Vous comprenez ? Alors si ça vous plaît pas, vous pouvez descendre de voiture. Compris ? J'ai pas besoin de votre fric, moi !

– Mais je ne voulais pas...

– Fermez-la et je vous emmène où vous voulez aller. C'est d'accord ?

– D'accord, d'accord, dit Michael. C'est parfaitement compris. Tout à fait.

Maggie se mit la main devant la bouche. Ses épaules se secouaient.

– Dites-moi, monsieur, est-ce qu'il n'y a pas un bar en ville, qui s'appellerait The House of Correction ? demanda Underhill.

– J'ai entendu dire ça, dit le chauffeur.

A la sortie du pont, le taxi roula sur une plaque de verglas et fit presque demi-tour, mais le chauffeur réussit à redresser... Une odeur de chocolat envahit la voiture.

– D'où ça vient ? demanda Underhill. Cette odeur.

– La fabrique de chocolat.

Ils roulèrent interminablement le long de rues larges ou étroites mais toujours bordées de petites maisons à deux étages flanquées d'une véranda minuscule. Chaque pâté de maisons possédait son bar, baptisé Pete'n'Bill's ou quelque autre appellation semblable, avec la même façade en brique à la peinture écaillée ou les mêmes parements asphaltés que les petites maisons. Certains pâtés de maisons possédaient un bar à chaque extrémité. Çà et là on apercevait des terrains vides dont l'entrée était barrée de chaînes ; les lampadaires jetaient sur la neige recouvrant ces terrains une lumière bleue et cancéreuse. A intervalles réguliers, une publicité lumineuse pour une marque de bière illuminait la fenêtre d'une maison que rien ne distinguait par ailleurs des maisons d'habitation. Au coin du Sam'n'Annie's Good Times Lounge, dans une lumière crue, un homme en parka bordé de fourrure de loup était arc-bouté face à un gros chien noir. Le taxi s'arrêta à un feu rouge. L'homme frappa le chien de la main gauche, si fort qu'il l'envoya rouler sur le côté. Puis il le frappa de la main droite. L'homme souriait et l'on voyait ses dents luire sous la capuche du parka. Il frappa de nouveau l'animal qui recula en retroussant les babines. L'homme frappa le chien sur la tête. Cette fois-ci le chien s'affala sur le sol gelé. Puis il se releva et se mit à reculer, l'échine basse. L'homme était visiblement le propriétaire du chien... il s'amusait. Le feu passa au vert et le taxi démarra au moment même où le chien chargea. Tim et Michael se retournèrent en même temps pour regarder par la lunette arrière. Tout ce qu'ils virent, ce fut le dos de l'homme, large comme un tracteur, agité de soubresauts dans sa lutte avec le chien.

Dix minutes plus tard, le taxi s'arrêta devant l'une de ces maisons à deux étages. Les chiffres 6 8 3 5 étaient cloués au-dessus de la porte. Michael sortit de la voiture pour payer le chauffeur. Le froid lui brûla instantanément le visage et ses doigts s'engourdirent aussitôt.

– Vous étiez au Vietnam? demanda-t-il au chauffeur. Je vois l'insigne des paras sur vos mains.

Le chauffeur secoua la tête.

– Je n'ai que vingt ans, papa.

Ils franchirent en courant le trottoir verglacé. Les marches s'affaissaient et la véranda penchait sur la droite. La façade de la maison était recouverte d'un papier goudronné de couleur verte, qui commençait à se déchirer au-dessus des portes et des fenêtres. Michael appuya sur le bouton de la sonnette. L'odeur de chocolat le surprit à nouveau.

– Une charmante petite ville, dit Underhill.

– Je dirais même coquette, ajouta Maggie.

La porte s'ouvrit, révélant un homme trapu, les cheveux noirs qui commençaient à se raréfier plaqués en arrière. Il était vêtu d'un pantalon kaki et d'une chemise de même couleur, usée mais propre, avec deux poches de poitrine. Ses petits yeux durs examinèrent soigneusement les deux hommes, mais s'immobilisèrent dès qu'ils se furent posés sur Maggie. Il ne s'attendait visiblement pas à cela, et il fallut que Maggie lui adressât un large sourire pour qu'il reprenne ses esprits. Il fusilla Michael du regard, puis entrouvrit la porte de quelques centimètres supplémentaires.

– C'est vous les gens qu'avez appelé?

– Monsieur Spitalny? s'enquit Michael. Pouvons-nous entrer?

George Spitalny ouvrit la porte et continua de la tenir alors même que ses visiteurs avaient déjà pénétré dans le vestibule. Une odeur de choux et de saucisses flottait dans l'entrée.

– Allez-y, dit le père Spitalny, faut que je ferme la porte.

Les trois visiteurs se serrèrent pour qu'il pût refermer la porte.

– Par là.

Michael suivit Maggie et Tim dans un salon, et découvrit une femme à l'air angoissée, vêtue d'une robe d'intérieur à fleurs, debout derrière un canapé recouvert de plastique dont elle étreignait le dossier à deux mains. Son visage se figea quand elle découvrit Maggie, et ses yeux affolés se tournèrent vers son mari. George Spitalny demeurait dans l'entrée, peu décidé à lui venir en aide. Visiblement, ils avaient attendu tous les deux assis sur le canapé, guettant les voitures par la fenêtre, et maintenant que leurs visiteurs étaient là, ni l'un ni l'autre ne savait plus quoi faire.

Maggie s'avança alors et tendit la main à Mme Spitalny. Elle présenta les deux hommes qui s'avancèrent à leur tour.

M. Spitalny se précipita alors pour serrer la main des deux hommes.

– Eh bien... prenez donc un siège.

Il se dirigea vers un gros fauteuil au dossier inclinable, et retroussa ses jambes de pantalon avant de s'y asseoir. Maggie, le visage toujours fendu de son sourire le plus éclatant, s'assit à côté de Mme Spitalny.

– Bien... dit George Spitalny.

– Votre maison est magnifique, madame Spitalny, dit Maggie.

– Elle nous convient bien. C'est comment votre nom, encore?

– Maggie Lah.

Margaret Spitalny tendit une main hésitante vers Maggie, puis se rendant compte brusquement qu'elle lui avait déjà serré la main, elle la retira avec vivacité.

– Il neige encore, non? demanda-t-elle.

Son mari jeta un coup d'œil par la fenêtre.

– Neige plus.

– Ah bon?

– Ça fait deux heures.

Michael s'aperçut alors que depuis quelques instants il regardait sans vraiment la voir une photo du gouverneur George Wallace dans sa chaise roulante, souriant au milieu de la foule. Sur une table ronde à côté de lui étaient disposées des figurines en porcelaine : un cerf, des gnomes et des fermières avec un pot à lait. Le sol était recouvert d'un linoléum vert. Tout sentait le propre.

George Spitalny coula un regard en biais à Maggie, puis détourna les yeux et se perdit dans la contemplation de ses chaussures.

Michael comprit alors que ces gens ne savaient absolument pas comment se comporter quand d'autres gens se trouvaient chez eux. Si Maggie n'avait pas pris l'initiative, ils attendraient encore au seuil de la pièce.

– Alors comme ça vous avez connu Victor, dit George Spitalny.

Il regarda Michael puis jeta un nouveau regard soupçonneux en direction de Maggie.

– Le Dr Poole et moi-même avons servi avec lui, dit Underhill.

– Vous êtes docteur?

– Oui, pédiatre.

– Ummm. (George fit la moue.) Bien... Je comprends toujours pas ce que vous vous attendez à trouver. Je crois que vous perdez votre temps. On n'a rien à dire à propos de Victor.

– Oh, George !
– Pt' ête que toi t'as quelque chose à dire, mais moi pas. Tu le sais bien.
– Peut-être que ces messieurs voudraient une bière, George.
– J'ai de la Hamm's, dit George.
– Volontiers, dirent les deux hommes en même temps.

George se rendit dans la cuisine, trop heureux d'avoir quelque chose à faire.

– Ne croyez pas que nous perdons notre temps, madame, dit Underhill avec un large sourire.

Avec son jean et son gros chandail, Underhill semblait parfaitement à l'aise ; Mme Spitalny se détendit.

– Je ne comprends pas pourquoi George a dit ça. Cette histoire de Vic lui tient tellement à cœur. Il est fier, vous savez... très fier.

Elle s'interrompit en apercevant son mari qui revenait de la cuisine avec trois bouteilles de bière et trois verres posés à l'envers sur les bouteilles. Il les tendit à Michael qui les saisit adroitement entre les doigts. Underhill prit la deuxième bière et il garda la troisième pour lui. Maggie adressa à Mme Spitalny un nouveau sourire éclatant de blancheur.

George Spitalny s'assit et se versa sa bière.

– Je parie qu' vous avez pas de celle-là, là d'où vous venez, hein ? La plupart des gens, ici, ne boivent que de la bière de la région. Les gens chez vous, ils ne connaissent d'ici que la Pforzheimer's. Y savent pas c' qui ratent. Et moi j'ai essayé votre bière de New York. De la pisse d'âne. De la vraie pisse d'âne.

– George !
– Attends un peu qu'ils aient goûté celle-ci ! C'est l'eau qui change tout. Moi je dis toujours que c'est l'eau qui change tout.
– Bien sûr que c'est l'eau, dit Underhill. Ça c'est sûr.
– Ça pourrait être quoi d'autre ?
– Est-ce que Vic avait des amis ? demanda Mme Spitalny à Underhill. Est-ce qu'il était aimé de ses camarades ?
– Mais bien sûr qu'il avait des amis, répondit Tim. Il était très proche de Tony Ortega. Et de tas d'autres gars. N'est-ce pas, Mike ?
– Mais bien sûr, dit Michael en essayant d'oublier l'image de Victor Spitalny tranchant l'oreille du cadavre de Tony Ortega. Nous étions ses amis. Nous sommes sortis de nombreuses fois en mission avec Victor.
– Est-ce que vous saviez que Victor leur a sauvé la vie ? dit Maggie avec un sourire si large que Michael en avait presque mal pour elle aux muscles du visage. Pourquoi n'en parles-tu pas à M. et Mme Spitalny ?

Michael et Tim échangèrent un regard ébahi, et Maggie dut poursuivre.

– C'était dans la vallée du Dragon ; bon... il ne vous a peut-être pas sauvé la vie au sens propre du terme, mais il a réussi à calmer tout le monde et il a aidé le médecin dans sa tournée des blessés...

George et Margaret avaient les yeux rivés sur Michael. Avec une prière silencieuse pour le fantôme de Dengler, Michael commença donc...

– Eh bien, la première fois que le lieutenant Beevers menait une opération sur le terrain, il nous a attirés dans un traquenard...

Lorsqu'il eut terminé, Margaret Spitalny s'écria :

– Vic ne nous a jamais raconté de choses pareilles !

– Vic ne se vantait jamais, dit Underhill.

– Et il ne vous a pas raconté cette fois où il avait porté sur son dos pendant sept ou huit kilomètres un soldat nommé Hannapin ?

Les parents de Victor secouèrent la tête en même temps, et Michael raconta un autre exploit de Dengler.

– Finalement, peut-être que l'armée a quand même fait de lui un homme, dit le père en coulant un long regard vers le gouverneur Wallace dans sa chaise roulante. Je crois que je vais prendre une autre bière.

Et il quitta de nouveau la pièce.

– Dieu vous bénisse, mes garçons, dit Margaret Spitalny. Et vous aussi, mademoiselle. Vous travaillez tous pour l'armée ?

– Non, nous sommes civils, dit Michael. Dites-moi, madame Spitalny, n'auriez-vous pas des lettres, des cartes postales ou quelque chose de Victor ? Ou des photos de lui ?

– Après... vous savez, après qu'on a appris, George a pris tout ce que Vic avait envoyé de l'armée et il l'a brûlé. Absolument tout. (Elle ferma les yeux un moment.) Mais j'ai toutes ses photos de quand il était petit, et quand il était au lycée.

– Vous a-t-il contacté, après avoir quitté l'armée ?

– Bien sûr que non, dit-elle. Vic est mort.

M. Spitalny revint avec d'autres bouteilles de bière, mais cette fois-ci il y en avait une pour Maggie.

– Oh, j'ai oublié le verre, lui dit-il. Ça ne vous dérange pas de boire à la bouteille ?

– Non, George, c'est une dame, il lui faut un verre, dit sa femme.

Il distribua donc les bouteilles et retourna à la cuisine.

– George ne veut pas l'admettre, mais moi je sais. Ça fait longtemps que Vic est mort.

– Il nous semble à nous qu'il est peut-être encore vivant, dit Michael. Nous...

George Spitalny revint avec un verre qu'il tendit à Maggie avec un regard appuyé.

– Où est-ce qu'une fille comme vous a appris à parler aussi bien l'anglais ?

– A New York.

Sourcil interrogateur.

– J'y suis arrivée à l'âge de six ans.

– Vous êtes née là-bas, au Vietnam ?

– Non, je suis née à Formose.

Sourcil interrogateur.

– Je suis chinoise.

Elle arborait un si large sourire qu'une fois encore Michael se dit qu'elle devait se faire mal aux joues.

– Mais vous avez connu Victor.

– Non, j'ai seulement entendu parler de lui.

– Ah ! (Un instant, il sembla décontenancé.) Bon, qu'est-ce que vous diriez d'un bon petit dîner comme on sait les faire à Milwaukee ?

– Ce n'est pas encore prêt, George, dit sa femme.

– Dites-moi, ma petite, vous avez déjà entendu parler de la Glax Corporation ? C'est une des plus grosses usines des States. Vous en avez entendu parler, là-bas en Chine ?

L'expression de profond intérêt qu'affichait Maggie ne faiblit pas.

– On fabrique des disjoncteurs. C'est peut-être la plus grosse boîte de la Vallée. Vous avez dû la voir en venant ici. Si vous restez suffisamment de temps en ville, vous devriez venir voir. Je vous ferais visiter, j' vous présenterais à tout le monde. Qu'est-ce que vous en dites ?

– Ça serait passionnant !

– C'est qu'y a aussi des tas de coins chouettes par ici... c'est une petite ville qu'a ses surprises.

Penché en avant dans son fauteuil à dossier inclinable, George Spitalny dévorait Maggie des yeux. Oubliés, sa femme et les deux hommes. Il se sentait grand... il avait entendu un éloge inattendu de son fils, il avait une bière à la main, et une fille qui avait l'allure du Sexe Incarné était assise sur *son* canapé dans *son* salon. C'était un homme ignoble. Blessé dans son narcissisme, il avait brûlé les affaires de Victor. Michael éprouva une immense pitié pour Victor Spitalny, qui avait grandi sous la férule de cet homme médiocre, prétentieux et arrogant.

– Comment était Victor quand il était enfant ? demanda Michael.

George Spitalny tourna vers Michael un visage presque menaçant. *Te mêles pas de mes affaires, gamin.* Avant de répondre, il avala sa bière et adressa presque un clin d'œil à Maggie.

– Y valait pas grand-chose, c'est triste à dire mais c'est comme ça. Vic était un gosse malheureux. Y pleurait beaucoup, pas vrai ?

Un regard de froide indifférence pour sa femme.

– Oui, Vic pleurait. Mais tous les bébés pleurent.

– Y m'a beaucoup déçu. Il a jamais eu d'amis avant d'entrer au lycée. Il a toujours raté ses examens. Il était même pas bon en sport, comme je l'espérais. Tenez, j'ai quelque chose à vous montrer.

Il adressa un sourire gêné, presque timide à Maggie, se leva et quitta la pièce. On l'entendit grimper rapidement l'escalier.

– Vous avez dit que Vic serait peut-être vivant ? demanda Margaret Spitalny à Michael.

– Nous pensons que c'est possible.

– Il n'y a pas de trace de sa mort, dit Underhill d'une voix douce. Il a disparu, c'est tout. Et il se trouvait en Thaïlande, alors il a pu tout simplement rester là-bas... ou gagner une dizaine d'autres pays. Il a pu s'acheter une nouvelle identité. Vous n'avez même pas reçu une carte postale depuis sa disparition ?

Des pas lourds retentirent dans l'escalier; les yeux rivés sur la porte du salon, Margaret Spitalny secoua la tête en silence. Ses mains s'étaient mises à trembler.

– Je ne crois pas que...

Elle s'interrompit dès que son mari fit son entrée dans la pièce; cette fois-ci, il tenait à la main une photo dans un cadre en argent.

– Tenez, regardez ça, Maggie.

Margaret coula un regard en biais à Michael, puis baissa les yeux sur ses genoux.

– Je ferais bien d'aller m'occuper du dîner.

Elle se leva, et sans lui accorder un regard contourna son mari qui respirait un peu fort à la suite de son exercice dans l'escalier.

Michael s'approcha de Maggie pour regarder la photo. C'était une de ces photos que l'on réalisait autrefois en studio : un jeune homme en tenue de base-ball, une batte à la main. A dix-huit ou dix-neuf ans, George Spitalny ressemblait au fils qu'il engendrerait un jour : le même front étroit surmonté de la même mèche rebelle. Il était pourtant plus musclé que Victor, plus trapu, plus costaud; son visage était celui d'un jeune homme aussi déplaisant que Victor, mais d'une façon toute différente.

– Pas mal, hein ? C'était moi, en 1938. Qu'est-ce que vous en pensez ?

Maggie ne fit aucun commentaire, et Spitalny prit son silence pour une incapacité à trouver les mots adéquats.

– Je crois pas que j'aie beaucoup changé, bien que ça fasse presque cinquante ans. L'année prochaine je pars à la retraite, et j' suis encore en forme, vous pouvez me croire.

Il tourna la photo en direction de Michael, puis de Tim, avant de la retourner à Maggie.

– C'est comme ça qu'un jeune y devrait avoir l'air. Pas vrai ? Eh bien quand je regardais mon fils... eh bien le jour où Vic est né, quand on me l'a amené pour que je le voie, j'ai regardé ce petit bébé et j'ai eu un choc. Je pensais que j'allais aimer cet enfant, l'aimer à en mourir. Pour moi c'était évident. Mais j'arrivais rien à ressentir. Plus que je le regardais, et plus que je le trouvais affreux. Tout de suite j'ai vu que jamais y m'arriverait à la cheville. Et vous pouvez peut-être dire que c'était de la prémonition ou quoi, mais j'avais raison... jamais il a pu. Jamais. Quand il a eu sa petite amie au lycée, cette Debbie Maczik, j'ai jamais compris comment une fille aussi mignonne elle pouvait rester avec lui. Pour vous dire la vérité, je pensais qu'elle venait ici pour me voir moi, plutôt que lui.

– C'est prêt! annonça Margaret au fond de la maison.

George Spitalny laissa Maggie s'extasier encore un peu sur la photo, puis il reposa le cadre en argent sur la télévision.

– Allez donc vous asseoir à la cuisine, moi faut encore que j'aille chercher quelque chose dans la chambre du gamin.

4

– Alors ? Maintenant qu'on a enfin vu les photos, qu'est-ce que tu en penses ? demanda Underhill à Maggie, dans le taxi qui les ramenait à leur hôtel.

Michael aussi brûlait de lui poser la question.

Après le dîner – « Mettez donc un peu de ketchup sur votre saucisse, Maggie, ici c'est ce qu'on a à la place de la sauce de soja » – Mme Spitalny était montée à l'étage pour y chercher les photos de Victor. Le mari et la femme s'étaient fait longtemps prier, mais dès que les photos furent arrivées, George prit les choses en main. Certaines étaient sans intérêt, d'autres ridicules, quelques-unes trop affreuses pour être montrées. A la fin, on leur avait montré trois photos : l'une d'un garçon de huit ou neuf ans, l'air hébété sur son vélo, une autre d'un adolescent appuyé sur le capot d'une vieille Dodge noire, et enfin la photo classique prise à l'issue d'une année d'entraînement militaire.

Aucune de ces photos ne rappelait le Victor Spitalny qu'avaient connu Tim et Michael. Il était même stupéfiant que Victor Spitalny eût un jour pu arborer un air aussi innocent que celui du jeune soldat. Appuyé contre une voiture, vêtu d'un tee-shirt, les bras croisés sur la poitrine, il avait l'air renfrogné mais fier, et pour une fois, maître de lui. De toute évidence, c'était encore la photo du petit garçon qui évoquait le mieux le Victor Spitalny du Vietnam.

– Tu as pu le reconnaître ? demanda Michael.

Maggie acquiesça, mais avec beaucoup de lenteur.

– Ça ne peut être que lui. Il faisait très sombre dans l'appartement, et son visage s'est estompé petit à petit dans ma mémoire... mais je suis sûre que c'était lui. Bien sûr, l'homme que j'ai vu était fou, et le garçon sur les photos n'avait pas l'air fou. Mais si j'étais un garçon et que j'avais eu un tel père, je serais devenu fou moi aussi. Ce qu'il a vu de pire dans la désertion de son fils, c'est la blessure faite à son amour-propre.

– Tu as les numéros de téléphone ? demanda Tim.

Maggie acquiesça à nouveau. Les parents de Victor lui avaient donné les numéros de téléphone de Bill Hopper et Mack Simroe, tous deux mariés à présent, qui vivaient toujours dans leur ancien quartier et travaillaient dans la Vallée, et celui de Deborah Maczik Tusa. Le lendemain, ils loueraient une voiture pour retourner dans le South Side. Michael revoyait encore le regard sombre, tourné vers l'intérieur, du petit garçon disgracieux sur sa bicyclette. *Désespéré* avait dit l'un d'eux (probablement Maggie) : voilà pourquoi la photo du petit garçon de huit ans ressemblait plus à l'homme qu'ils avaient connu que celles du jeune homme qu'on leur avait également montrées. Sur le visage du petit garçon à la bicyclette, avec ses oreilles décollées et ses trop grandes dents de devant, et sur ce visage seulement, on pouvait lire le désespoir.

5

De retour dans la chambre d'hôtel, Tim ôta le chapeau noir à larges bords et le long manteau noir qu'il devait avoir achetés à Canal Street ; Michael, lui, commanda à la réception le meilleur vin de la carte du Pforzheimer, un château talbot 1974, et un Sprite pour Underhill. Tous trois éprouvaient le besoin de chasser de leur bouche le goût de leur dîner.

– Tu as même mis du ketchup sur le chou, dit Maggie à Tim.

– Je me suis seulement demandé ce qu'aurait fait Conor s'il avait été là.

– Qui est-ce qu'on appelle en premier ? demanda Michael. Debbie ou l'un des types ?

– Tu crois qu'il aura écrit à son ancienne petite amie ?

– C'est possible, dit Michael.

Et il composa le numéro de Debbie Tusa.

Un jeune garçon répondit au téléphone et s'écria :

– Vous voulez ma mère ? Maman ! Maman ! Y a quelqu'un au téléphone.

– Oui, qui est à l'appareil ? demanda une voix lasse quelques instants plus tard.

Une télévision beuglait en fond sonore.

Michael se présenta et exposa brièvement le but de son appel.

– Qui ?

– Victor Spitalny. Je crois que vous êtes sortie avec lui quand vous étiez tous les deux au collège Rufus King.

Elle demeura silencieuse pendant un moment.

– Oh, mon Dieu ! Qui êtes-vous, encore ?

Michael déclina de nouveau son identité et récita son histoire.

– Et comment avez-vous appris mon nom ?

– Nous sortons de chez les parents de Victor.

– Ah, les parents de Victor... George et Margaret. Bien, bien. Cela fait des années que je n'ai plus pensé à ce pauvre garçon.

– Alors vous n'avez plus eu de ses nouvelles depuis qu'il est parti à l'armée ?

– Depuis bien longtemps avant, docteur. Il a quitté le collège en dernière année, et je sortais déjà avec Nick, le garçon que j'allais épouser par la suite, depuis un an déjà. Nick et moi nous nous sommes séparés il y a trois ans. Mais comment se fait-il que vous vous intéressiez à Victor Spitalny ?

– Parce qu'il a purement et simplement disparu. J'aimerais savoir ce qu'il est devenu. Pourquoi avez-vous dit « ce pauvre garçon », il y a un instant ?

– Parce que c'est ça qu'il était. Je sortais avec lui, après tout, donc je n'ai jamais pensé qu'il était aussi mauvais que ce que disaient les autres. En fait, il était même assez tendre, mais... Vic était pas vraiment un excentrique, il y avait au moins un type qui était pire que lui, simplement, personne ne lui a jamais donné sa chance. Il avait même un côté timide... il aimait travailler sur sa voiture. Mais j'avais horreur d'aller chez lui.

– Pourquoi ?

– Parce que dès que j'avais mis le pied devant chez lui, le vieux George avait la langue qui lui sortait de la bouche... il n'arrêtait pas de me toucher. Bèèè. Et puis je voyais bien comment il se comportait avec Vic... il le rabaissait sans arrêt. A la fin, je n'en pouvais plus. Vic a alors abandonné le collège. De toute façon il ratait plein de cours. Et puis il a été appelé à l'armée.

– Vous n'avez plus eu de ses nouvelles après ça ?

– Non, mais j'ai entendu parler de lui. Quand il a déserté, ça a été raconté dans tous les journaux. Avec photos et tout. C'était juste avant que Nick et moi on se marie. Il y avait Vic en première page du *Sentinel*. Et puis toute cette histoire qu'il s'était enfui après la mort de ce

Dengler... tout ça était très bizarre. Ils en ont même parlé à la télé, mais je n'y ai pas cru. Vic n'aurait jamais fait quelque chose comme ça. Tout ça me semblait tellement embrouillé. Quand des militaires sont venus après ça – vous savez, pour l'enquête – je leur ai dit : vous vous trompez complètement. Vous faites fausse route.

– Alors à votre avis qu'est-ce qui s'est passé ?

– Je ne sais pas. Je crois qu'il est mort.

Le garçon d'étage entra. Tim laissa Maggie goûter le vin, donna un pourboire au garçon et apporta un verre de vin à Michael au moment où celui-ci terminait sa conversation avec Debbie Tusa. Le vin fit immédiatement disparaître l'arrière-goût de graisse de la saucisse.

– A votre santé, dit Maggie.

– Elle ne croit même pas qu'il a déserté.

– Sa mère non plus, dit Maggie.

Michael la regarda d'un air surpris. Elle avait dû recevoir cette information sur son radar personnel.

Au cours de sa brève conversation avec Michael, Bill Hopper, l'un des condisciples de Spitalny au collège, déclara qu'il ne savait rien de Victor Spitalny, qu'il ne l'avait jamais aimé, et ne voulait rien savoir de lui. Vic Spitalny avait fait la honte de ses parents et de Milwaukee. De l'avis de Bill Hopper, George Spitalny, avec qui il travaillait à la Glax Corporation, était un homme bien sympathique qui aurait mérité un autre fils que celui-là. Il continua sur le même thème pendant quelques instants, puis dit à Michael de laisser tomber cette histoire, et raccrocha.

– Bill Hopper déclare que notre bonhomme était cinglé, et que les gens normaux ne l'aimaient pas.

– Pas besoin d'être normal pour ne pas aimer Spitalny, dit Tim.

Michael dégusta le vin. Il se sentit soudain mou comme une chiffe.

– Je me demande si ça vaut le coup d'appeler l'autre type. Je sais déjà ce qu'il va me dire.

– Tu as abandonné l'idée que Spitalny ait pu finalement demander de l'aide à quelqu'un ? demanda innocemment Maggie. Et pourtant nous voilà à Milwaukee.

Michael décrocha le combiné et composa le dernier numéro.

– Oui, Simroe à l'appareil.

Michael débita son laïus. Il avait l'impression de lire un texte.

– Ah, Vic Spitalny ! s'exclama Mack Simroe. Non, je ne peux pas vous aider à le retrouver. Je ne sais rien de lui. Je sais seulement qu'il est parti à l'armée, et puis qu'il a disparu. Mais ça, vous le savez, non ? Vous étiez avec lui. Euh... comment avez-vous eu mon nom ?

– Par ses parents. J'ai eu l'impression qu'ils le croyaient mort.

– Certainement, dit Simroe.

Michael avait l'impression qu'il souriait.

– Écoutez, c'est sympa de partir à sa recherche comme ça... enfin c'est sympa que quelqu'un s'occupe de lui, mais moi je n'ai jamais reçu la moindre carte postale de lui. Vous avez parlé à Debbie Maczik ? Elle s'appelle Debbie Tusa à présent.

Michael répondit qu'elle non plus n'avait pas eu de ses nouvelles.

– Ça n'a rien de bien surprenant, dit Simroe en riant d'un air un peu embarrassé. Venant de sa part...

– Vous croyez qu'il doit toujours se sentir coupable à cause de sa désertion ?

– Oh, pas seulement ça. Je crois qu'en fait l'histoire a jamais été vraiment éclaircie.

Michael en convint, mais se demanda où Simroe voulait en venir.

– Qui va enquêter sur une histoire pareille ? reprit Simroe. Il faudrait aller à Bangkok, pas vrai ?

Michael lui apprit que c'était ce qu'il avait fait.

– Alors c'était simplement une coïncidence, ou quoi ? A l'époque ça paraissait drôle. Le seul type qui était pire que lui... le seul type qui était encore plus jeté.

– Je ne vous suis pas, dit Michael.

– Eh bien Dengler. C'est vrai que ça faisait drôle. Il a dû le tuer là-bas.

– Spitalny connaissait Dengler avant le Vietnam ?

– Bien sûr. Tout le monde connaissait Dengler. Tous les jeunes. Tout le monde connaissait le seul type qui tournait pas rond, qui avait des vêtements en lambeaux... Dengler était complètement fêlé.

– Pas au Vietnam, en tout cas, dit Michael.

– En tout cas, Spitalny détestait Dengler. Quand on est au bas de l'échelle, on déteste toujours celui qui est encore plus bas, pas vrai ?

Michael avait l'impression d'avoir mis les doigts dans une prise électrique.

– Alors quand j'ai vu dans le journal que Manny Dengler était mort là-bas, et que Vic s'était enfui, je me suis dit qu'il devait s'être passé plus de choses que ce qu'on en racontait. Et il y a pas mal d'autres gens qui ont pensé la même chose, des gens qui connaissaient Manny Dengler. Mais enfin personne ne s'attendait à recevoir de cartes postales de lui...

Lorsque Michael raccrocha, Tim le regardait avec les yeux comme des quinquets.

– Ils se connaissaient, dit Michael. Ils sont allés à l'école ensemble. D'après Mack Simroe, Dengler était le seul jeune de la ville à être encore plus à côté de ses pompes que Spitalny.

Tim secoua la tête, médusé.

– Je ne les ai jamais vus s'adresser la parole, sauf cette fois-là.

– Spitalny s'est arrangé pour retrouver Dengler à Bangkok. Il avait tout préparé. Il avait décidé de le tuer... ils ont convenu d'un endroit pour se retrouver, exactement comme il a fait avec les journalistes quatorze ans après.

– C'était le premier meurtre de Koko.

– Sans la carte.

– Parce qu'il était censé avoir été massacré par la foule, dit Tim.

Michael se précipita sur le téléphone et composa à nouveau le numéro de Debbie Tusa. Il entendit le même adolescent s'écrier :

– Hé, maman, c'est qui ce type ?

– Je ne sais pas. Oui, qui est à l'appareil ?

Michael se présenta et expliqua pourquoi il rappelait.

– Oui, bien sûr que Vic connaissait Manny Dengler. Tout le monde le connaissait. On lui parlait pas forcément, mais de vue. Vic devait le charrier de temps en temps... mais c'était assez cruel, et ça ne me plaisait pas. Je croyais que vous le saviez. C'est pour ça que cette affaire me semblait tellement embrouillée. J'arrivais pas à imaginer ce qu'ils pouvaient faire ensemble. Nicky, mon mari, pensait que Vic avait tué Manny, mais ça, ça ne tenait pas. Parce que Vic n'aurait jamais fait une chose pareille.

Michael et Debbie convinrent de déjeuner ensemble le lendemain.

– Spitalny a été versé dans notre unité et il y a retrouvé Dengler, dit Tim à Maggie. Mais les choses avaient changé : tout le monde aimait bien Dengler. Est-ce qu'il lui a parlé ? Est-ce qu'il s'est moqué de lui ?

– Non, à mon avis c'est Dengler qui lui a parlé. Il a dû lui dire que les choses avaient changé depuis l'époque du collège. Faisons comme si on ne s'était jamais vus, voilà ce qu'il a dû lui dire. Et d'une certaine façon, ils ne s'étaient jamais vus... Spitalny n'avait jamais connu le Dengler que nous, nous connaissions.

– Quand ils sont sortis de la grotte, dit Tim, est-ce que Dengler n'a pas dit un truc comme : « Ne t'en fais pas, de toute façon ça s'est passé il y a longtemps » ? Je croyais qu'il voulait dire...

– Moi aussi, je croyais qu'il parlait de ce qu'avait fait Beevers dans la grotte. Je pensais qu'il lui disait de laisser tomber cette histoire.

– Mais en fait, il lui disait : « Milwaukee c'était il y a longtemps », dit Underhill.

– Il voulait dire les deux, dit Maggie. « Du début à la fin », vous vous souvenez ? Et il savait que Spitalny ne pourrait pas supporter ce qui leur était arrivé dans cette grotte. Dès le départ, il savait qui était Koko.

Soudain, Maggie se mit à bâiller, et ferma les yeux comme un chat.

– Excusez-moi. Je suis trop tendue. Je crois que je vais aller me coucher.

– A demain matin, dit Tim.

Michael accompagna Maggie jusqu'à la porte, la lui ouvrit et lui souhaita bonne nuit. Puis, se ravisant, il la suivit dans le couloir.

Maggie eut l'air surprise.

– Tu me raccompagnes à la maison ?

– J'en ai bien l'impression.

Ils marchèrent dans le couloir. La température y était notablement plus basse que dans les chambres.

– Demain, les Dengler, dit Maggie en mettant la clé dans la serrure.

Dans cet immense couloir, elle semblait bien petite. Michael hocha la tête en signe d'assentiment. Le regard qu'elle posa sur lui était plus intense, plus profond. Michael savait déjà l'impression que ferait ce corps entre ses bras, comment le corps de Maggie s'imbriquerait dans le sien. Il avait l'impression d'être comme George Spitalny : de baver d'admiration devant Maggie.

– Demain, les Dengler, dit-il.

Elle le regarda d'une drôle de façon ; rêvait-il, ou son regard était-il réellement différent, plus lourd, plus intense ? Il la désirait tellement qu'il avait peut-être tout inventé.

– Tu veux entrer ? lui demanda-t-elle.

– Je ne veux pas t'empêcher de dormir.

Elle sourit et disparut à l'intérieur.

6

Harry Beevers se trouvait dans Mott Street ; il promena le regard autour de lui. Où installer son piège à rats ? Il lui fallait un endroit d'où surveiller Koko jusqu'au moment de le capturer ou de le tuer. Il fallait entraîner Spitalny dans un piège dont seul lui, Harry, contrôlerait l'entrée et la sortie. Les traquenards, les pièges à rats, il savait y faire. Comme Koko, il lui fallait choisir son terrain... attirer sa victime sur le territoire choisi par lui.

Certaines de ses affiches avaient été arrachées, mais la plupart étaient restées fixées aux lampadaires ou dans les devantures de magasin. Il se mit à descendre Mott Street vers le sud ; il faisait froid, et il n'y avait dans la rue que quelques Chinois emmitouflés dans de lourds manteaux, le visage rendu crayeux par la température. La seule chose à faire, c'était de trouver un restaurant suffisamment tranquille pour son premier rendez-vous avec Spitalny – il l'amadouerait avec un bon repas – et un autre endroit où le conduire ensuite. Son appartement était exclu, pourtant son isolement en aurait fait un endroit idéal. Mais il fallait conduire Koko dans un endroit qui en lui-même constituerait un alibi. L'idéal aurait été une ruelle sombre derrière un poste de police.

Harry se voyait déjà s'effondrer au coin de la ruelle comme un Rambo héroïque, les épaules larges, haletant, couvert du sang de son ennemi, indiquant par gestes à une meute de policiers stupéfaits l'endroit où gisait le corps de Spitalny... L'homme que vous recherchez est là-bas. Il m'a attaqué pendant que je l'amenais ici.

Mais d'abord, acheter un bon couteau. Et une paire de menottes. En un clin d'œil, on peut refermer une paire de menottes sur les poignets d'un homme. Ensuite, on peut lui faire ce qu'on veut. Et ôter les menottes avant que le corps ne touche le sol.

Au coin de Bayard Street il hésita, puis tourna vers l'est en direction de Confucius Plaza. Il arriva dans Elizabeth Street et remonta quelques pas vers le nord avant de se dire que c'était une erreur... il n'y avait que des immeubles miteux et de crasseuses petites boutiques chinoises. Koko sentirait le piège tout de suite... il était capable de reconnaître un piège à rats. Harry revint vers Bayard Street et poursuivit sa route en direction de Bowery.

Là, c'était beaucoup plus encourageant.

De l'autre côté de Bowery se trouvait Confucius Plaza; un immense ensemble de bureaux et d'appartements. A l'un des coins s'élevait une banque affectant la forme d'une pagode moderne laquée de rouge, et de l'autre côté de la rue un cinéma chinois. Les voitures défilaient de façon ininterrompue autour d'un long refuge qui s'étendait de Bowery jusqu'au coin de Division Street. A l'extrémité du refuge se dressait une haute statue de Confucius.

Cet endroit était trop passant pour un rendez-vous avec Koko. Il considéra la Plaza. Un immeuble bas d'une quinzaine d'étages dissimulait aux regards la partie inférieure de la grande tour résidentielle. Ces immeubles avaient presque l'air coulés dans des moules, ce qui ne manquait pas d'attirer le regard; derrière, se dit Harry, il devait y avoir une terrasse ou une place... des arbres et des bancs.

Il songea alors au parc bordé par Mulberry Street et Baxter Street, près de l'extrémité occidentale de Chinatown. A cette époque de l'année ce parc devait être vide, mais au printemps et en été, avocats, juges, policiers, etc. venaient y passer leurs moments de pause. C'était Colombus Park, et Harry y était venu lorsqu'il avait commencé d'exercer la profession d'avocat, mais jusque-là, dans son esprit, ce parc ne faisait pas partie de Chinatown. Colombus Park était une sorte de prolongement aux immeubles administratifs qui bordaient Centre Street.

A l'extrémité de Colombus Park, entre Centre Street et Baxter Street, s'élevait l'immeuble des tribunaux criminels; à l'autre extrémité se trouvait le bâtiment plus petit, et un peu semblable à une prison, du tribunal fédéral ; plus au sud, entre Worth Street et Pearl Street, à un pâté d'immeubles du parc, se dressait le bâtiment plus pénitentiaire encore du tribunal du comté de New York, sombre, sale et sinistre en toutes saisons.

Harry renonça alors à l'idée de fixer rendez-vous à Koko dans un restaurant. Ils se retrouveraient à Colombus Park. Si Koko avait élu domicile à Chinatown, il devait connaître le parc à présent, et s'il ne le connaissait pas, le rendez-vous dans un parc le mettrait en confiance. C'était parfait. Dans le livre ce serait également parfait, et dans le film ce serait magnifique. Mais ce serait de la fiction. Le rendez-vous dans Colombus Park ferait partie du mythe ; il n'avait pas besoin d'être réel pour faire partie du mythe. Car Harry avait seulement l'intention de faire croire à Koko qu'ils se retrouveraient dans le parc. Il l'enverrait d'abord ailleurs, et c'est là que serait disposé le piège à rats.

Harry était toujours immobile au coin de Bayard Street et de Bowery. Une longue limousine noire s'arrêta devant lui, et deux Chinois grassouillets et courts sur pattes sortirent par la portière arrière. Ils portaient des complets sombres et des lunettes de soleil, et leurs cheveux étaient plaqués en arrière. Ils avaient la démarche raide et prétentieuse, et ressemblaient à des nains jumeaux à têtes de zombie. L'un d'eux claqua la porte de la limousine, et ils s'engouffrèrent tous les deux dans un des restaurants de Confucius Plaza. L'un d'eux passa à moins de trente centimètres de Harry sans même sembler remarquer sa présence. S'il s'était trouvé sur son chemin, se dit Harry, le petit gangster l'aurait poussé par terre et lui aurait marché sur le corps comme la reine Elizabeth marchait sur le manteau de Raleigh.

Harry s'approcha de la voiture. Il se sentait plus froid encore que quelques instants auparavant ; dans chaque voiture filant sur Bowery, dans chaque appartement de Confucius Plaza, se trouvait un chinetoque à face plate qui se moquait éperdument que Harry Beevers fût mort ou vivant. Comment toute cette vermine avait-elle pu quitter ses blanchisseries ? Penché vers l'arrière de la limousine, il contempla les seize couches de laque noire méticuleusement appliquées. La peinture de la voiture semblait aussi profonde qu'un lac. Harry rassembla un gros amas de salive et de morve et le cracha sur le coffre de la limousine. Le crachat se mit à couler lentement vers le pare-chocs.

Harry s'éloigna alors et se mit à remonter la rue. Il commençait à se dire qu'il perdait son temps dans les parages et qu'il ferait mieux d'aller chercher vers l'extrémité ouest de Bayard Street, lorsque l'alignement de restaurants chinois s'interrompit brusquement : il plongeait le regard dans l'ouverture d'une grotte. Son cœur se mit à battre à la vitesse des pattes arrière d'un lapin lancé en pleine course. Un large passage s'ouvrait dans la paroi. Ce n'était pas une grotte, bien sûr; il se trouvait devant une galerie.

Au loin, on apercevait des sous-vêtements féminins, dans une gamme qui allait du rose au bleu, suspendus à des cintres derrière une fenêtre éclairée. A côté, une vitrine d'opticiens présentait une paire de lunettes géantes. Plus loin, une enseigne de restaurant flottait dans l'air gris. Harry s'engagea dans la galerie. Une vieille Chinoise trottinait vers lui; dans la pénombre de la galerie, on ne voyait d'elle que des yeux vifs et un front ridé.

Harry s'arrêta devant la vitrine du Chinatown Opticians, et regarda au travers des lunettes géantes sans verres. Derrière le comptoir de la boutique déserte, un employé avec une coiffure à la punk et des joues flambant d'acné regardait une édition de *Playboy* en chinois.

Les murs de la galerie étaient recouverts d'affiches en lambeaux pour des opéras chinois ou des clubs de rock. Quelques boutiques plus loin, la pénombre se faisait plus dense, et la galerie tournait en direction d'une rue qui devait être Elizabeth Street. Les affiches déchirées cédaient un moment devant la façade d'un minuscule restaurant baptisé Malay Coffee Shop, dont la porte s'ornait d'un grand écriteau : Fermé. Moins d'un mètre après le restaurant, juste avant l'angle du passage, s'ouvrait un étroit escalier carrelé qui devait mener au niveau inférieur de la galerie. Sur la paroi de l'escalier était peinte une grosse flèche au-dessus des mots Fortune Barber Shop.

Harry descendit lentement l'escalier, penchant la tête pour voir sur quelle distance s'étendait le niveau inférieur. Deux coiffeurs à cheveux gris étaient assis dans leurs fauteuils à l'intérieur du Fortune Barber Shop, tandis qu'un troisième coiffeur coupait les cheveux d'une vieille dame. Deux autres boutiques occupaient l'étage inférieur; dans la vitrine de l'une d'elles, on apercevait une affiche représentant un Ninja sautant en l'air, la jambe tendue. Harry s'immobilisa au milieu des escaliers. Ses yeux étaient au niveau du sol de la galerie. Personne ne pouvait le voir, mais lui, pouvait tout voir.

Il remonta une marche et aperçut deux hommes de petite taille passer devant l'entrée de la galerie. Les zombies. Ils ne furent pas plutôt passés devant l'arcade qu'ils réapparurent et se mirent à scruter l'enfilade de la galerie. Leurs lunettes de soleil formaient comme des trous noirs sur leurs visages. Harry descendit tranquillement une marche et observa les deux hommes pénétrer dans la galerie. On distinguait mal leurs corps dans l'obscurité. Ils s'avançaient, courts et trapus, marchant lourdement comme des lutteurs de sumo, les poings serrés. Ils se tenaient à présent à moins d'un mètre de Harry, les bras ballants. L'un d'eux parla doucement en chinois, et Harry comprit les mots comme s'ils avaient été prononcés en anglais. *Il est pas là, ce salaud.* Le deuxième marmonna une réponse indistincte.

Sa vie n'était pas semblable à celle des autres; les gens croient que le monde est solide, et ils sont aveugles aux déchirures et aux accrocs qui se produisent à la surface de l'existence. L'esprit de Harry était tout occupé par le battement des ailes des insectes et les cris des enfants.

La surface du monde se déchiqueta presque, permettant à sa vie véritable d'émerger.

Les deux hommes pivotèrent sur leurs talons avec un ensemble parfait, comme des danseurs, et ressortirent de la galerie. Harry attendit dans l'escalier... une minute... deux minutes... il ne savait plus au juste. La vieille dame sortit de la boutique du coiffeur et monta lentement les marches, frappant le sol à coups de canne. Il se poussa sur le côté pour la laisser passer le long de la rampe; elle passa sans un mot devant lui. Il était invisible : personne ne l'avait vu. Il essuya ses paumes moites sur son manteau et regagna le rez-de-chaussée de la galerie.

Vide : le monde s'était à nouveau refermé.

Harry redescendit jusqu'à la boutique au Ninja et acheta pour cinquante-six dollars un couteau à cran d'arrêt et une paire de menottes. Puis il gagna à nouveau le rez-de-chaussée de la galerie.

A l'entrée, il se pencha et inspecta le côté sud de Bowery. La limousine n'était plus garée devant le restaurant. Harry sourit. Dans le mouchoir sans doute immaculé du chauffeur, se trouvait à présent une chique jaune et grasse de Harry Beevers.

Quelqu'un regardait par une fenêtre sur Confucius Plaza; quelqu'un qui passait en voiture tourna la tête pour le regarder. Quelqu'un le regardait, parce que sa vie était semblable à un film, et il était le héros de ce film. « J'ai trouvé », dit-il en sachant que quelqu'un l'avait entendu; ou que quelqu'un qui le regardait avait lu sur ses lèvres.

A présent, il n'y avait plus qu'à attendre le coup de téléphone. Harry se dirigea vers Canal Street à la recherche d'un taxi. La circulation coulait autour de lui en un flot ininterrompu. Il n'avait plus froid. Dans Canal Street, il observait la circulation, goûtant déjà sur sa langue le feu et la morsure de la vodka glacée qu'il venait de mériter. Lorsque le feu passa au rouge, il traversa Canal Street et s'engagea sur Bowery en direction du nord. Il était enchanté.

33

DEUXIÈME NUIT AU PFORZHEIMER

1

L'obscurité était froide lorsque Michael se réveilla. Lentement, l'image d'une écolière chinoise qui souriait sous son chapeau de paille blanche se dissipa dans son esprit. L'un des radiateurs cliqueta à nouveau, et dans le lit voisin Tim Underhill ronflait doucement. Michael prit sa montre sur la table de nuit et l'approcha de son visage jusqu'à pouvoir distinguer les aiguilles. Tandis qu'il regardait, huit heures moins une minute se transformèrent en huit heures juste... Les premières vrilles de chaleur émises par le radiateur commençaient à l'atteindre.

Tim poussa un grognement, s'étira, se passa les mains sur le visage. « Bonjour », dit-il à Michael. Il s'assit dans le lit. Il avait les cheveux en épis des deux côtés du crâne, et sa barbe grisonnante était emmêlée et aplatie sur un côté. Il avait l'air d'un professeur fou sorti tout droit d'un vieux film.

– Écoute ça, dit Tim.

Michael s'assit lui aussi dans son lit.

– J'y ai pensé toute la nuit, reprit Tim. Bon, récapitulons. Dengler vient ficher la trouille à Spitalny. Il vient lui dire que dans une section de combat, chacun doit protéger l'autre. Il l'amène dans Ozone Park, disons, et il lui dit que s'il se conduit avec lui comme il le faisait avant, il va flanquer la pagaille dans toute la section. Peut-être même qu'il le menace, qu'il lui promet qu'il ne reviendra pas vivant de sa première mission. En tout cas, Spitalny accepte de ne pas parler de leur ancienne relation. Mais Spitalny est comme ça : il ne supporte pas. Plus ça va, et plus il déteste Dengler. A la fin, il le suit à Bangkok et il le tue. Cela dit, je pense que Spitalny n'est pas le premier Koko. Il a seulement repris le nom quinze ans plus tard, quand il a été pris dans l'engrenage.

– Qui était-ce, alors ?

– Il n'y a jamais eu vraiment un premier Koko, dit Underhill. En tout cas pas de la façon dont je l'avais imaginé.

Excité par son propos, Tim se leva. Il portait une longue chemise de nuit dont ses jambes émergeaient comme des tuyaux de pipe surmontés de genoux.

– Tu piges ? C'est comme dans Agatha Christie. Peut-être que tous ceux qui voulaient soutenir Dengler ont écrit une carte Koko au moins une fois. Koko c'était tout le monde. J'ai été Koko, tu as été Koko, Conor a été Koko, au moins une fois. Chacun imitait le précédent.

– Mais alors qui a été le premier ? demanda Michael, Spitalny ? Ça ne semble pas très vraisemblable.

– Je crois que c'était Beevers, dit Tim, les yeux brillants. C'était aussitôt après le début des révélations publiques, tu te souviens ? Beevers était tendu comme une corde d'arc. Il savait que personne ne le soutiendrait, mais il savait aussi qu'il pouvait se prévaloir du soutien dont Dengler, lui, bénéficierait. Alors il a mutilé un cadavre de Viet-cong, et il a inscrit sur une carte à jouer militaire un nom qui pour tout le monde évoquait Dengler. Et ça a marché.

On frappa à la porte.

– C'est moi, dit Maggie. Vous n'êtes pas encore levés ?

Allongeant ses grandes jambes comme des compas, Tim se dirigea vers la porte ; Michael enfila une robe de chambre.

Maggie entra en souriant ; elle était vêtue d'une jupe noire et d'un chandail trop grand, également noir.

– Vous avez jeté un œil dehors ? Il a neigé pendant la nuit. On dirait le paradis.

Avec un sourire, Michael alla regarder par la fenêtre. Maggie semblait le jauger, ce qui le mettait mal à l'aise. Il ne pouvait plus se fier à ses propres réactions vis-à-vis d'elle. Tim résuma leur conversation à l'intention de Maggie, et Michael ouvrit les rideaux.

Une froide lumière bleue éclairait en bas la rue blanche, immaculée, que presque personne n'avait encore foulée. La neige était semblable à une nappe de lin épais. Sur le trottoir, quelques marques de pas profondes indiquaient le passage d'une personne partie travailler.

– Alors Koko c'est Harry Beevers, dit Maggie. Je n'ai aucun mal à le croire, et c'est ça qui m'étonnerait presque.

Michael se retourna vers elle.

– Est-ce que le mot Koko ça t'évoque quelque chose ?

– Oui, la noix de coco. Ou l'oiseau, le coucou. Ou bien le cacao, tout chaud, qu'on se boit au lit. Mais si Victor Spitalny sait que Harry a été le premier à utiliser le nom de Koko, c'est à lui qu'il doit s'intéresser particulièrement.

Michael la regarda d'un air interrogateur.

– Il est possible, reprit Maggie, que Harry soit la prochaine victime sur sa liste, avant qu'il ne se rende ou qu'il abandonne, que sais-je ! En fait, dit Maggie, Tina n'avait peut-être été tué que parce qu'il était le seul à être resté à New York. Tina a été tué parce qu'il était là.

Elle s'approcha de Michael.

– Koko est même rentré dans l'appartement du 56, Grand Street un jour où Tina était venu me chercher là où j'allais quand je n'étais pas avec lui.

C'est ce jour-là, expliqua-t-elle, que Spitalny avait appris tout ce qu'il voulait savoir.

– C'est-à-dire ? demanda Michael.

– Les adresses de tout le monde.

Michael ne comprenait toujours pas.

– C'était une nuit où il m'aimait encore, dit Maggie.

Elle raconta comment Tina s'était levé et avait découvert la disparition de son carnet d'adresses.

Une nuit où il l'aimait encore ?

– Quelques jours plus tard, dit-elle, tout a recommencé, tu connaissais Tina. Il n'aurait jamais changé. C'était bien triste. Alors ce jour-là je suis rentrée à l'appartement pour voir s'il accepterait de me parler. C'est comme ça que j'ai failli me faire assassiner.

– Comment as-tu fait pour t'enfuir ? demanda Michael.

– En utilisant un vieux truc.

Elle refusa d'en dire plus. Sauvée par un vieux truc, comme l'héroïne d'une aventure.

– Alors Koko sait où trouver Conor, dit Tim.

– Conor vit en ce moment chez son amoureuse, dit Michael. Il n'a rien à craindre. Mais Harry a intérêt à faire attention.

– Ces messieurs n'avaient-ils pas l'intention de s'habiller ? s'enquit Maggie. Toute cette beauté mâle entre deux âges me tord un peu l'estomac. Enfin, je pense qu'il s'agit bien de mon estomac. Qu'allons-nous faire aujourd'hui ?

2

Après avoir pris le petit déjeuner au Grill Room, ils partirent visiter les lieux que fréquentait autrefois Victor Spitalny. La récompense viendrait après : aller rendre visite aux parents de M.O. Dengler et raconter les histoires du Vietnam qu'ils avaient déjà racontées, mais cette fois-ci de façon exacte. Les histoires ont leurs dieux, et ce serait un hommage à ces dieux que de raconter ces histoires aux parents de Dengler.

Ils avaient donc entrepris la tournée des bars, les « tavernes » comme on les appelait dans cette ville, où Spitalny avait tué le temps en attendant d'être appelé à l'armée : le Sports Lounge, le Polka Dot, Sam'n'Aggie's, distants d'un kilomètre les uns des autres ; deux se trouvaient sur Mitchell Street, et le troisième, le Polka Dot, cinq rues plus au nord, au bord de la Vallée. Michael avait fixé rendez-vous à Mack Simroe dans ce dernier bar, à cinq heures et demie, après son travail. Debbie Tusa, elle, devait les retrouver à l'heure du déjeuner au restaurant Tick Tock, sur Psalm Street, à une rue de Mitchell Street. A Milwaukee, les bars ouvrent tôt et sont rarement déserts, mais à midi, Michael était déjà découragé par la réception qu'on leur avait ménagée. Dans les deux premières tavernes, personne n'avait voulu perdre son temps à parler d'un déserteur.

En 1969, les enquêteurs militaires étaient venus dans ces mêmes bars chercher des renseignements sur Victor, sur les endroits où il aurait été susceptible de se cacher. Ils avaient probablement dû s'entretenir avec les mêmes barmans et les mêmes piliers de comptoir. En dehors de quelques mises à jour des juke-boxes, les tavernes n'avaient pas dû changer non plus depuis 1969. Au milieu des centaines de chansons d'Elvis Presley et de centaines de polkas – Joe Schott and the Hot Schotts ? – ils retrouvèrent un vestige de l'époque : « La ballade des bérets verts » de Barry Sadler. Dans ces tavernes, le formica réfléchissait des lumières dures, et les barmans étaient gros, le teint terreux, les bras tatoués, des coupes de cheveux pré-modernes, et quant à ces trouillards de déserteurs, ils pouvaient bien aller se faire pendre au grand chêne de la cour, comme ça ils emmerderaient plus personne. Dans ces tavernes, on buvait de la Pforzheimer's, et pas de la bibine à mauviette comme la Budweiser, la Coors, l'Olympia, la Stroh's, la Rolling Rock, la Pabst, la Schlitz ou la Hamm's. Des affiches étaient scotchées sur les miroirs du Sports Lounge : PFORZHEIMER'S : LE PETIT DÉJEUNER DES CHAMPIONS. BOISSON NATIONALE DE LA VALLÉE.

– On n'en exporte pratiquement pas, dit Tatouages et Cheveux en brosse, encouragé par les ouais-ouais-ouais de ses habitués. On préfère la garder pour nous.

– Oui, je comprends ça, dit Michael en goûtant le breuvage jaune et plat.

Derrière lui, Elvis Presley gémissait sur sa mère, les chapelles et les difficultés de l'amour.

– Ce Spitalny, ça a jamais été un homme, déclara Tatouages et Cheveux en brosse, mais j'aurais pas cru qu'y serait tombé aussi bas.

Chez Sam'n'Aggie's, le barman (c'était Aggie) n'avait ni tatouages ni cheveux en brosse, et au lieu d'Elvis Presley, c'était Jim Reeves qui gémissait sur les mères, les chapelles et l'amour plus fort que la mort, mais à part cela, le résultat de leur visite fut identique. De la Pforzheimer's. Des regards sombres jetés à Maggie. Vous demandez qui ? Ah, lui ! Nouveaux regards sombres. Son père c'est un type bien, mais le fils il a mal tourné, hein ? Autres regards luisants vers Maggie. Ici, vous savez, on est des *vrais* Américains.

En sorte que ce fut en silence qu'ils se dirigèrent vers le Tick Tock, chacun absorbé dans ses pensées.

Lorsque Maggie fit son entrée dans le petit restaurant, suivie de Tim et de Michael, une demi-douzaine d'hommes se retournèrent sur leurs tabourets pour l'observer d'un air stupéfait.

– Le péril jaune a encore frappé, murmura Maggie.

Une femme mince, les cheveux laqués, le visage profondément ridé, faisait des gestes en direction des nouveaux arrivants.

Debbie Tusa leur recommanda le steak Salisbury; menus propos ensuite à propos du temps, de New York qu'elle avait beaucoup aimé; elle buvait une petite Seabreeze, c'était une vodka avec du jus de canneberge, en voulaient-ils une ? En fait, c'était une boisson pour l'été, mais à son avis on pouvait en boire toute l'année. Ils faisaient de bons cocktails au Tick Tock, tout le monde le savait, et était-ce vrai qu'ils étaient tous les trois de New York ? N'y en avait-il pas un de Washington ?

– Y a-t-il quelque chose qui vous rend nerveuse ? demanda Tim.

– Eh bien, les précédents venaient de Washington.

Uniforme blanc très serré et tablier à carreaux, la serveuse vint prendre la commande; tout le monde commanda un steak Salisbury, sauf Maggie qui demanda un club sandwich. Debbie but une gorgée de sa Seabreeze et dit à Maggie :

– Vous pourriez prendre un Cape Codder, c'est de la vodka avec du jus de clams.

– Un tonic water, dit Maggie.

– Qu'est-ce que c'est qu'un tonic water ? demanda la serveuse. C'est comme un tonic ?

– C'est comme un gin-tonic, mais sans le gin.

– Des tas de gens parlent de vous, vous savez, dit Debbie en insérant une paille entre ses lèvres et en les regardant de côté. Des tas de gens croient que vous travaillez pour l'armée ou la police. Et certains préfèrent ne pas avoir trop affaire avec la police.

– Nous sommes de simples particuliers, dit Michael.

– Bon... peut-être que Vic est en train de faire des bêtises en ce moment, peut-être qu'il fait de l'espionnage et que vous essayez de lui mettre la main dessus. Je crois que George et Margaret ont peur que Vic revienne : ça serait terrible, parce que si Vic était un espion ou quelque chose comme ça, George perdrait son travail avant de pouvoir toucher sa retraite.

– Ça n'est pas un espion, dit Michael. Et de toute façon, George ne perdrait pas son travail pour ça.

– C'est ce que vous dites. Mon mari, Nick, il... bon, enfin, c'est pas important. Mais vous ne savez pas de quoi ils sont capables.

La serveuse apporta enfin les plats, et Michael regretta aussitôt de ne pas avoir commandé un club sandwich.

– Je sais, le steak Salisbury c'est pas terrible, dit Debbie, mais c'est meilleur que ça en a l'air. Et puis vous savez pas quelle fête ça peut être de manger un plat qu'on n'a pas fait soi-même. Alors même si vous êtes des agents secrets, ou quelque chose comme ça... merci !

Le steak était un petit peu meilleur qu'il n'en avait l'air.

– Vous ne saviez pas que Vic et Manny Dengler étaient dans la même classe au collège Rufus King ?

– Non, c'était une surprise, dit Michael. Dans l'annuaire, il y a un Dengler dans Muffin Street. Ce sont ses parents ?

– Je crois que sa mère est encore là. Sa mère était une femme tranquille. Elle ne sortait jamais.

Une bouchée de steak, une gorgée de Seabreeze.

– Absolument jamais. Elle ne sortait même pas quand le vieux faisait ses prêches.

– Le père de Dengler était prédicateur ? demanda Tim. Dans une église, avec une congrégation ?

– Bien sûr que non, dit-elle en coulant un regard vers Maggie comme si celle-ci savait déjà tout. Le père de Dengler était boucher. (Autre regard à Maggie.) Le sandwich était bon ?

– Délicieux, dit Maggie. Alors M. Dengler père était un boucher-prédicateur ?

– C'était un de ces prédicateurs fous. Il tenait parfois des services dans la boucherie, à côté de chez lui, mais souvent, il sortait simplement dans la rue et se mettait à haranguer les gens. Manny devait aller avec lui. Il pouvait faire aussi froid qu'aujourd'hui, mais ils étaient au coin de la rue, et le vieux beuglait des trucs sur le péché, le diable et tout ça, tandis que Manny chantait et faisait passer le chapeau.

– Comment s'appelait son église ? demanda Maggie.

– L'église du Messie. (Elle sourit.) Vous n'avez jamais entendu Manny chanter ? Il chantait ça, *Le Messie*. Bon... pas tout, mais son père lui faisait chanter des passages.

– Nous étions tous errants, récita Maggie.

– Ouais. Vous voyez ? Tout le monde le trouvait con comme un balai. Oh... ! Excusez-moi.

– Je l'ai entendu une fois citer *Le Messie*, dit Michael. Victor était là aussi, et il s'est moqué de lui dès qu'il a ouvert la bouche.

– Ça lui ressemble bien.

– « Homme de douleur et habitué à la souffrance », dit Tim. Alors Spitalny l'a répété deux fois, et il a dit : « *Un homme de douleur et habitué aux têtes de nœud.* »

Debbie Tusa leva silencieusement son verre.

– Et Dengler a dit : « *De toute façon, c'était il y a longtemps.* »

– Mais de quoi parlait-il ? demanda Michael. D'un « *homme de douleur et habitué à la souffrance* » ?

– Ils ont eu beaucoup d'ennuis, dit Debbie. Les Dengler ont eu beaucoup d'ennuis. (Elle baissa les yeux sur son assiette.) Je crois que je suis épuisée. Vous avez remarqué qu'on n'a jamais envie d'aller faire les courses pour le dîner après avoir bien déjeuné ?

– Moi, je n'ai jamais envie d'aller faire les courses pour le dîner, dit Maggie.

– Où croyez-vous qu'il soit, Vic, maintenant ? demanda Debbie. Vous ne croyez pas qu'il est mort, hein ?

– Eh bien, nous espérions que vous nous diriez où le trouver, répondit Michael.

Debbie se mit à rire.

– J'aimerais bien que mon ex-mari me voie en ce moment. Va te faire foutre, Nicky. Tu l'as bien mérité quand on a envoyé ton terrible papa à Waupun *. Alors personne n'a envie de boire un verre ?

Personne n'en avait envie.

– Et vous ne connaissez pas le pire, reprit Debbie. Je vous avais dit que la boucherie était à côté de chez eux, dans Muffin Street. Essayez de deviner comment s'appelait la boucherie.

– Boucherie du sang de l'agneau, dit Maggie.

– Houah ! Pas mal ! Vous brûlez. Une autre proposition ?

– L'agneau de Dieu, dit Michael. Boucherie de l'agneau de Dieu.

– Boucherie Dengler de l'agneau de Dieu, dit Debbie. Bravo. Comment avez-vous deviné ?

– A cause du *Messie*. « Voici l'agneau de Dieu, qui enlève les péchés du monde. »

* Une prison de l'État du Wisconsin (*N.d.T.*).

– Nous étions tous errants comme des brebis, dit Maggie.

– C'était au moins le cas de mon mari. (Elle adressa un sourire un peu triste à Michael.) C'était aussi le cas de Vic, n'est-ce pas ?

Michael demanda l'addition. Debbie sortit un poudrier de son sac et s'examina dans le miroir.

– Vous n'avez jamais entendu Vic ou quelqu'un d'autre chanter quelque chose comme *rip-a-rip-a-rip-a-lo*, ou bien *pom-po, pom-po, polo, polo* ?

Debbie le regarda par-dessus son poudrier.

– C'est la chanson des éléphants roses ? Bon, sincèrement, il faut que je rentre chez moi. Vous voulez venir faire un tour à la maison ?

Michael répondit qu'ils avaient d'autres rendez-vous. Debbie batailla avec son manteau, les embrassa chacun à leur tour, et dit à Maggie qu'elle était si mignonne qu'il ne fallait pas se demander pourquoi elle avait autant de chance. Elle leur fit au revoir depuis la porte du restaurant.

– S'il n'y a rien à faire maintenant, dit Tim, j'aimerais rentrer à l'hôtel et travailler un peu sur quelques notes que j'ai prises.

Maggie suggéra d'appeler la mère de Dengler.

3

– J'ai dit que nous voulions seulement lui parler, dit Michael tandis qu'ils tournaient le coin de Muffin Street.

La rue s'étendait sur une longueur de deux pâtés de maisons sordides ; aux deux extrémités se trouvaient des bars : le Old Log Cabin Tavern et le Up'n'Under. La moitié des bâtiments abritaient des petits commerces ; et une moitié de ces petits commerces étaient fermés : les vitrines étaient barrées de planches, et les enseignes n'étaient presque plus lisibles. Le numéro 53 était une maison en bois avec une petite véranda sur le devant, comme la maison des Spitalny, penchée sur le côté, et si grise qu'elle semblait être recouverte de toiles d'araignée ; elle était appuyée à un bâtiment plus petit, de forme carrée, dont une fenêtre avait été remplacée par du contre-plaqué. Le révérend Dengler avait installé sa Boucherie de l'agneau de Dieu bien loin des rues commerçantes, et comme la boutique de réparations de télévision, à deux rues de là, et la boutique de vêtements Chez Irma, elle avait doucement périclité.

– C'est charmant, dit Maggie en descendant de voiture. C'est très romantique comme endroit.

Muffin Street avait été dégagée, mais les trottoirs étaient encore encombrés par la neige. Les marches du petit perron ployaient et gémissaient sous leurs pas. La porte d'entrée s'ouvrit avant que Michael eût même appuyé sur le bouton de la sonnette.

– Bonjour, madame Dengler, dit Tim.

Une femme au teint pâle et aux cheveux blancs, vêtue d'une robe de laine bleue, les regardait par l'entrebâillement de la porte ; le froid et la réverbération de la lumière sur la neige fraîche lui faisaient plisser les yeux. Ses cheveux finement bouclés étaient poudrés.

– Madame Dengler ? s'enquit Michael.

Elle acquiesça. Son visage était carré, réservé, blanc comme un linge. La seule couleur était le bleu pâle, presque transparent, de ses yeux largement écartés, qui dans ce visage humain semblaient aussi étranges que les yeux d'un chien. Derrière une paire de lunettes rondes à l'ancienne, ces yeux semblaient en outre légèrement agrandis.

– Je suis Helga Dengler, dit-elle en s'efforçant de paraître accueillante. (L'espace d'un instant, Michael crut entendre la voix de sa femme.) Mais il fait froid dehors, rentrez donc.

Elle ne se recula que d'une dizaine de centimètres, et Michael dut entrer de biais.

– Vous êtes celui qui avez appelé ? Le docteur Poole ?

– Oui, et...

– Qui est celle-là ? Vous ne m'aviez pas parlé de celle-là.

– Je vous présente Maggie Lah. C'est une très grande amie.

Les pâles yeux de chien détaillèrent Michael. Dès que la porte se fut refermée, Michael sentit une odeur de froide humidité et de moisi. Mme Dengler avait le nez retroussé et très large ; de la base du nez, au-dessus des lunettes, partaient trois rides profondes. Elle n'avait pratiquement pas de lèvres, et son cou était très épais. Ses épaules aussi étaient épaisses, robustes, et ployées vers l'avant.

– Je ne suis qu'une vieille femme qui vit seule. Ça oui. Allez, entrez.

Elle leur indiqua un portemanteau, et tandis qu'ils y accrochaient leurs vêtements, elle se frottait les bras comme pour se réchauffer. Dans l'obscurité du couloir, le large visage carré de Mme Dengler semblait briller, comme s'il avait attiré toute la lumière de la maison.

Les yeux pâles de Helga Dengler passèrent de Michael à Maggie, puis à Tim, avant de revenir à Maggie. Elle dégageait une impression de bloc, comme si elle était infiniment plus lourde que ce qu'elle paraissait.

– Bon, dit-elle.

Au bout du couloir sombre s'élevait un escalier, dont on ne distinguait que la rampe et la forme générale. Sous les pieds, le sol semblait légèrement rugueux. Au fond du couloir, une porte entrouverte dispensait une faible lumière.

– C'est très gentil à vous de nous avoir invités, madame Dengler, dit Michael.

Tim et Maggie prononcèrent des phrases identiques qui semblèrent s'entrechoquer dans l'air avant de disparaître.

Ce fut à peine si elle les regarda, comme si les mots avaient mis un certain temps à l'atteindre. Puis...

– Eh bien, la Bible nous enseigne la bonté, n'est-ce pas ? Ainsi, messieurs, vous avez connu mon fils.

– C'était un être merveilleux, dit Michael.

– Nous aimions beaucoup votre fils, dit Tim en même temps, et leurs paroles semblèrent elles aussi se mêler de façon confuse.

– Bien, dit-elle.

Michael avait l'impression de pouvoir plonger au fond de ces yeux et de n'y découvrir autre chose que le bleu clair des blue-jeans mille fois lavés. Il se dit ensuite que leur étrange gaucherie, c'était elle qui la suscitait : comme si elle l'avait imposée volontairement.

– Manny essayait d'être un bon garçon, dit-elle. Mais comme à tous les garçons, il a fallu le lui enseigner.

A nouveau, Michael eut le sentiment qu'il manquait une seconde, une fraction de temps disparue soit en Helga Dengler soit dans la réalité qui les entourait.

– Vous aurez envie de vous asseoir, dit-elle. Et je suppose que vous voudrez aller au salon. Tenez, c'est par ici. Comme vous voyez, je suis occupée. Une vieille femme qui vit seule doit se tenir occupée.

– Est-ce que nous vous avons interrompue dans une de vos tâches ? demanda Michael.

Elle eut un vague sourire un peu dur et leur fit signe de la suivre dans le salon.

Une ampoule de faible puissance brûlait sous un abat-jour. Dans un coin de la pièce encombrée de meubles, luisait la barre rouge d'un radiateur électrique. Là, l'odeur de moisi n'était plus aussi forte. Des yeux de tigre en verre violet semblaient luire sur des étagères et sur une table disposée à côté d'un canapé à la peluche râpée.

– Vous pouvez tous vous asseoir dessus, dit-elle, il appartenait à ma mère.

Le canapé était recouvert d'une housse en plastique qui faisait miroiter la lumière du salon, et qui crissa lorsqu'ils s'assirent dessus.

En regardant plus attentivement les yeux de tigre disposés sur la table ronde, Michael se rendit compte qu'il s'agissait de billes dont l'intérieur craquelé capturait la lumière jaune. Il y en avait des dizaines, réparties régulièrement sur un morceau d'étoffe noire.

– C'est moi qui l'ai fait, dit la femme.

Elle se tenait debout au centre de la pièce. Accrochée au mur derrière elle, la photographie encadrée d'un homme en uniforme, qui dans la pénombre de la pièce ressemblait à un chef scout. D'autres photos étaient disposées au hasard sur les murs : des chiots et des chatons emberlificotés dans des pelotes de laine.

– Vous pouvez avoir votre opinion et moi j'ai la mienne, dit Mme Dengler.

Elle avança d'un pas et ses yeux semblèrent s'agrandir derrière ses lunettes rondes.

– Tout le monde a le droit d'avoir ses opinions, c'est ce que nous leur avons toujours dit.

– Je vous demande pardon ? dit Michael.

Underhill souriait, mais on ne savait si c'était à elle ou aux images à peine visibles derrière elle.

– Vous avez dit... euh... que c'était vous qui l'aviez fait ?

Elle se détendit et recula d'un pas.

– Vous regardiez mes grappes de raisin.

– Ah... dit Michael.

C'était donc cela. Il remarqua alors que les billes violettes collées sur le tissu noir étaient disposées de façon à reproduire une grappe de raisin.

– C'est très joli.

– C'est ce qu'on m'a toujours dit. Quand mon mari avait son église, des fidèles venaient m'acheter des grappes de raisin. Tout le monde disait que c'était très beau. C'est à cause de la façon dont ça renvoie la lumière.

– C'est magnifique, dit Michael.

– Comment faites-vous cela ? demanda Maggie.

Cette fois-ci son sourire fut naturel, presque délicat, comme si elle avait conscience de tirer une fierté exagérée de ses grappes de raisin.

– Vous pourriez le faire vous-même, dit-elle en s'asseyant sur un petit marchepied. Je les fais dans une poêle et j'utilise toujours de l'huile Wesson. Si on prend du beurre, ça gicle. Et ça *brûle*. Mon mari se servait du beurre pour tout, mais lui, c'était la viande, vous savez. Donc, ma petite fille, il faut prendre de l'huile Wesson, et les billes vont se craqueler comme il faut. C'est quelque chose que personne ne comprend... surtout de nos jours. Il faut faire les choses comme il faut.

– Alors on fait revenir les billes, dit Maggie.

– Eh bien... oui. On utilise une poêle et de l'huile Wesson. Et à feu doux. Comme ça elles se craquèlent toutes de la même façon. C'est la partie la plus délicate. Il faut qu'elles soient comme il faut. Ensuite on les retire de la poêle et on fait couler de l'eau froide dessus pendant une seconde ou deux, ça les *fixe* en quelque sorte, et quand elles ont refroidi, on les colle sur le support. Une petite goutte de colle, pas plus.

Et alors on a une grappe de raisin, une belle chose qui durera pour l'éternité.

Elle se pencha vers Maggie, concentrant sur son visage lourd et épais toute la lumière de la pièce.

– Pour... toute... l'éternité. Comme le Verbe de Dieu. Pour chaque grappe il faut vingt-quatre billes. Comme cela elles sont exactement comme il faut, et elles sont comme vraies. Enfin... même mieux qu'en vrai, par certains côtés.

– Tout à fait comme vraies, dit Maggie.

– Oui, tout à fait. C'est ça qui en fait la beauté. Avec les garçons, vous savez, il faut sans cesse recommencer. On peut arriver à ses fins, mais ils résistent.

Son visage se ferma, et la lumière qui l'éclairait sembla disparaître.

– Dans la vie, rien ne se passe comme on l'attendait, même pour des chrétiens. Vous êtes chrétienne, n'est-ce pas, ma fille ?

Maggie dit que oh oui, bien sûr.

– Ces hommes font semblant, reprit Mme Dengler, mais ils ne m'ont pas trompée. Je sentais l'odeur de la bière. Un chrétien ne boit pas de bière. Mon Karl n'a jamais touché une goutte d'alcool, et mon Manny non plus. Au moins jusqu'à ce qu'il soit parti à l'armée.

Elle lança un regard à Michael, comme si elle le tenait pour responsable des manquements de son fils.

– Et il ne s'est jamais approché non plus de femmes de mauvaise vie. Cela, nous l'avons écrasé en lui. C'était un bon garçon, nous avons fait tout ce qu'il a fallu pour ça. Surtout si l'on songe d'où il venait.

Nouveau regard sombre en direction de Michael, comme s'il savait *d'où*.

– Nous avons fait travailler cet enfant, et il a travaillé jusqu'à ce que l'armée l'enlève. Nous, nous disions toujours l'école c'est l'école, mais le travail c'est la vie. C'est Dieu qui a créé le travail de boucher, mais c'est l'homme qui a fait l'école et qui fait lire tous ces livres, sauf un.

– Était-ce un enfant heureux ? demanda Michael.

– Seul le démon s'inquiète du bonheur, dit-elle, et la même étrange lueur s'alluma dans ses yeux pâles. Croyez-vous que Karl songeait à de telles choses ? Ou que moi je songeais à de telles choses ? Ce sont des questions que les autres ont posées. Et maintenant, docteur Poole, vous allez me dire quelque chose, et je vous fais confiance : vous me direz la vérité. Est-ce que ce garçon a bu de l'alcool, là-bas à l'armée ? Et s'est-il souillé avec des femmes ? Parce qu'à travers votre réponse, je saurai quelle sorte d'homme il a été, et quelle sorte d'homme vous êtes vous aussi. Les mauvaises billes ne se craquèlent pas comme il faut. Sur le feu, les mauvaises billes éclatent. La mère était une de celles-là. Dites-moi... répondez à ma question. Ou sinon, vous pouvez quitter cette maison. Je vous ai accueilli, vous n'êtes ni un policier ni un juge. Mes opinions valent bien les vôtres, si même elles ne sont pas meilleures.

– Mais bien sûr, dit Michael. Non, je ne me souviens pas avoir jamais vu votre fils boire de l'alcool. Et il est demeuré... ce que vous appelleriez pur.

– Bien. Oui. Oui. Je le savais bien. Manny est resté pur. *Ce que j'appellerais pur*, ajouta-t-elle en lançant un regard glacial qui transperça Michael jusqu'au cœur.

Michael se demanda alors comment elle le savait avant qu'il le lui eût dit, et dans ce cas, pourquoi elle lui avait posé la question.

– Nous voudrions vous dire quelque chose à propos de votre fils, dit-il. Mais ses mots semblaient maladroits et mal choisis.

– Je vous écoute.

De nouveau, il émana d'elle quelque chose qui semblait modifier l'atmosphère de la pièce. On eût dit qu'elle soupirait de façon inaudible : son corps épais et l'air de la pièce semblèrent acquérir une densité nouvelle, comme s'ils s'imprégnaient d'une attente immobile.

– Vous voulez raconter votre histoire ? Alors allez-y.

– Avons-nous interrompu votre ouvrage, madame Dengler ? demanda Maggie.

– J'ai éteint mon four. Cela peut attendre. Et puis vous êtes ici maintenant. Savez-vous ce que je pense ? Nous l'avons formé plus que d'autres ne l'auraient fait. On ne peut pas ajouter foi à ce que les autres disent. Muffin Street est un monde comme tant d'autres. Muffin Street est réelle. Et maintenant je vous écoute.

– Madame Dengler, dit Tim, votre fils était un être merveilleux. C'était un héros au combat, et plus que cela, il était attentif aux autres et plein d'imagination...

– Vous pensez de travers ! coupa-t-elle. De l'imagination ? Vous voulez dire qu'il inventait des choses ? Mais ne serait-ce pas le problème depuis *le début* ? Est-ce qu'il y aurait eu un procès s'il n'avait pas inventé des choses ?

– J'estime qu'il n'aurait jamais dû passer en cour martiale, dit Tim, et je ne crois pas non plus que vous puissiez le lui reprocher.

– Il faut réprimer l'imagination. Et vous, vous parlez d'imagination. Il faut étouffer cela. Cela, je le sais bien. Et Karl le savait aussi, jusqu'à son dernier jour.

L'air agitée, elle se tourna vers ses grappes de raisin toutes identiques, qui toutes capturaient la lumière de la même façon.

– Eh bien continuez, puisque vous le vouliez. Vous êtes venus jusqu'ici pour ça.

Underhill évoqua la vallée du Dragon, et les histoires qui avaient tant plu à George Spitalny semblèrent au départ la laisser indifférente, puis la bouleverser. Son visage cireux se colorait de rose; ses yeux se tournèrent vers Michael, qui s'aperçut que ce n'était pas l'émotion qui faisait rosir ses joues, mais la colère.

Autant pour les dieux des histoires, se dit-il.

– La conduite de Manny a été extraordinaire, dit-elle, et il s'est moqué de son officier. Mais sa conduite n'aurait jamais dû être extraordinaire, et il aurait dû respecter son officier.

– Mais c'était la situation qui n'était pas ordinaire, dit Tim.

– C'est ce que les gens disent toujours pour se justifier. En n'importe quel lieu, il aurait dû se comporter comme s'il était dans Muffin Street. L'orgueil est un péché. Nous, nous l'aurions puni.

Michael sentait la colère et la tristesse qui émanaient de Tim.

– Madame Dengler, dit Maggie, il y a un moment vous avez dit que Manny était un bon garçon, surtout si on songeait d'où il venait.

La vieille femme leva la tête comme un animal sentant le vent. Une lueur de contentement filtra à travers ses lunettes rondes.

– Les petites filles savent écouter, n'est-ce pas?

– Vous ne parliez pas de Muffin Street, bien sûr.

– Manny ne venait pas de Muffin Street.

Maggie attendait ce qui allait suivre et Michael s'interrogeait: venait-il de la planète Mars? de Russie? du paradis?

– Manny venait du ruisseau, dit Mme Dengler. Nous avons tiré cet enfant du ruisseau et nous lui avons donné un foyer. Nous lui avons donné notre nom. Nous lui avons donné notre religion. Nous l'avons nourri et nous l'avons vêtu. Est-ce là l'œuvre de mauvaises gens? Pensez-vous que de mauvaises gens auraient fait cela pour un petit garçon abandonné?

– Vous l'avez adopté?

Underhill se cala au fond du canapé, contre le plastique rigide, et darda son regard sur Helga Dengler.

– Oui, nous avons adopté ce pauvre enfant abandonné et nous lui avons donné une vie nouvelle. Pensez-vous que sa mère aurait pu avoir ma couleur de cheveux? Ne soyez pas stupide! Karl était blond aussi avant de grisonner. Karl était un ange du ciel, avec ses cheveux d'or et sa longue barbe! Je vais vous le montrer!

Elle bondit presque sur ses pieds, transperça les deux hommes du rayon X de son regard, et quitta la pièce. Tout cela ressemblait à une parodie grotesque de leur soirée chez les Spitalny.

– Il t'avait déjà dit qu'il avait été adopté? demanda Michael.

Tim secoua la tête.

– Il s'appelait Manuel Orosco Dengler, dit Maggie. Vous auriez dû vous douter qu'il y avait quelque chose.

– On ne l'a jamais appelé comme ça, dit Michael.

Mme Dengler rentra dans le salon, accompagnée d'une odeur de bois mouillé. Elle serrait entre ses mains un vieil album de photos en carton compressé, traité de façon à imiter le cuir. Les coins et les bords étaient déchirés, révélant les couches grises de carton compressé. Elle s'avança d'un pas vif, la bouche ouverte, comme une plaignante dans son tort s'avançant vers le juge.

– Maintenant vous allez voir mon Karl.

La photo occupait presque entièrement la première page de l'album. C'était un homme de haute taille, aux cheveux pâles, raides et ternes, qui lui descendaient en dessous des oreilles, à la barbe très blonde, non taillée. Il était mince mais large d'épaules, et portait un complet sombre qui pendait sur lui comme un sac. Il avait un air exalté, intense, semblait hanté par quelque chose. La religiosité de cet homme jaillissait de la photographie comme un torrent. Alors que les yeux de sa femme traversaient les gens pour regarder vers un autre monde, abolissant tout ce qui se dressait entre elle et ce monde, le regard de Karl Dengler plongeait vers l'enfer et vous y condamnait.

– Karl était un homme de Dieu, dit Helga. Cela se voit tout de suite. Il était élu. Mon Karl n'était pas un paresseux. Cela aussi ça se voit. Il n'était pas *doux*. Il n'a jamais fui son devoir, même quand son devoir c'était de rester debout au coin de la rue par moins quinze. La Bonne Nouvelle n'attend pas le beau temps pour être proclamée, et il fallait pour cela un homme dévoué, déterminé : tel était mon Karl. Nous avions donc besoin d'aide. Un jour nous serions vieux. *Mais nous ne savions pas ce qui allait nous arriver !*

Elle haletait, et sous ses lunettes rondes ses yeux semblaient plus protubérants que jamais. A nouveau, Michael eut l'impression que le corps de cette femme gagnait en densité, attirant à elle tout l'air de la pièce, tout ce qu'il pouvait y avoir dans la vie de juste ou de moral, et les laissant, eux, à jamais dans l'erreur.

– Qui étaient ses parents ? demanda Tim.

Mais déjà, Michael savait que cette question ne serait pas comprise.

– Des gens de bien. Qui d'autre aurait pu avoir un tel fils ? Des gens forts. Le père de Karl était aussi boucher, et il lui a appris le métier, et Karl à son tour l'a enseigné à Manny, en sorte qu'il a pu travailler pour nous pendant que nous, nous accomplissions l'œuvre du Seigneur. Nous l'avons tiré du ruisseau et lui avons donné la vie éternelle, alors... Il devait travailler pour nous et pourvoir à nos vieux jours.

– Je vois, dit Tim en se penchant un peu en avant pour glisser un regard à Michael. Et nous aimerions aussi savoir quelque chose à propos des parents de votre fils.

Mme Dengler ferma l'album de photos et le posa sur ses genoux. L'album était imprégné d'odeur de moisi, et celle-ci persista un moment au milieu d'eux.

– Il n'avait pas de parents. (Elle rayonnait d'autosatisfaction.) Pas à la façon des gens comme il faut, pas comme Karl et moi. Manny était un enfant naturel. Sa mère, Rosita, vendait son corps. C'était une de ces poules. Elle a accouché à l'hôpital du Mont Sinaï et a abandonné l'enfant là ; elle est partie comme si de rien n'était, et le bébé avait une infection virale... il a failli mourir. Beaucoup d'enfants mouraient, mais lui n'est pas mort. Mon mari et moi avons prié pour lui et il n'est pas mort. Rosita Orosco, elle, est morte quelques semaines plus tard. Rouée de coups. Vous croyez que c'est le père de l'enfant qui l'a tuée ? Manny n'était espagnol que du côté de sa mère, c'est ce que Karl et moi avons toujours pensé. Alors vous voyez ce que je veux dire. Il n'avait ni père ni mère.

– Le père de Manny était-il un des clients de sa mère ? demanda Tim.

– Nous n'y avons pas réfléchi.

– Mais vous avez dit qu'à votre avis, le père n'était pas espagnol... latino-américain.

– Eh bien...

Helga Dengler s'agita un peu sur son marchepied, et ses yeux changèrent d'expression.

– ... Il avait un bon côté pour contrebalancer le mauvais.

– Comment en êtes-vous venus à l'adopter ?

– Karl a entendu parler de ce pauvre bébé.

– Comment en a-t-il entendu parler ? Étiez-vous allés dans une agence d'adoptions ?

– Bien sûr que non. Je crois que c'est la femme qui est venue le voir. Rosita Orosco. Des gens malheureux, de basse condition, venaient à l'église de mon mari pour assurer le salut de leur âme.

– Avez-vous vu Rosita Orosco aux offices ?

Elle se dressa, le regardant droit dans les yeux. Personne ne parla pendant un moment qui sembla une éternité.

– Je ne voulais pas vous offenser, madame Dengler, dit finalement Tim.

– C'étaient des Blancs qui venaient à nos offices, dit-elle lentement, à voix basse. Parfois il y avait des catholiques. Mais c'étaient toujours des gens de bien.

– Je vois, dit Tim. Vous n'avez donc jamais vu la mère de Manny à vos offices.

– Manny n'avait pas de mère, dit-elle de la même voix lente et égale. Il n'avait ni père ni mère.

Tim demanda si la police avait fini par arrêter celui qui avait frappé Rosita Orosco jusqu'à la tuer.

Elle secoua la tête avec lenteur, comme un enfant faisant le vœu de ne jamais révéler un secret.

– Personne ne s'est soucié de savoir qui avait fait cela. Après tout, cette femme était ce qu'elle était. Celui qui a fait cela comparaîtra devant le Seigneur. C'est lui qui est le tribunal éternel.

– Alors on ne l'a jamais retrouvé.

– Je ne m'en souviens pas.

– Votre mari ne s'est pas intéressé à l'affaire ?

– Bien sûr que non. Nous avions déjà fait tout ce que nous pouvions.

Elle avait fermé les yeux, et Michael préféra changer de sujet.

– Quand votre mari est-il mort, madame Dengler ?

Elle ouvrit les yeux en un éclair.

– Mon mari est mort en 1960.

– Vous avez fermé la boucherie et l'église cette année-là ?

L'étrange et intimidante lueur avait reparu sur son visage.

– Un petit peu avant cela. Manny était trop jeune pour être boucher.

Vous ne l'avez donc pas vu ? avait envie de demander Michael. *Vous n'avez donc pas vu quel présent il était pour vous, quelle qu'ait pu être son origine ?*

– Manny n'avait pas d'amis, dit-elle comme si elle avait saisi les pensées de Michael.

Une certaine émotion en elle attira l'attention de Michael, mais il lui fallut attendre la phrase suivante pour comprendre qu'il s'agissait de fierté.

– Il avait trop à faire, et en cela il suivait le chemin tracé par Karl. Nous ne le laissions pas inoccupé, il faut que les enfants s'adonnent à leurs tâches. Oui. *A leurs tâches.* Car c'est comme ça qu'ils apprennent. Lorsque Karl était enfant, il n'avait pas d'amis. J'ai tenu Manny à l'écart des autres garçons et je l'ai élevé de la façon que nous savions juste. Et lorsqu'il se montrait mauvais, nous faisions ce que l'Écriture nous enseigne de faire. (Elle releva la tête et plongea les yeux dans ceux de Maggie.) Nous avons dû extirper sa mère de lui. Parfaitement. Nous aurions pu changer son nom, vous savez. Nous aurions pu lui donner un vrai nom allemand. Mais il fallait qu'il sache qu'il était à moitié *Manuel Orosco*, même si l'autre moitié pouvait devenir *Dengler*. Et *Manuel Orosco*, il fallait le mater, il fallait l'enchaîner. Peu importe ce que les gens disaient. Nous avons fait cela par amour et nous l'avons fait parce que tel était notre devoir. Laissez-moi vous montrer le résultat. Regardez ça, maintenant.

Elle feuilleta les pages de l'album, regardant les photos d'un air à la fois exalté et préoccupé. Michael aurait aimé voir ces photos, mais de là où il se trouvait il n'apercevait qu'un défilé d'images indistinctes.

– Voilà, dit-elle. Voilà : un enfant qui fait un travail d'homme.

Elle exhiba un article de journal protégé par une feuille translucide à la façon dont ses meubles étaient protégés par des housses en plastique.

A l'encre, en haut de la page, il était écrit : *Journal de Milwaukee, 20 septembre 1958.* En dessous de la photo était imprimée la légende : *Le fils du boucher. Le petit Manny Dengler, âgé de huit ans, aide son père dans sa boutique de Muffin Street. Il a dépouillé un cerf tout seul. Il s'agit très probablement d'un record.*

Occupant une demi-page du vieil album, la photo du journal montrait un petit garçon aux cheveux noirs, avec un tablier sanglant tellement grand pour lui qu'il avait l'air engoncé dans une peau de saucisse. Le photographe lui avait demandé de tenir le couperet en l'air, car l'instrument était tellement grand qu'il ne permettait pas de voir à la fois sa main et les morceaux de viande soigneusement disposés devant lui. Il s'agissait de la carcasse décapitée d'un cerf, dépouillée de sa peau et découpée en morceaux : les épaules, la longue et gracieuse cage thoracique, les flancs incurvés, l'arrière-train large, semblable aux hanches d'une femme. Le visage du petit garçon est bien celui de Dengler, et on y devine un mélange de douceur et de doute.

– Il pouvait être bon, dit sa mère. En voici la preuve. Il a été le plus jeune garçon de tout l'État du Wisconsin à découper tout seul un cerf.

Pendant un bref instant, une ombre passa sur le visage de Helga Dengler, et Michael se demanda si elle éprouvait du chagrin ou si seulement lui en revenait le souvenir. Il se sentait écorché comme s'il avait avalé du feu.

– Si on l'avait laissé à la maison au lieu de l'emmener se battre avec vous contre... (Regard glacé à Maggie.) Eh bien il pourrait travailler dans la boucherie à l'heure qu'il est, et j'aurais eu la vieillesse que je méritais. Au lieu de cela... je mène une vie de pauvre. C'est le gouvernement qui l'a volé.

A présent, elle les englobait tous dans son mépris. Ses yeux brillaient, et la couleur apparut sur son visage avant de disparaître à nouveau, comme une illusion d'optique.

– Après ce qu'ils ont dit, prononça-t-elle comme pour elle-même. C'est ça qui en fait la beauté. Après ce qu'ils ont dit, ce sont eux qui l'ont tué.

– Qu'ont-ils dit ? demanda Michael.

Elle se raidit à nouveau.

Michael se leva et se rendit compte que ses genoux tremblaient. Le feu qu'il avait avalé lui brûlait encore la gorge.

Avant qu'il eût pu ouvrir la bouche, Tim demanda s'ils pourraient voir la chambre du garçon.

La vieille femme se leva.

– Ils l'ont volé, dit-elle en regardant toujours fixement Maggie. Tout le monde a menti à propos de nous.

– L'armée a menti quand Manny a été appelé ? demanda Michael.

Le regard de Helga Dengler se porta sur lui, illuminé, méprisant.

– Ce n'était pas seulement l'armée.

– Et la chambre de Manny ? demanda à nouveau Tim, comme pour tenter de dissiper l'étrange glaciation que cette femme créait autour d'elle.

– Mais bien sûr, dit-elle en souriant. Vous allez la voir. Les autres ne l'ont pas vue. Tenez, c'est par ici.

Elle pivota sur ses talons et quitta la pièce, suivie de ses visiteurs. Michael imaginait les araignées se terrant dans les coins de leurs toiles et les rats se réfugiant dans leurs trous au bruit de ses pas.

– C'est à l'étage, dit-elle.

L'odeur de moisi et de bois humide était beaucoup plus forte dans le couloir. L'escalier craquait sous les pas, et les têtes de clous fixant le linoléum aux marches étaient rouillées.

– Il avait sa chambre à lui, il avait tout ce qu'il y a de mieux. Au fond du couloir, au même étage que nous. On aurait pu le mettre à la cave, ou dans l'arrière-boutique. Mais la place d'un enfant c'est à côté de ses parents. Ça, je le sais bien : la place d'un enfant c'est à côté de ses parents. Vous voyez : la pomme était près de l'arbre. Karl pouvait voir l'enfant tout le temps. Un enfant, il faut à la fois le punir et le récompenser.

Le couloir était mansardé, en sorte que Tim et Michael durent baisser la tête. A l'extrémité du couloir, par une unique fenêtre grise de poussière et de traînées laissées par la pluie, on apercevait des câbles de téléphone chargés de neige. Mme Dengler ouvrit la deuxième porte.

– C'était la chambre de Manny, dit-elle en se tenant devant la porte comme un guide de musée.

Ils eurent l'impression de rentrer dans un placard. La chambre faisait à peu près trois mètres sur deux mètres cinquante, et elle était beaucoup plus sombre que le reste de la maison. Michael appuya sur l'interrupteur, mais aucune lampe ne s'alluma. Il vit alors le cordon et la prise vide qui pendaient du plafond. La fenêtre, aveuglée par des planches, ressemblait à une caisse en bois. L'espace d'un instant, Michael se dit que la mère de Dengler allait claquer la porte derrière eux et les enfermer dans cette petite pièce sans fenêtre... ainsi, ils pénétreraient réellement dans l'enfance de Dengler. Mais Helga Dengler se tenait devant la porte ouverte, indifférente à ce qu'ils voyaient ou à ce qu'ils pensaient.

La chambre ne devait pratiquement pas avoir changé depuis le départ de Dengler. Il y avait un lit étroit recouvert d'une couverture des surplus de l'armée. Contre le mur était disposé un pupitre d'enfant, et à côté, une bibliothèque avec quelques livres. Stupéfait, Michael découvrit deux livres, l'*Histoire de Babar* et *Le roi Babar*, identiques à ceux qu'il avait laissés dans le coffre de sa voiture. En s'approchant, Maggie ne put, elle non plus, retenir un cri de surprise.

– Ne croyez pas que nous empêchions ce garçon de lire, dit Mme Dengler.

Sur les étagères, se trouvait un échantillon de ses lectures, depuis les *Contes* de Grimm et *Babar* jusqu'à Robert Heinlein et Isaac Asimov, en passant par *Tom Sawyer* et *Huckleberry Finn*. A côté des livres était posée une petite voiture à la peinture écaillée et à qui il manquait deux roues. Il y avait également des livres sur les fossiles, les oiseaux et les serpents, quelques brochures religieuses et une Bible au format de poche.

– Quand on le laissait, dit la mère, il passait ses journées là. Il était paresseux. Ou du moins il le serait devenu si on n'était pas intervenus.

Dans cette chambre minuscule, Michael sentait la claustrophobie le gagner. Il aurait voulu serrer dans ses bras le petit garçon venu se réfugier dans cette chambre sans fenêtre et lui dire qu'il n'était ni méchant, ni paresseux, ni damné.

– Mon fils aimait aussi Babar, dit-il.

– Rien ne remplace l'Écriture, dit-elle. Il n'y a qu'à voir d'ailleurs d'où viennent ces livres!

Et devant l'air interrogateur de Michael, elle ajouta :

– C'est sa mère qui a acheté ces livres d'éléphant. Elle a dû les voler, probablement. Comme si un bébé pouvait lire de si grands livres! Elle les avait avec elle, à l'hôpital, et elle les a laissés avec le bébé quand elle est partie. Elle les a jetés, je dirais, c'est de la pourriture, de la pourriture, de la pourriture, comme de là où ils venaient, mais Karl a dit non, il faut que ce garçon conserve quelque chose de sa mère naturelle... de sa mère « *contre nature* », ai-je dit, moi, et tu verras que la pourriture va gâter le fruit, mais Karl y tenait, alors on les lui a laissés. Des livres comme ça avaient disparu à l'ouvroir de l'église, mais c'étaient d'autres exemplaires... Karl le savait.

Michael se demandait si elle le voyait réellement, ou si elle ne voyait que des billes violettes prêtes à passer à la poêle à frire et à être collées suivant une disposition particulière répétée à l'infini. Il s'aperçut alors qu'elle ne comptait pas entrer dans la chambre. Elle avait visiblement envie d'entrer et de les pousser dehors, mais ses jambes refusaient de la conduire à l'intérieur de cette pièce, refusaient d'en franchir le seuil.

– ... il regardait ces livres, encore et toujours. Tu ne trouveras rien là-dedans, je lui disais. Ce sont des bêtises. Les éléphants ne peuvent pas t'aider, je disais, c'est de l'ordure, et l'ordure ça termine au ruisseau. Et il savait bien ce que je voulais dire, allez, il le savait bien! Ça oui!

– Je crois que nous pouvons partir, maintenant, dit Tim.

Maggie bredouilla quelques mots que Michael ne comprit pas... car il regardait Helga Dengler, qui se trouvait face à lui, mais regardait une scène visible d'elle seule.

– Ce n'était qu'un petit coucou que nous avons accueilli, dit-elle. Nous l'avons amené dans notre nid, nous étions pieux, nous avons donné à ce garçon tout ce que nous avions, il avait sa chambre à lui, il mangeait bien, il avait tout, et il a tout détruit.

Elle s'effaça pour les laisser passer.

– Je n'ai pas été surprise par ce qui est arrivé à Manny, reprit-elle. Il est mort dans le ruisseau, n'est-ce pas, tout comme sa mère. Karl a toujours été trop bon.

Ils redescendirent l'escalier.

– Et maintenant il faut partir, dit-elle en les conduisant vers la porte.

Un air glacial envahit le vestibule; ils boutonnèrent leurs manteaux. Lorsqu'elle sourit, ses joues livides disparurent, comme réduites en poussière.

– J'aurais aimé discuter plus longtemps avec vous, mais il faut que je retourne à mon ouvrage. Couvrez-vous bien, il fait froid.

Ils sortirent dans l'air froid et lumineux.

– Au revoir, leur dit-elle doucement tandis qu'ils descendaient les marches du perron. Au revoir. Allez, au revoir.

Dans la voiture, Maggie déclara qu'elle avait la nausée et qu'elle irait se reposer au Pforzheimer tandis que les deux autres iraient retrouver l'ami de Victor Spitalny au Polka Dot Lounge. Michael se montra très compréhensif.

– Alors c'est comme ça que Dengler a été élevé, dit Tim, alors qu'ils roulaient dans les rues verglacées en direction du nord.

– Ses parents l'ont acheté, dit Maggie. Il devait leur servir d'esclave. Pauvre petit bonhomme avec ses *Babar*.

– Et qui étaient ces fameux « ils » qui avaient menti ? Elle n'a donné aucune explication.

– J'ai l'impression que je vais le regretter par la suite, dit Tim, mais après avoir déposé Maggie à l'hôtel, j'aimerais que tu me conduises à la bibliothèque de Milwaukee. Ça doit être dans le centre-ville, pas très loin de l'hôtel. J'aimerais faire quelques vérifications dans les journaux de Milwaukee. Il y a des tas de choses que cette femme a laissées dans l'ombre.

Avec un quart d'heure d'avance sur l'heure de son rendez-vous, Michael se gara sur le parking jouxtant le Polka Dot Lounge. L'édifice lui-même était un bâtiment bas, à pignon, qu'on aurait vu plus à sa place, recouvert de lierre, au beau milieu de la Forêt-Noire que dans cette rue en pente, sordide, qui descendait vers l'obscure Vallée. Au-dessus, le pont immense qu'ils avaient emprunté pour se rendre chez les Spitalny retentissait du bruit de la circulation. Des nuages ovales, couleur de plomb, qui semblaient solides comme des navires de guerre, étaient suspendus dans l'air, immobiles, tandis que des flammes rouges dansaient au sommet des hautes cheminées. Des enseignes de bière en néon luisaient derrière les petites fenêtres latérales de la taverne.

Michael poussa la porte et pénétra dans une longue salle enfumée et fut saisi par le vacarme d'une musique de rock. Des hommes en casquette et chemise à carreaux s'agglutinaient déjà sur deux rangs autour du comptoir. Une serveuse blonde vêtue d'une veste en peau et de jeans serrés, circulait entre les tables, un plateau à la main, chargé de chopes de bière et de bols de pop-corn. Le long des murs étaient alignées des stalles, le plus souvent vides. Le sol était recouvert de sciure, de pop-corn, de coques de cacahuète. Le Polka Dot Lounge était un bar d'ouvriers, pas une taverne de quartier, puritaine, inondée de lumière et de musique larmoyante. La plupart des hommes rassemblés autour du bar avaient l'âge de Michael, et devaient être allés au Vietnam ; ici, pas de sursitaires pour raison d'études supérieures. Tout de suite, Michael se sentit plus à l'aise dans ce bar que dans tous ceux qu'il avait visités depuis son arrivée dans le Midwest.

Il réussit à se glisser dans un espace vide à l'extrémité du comptoir.

– Une Pforzheimer's, dit-il. Dites-moi, je devais retrouver Mack Simroe ici, il n'est pas encore arrivé ?

– Il est encore un peu tôt pour Mack, dit le barman. Installez-vous dans une stalle, je lui dirai que vous êtes là.

Michael prit une stalle et s'installa face à la porte. Un quart d'heure plus tard, un grand barbu vêtu d'une veste rapiécée et coiffé d'un chapeau de brousse fit son entrée dans le bar. L'homme se mit à scruter les stalles, et Michael sut immédiatement qu'il avait affaire à Mack Simroe. Les yeux du géant s'arrêtèrent sur Michael, et une rangée de dents blanches vint éclairer la broussaille de la barbe. Michael se leva. L'homme était sympathique, et semblait tout à la fois perplexe et curieux, ce qui se lisait sans aucune difficulté sur son visage. Simroe lui serra vigoureusement la main.

– Je pense que vous êtes le docteur Poole. Je vous propose de prendre un pichet de bière, qu'est-ce que vous en dites ? De toute façon elle est meilleure à la pression...

Ils se retrouvèrent donc assis dans la stalle, avec un pichet de bière et un bol de pop-corn sur la table. Après sa visite chez Mme Dengler, Michael était particulièrement sensible aux odeurs, et celle qui se dégageait de Mack Simroe devait être l'haleine même de la Vallée : une odeur d'huile de machine et de copeaux de métal. C'était aussi l'odeur que devaient répandre ces nuages de fumée plombés et pétrifiés. Simroe était ajusteur à la Dux Company, qui fabriquait des roulements à billes et des pièces de moteur, et il s'arrêtait en général ici après sa journée de travail.

– Vous m'avez secoué en me parlant de Vic Spitalny et de tout ça, dit Simroe. Ça a ramené un tas de souvenirs.

– J'espère que ça ne vous dérange pas d'en parler un peu plus longuement.

– De toute façon, je serais venu boire un coup ici. A qui d'autre avez-vous parlé ?

– A ses parents.

– Ils ont eu de ses nouvelles ?

Michael secoua la tête.

– George a commencé à déjanter quand Vic a eu tous ces ennuis. Il s'est mis à boire de trop, et même au travail, d'après ce que j'ai entendu dire. Y s'est mis à se bagarrer. Sa boîte l'a mis en congé pour un mois, et je crois que c'est à ce moment-là qu'il a découvert George Wallace dans toute sa splendeur. Il a commencé à faire des petits boulots pour le compte de Wallace, et ça l'a remis sur les rails. Y faut jamais dire un mot contre Wallace devant George. A qui d'autre vous avez parlé ? A Debbie Maczik ? Comment elle s'appelle maintenant ? Ah oui, Tusa.

– Oui, je lui ai parlé.

– C'est une fille chouette. J'ai toujours bien aimé Debbie.

– Et vous aimiez bien Victor, aussi ?

Simroe se pencha alors en avant, et Michael eut l'impression de s'apercevoir seulement à cet instant qu'il avait un visage puissant et des bras fort épais.

– Écoutez, je peux pas m'empêcher de me demander à quoi ça

rime, tout ça. Ça ne me gêne pas de vous parler, pas du tout, mais d'abord, j'aimerais un peu savoir qui vous êtes. Alors vous étiez dans la même section que Vic!

– Tout le temps, dit Michael.

– La vallée du Dragon? Ia Thuc?

– Tout ça.

– Et maintenant vous êtes dans le civil?

– Je suis médecin. Pédiatre. Dans les environs de New York.

– Un pédiatre, dit Simroe en souriant. Ça me plaît bien. Vous êtes pas flic, pas du FBI, des services de renseignements, de la police militaire, ou de cette saloperie de CIA... rien de tout ça?

– Absolument pas.

Simroe souriait toujours.

– Mais y a quelque chose, hein? Vous croyez qu'il est vivant. Et vous voulez le retrouver.

– C'est vrai, je veux le retrouver.

– Y doit vous devoir un sacré paquet de fric, ou bien alors c'est que vous avez appris quelque chose à son propos... quelque chose de dur. Il s'est mis dans un truc, et vous voulez l'arrêter.

– C'est à peu près ça, reconnut Michael.

– Alors Vic est vivant... ça alors!

– La plupart des gens qui ont déserté sont encore vivants. C'est d'ailleurs pour ça qu'ils ont déserté.

– D'accord, dit Simroe. A leur retour, ceux qui avaient fait la guerre étaient plus tout à fait les mêmes. On croit savoir jusqu'où les gens peuvent aller... et puis on se trompe.

Il avala d'une traite une quantité impressionnante de bière.

– Laissez-moi vous raconter comment j'ai connu Vic. Au collège Rufus King, j'étais une sorte de loubard à la manque. J'avais une grosse Harley, des bottes, d'affreux tatouages – je les ai encore, mais maintenant je les cache – et j'essayais de devenir un vrai dur. Je ne savais pas quoi faire d'autre. Je n'ai jamais été un vrai voyou, j'aimais seulement frimer sur ma grosse bécane. En tout cas, Vic a commencé à me tourner autour. Toute cette histoire de motos ça le branchait bien. J'arrivais pas à m'en dépêtrer, alors un jour j'ai renoncé.

Michael songea à Spacemaker Ortega, le seul ami véritable que Spitalny avait eu à l'armée : c'était un ancien chef de bande, les Devilfuckers... Spitalny n'avait fait que transférer sur Ortega son amitié pour Simroe.

– Et puis j'ai fini par bien l'aimer. Il était un peu bêbête, son vieux arrêtait pas de lui souffler dans les bronches. J'ai essayé de lui donner des conseils. Tu ferais bien de t'occuper un peu de toi... je lui disais des choses comme ça. J'ai même essayé de lui dire de laisser tomber Manny

Dengler, parce que ce type-là, lui, il avait vraiment des problèmes, il était dans la merde jusqu'au cou, et tous les jours de la semaine. Il m'inquiétait, ce gamin-là.

– J'ai vu sa mère cet après-midi.

Simroe secoua la tête.

– Moi, je n'ai jamais vu cette dame. Mais le vieux, Karl... celui-là c'était quelque chose. Il était là, au coin de la rue, tous les matins et tous les soirs, à crier dans son petit micro... et le petit Manny qui chantait des hymnes ou n'importe quelle connerie, à tue-tête, et qui passait le chapeau ensuite. Et le vieux qui le giflait comme ça, en pleine rue. C'était un spectacle, un vrai spectacle. Bon, en tout cas après que j'ai quitté le collège, Vic a quitté aussi... j'ai essayé de le convaincre d'y retourner, mais il ne voulait pas. Je savais que de toute façon j'allais terminer dans la Vallée, et j'avais envie de m'engager avant, de jouer les héros avec un M-16. Vous connaissez le truc. Et puis, vous étiez là-bas, vous savez comment ça s'est passé. J'ai vu des braves types bousillés pour rien du tout. Ça m'a foutu les boules.

Simroe avait combattu dans la compagnie Bravo, 4e bataillon, 31e d'infanterie, division américaine, et il avait passé un an à se battre par 45° dans la vallée de Hiep Duc; il avait été blessé deux fois.

– Vous avez eu des nouvelles de Vic, quand vous étiez tous les deux là-bas?

– Quelques lettres seulement... on devait se revoir, mais ça n'a jamais pu se faire.

– Et vous a-t-il écrit après avoir déserté?

– Je savais que vous alliez me demander ça. Et je devrais vous verser cette bière dans le cou, monsieur le pédiatre, parce que je vous ai déjà dit que je n'avais plus jamais entendu parler de lui. Il a dû couper avec tout le monde.

– A votre avis, que lui est-il arrivé?

Simroe poussa son verre sur la table humide, entre les petites flaques de bière. Il regarda Michael, comme pour le jauger, puis son regard se reporta sur son verre.

– Je crois que je pourrais vous demander la même chose, mais je vais vous dire quand même ce que je pense, docteur. Je crois qu'il a dû rester en vie un mois, pas plus. Il a dû se retrouver à court d'argent, essayer de monter une combine pour en trouver, et il a dû se faire descendre à ce moment-là. Parce que Victor Spitalny n'était bon qu'à ça. A se faire descendre. Une fois lâché tout seul, je ne pense pas qu'il ait pu tenir plus de six semaines. En tout cas, c'est ce que je pensais jusqu'à ce que je vous aie vu.

– Croyez-vous que ce soit lui qui ait tué Dengler?

– Impossible! s'exclama Simroe. Et vous, c'est ce que vous croyez?

– J'en ai bien peur.

Un instant d'hésitation. Simroe s'apprêtait à dire quelque chose lorsqu'une clameur retentit dans le bar. Les deux hommes se tournèrent pour voir de quoi il s'agissait. Ils aperçurent alors un groupe d'hommes plutôt jeunes, entre vingt et trente ans, qui faisaient cercle autour d'un homme plus âgé, les cheveux bouclés, et le visage ahuri d'un idiot du village. « Allez, vas-y, Cob ! » s'écriaient-ils.

– Regardez ça, dit Simroe.

Les jeunes se pressaient autour du dénommé Cob, le poussaient par l'épaule, lui chuchotaient des mots à l'oreille. Michael sentit alors une odeur familière : cordite ? napalm ? Non, aucune des deux, mais une odeur voisine, pourtant. *Allez, Cob, vas-y, vieille branque !*

Et Cob souriait, hochait la tête, ravi d'être l'objet de tant d'attentions. Il avait l'allure d'un concierge ou d'un ouvrier d'entretien d'une usine de la Vallée, Glax, Dux ou Fluegelhorn Brothers. Sa peau avait une curieuse teinte grisâtre, et dans ses cheveux bouclés étaient accrochées comme des épluchures de crayon. *Allez, Ducon, magne-toi un peu le cul ! Allez, Cob, vas-y !*

Simroe se pencha vers Michael.

– Il y a des gars ici qui prétendent avoir vu Cob s'élever à cinquante centimètres au-dessus du sol et rester comme ça pendant trente ou quarante secondes.

Michael jeta un regard incrédule à Simroe et entendit au même moment un fort bruit métallique, comme une série de ratés d'allumage, ou une rafale de mitraillette, un bruit en tout cas qui n'avait rien d'humain. Il aperçut alors une longue flamme en forme de torpille jaillir au milieu du bar et disparaître presque aussitôt. L'odeur de cordite et de napalm devint tout d'un coup très forte, puis disparut tout aussi rapidement.

– Ça désinfecte, hein ? dit Simroe.

Les jeunes tapaient dans le dos de Cob, lui tendaient des billets. Cob tituba en arrière, mais parvint à se redresser avant de choir sur le sol. L'un des hommes lui mit un verre de bière dans la main, et le lui fit boire comme s'il versait de l'eau dans un puits.

– C'est un truc de Cob, dit Simroe. Il peut faire ça deux fois, peut-être trois fois par nuit. Ne me demandez pas comment. Et ne le lui demandez pas à lui non plus. Il serait incapable de vous répondre. Peut pas parler : n'a pas de langue. Vous voulez mon avis ? Ce pauvre bougre se remplit la bouche d'essence à briquet avant de venir ici, et il attend ensuite que quelqu'un lui demande de faire son truc.

– Mais vous l'avez déjà vu craquer une allumette ?

– Jamais.

Simroe lança un clin d'œil à Michael, et se versa une autre bière.

– Il y a un autre type ici qui mange son verre à bière s'il est suffisamment soûl. (Il avala une gorgée de bière.) Alors comme ça vous avez vu la mère de Dengler ? Elle vous a raconté comment le vieux Karl avait été jeté en prison ?

– Quoi ! s'exclama Michael, stupéfait.

– Non, évidemment, elle n'a pas dû vous en parler. Eh bien le vieux Karl a été arrêté quand on était en sixième. Une assistante sociale qui était venue rendre visite au petit l'avait trouvé enfermé dans l'armoire frigorifique de la boucherie. Il avait été sérieusement frappé. Le vieux avait été un peu plus dur que d'habitude, et il l'avait enfermé dans le frigo jusqu'à ce que le gamin se calme. Elle a appelé les flics, et le gamin leur a tout dit.

– Tout quoi ?

Alors Mack Simroe lui apprit ce qui s'était passé.

– Il leur a raconté comment le vieux, le vieux Karl, eh bien... se livrait à des pratiques douteuses avec lui, il le violait. Plusieurs fois par semaine, depuis qu'il avait cinq ou six ans. Il lui disait qu'il lui couperait son robinet s'il le voyait avec des filles. Au procès, Manny a dû témoigner contre le vieux. Il a été condamné à vingt ans, mais deux ans plus tard il a été tué en prison. A mon avis, il a dû faire des avances à un jeune, et il s'est trompé de bonhomme.

Après ce qu'ils ont dit, se rappela Michael. *Tout le monde a menti à propos de nous.*

Et : *Nous ne le laissions pas inoccupé.*

Et : *Il fallait l'enchaîner. Peu importe ce que les gens disaient.*

Et : *Nous avons fermé la boucherie un petit peu avant cela.*

Michael revoyait Dengler, le visage en feu, bredouillant quelques paroles absurdes à propos de la vallée des ombres de la mort.

Elle disait : *Nous ne savions pas ce qui allait nous arriver.*

Et : *Il faut réprimer l'imagination. Il faut étouffer cela.*

Il avait ignoré ou mal interprété toutes ces paroles. Dans le bar, le dénommé Cob souriait béatement, les yeux dans le vague, et sa peau avait pris une teinte indistincte, entre le violet clair et le gris de la limaille de fer. *Après ce qu'ils ont dit.* Si un homme pouvait s'élever au-dessus du sol et rester suspendu comme cela pendant trente secondes, voilà à quoi il ressemblerait. La lévitation n'est pas gratuite. Il faut payer son dû. Sans parler de ce qu'il en coûte de cracher du feu.

Il inventait des choses. Ne serait-ce pas le problème depuis le début ?

Si le vieux Cob était comme ça, c'était à cause de la lévitation, se dit Michael. L'un des jeunes gens prit Cob par l'épaule et le força à se retourner pour qu'il puisse contempler une série de petits verres de whisky – six, huit, dix, Michael n'arrivait pas à les compter – alignés sur le comptoir en son honneur. Cob se mit alors à avaler les verres les uns après les autres, d'une façon qui rappela à Michael l'attitude d'un animal engloutissant la proie qu'il vient de tuer.

– J'imagine que c'est nouveau pour vous, hein ? dit Simroe. Manny Dengler n'est pas allé à l'école pendant un an, et il a dû redoubler sa première année de secondaire. Bien sûr, il a été encore plus mal traité par ses camarades que l'année précédente.

Et Michael se rappela : *Calme-toi, Vic. De toute façon...*

– C'était il y a longtemps, dit Michael en terminant la phrase à voix haute.

– Ouais, dit Simroe. Mais je vais vous dire, moi, ce qui me chiffonne. C'est qu'il a été *adopté* par ces gens. Tout le monde savait que Karl Dengler était fou, mais on le lui a quand même confié. Et puis Karl a été envoyé à Waupun, et là un jeune lui a coupé la gorge avec un couteau bricolé en prison, mais malgré tout ça, Manny a continué à vivre à Muffin Street. Avec la vieille.

– Il est retourné à l'école... dit Michael, sans quitter Cob des yeux.

– Ouais.

– Et il rentrait chez lui tous les soirs.

– Oui, il fermait la porte derrière lui, dit Simroe. Mais allez savoir ce qui se passait derrière cette porte. De quoi parlait-elle avec lui ? Il a dû être sacrément heureux quand il a été appelé à l'armée.

4

Tout cela, Tim Underhill l'avait découvert en deux heures à la bibliothèque ; en consultant les microfilms des deux journaux de Milwaukee, il avait appris la condamnation de Karl Dengler et son assassinat en prison. « Pasteur et pédophile », disait la légende d'une photo de Karl Dengler, le regard halluciné. « Le pasteur pédophile et sa femme lors de la dixième journée d'audience » : la photographie montrait Karl Dengler, coiffé d'un feutre gris, regardant droit devant lui, tandis que Helga Dengler, plus jeune et plus mince, des nattes blondes serrées autour du crâne, fusillait de ses yeux clairs l'objectif de l'appareil photographique. Tim avait également découvert une photo de la maison de Muffin Street, la véranda vide et les volets baissés. A côté, la Boucherie Dengler de l'agneau de Dieu semblait déjà abandonnée. Les jours suivants, des enfants jetteraient des briques dans la vitrine. Le lendemain, une photographie du *Sentinel* en témoignait, la municipalité faisait aveugler la vitrine par des planches.

L'ASSISTANTE SOCIALE DEMANDE UNE NOUVELLE FAMILLE ADOPTIVE, disait un sous-titre du journal au dernier jour du procès. Mme Phyllis Green, 44 ans, l'assistante sociale qui avait découvert l'enfant enfermé dans la chambre froide de la boucherie, à moitié inconscient, sévèrement contusionné, serrant dans ses bras son livre préféré, avait demandé à la cour de désigner une nouvelle famille adoptive pour Manuel Orosco Dengler. L'avocat de Mme Dengler « s'opposa vigoureusement » à cette demande, faisant valoir que la famille Dengler avait déjà été suffisamment éprouvée. PAS DE NOUVELLE FAMILLE ADOPTIVE, annonçait le *Journal* une semaine après le jugement de la cour d'assises : à l'issue d'une audience distincte, un juge avait décidé que le garçon devait « retrouver aussi vite que possible une vie normale ». L'enfant devait retourner à l'école dès le premier jour du trimestre suivant. Ce deuxième juge conseillait « de surmonter cette terrible histoire », et de faire en sorte que Helga et Manuel Dengler « puissent désormais reprendre le cours normal de leur existence ». La mère et le fils quittèrent donc le palais de justice, prirent l'autobus jusqu'à Muffin Street, et refermèrent la porte derrière eux.

Tout le monde a menti à propos de nous.

Timothy Underhill apprit tout cela, et autre chose encore : le père de Manuel Orosco Dengler était bien le père de Manuel Orosco Dengler.

– Karl Dengler était son véritable père ? demanda Michael.

Il était sept heures et demie du soir, et ils rentraient tous deux en voiture à l'hôtel Pforzheimer. Sur Wisconsin Avenue, les vitrines illuminées des grands magasins défilaient comme des diapositives dans un musée... des amoureux sur une balançoire, des hommes vêtus de chandails amples aux couleurs voyantes, à la Perry Como, et coiffés de casquettes molles, se tenaient avec raideur sur un terrain de golf.

– Qui était sa mère ? demanda Michael, un peu désorienté.

– Rosita Orosco, comme l'a dit Helga Dengler. Rosita lui a donné le nom de Manuel et l'a abandonné à l'hôpital. Mais en remplissant les formulaires d'admission, elle a indiqué Karl Dengler comme père de l'enfant. Et lui ne l'a jamais contesté, parce que son nom figure sur l'acte de naissance de Manuel.

– Tu as trouvé un certificat de naissance à la bibliothèque ? demanda Michael.

– Non. Deux rues plus loin, il y a les Archives municipales. Finalement, quelque chose m'a frappé : les Dengler semblent avoir adopté cet enfant abandonné sans passer par aucune formalité. Cette

Nicaraguayenne, une prostituée, débarque directement en salle d'accouchement, disparaît, et quinze jours plus tard, les Dengler ont adopté l'enfant. J'ai l'impression que tout ça était arrangé d'avance.

Dans la petite voiture, Tim avait du mal à allonger ses grandes jambes.

– Je parie que Rosita a dit à Karl qu'elle était enceinte; il a dû la rassurer, lui dire qu'il adopterait l'enfant, que tout se passerait légalement, ouvertement. Peut-être même lui a-t-il dit qu'il allait l'épouser! On ne saura jamais. Peut-être que Rosita n'était même pas une prostituée. Sur le formulaire de l'hôpital, elle a écrit « couturière » à la rubrique profession. Je me suis dit que peut-être Rosita est entrée un jour par hasard dans l'église ou le temple de l'agneau de Dieu, je ne sais pas comment Karl Dengler appelait ça quand ça ne servait pas de boucherie, et que peut-être il l'a remarquée tout de suite et qu'il l'a convaincue d'assister à des offices privés. Pour ne pas que sa femme la voie.

Un concert d'avertisseurs se déchaîna derrière Michael, et il se rendit compte que le feu était passé au vert. Il traversa le carrefour avant que le feu ne passe à l'orange, et alla se garer devant l'entrée de l'hôtel.

Michael et Tim s'avancèrent sous la marquise en direction des portes vitrées qui s'ouvrirent devant eux avec un bruit de ventouses. Un torrent de questions se pressaient dans son esprit; il choisit celle qui lui paraissait la plus urgente.

– Helga savait que Karl était le père de l'enfant?

– C'était inscrit sur le certificat de naissance.

Ils pénétrèrent dans le hall de l'hôtel où le concierge les salua d'un signe de tête. Il régnait une chaleur presque opulente dans ce hall, et les hautes fougères à la tête inclinée semblaient éclatantes de santé, comme si elles étaient sur le point de se glisser hors de leurs pots pour aller croquer de petits animaux.

– Je crois qu'elle ne voulait pas le savoir, dit Tim. Et ça l'a rendue encore plus folle. Dengler était la preuve que son mari lui avait été infidèle, et avec une femme appartenant à une race qu'elle considérait comme inférieure.

Ils prirent l'ascenseur.

– Où a-t-on retrouvé le corps de Rosita? demanda Michael en appuyant sur le bouton du cinquième étage.

– Le long de la Milwaukee, une rue ou deux au sud de Wisconsin Avenue. C'était en plein hiver – à peu près à cette période, d'ailleurs. Elle était nue et elle avait la nuque brisée. D'après la police, elle avait été assassinée par un client.

– Deux semaines après avoir mis au monde un enfant?

– Ils ont dû croire qu'elle était désespérée, dit Tim.
L'ascenseur s'immobilisa et les portes s'ouvrirent avec bruit.
– Ils ne devaient pas se soucier beaucoup de ce qui avait pu arriver à une putain mexicaine.
– Nicaraguayenne, rectifia Michael.

5

Ils racontèrent alors ce qu'ils avaient appris à Maggie, qui demanda :
– Et d'où viennent ces *Babar* ?
– Il semble que Karl Dengler les ait pris à l'ouvroir de l'église, ou je ne sais pas comment ils appelaient ça, et les ait donnés à Rosita. Elle avait dû lui demander quelque chose pour l'enfant et il lui avait donné la première chose qui lui tombait sous la main.
Dans leurs cadres, les chiens montaient la garde devant leur sanglant butin, et les gros hommes si satisfaits d'eux-mêmes les contemplaient comme s'ils avaient été immensément ravis d'être figés dans le temps.
– Et il les a gardés jusqu'à son départ pour l'armée.
– Le monde de Babar est un monde pacifique, dit Michael. J'imagine que c'est ça qu'il aimait dans ces livres.
– Pas si pacifique que ça, dit Maggie. Dans les premières pages de l'*Histoire de Babar*, la mère de Babar est tuée par un chasseur. Pas étonnant que votre ami Dengler ait conservé ces livres.
– Tu es sûre ? demanda Tim, surpris.
– Évidemment, dit Maggie. Et il y a autre chose. A la fin du *Roi Babar*, des éléphants volants nommés Courage, Patience, Savoir, et je ne sais plus quoi encore... ah oui, Joie et Intelligence chassent d'affreuses créatures appelées Bêtise, Colère, Peur et un tas d'autres mauvaises choses. Vous ne croyez pas que ça voulait dire beaucoup pour lui ? Parce que d'après ce que j'ai appris de Dengler, il était capable de faire ça dans sa vie... de chasser toutes les choses terribles qui lui étaient arrivées. Et il y a encore autre chose mais je ne sais pas ce que vous en penserez. Quand j'étais petite, j'adorais un passage de ce livre dans lequel on décrivait certains habitants de la ville des éléphants : le Dr Capoulosse, Tapitor le cordonnier, un sculpteur nommé Podular, Poutifour le paysan, Hatchibombotar l'arroseur-balayeur... et un clown nommé Coco.
– Koko ? demanda Tim.
– Mais ça s'écrit différemment : avec des *c*.

Il fallait faire quelque chose.

– La seule chose vraiment importante que nous ayons apprise ici, dit Michael, c'est que Spitalny connaissait Dengler depuis le collège. Ça ne nous aide pas beaucoup pour le retrouver. Je crois que nous devrions rentrer à New York. Fini de ménager M. Harry Beevers : il faut dire au lieutenant Murphy tout ce que nous savons. La police est capable de l'arrêter. Pas nous.

Il regarda Maggie dans les yeux.

– Maintenant, il faut faire autre chose.

Elle acquiesça.

– Eh bien rentrons à New York, déclara Tim.

Michael ne parvenait pas à détacher ses yeux de Maggie.

– Vinh me manque, reprit Tim. J'aime bien travailler le matin et voir sa tête apparaître par la porte pour me demander si je veux une autre tasse de thé.

Michael adressa un sourire à Tim qui lui jetait un regard en coin, en se tapotant les dents avec son crayon.

– Il faut bien que quelqu'un s'occupe de Vinh, ajouta Tim. Ce pauvre garçon n'arrête pas de travailler.

– Si je comprends bien, tu vas te ranger et élever une petite famille, dit Maggie.

– Quelque chose comme ça.

– Mener une vie régulière, raisonnable.

– J'ai un livre à écrire. J'ai songé à appeler Fenwick Throng, simplement pour lui dire que j'étais ressuscité. J'ai entendu dire que Geoffrey Penmaiden n'était plus chez Gladstone House, alors je pourrais peut-être aller revoir mon ancien éditeur.

– Est-ce que tu lui as vraiment envoyé un étron dans un paquet ? demanda Michael. Tina m'avait dit que...

– Si tu le connaissais, tu comprendrais. Il ressemblait beaucoup à Harry Beevers.

– Mon idole, dit Michael.

Il décrocha le téléphone et réserva trois places sur le prochain vol pour New York, qui partait à dix heures et demie le lendemain matin. Puis après avoir raccroché, il regarda à nouveau Maggie.

– A quoi penses-tu ? lui demanda-t-elle.

– Je me demande si je dois appeler Harry tout de suite.

– Bien sûr, dit-elle.

Il obtint le répondeur de Harry.

– Harry, bonjour, c'est Michael. Nous revenons demain. Nous arrivons à La Guardia vers deux heures sur un vol Republic. Pas de pistes, mais on a quand même trouvé un certain nombre de choses. Je crois que maintenant le moment est venu de tout dire à la police. Je t'en parlerai avant de faire quoi que ce soit, mais Tim et moi nous avons décidé d'aller voir Murphy.

Ensuite il appela Conor chez Ellen Woyzak, et lui donna l'heure de leur arrivée à l'aéroport. Ellen prit alors l'appareil et lui dit que Conor et elle les attendraient à l'aéroport.

Ils prirent tranquillement leur repas au restaurant de l'hôtel. Michael et Maggie se partagèrent une bouteille de vin, et Tim prit un club soda. Au milieu du repas, il annonça qu'il venait de se rendre compte de quelque chose : c'était en quelque sorte un anniversaire, puisque cela faisait un peu plus de deux ans qu'il était sobre. Ils portèrent un toast à sa santé, mais à part cela, le repas fut si tranquille que Michael craignit d'avoir communiqué son humeur sombre à ses deux amis. Tim parla un peu du livre qu'il avait commencé à Bangkok après avoir écrit « La rose bleue » et « Le genévrier »... L'histoire d'un enfant qu'on fait vivre dans une cabane derrière sa maison, et qu'on retrouve vingt ans plus tard... mais Michael se sentait à la fois vide et solitaire, aussi coupé de la vie qu'un astronaute flottant dans l'espace. Il enviait à Tim son activité. Tim était démangé par l'écriture : il avait travaillé dans l'avion, et à l'hôtel, aussi bien le matin que le soir. Michael avait toujours cru que les écrivains avaient besoin d'être seuls pour travailler, mais il semblait que les seules choses dont Tim eût besoin c'étaient un bloc de feuilles et une provision de crayons Blackwing – et ceux-ci avaient appartenu à Tina. Ce dernier s'était toujours montré maniaque à propos de ses outils, et il y avait presque une caisse de Blackwings au restaurant. Maggie en avait donné quatre boîtes à Tim, qui avait promis de terminer son livre avec ces crayons. Ils étaient *rapides*, disait-il. Avec ces crayons, on pouvait *glisser*. Tim glissait déjà au plus profond de lui-même, s'élançant sur un tapis de mots qu'il était impatient de dérouler.

Dans l'ascenseur, Michael décida qu'une fois arrivé dans leur chambre, il abandonnerait Tim à son imagination et à ses crayons Blackwing, et qu'il se mettrait au lit avec *Les ambassadeurs*.

L'ascenseur s'immobilisa. Ils suivirent le long couloir froid en direction de leurs chambres. Tim avait déjà sa clé à la main; c'est à peine s'il se rendait compte de leur présence à ses côtés.

Michael attendit derrière Tim que celui-ci ouvrît la porte; il s'attendait à ce que Maggie leur adressât un sourire ou un signe de tête et poursuive son chemin vers sa chambre. Au lieu de quoi, elle les dépassa de quelques pas mais s'immobilisa dès que Tim eut ouvert la porte.

– Tu veux venir cinq minutes, Michael?

La voix de Maggie était légère et pénétrante, et en dépit de sa douceur elle aurait pu passer au travers d'un mur en béton.

– De toute façon, ce soir Tim ne t'accordera pas la moindre attention.

Michael administra une petite tape sur le dos de Tim, lui dit qu'il le rejoindrait dans un moment et suivit Maggie. Devant sa chambre, elle lui sourit de ce même sourire forcé et dévastateur qu'elle avait adressé à George Spitalny.

Sa chambre affectait la forme d'une boîte toute en longueur, terminée par une immense baie vitrée. Les murs étaient de couleur vieux rose ; il y avait une table, une chaise et un lit de deux personnes. Sur le couvre-lit, Michael aperçut le livre qu'ils avaient trouvé dans leur chambre : *Le joli manchon de Kitty*.

Maggie le fit rire avec une plaisanterie qui n'était pas vraiment une plaisanterie mais une phrase tournée sens dessus dessous... un trait d'esprit cinglant ; il se promit de ne pas oublier cette manière d'utiliser les mots. Elle tourbillonnait dans la pièce, et lui sourit d'une façon si tendre et si ironique à la fois, qu'à la différence de son trait d'esprit, il n'eut aucun mal à graver ce sourire dans sa mémoire. Elle continuait de parler. Elle s'assit sur le lit... Michael dit quelque chose : il savait à peine ce qu'il disait. Il émanait d'elle comme un parfum frais et poivré.

– Je voudrais que tu m'embrasses, dit-elle.

Et c'est ce qu'il fit.

Les lèvres de Maggie étaient accueillantes comme un coussin. Elle l'entoura de ses bras ronds et fins et l'attira contre elle, en sorte qu'ils tombèrent tous deux à la renverse sur le lit. Les lèvres de Maggie lui semblaient énormes à présent. Il passa les bras sous son dos et ils s'enfoncèrent plus profondément dans le lit.

Au bout d'un certain temps, avec une grande douceur, elle écarta le visage et lui sourit. Son visage était immense, comme la lune. Les yeux de Maggie étaient si vifs, si éclatants, qu'elle semblait presque sur la défensive.

– C'est bien, dit-elle. Tu n'as plus l'air aussi triste. Tu avais l'air tellement misérable au dîner.

– Je pensais seulement à retrouver ma chambre et mon roman de Henry James.

Le visage de Maggie s'approcha à nouveau du sien et sa petite langue rose s'insinua entre ses lèvres.

Leurs vêtements semblèrent s'envoler de leurs corps et ils se retrouvèrent serrés l'un contre l'autre, comme tous les amants du monde. La peau de Maggie était incroyablement douce. Nulle aspérité : les doigts de Michael glissaient sur la soie. Tout son corps semblait se dilater, l'accepter. Il embrassa la paume de ses mains, sillonnée d'un millier de petits traits. Elle avait le goût du sel et du miel. Il enfouit son visage dans la douce courbure de son cou et respira son odeur de pain frais.

– Tu es un homme merveilleux, dit-elle.

Il se glissa dans l'ouverture chaude et humide de son corps et s'y sentit chez lui. Il était chez lui : presque instantanément, Maggie fut secouée par un orgasme. Une joie immense s'empara de Michael. Il était chez lui.

Plus tard, Michael reposait, épuisé et reconnaissant, contre le corps endormi de Maggie. Il avait l'impression d'être en voyage dans un pays merveilleux. Maggie était ce pays, elle était le trésor de ce pays et la clé qui en ouvre l'accès. Le bonheur de Michael se mua sans peine en sommeil.

34

LA FIN D'UNE POURSUITE

1

Il ne tenait pas en place; il était certain qu'aujourd'hui se déciderait le cours prochain de son existence. Il ne cessait de regarder le téléphone, lui adressant cette prière muette : *sonne!* Il quitta la chaise disposée près de la fenêtre et alla caresser l'appareil du bout des doigts : si la sonnerie retentissait à cet instant, il pourrait décrocher à la même seconde.

La veille, le téléphone avait sonné, mais il ne pensait à rien, ou pensait stupidement à autre chose, comme on le fait toujours lorsqu'il vous arrive quelque chose d'important; il avait dit bonjour et attendu, l'esprit un peu ailleurs tandis que son interlocuteur hésitait, puis au bout d'une seconde ou deux, il avait rassemblé ses esprits : à l'autre bout du fil, la personne ne parlait pas, et cette personne était Koko. Quel instant cela avait été! Il avait senti que Koko hésitait, qu'il avait besoin de lui parler, mais il avait aussi senti la peur qui l'empêchait de parler. C'était comme à la pêche, lorsque l'on sent une secousse dans la ligne, et que l'on sait qu'à l'autre bout il y a quelque chose qui se passe. « Je veux te parler », avait dit Harry; et il avait senti l'excitation saturer la ligne. S'il avait eu des problèmes cardiaques, son cœur aurait explosé comme un vieux pneu. Et doucement, comme à regret, Koko avait raccroché... Harry avait littéralement *entendu* le besoin et le regret qui se manifestaient, car en de tels instants, on entend *tout*, tout *parle*. Il avait lui aussi raccroché, en sachant bien que Koko rappellerait. Désormais, Harry était pour lui une drogue à laquelle il ne pourrait plus résister.

Et les circonstances étaient idéales. Michael et Tim, qui plus que jamais faisaient figure de cinquième et sixième roue du carrosse, étaient exilés au fin fond du Midwest à éplucher les carnets de notes de Victor Spitalny... tandis que lui se trouvait au centre, au point zéro.

Aujourd'hui, il amènerait Koko dans le piège à rats.

Il avait pris une douche et avait revêtu des vêtements amples et confortables : son unique paire de jeans, un chandail noir à col montant, des Reeboks noires. Les menottes étaient dissimulées dans sa ceinture, sous le chandail. Le couteau à cran d'arrêt reposait dans sa poche, comme un petit animal à sang froid.

Harry alluma la télévision et se brancha sur NBC. Jane Pauley et Bryant Gumble échangeaient des sourires, plaisantaient... dans un an, ils l'appelleraient par *son* nom, et c'est à *lui* qu'ils souriraient, c'est *lui* qu'ils regarderaient avec admiration. On passa à la jolie fille qui présentait les informations locales. Sourcils sombres, lèvres pleines et humides, regard intense et sensuel, avec cette manière typiquement new-yorkaise d'être sensuelle de façon intellectuelle. Harry posa la main sur son sexe et se pencha vers l'écran, imaginant ce que la fille dirait si elle savait ce qu'il allait faire.

Il s'approcha de la fenêtre et observa les esclaves salariés qui quittaient son immeuble par groupes de deux ou trois. Une fille se dirigea vers la Dixième Avenue, luttant contre le vent froid. Sonnerie, téléphone. La fille marchait toujours en direction de la Dixième Avenue, un peu raccourcie par le cadrage imposé à Harry, mais on distinguait bien ses jambes, et son beau cul qui se balançait sous le manteau... Ah, cette fille de Canal 4, Jane Hanson, un million de types rêvaient de rencontrer une fille comme ça, eh bien quand toute cette histoire serait terminée, c'est à lui qu'elle parlerait. Dans peu de temps, il serait assis dans le studio de Rockefeller Center... le truc ça n'est pas de savoir où se trouvent les studios, le truc c'est d'y être invité! Au-dessus du monde des esclaves salariés, se déployait un autre monde, semblable à une fête immense où tous les gens célèbres se connaissent. Une fois invité, on faisait partie de la fête. On rentrait finalement dans la famille à laquelle on appartenait de droit. Dès lors, les portes s'ouvrent devant vous, les occasions s'offrent... on se retrouve à sa place.

A vingt ans, sa photo avait fait la une de *Time* et de *Newsweek*.

Dans la salle de bains, Harry s'aplatit les cheveux devant le miroir.

Il avala un yoghourt à la cerise et un vieux morceau de fromage danois qu'il trouva dans le réfrigérateur. Vers dix heures et demie, devant sa télévision (CNN now), il mangea une barre de Mounds et un biscuit au chocolat tirés de sa réserve de friandises, dans le tiroir de son bureau. Il avait une envie folle de boire un verre, mais en même temps il n'éprouvait que du mépris pour quelqu'un capable de boire avant une mission importante.

Il retourna ensuite sur les chaînes nationales, coupa le son et brancha sa radio sur une station d'informations.

A midi et demi, Harry téléphona à un restaurant de la Dixième Avenue, Big Wok, et demanda qu'on lui livre un repas : un double sauté de porc accompagné de nouilles au sésame.

Les émissions se succédaient, guère distinctes les unes des autres. C'est à peine s'il remarqua les saveurs de ses plats chinois.

A deux heures et demie il brancha son répondeur téléphonique.

L'après-midi se poursuivit. Il ne se passait rien : un enfant noyé dans la Harlem River; un autre enfant sévèrement battu puis brûlé dans un four par son beau-père; en Californie, trente enfants d'une école maternelle se plaignaient de viols et d'attouchements sexuels – sales petits menteurs, songea Harry, il y en aurait vingt autres pour affirmer que leur professeur leur avait sorti leurs zoizeaux, ou que lui-même avait sorti le sien. La moitié devaient avoir envie qu'il le fasse, et lui avaient probablement demandé s'ils pouvaient jouer avec. Et ces petits filles californiennes déjà maquillées, avec leurs boucles dansant sur leurs oreilles percées, leurs petits culs serrés dans leurs petits jeans à la mode.

Un tremblement de terre, un incendie, une collision ferroviaire, une avalanche... Combien de morts au total ? Mille ? Deux mille ?

A quatre heures et demie, n'y tenant plus, il vérifia que son répondeur était bien enclenché, mit son chapeau, enfila son manteau et sortit se promener. C'était une vraie journée de février, avec cette humidité qui transperce les vêtements et vient glacer les os. Et pourtant Harry se sentait libéré. Que ce cinglé rappelle! Avait-il le choix ?

Harry marchait rapidement sur la Neuvième Avenue, plus rapidement que les passants autour de lui. Plusieurs fois, il remarqua des regards surpris ou inquiets, et il se rendit compte qu'il parlait tout seul à voix haute.

– Le moment est venu de parler. Nous avons beaucoup de choses à nous dire. Je veux t'aider. C'est ça qui donne un sens à notre vie à tous les deux. Nous avons besoin l'un de l'autre, dit Harry à un homme stupéfait qui mettait une fille dans un taxi sur la 28ᵉ Rue. On peut même appeler ça de l'amour!

Au coin de la 30ᵉ Rue, il entra dans une boutique de delicatessen et s'acheta un Mars. Dans la chaleur artificielle de la boutique, il fut un instant pris de vertige. Son front ruisselait de sueur. De l'air! Il fallait bouger! Harry jeta deux *quarters* à l'homme derrière sa caisse, et attendit sa monnaie, le crâne trempé de sueur. Le gros homme le regarda en fronçant les sourcils – les poches sous ses yeux semblaient même s'assombrir et gonfler, comme si elles étaient sur le point d'éclater – et Harry se rappela alors qu'il lui avait donné la somme exacte : les barres de chocolat ne coûtaient plus dix *cents*, quinze *cents*... et d'ailleurs il le savait, puisqu'il avait donné au marchand la somme exacte. Il retrouva le froid, l'air vif.

Tu es sorti de la grotte en courant, se dit Harry.

Toute sa vie, le destin avait scintillé au-dessus de sa tête, le désignant comme un des élus invités à la fête. Comment expliquer, sinon, que les gens l'aient tellement envié, lui en aient tellement voulu, aient tenté de le retenir ?

Tu es sorti de la grotte en courant pour nous trouver. Depuis lors, tu as cherché à y retourner.

Tu voulais avoir ta part.

Harry sentait le sang battre dans ses artères, sa peau brûler, son corps entier bouillir comme celui d'un jeune étalon piaffant.

Tu as vu, tu as entendu, tu as éprouvé, et tu as su que tu te trouvais au centre de ta vie.

Tu as besoin de moi pour retourner là-bas.

Harry s'immobilisa au coin de Hudson et de quelque chose ; une voiture klaxonna, et une décharge électrique parcourut tout son corps. De l'autre côté de la rue, la grande enseigne verticale de la White Horse Tavern brillait dans l'obscurité. *Pour retourner là-bas.*

Harry se rappela l'électricité qui circulait dans son corps tandis qu'il se tenait, l'arme pointée, face à tous ces enfants silencieux que les villageois d'An Lat devaient avoir emmenés plus tard par l'autre entrée de la grotte. Il se souvint : dans la lueur phosphorescente. Leurs grands yeux, leurs mains tendues vers lui. Et lui, devant eux, deux fois leur taille, un homme, un adulte, un Américain. Sachant ce qu'il savait. Qu'en cet instant de toute puissance divine, qu'en cet instant radieux, il pouvait tout faire, tout ce qu'il voulait. Cette explosion de sexualité en lui.

Et tant pis si les autres disent que c'était mal, ils n'étaient pas là. Quand le corps parle aussi fort, cela peut-il être mal ?

Parfois un homme est touché par la grâce, et c'était à cela qu'elle le destinait. Parfois un homme éprouve le contact du pouvoir originel, qui s'empare de son corps tout entier... parfois, peut-être une seule fois dans sa vie, c'est l'univers entier qui jaillit par son sexe, car en cet instant *rien de ce que l'on fait ne peut être mal.*

Sa vie était revenue à son point de départ. J'ai presque éclaté de rire, songea Harry, et alors il éclata de rire. Koko et lui retournaient dans la grotte, au centre brûlant de leur existence. Cette fois-ci, en sortant de la grotte il serait un héros.

Triomphant, Harry rentra à son appartement.

2

Mais à six heures, Harry sentit que son énergie commençait à s'épuiser et à se transformer en colère et en doute. A quoi rimait de rester assis là au beau milieu de cet appartement en désordre, avec ces vêtements ridicules de commando ? De qui se moquait-il ? Il avait vécu suffisamment longtemps pour savoir ce que deviennent les moments les plus intenses de l'existence lorsque leur finalité se dérobe. L'univers devient opaque. Harry savait que cela n'avait rien à voir avec ces syndromes de stress post-traumatique que manifestent des gens plus faibles, plus creux que lui. L'opacité c'était simplement lui, une partie de ce qui l'avait toujours distingué. En de tels instants, les besoins, les désirs de ce qu'il savait pourtant qu'il obtiendrait tôt ou tard, s'estompaient dans un avenir de plus en plus vague, et sa personnalité tout entière n'apparaissait plus que comme une façade de compétence et de stabilité masquant un tourbillon chaotique. Autrefois, il était passé en jugement : on l'accusait d'avoir massacré des civils, et la société n'avait pas été loin de le déclarer fou... ce qui avait été exécuté avec une rigueur impétueuse n'était plus évalué froidement que comme l'acte d'un criminel. Cette fois-là, les démons s'étaient approchés tout près de lui, il les avait entendus ricaner, il avait vu l'éclat rouge de leurs yeux, éprouvé le vide et la terreur qu'ils amenaient avec eux.

Les démons connaissaient son secret.

Si Koko le rappelait, cela voulait dire que le monde avait repris sa forme : le centre était le centre, c'est-à-dire le secret, et le pouvoir de ce que Harry Beevers avait éprouvé et accompli, ce pouvoir irradiait à travers le reste de son existence et le conduisait là où il fallait le conduire. Sinon, pourquoi Koko aurait-il réapparu ?

Koko avait réapparu pour se rendre à Harry Beevers, se dit-il en gravant cette phrase dans son esprit, tandis que sur l'écran de la télévision un homme à qui le maquillage avait conféré un visage brun terreux donnait les prévisions météorologiques pour les cinq jours à venir.

A dix heures, il entendit les mêmes nouvelles répétées à la radio : le tremblement de terre, l'inondation, les enfants morts, le désastre s'abattant sur la planète comme un grand oiseau noir, agrippant ses serres ici, frappant de l'aile des bâtiments, plus loin, invisible, toujours en mouvement.

Une demi-heure plus tard, l'une de ses grandes ailes sembla le frapper directement à la tête. Il avait capitulé et s'était servi un verre... un seul, pour se calmer. Harry versait de la vodka dans un verre quand le téléphone sonna : il répandit du liquide sur le comptoir. Il se précipita au salon et entendit alors la voix de Michael.

Reste là-bas encore deux jours, dit-il en lui-même, mais Michael annonçait son retour le lendemain, par tel vol, à telle heure. Puis il annonça son intention d'aller voir la police. La voix de Michael était posée, il semblait à la fois sincère et préoccupé, et dans le rythme de ses phrases, Harry entendait l'effondrement de tous ses plans.

Plus tard dans la soirée, Harry eut faim, mais son estomac se rebellait à l'idée d'avaler encore de la cuisine chinoise. La nausée lui venait aussi à l'idée de savoir Michael et Tim, qui semblaient avoir tous deux renoncé à toute forme de sexualité, en compagnie de Maggie... lui au moins aurait su quoi faire avec une fille pareille. C'était tellement drôle que ça en faisait mal. Songeant presque avec colère à Maggie, il découvrit dans son réfrigérateur deux pêches, quelques carottes, et un morceau de fromage déjà dur, qui commençait à sécher.

Hargneusement, Harry déposa tout cela sur une assiette qu'il amena au salon. Si rien ne se produisait, si son instinct l'avait entièrement trompé, il lui faudrait aller à l'aéroport et tenter de museler Michael. Peut-être pourrait-il l'envoyer ailleurs pour un jour ou deux.

Plus tard encore dans la nuit, Harry était assis dans l'obscurité avec son téléphone et son répondeur devant lui, sirotant sa vodka et observant le voyant rouge des messages qui brillait sur le répondeur. Dans la lumière argentée de la ville qui filtrait par la fenêtre, tout semblait immobile, en attente de quelque chose. Un nombre incalculable de fois, Harry avait ainsi attendu dans la jungle, immobile, le temps et l'espace suspendus autour de lui.

Puis la sonnerie du téléphone retentit, et le voyant des messages se mit à clignoter. Harry tendit la main et attendit que celui qui appelait se présentât. La bande se mit en route, et une seconde de silence siffla dans le haut-parleur. Harry souleva le combiné et dit : « Je suis ici. »

Alors il sut. Il entendit Koko attendre qu'il en dise plus.

– Parle-moi, dit Harry.

Le sifflement de la bande se faisait entendre dans le petit haut-parleur du répondeur.

– Du début à la fin, c'est ça ? C'est toi qui as écrit ça ? Je sais ce que tu veux dire. Je sais... tu veux retourner au commencement.

Il lui sembla entendre une lente inspiration.

– Voilà comment on va faire. Je veux qu'on se rencontre dans un endroit sûr. Ça s'appelle Colombus Park, à la limite de Chinatown. De là, on n'a qu'à traverser la rue pour se rendre dans le bâtiment de la Cour criminelle, où tu seras également en sécurité. Je connais des gens là-bas. Ces gens me font confiance. Ils feront ce que je leur dirai de faire. Je t'emmènerai dans une salle privée. Tu pourras t'asseoir. Tout se terminera. Tu m'entends ?

Le sifflement du silence.

– Mais je veux être certain d'être moi aussi en sécurité. Je veux être sûr que tu feras ce que je te demande. Alors je veux que tu suives un trajet particulier jusqu'à Colombus Park, et je te surveillerai tout au long du chemin. Je veux que tu suives exactement mes instructions. Je veux te voir faire exactement ce que je t'aurai dit de faire.

Comme Koko ne répondait pas, Harry reprit la parole :

– Demain après-midi, à trois heures moins dix, je veux que tu te mettes en route sur Bowery au nord de Confucius Plaza. Entre dans une galerie qui se trouve à mi-chemin entre Canal Street et Bayard Street, et suis la galerie qui débouche sur Elizabeth Street. Tourne ensuite à gauche en direction de Bayard Street. Continue vers l'ouest dans Bayard Street jusqu'à Mulberry Street. Colombus Park se trouve de l'autre côté de la rue. Traverse et rentre dans le parc. Suis l'allée et assieds-toi sur le premier banc. Deux minutes plus tard exactement j'entrerai dans le parc par l'extrémité sud et je te rejoindrai sur le banc. Alors tout sera fini.

Harry prit une profonde inspiration. Il transpirait sous son chandail à col montant. Il avait envie de dire quelque chose d'autre – quelque chose comme *nous avons tous les deux besoin de faire ça* – mais à l'autre bout du fil on raccrocha, et la tonalité se fit entendre.

Harry demeura longtemps assis dans l'obscurité. Puis il alluma sa lampe de bureau et appela le commissariat du dixième secteur. Sans donner son nom il laissa un message à l'intention du lieutenant Murphy, l'informant que Timothy Underhill arriverait à l'aéroport de La Guardia le lendemain à deux heures de l'après-midi, sur un vol Republic en provenance de Milwaukee.

Cette nuit-là, dans son lit, il demeura longtemps éveillé, indifférent au sommeil.

3

Crime et mort entouraient l'éléphant, crime et mort constituaient l'atmosphère dans laquelle il évoluait, l'air qu'il aspirait à travers sa longue trompe grise. Et cela Koko le savait bien : lorsqu'on se déplace dans la cité, la jungle vous observe à chaque pas. Il n'y a que la jungle, et elle pousse sur les trottoirs, derrière les fenêtres, de l'autre côté des portes. Les oiseaux poussent leurs cris au milieu de la circulation.

S'il avait pu aller voir la vieille dame sur West End Avenue, elle l'aurait vêtu de beaux vêtements et l'aurait apprivoisé en soulageant son cœur. Mais Pilophage le portier l'avait chassé, et les bêtes folles avaient grondé, montré les dents, et son cœur n'avait pas été soulagé.

La porte s'ouvrit, et...

La porte s'ouvrit, et Sang le boucher se glissa dans la chambre. Voilà le démon Malheur, et avec le démon venait Peur, la chauve-souris aux cheveux frisottés.

Koko était assis tout seul dans sa chambre, sa cellule, son œuf, sa grotte. L'ampoule brûlait, et l'œuf la cellule la grotte mettait en cage toute la lumière et la reflétait entre les murs, n'en laissant rien échapper car Koko avait besoin de sa moindre parcelle.

Des flammes jaillirent du sol de la chambre mais ne le brûlèrent pas. Des enfants morts se pressaient autour de lui, hurlant, et les autres hurlaient dans les murs. Les enfants exhalaient l'haleine fétide des lions, car ils vivaient dans la grotte comme lui-même vivait dans la grotte, du début à la fin.

La porte s'ouvrit, et...

Une flamme jaillit et une bourrasque s'éleva.

Épargne-moi, s'écria un enfant en langue chauve-souris.

Pilophage le général posait devant Justinien le peintre qui faisait son portrait. Le général avait l'air noble et bon, avec son chapeau à plume sous le bras. Le lieutenant se tenait debout dans la grotte obscure, ni noble ni bon, avec sa planche de surf pointée devant lui. Sa pelle. Et la fille dans la ruelle derrière Phat Pong Road le regardait et savait.

Veux-tu savoir ce qu'est l'obscurité ?

Le trou du cul du diable est obscur. Koko entra dans la grotte et dans le trou du cul du diable et là, il rencontra le lieutenant, Harry Beevers, sa planche de surf sa pelle son arme pointée devant lui, entre les doigts, comme une flûte, qui tirait... tirant. Tu en veux un morceau ? Le lieutenant avec sa bite dressée devant lui et ses yeux étincelants. Puis le diable ferma les yeux, se boucha le nez, se planta les doigts dans les oreilles et l'éternité advint dans un coup de tonnerre, l'éternité advint tout d'un coup, du début à la fin. La femme arriva du Nicaragua, accoucha et mourut dans un nuage noir, nue et couverte de boue gelée.

A l'idée de Harry Beevers, les enfants perdirent courage, se serrèrent les uns contre les autres, et leur puanteur doubla et redoubla.

Bonjour messieurs, et bienvenue dans le trou du cul du diable. Actuellement il n'y a ni heure ni jour ni mois ni année. Vous vous rendrez dans la galerie de Bowery, où là encore vous affronterez l'éléphant.

4

Et lorsque Babar se mit au lit, il ne put dormir. Malheur et Désespoir étaient arrivés à Célesteville. Derrière la fenêtre de Babar, des démons bavardaient. Lorsque le général Pilophage ouvrit son énorme bouche, il en sortit des serpents et des chauves-souris.

Nous avons mis chacun sur son chemin, chacun sur son chemin. Tapitor, Capoulosse, Barbacol. Podular. Pilophage. Justinien. Doulamor. Poutifor. Et puis le robuste Hatchibombotar, que l'enfant hébété préférait entre tous dans *Le roi Babar*, avec sa chemise rouge et sa casquette à carreaux, ses épaules vigoureuses et son large dos – le balayeur de rues, un homme qui n'avait d'autre ambition que de rendre les rues propres, un homme gentil et honnête, qui balayait, balayait l'ordure.

5

Au creux de la nuit il entendit derrière sa fenêtre des battements d'ailes ; de prime abord cela ne semblait pas provenir d'oiseaux, mais de terribles créatures deux fois plus grosses que des chauves-souris. Ces créatures étaient sorties de terre pour le retrouver, et elles allaient se presser longtemps à la fenêtre avant de retourner à la terre. Personne ne les verrait ni ne les entendrait, car c'était impossible à tout autre que lui. Harry lui-même ne les avait jamais vues. La position de son lit dans la petite alcôve à côté de la salle de bains ne lui permettait pas de voir la fenêtre. Harry demeura longtemps dans l'obscurité à écouter le bruissement des ailes. Finalement, le bruit se mit à diminuer d'intensité. Une à une, les créatures s'en retournèrent dans leur trou, où, serrées les unes contre les autres, piaillant, mordant, elles se lécheraient l'une l'autre, distraitement, les gouttes de sang perlant sur leurs corps. Elles n'étaient plus que deux ou trois à se jeter avec désespoir contre les vitres. Elles finirent elles aussi par s'envoler. L'aube ne tarderait plus.

Il finit par dormir une heure ou deux, et à son réveil se trouva confronté à l'éternel problème de la réalité de ces créatures. Dans la lumière du matin, il était trop facile de les qualifier d'imaginaires. Lorsqu'elles apparaissaient pendant la nuit – elles étaient venues quatre ou cinq fois depuis qu'il avait quitté l'uniforme – elles étaient bien réelles. Il savait bien que s'il avait osé les regarder, il les aurait vues.

Mais elles avaient à nouveau disparu, et lorsque à neuf heures il se leva, il se sentait à la fois fatigué et plein d'énergie. Il se doucha longtemps et soigneusement, savonna, frotta, caressa, glissa les doigts le long de la hampe de son pénis en un mouvement de va-et-vient, les couilles dans le creux de l'autre main.

Il revêtit le même jean et le même chandail que la veille, mais sous le chandail il avait enfilé une chemise propre, encore raidie d'amidon.

En se regardant dans le miroir à côté du lit, il se trouva l'allure d'un commando, d'un béret vert. Il but deux tasses de café et se rappela ce qu'il éprouvait certains matins à Camp Crandall, avant de sortir en patrouille. L'amertume du café, le poids du pistolet contre sa hanche. Certains de ces matins, son cœur lui semblait dur comme de la pierre, sa peau le brûlait, il lui semblait voir et entendre comme un aigle. Les couleurs des tentes, la poussière rouge sur la route, le scintillement des barbelés autour du camp. La lourdeur un peu brumeuse de l'air. Et au milieu des odeurs d'hommes et de machines, s'élevait une senteur verte, à la fois délicate et acérée comme le fil d'un rasoir. Pour Harry, cela c'était l'odeur du Vietnam. A Ia Thuc, il avait pris une vieille femme par l'épaule et l'avait attirée brutalement vers lui pour lui poser en hurlant des questions dont il ne se souvenait plus à présent, et par-delà l'odeur grossière de la fumée, il avait perçu, exhalé par le corps de cette femme, le rasoir vert de ce parfum.

Si une femme exhalant un tel parfum lui mettait le grappin dessus, se dit Harry, il ne pourrait jamais s'en défaire.

Assis sur le canapé il but une nouvelle tasse de café, et s'efforça d'imaginer les différentes séquences de l'action qui l'amènerait à rencontrer Koko dans la galerie de Bowery. A deux heures moins le quart, il prendrait un taxi qui le conduirait au coin nord-est de Bowery et de Canal Street. Il serait alors deux heures, et le lieutenant Murphy, en compagnie de deux ou trois policiers en uniforme, se trouverait à l'aéroport La Guardia pour l'arrivée du vol Republic en provenance de Milwaukee. A Chinatown, il ferait froid, gris, il y aurait du vent et peu de monde dans les rues. Il traverserait Bowery et gagnerait le grand refuge au nord de Confucius Plaza de façon à pouvoir examiner rapidement le bâtiment où se trouve la galerie. Il voyait devant ses yeux le long pâté de maisons, les façades carrelées des restaurants avec leurs vitrines épaisses. Quelques passants pressés emmitouflés dans leurs manteaux. Si Spitalny se cachait dans une entrée d'immeuble ou derrière une vitrine de restaurant, il le verrait, et disparaîtrait immédiatement sur Confucius Plaza ; il ne lui resterait plus qu'à attendre que Spitalny s'affole en se rendant compte que quelque chose s'était déréglé. Quand il sortirait de sa cachette, il n'aurait plus qu'à le suivre et à en finir avec lui dès qu'ils seraient seuls. S'il n'apercevait pas Spitalny en embuscade – ce qui était probable – il comptait retraverser Bowery et faire un tour rapide dans la galerie pour s'assurer que l'escalier n'avait pas été fermé ni bloqué. S'il se passait quelque chose d'anormal dans la galerie, il lui faudrait suivre Spitalny dans Elizabeth Street et le serrer de près avant qu'il n'atteigne Bayard Street. Elizabeth Street était pour Harry sa seconde chance : peu de restaurants, des taudis. Mais si tout se passait comme prévu, Harry comptait retourner sur Bowery et aller se cacher entre les arbres et les bancs de Confucius Plaza. Il attendrait là un quart d'heure avant l'heure fixée à Koko – c'est-à-dire jusqu'à trois heures moins vingt-cinq – puis il retraverserait Bowery une dernière fois pour vérifier que tout se passait bien dans la galerie, et il irait attendre Koko dans la cage d'escalier.

Sa tasse de café chaud à la main, Harry imaginait la grande entrée et le sol carrelé. La lumière naturelle de la rue lui permettrait de voir tout le monde : lorsque les gens se tourneraient vers l'entrée et lui feraient face, ce serait comme s'ils étaient éclairés par des projecteurs. Victor Spitalny aurait le teint hâlé par le soleil de Singapour, il aurait le visage profondément ridé, mais il aurait toujours les cheveux noirs, et dans ses yeux bruns trop rapprochés, on lirait, comme chaque fois qu'il était de corvée, le sentiment qu'il était victime d'une injustice.

Harry se voyait monter silencieusement les marches dès que Spitalny serait passé devant lui, glisser silencieusement sur le sol carrelé, derrière lui. Sortir sans bruit de sa poche le couteau à cran d'arrêt. Spitalny hésiterait avant de sortir de la galerie, comme il avait hésité avant d'y entrer. Dégingandé, filiforme avec ses vêtements hideux, tout entier à sa folie, il demeurerait exposé pendant une seconde : Harry lui emprisonnerait alors le cou dans son bras gauche et l'attirerait dans l'obscurité de la galerie.

Harry porta le café à ses lèvres et fut surpris de le trouver froid. Puis il sourit... c'était pour Victor Spitalny qu'étaient venues les terribles créatures.

Lorsqu'il lui fut impossible d'ignorer plus longtemps sa faim, Harry se rendit dans une boutique de delicatessen de la Neuvième Avenue et acheta un sandwich à la salade de poulet et une boîte de Pepsi. De retour à son appartement, il ne put avaler que la moitié de son sandwich : sa gorge se serrait, son corps n'acceptait plus d'autre bouchée. Il enveloppa la moitié de son sandwich dans son papier et le mit au réfrigérateur.

Tout ce qu'il faisait semblait souligné d'italiques, mis en relief, comme une série de plans dans un film.

Lorsque Harry sortit de la cuisine, les couvertures de magazines encadrées l'assaillirent comme une musique tonitruante. Son visage, son nom. Il en eut le souffle coupé.

6

Avant de descendre, il avala une longue gorgée d'Absolut. Elle sortait du freezer, elle était glacée et glissa dans sa gorge comme une boule de mercure. La boule glaçait tout ce qu'elle rencontrait, puis s'évapora en chaleur et en confiance dès qu'elle atteignit l'estomac. Il reboucha la bouteille et la replaça dans le freezer.

Dans l'ascenseur, Harry sortit son peigne de poche et le passa dans ses cheveux.

Sur la Neuvième Avenue, il leva le bras et un taxi vint se ranger le long du trottoir. La portière s'ouvrit avec un bruit caractéristique. A présent, tout se déroulait sous la forme d'un enchaînement de séquences. Il s'installa sur le siège arrière et donna ses instructions au chauffeur.

Le trottoir était désert lorsqu'il descendit du taxi, et au-delà de l'animation de Canal Street, il observa le pâté d'immeubles où s'ouvrait la galerie. Une foule de gens avec des sacs à provisions et accompagnés d'enfants tournaient au coin de Canal Street dans Bowery. Un groupe de jeunes Chinois en complets et manteaux quittait la Manhattan Savings Bank et tournait également dans Bowery. En quelques secondes, le deuxième groupe avait rejoint le premier, et passait devant la galerie sans y jeter le moindre regard. Ses préparatifs et ses précautions lui semblèrent soudain inutiles... il avait une heure d'avance, et il ne lui restait qu'une chose à faire : aller se cacher dans l'escalier de la galerie.

Il courba les épaules, autant pour se défendre contre le froid que contre cette idée folle. Imaginer une action dans ses moindres détails c'est aussi une façon de la réaliser. La préparation constituait une étape indispensable de la capture de Koko, un aspect essentiel du déroulement de l'action.

Harry profita d'un espace dans le flot des voitures pour gagner le refuge au nord de Confucius Plaza, phase n° 2 des préparatifs. Il avait devant les yeux le pâté d'immeubles entier entre Canal Street et Bayard Street, mais il était exposé au regard de quiconque aurait regardé depuis l'autre côté de la rue. Harry recula jusqu'à l'extrémité du refuge. Les hommes d'affaires chinois attendaient de traverser Bayard Street, tandis que les familles avec leurs sacs de provisions et leurs bébés passaient devant la galerie. Personne ne faisait semblant de lire les menus affichés devant les restaurants, aucun visage n'apparaissait derrière les vitres de ces restaurants.

Lorsque le feu passa au rouge, Harry traversa Bowery et pénétra dans la galerie pour la phase n° 3.

C'était encore mieux que dans son souvenir : plus sombre, plus silencieuse. Une vieille femme flânait devant les boutiques. Aujourd'hui, il y avait encore moins de clients que deux jours auparavant. L'escalier menant au niveau inférieur était presque invisible, et Harry s'aperçut avec joie que l'ampoule en bas de l'escalier avait brûlé et n'avait pas encore été remplacée. Le niveau inférieur n'était éclairé que par la faible lumière que dispensait la vitrine du coiffeur.

Il examina rapidement l'extrémité de la galerie. Un Chinois maigre en pyjama le regarda depuis la véranda de son appartement miteux avant de disparaître à l'intérieur.

La phase n° 4 débuta sur Confucius Plaza. Quelques Chinois en manteaux matelassés traversèrent la large place et pénétrèrent dans l'immeuble de bureaux qui se trouvait derrière Harry. Ils ne firent aucune attention à lui. Entre les arbres de la place, une demi-douzaine de bancs en ciment. Harry en choisit un qui lui offrait une vue dégagée.

Parfois un camion s'immobilisait devant lui et bouchait son champ de vision; puis une camionnette de livraison s'arrêta juste devant l'entrée de la galerie. Harry regarda sa montre : il était deux heures vingt.

Il tâta la poche de son manteau pour vérifier si le couteau s'y trouvait bien. La poche semblait vide. Il chercha plus attentivement. Toujours pas de couteau. Des gouttes de sueur commencèrent de perler à ses sourcils. Il arracha son gant droit et plongea la main dans la poche : le couteau avait disparu.

Les gens dans les voitures le montraient du doigt en riant, puis les voitures repartaient, emmenant tous ces gens à des fêtes, des réceptions, des interviews...

Il explora le fond de sa poche du bout des doigts et découvrit un trou dans la doublure. *Bien sûr...* ses poches étaient trouées, ce manteau avait huit ans, cela n'était pas étonnant. Le couteau était coincé dans l'ourlet, à peu près aussi utile qu'une brosse à dents. Il fouilla dans la doublure jusqu'à sentir le couteau au travers de la poche; il agrandit alors le trou et récupéra le couteau qu'il fit passer dans sa poche gauche.

Un manteau vieux de huit ans! Il avait failli tout perdre à cause d'un manteau vieux de huit ans!

Harry s'affala un peu plus sur le banc, puis glissa immédiatement la main gauche dans sa poche. Ses doigts se refermèrent sur le couteau. Il s'essuya ensuite le front, remit son gant et croisa les mains sur ses genoux.

Camions, voitures et taxis défilaient sur Bowery. Un groupe nombreux de Chinois bien habillés passa devant la galerie. Alors, affolé, Harry se rendit compte que n'importe qui avait pu pénétrer dans la galerie par l'entrée d'Elizabeth Street tandis qu'il surveillait l'entrée de Bowery.

Mais Koko était un soldat, et il obéirait aux ordres.

Les Chinois atteignirent Bayard Street et se quittèrent avec des sourires et de petits gestes.

Harry songea alors qu'il était assis sur un banc avec un couteau dans la poche, non pour capturer quelqu'un mais pour le tuer, et que cela pouvait le rendre célèbre. Cette idée semblait aussi cruellement stérile que le reste de son existence. L'espace d'un instant, Harry se vit comme un homme parmi des millions d'autres, figure solitaire sur un banc. Il pouvait se lever, jeter le couteau dans une plate-bande, s'en aller et... quoi faire ?

Il se regarda, vêtu de ses vêtements sombres et discrets, les vêtements d'un homme d'action, et cette simple preuve de son caractère unique le réintégra dans son rêve. Son destin flamboyant s'offrait encore à lui.

A deux heures et demie, Harry décida de modifier son plan et d'attendre le temps qui lui restait dans l'escalier. Il n'y avait aucun inconvénient à se trouver à pied d'œuvre en avance, et il pourrait en outre voir si quelqu'un pénétrait dans la galerie par l'autre extrémité.

Il se leva. Il avait le corps droit, le menton levé, une expression parfaitement neutre. Harry Beevers était enfermé à l'intérieur de lui-même. Étroitement serré. Devant le tournant, les nerfs à fleur de peau, il enregistrait la présence du moindre être humain, du moindre véhicule. Il entendit le cliquetis de hauts talons, et une jeune Chinoise vint le rejoindre devant le passage pour piétons. Lorsqu'elle le regarda – une jolie jeune femme, une soyeuse chevelure de Chinoise, des lunettes noires en dépit du temps maussade – elle se sentit attirée par lui, elle le trouva intéressant. Le feu passa au rouge et ils traversèrent ensemble. Au milieu de la rue, elle lui lança un regard triste, interrogateur. Arrivée sur l'autre trottoir, la fille prit la direction de Bayard Street, accompagnée par le regard de Harry, qu'elle tirait derrière elle comme un lien incassable.

Harry pénétra rapidement dans l'obscurité de la galerie. De l'autre extrémité lui parvenaient des bruits de voix étouffés, puis il aperçut trois silhouettes en mouvement ; d'un air détaché, il fit semblant de s'intéresser à une grande affiche collée sur le mur : X-RAY SPECIALS. THE BLASTERS. Trois jeunes filles obèses en duffel-coats passèrent derrière lui. Il vit qu'elles l'avaient remarqué, et comprit qu'elles parlaient de lui à voix basse. Elles avaient des sacs à dos et portaient des mocassins marron avec des éraflures. Les filles parcoururent lentement la galerie et débouchèrent dans la lumière de la rue, faisant toujours semblant de ne pas l'avoir remarqué.

Harry jeta un coup d'œil des deux côtés : la galerie était vide, et l'entrée du côté Bowery se découpait en un gris brillant. Il gagna l'escalier. L'ampoule grillée n'avait bien entendu pas été remplacée. Il descendit rapidement cinq ou six marches, coula un regard en direction de l'entrée donnant sur Elizabeth Street, puis descendit le reste des marches. Il déboutonna son manteau, ôta ses gants et les fourra dans ses poches. Lorsqu'il s'appuya contre le mur, la rampe lui heurta la hanche de façon déplaisante.

Soudain, un bras jailli de l'obscurité vint se refermer autour de son cou. Tiré en arrière, déséquilibré, il sentit qu'on lui enfonçait un morceau de tissu dans la bouche. Il voulut prendre son couteau dans sa poche, mais il ne rencontra qu'un gant. Il se souvint alors que ce n'était pas la bonne poche, mais à la seconde même il tombait à la renverse : trop tard pour le couteau. Ses menottes glissèrent sur le sol avec un bruit métallique.

35

LE PIÈGE À RATS

1

Ce fut Maggie qui la première aperçut les policiers : elle demanda à Michael ce qui avait pu se passer. Ils avaient déjà franchi la moitié de la rampe d'accès au tribunal lorsque les deux policiers apparurent dans le carré de lumière qui en marquait l'extrémité.

– Je ne sais pas, dit Michael, ils ont probablement...

Jetant un regard par-dessus son épaule, il aperçut Tim qui se trouvait séparé d'eux par cinq ou six personnes et franchissait à peine la porte de l'avion. Maggie le prit par le coude et s'immobilisa. Michael aperçut alors le lieutenant Murphy qui le regardait d'un air furieux, à côté de deux policiers en uniforme.

– Du calme, dit Murphy.

Les policiers à ses côtés croisèrent les bras sur la poitrine mais ne sortirent pas leur arme.

– Avancez, avancez, dit Murphy.

Les passagers qui marchaient devant Michael et Maggie s'étaient arrêtés tout net, et la passerelle était à présent encombrée. Murphy fit signe aux passagers d'avancer. Maggie étreignit la main de Michael.

– Continuez d'avancer, restez calmes et continuez d'avancer.

L'espace d'un instant il tomba entre eux un silence de plomb. Un brouhaha de voix s'éleva dans la passerelle couverte.

– Continuez d'avancer vers le terminal, dit Murphy.

Michael jeta un coup d'œil à Tim qui avait pâli mais continuait d'avancer au milieu des autres passagers. Au milieu de la foule, une femme se mit à hurler en apercevant les policiers.

Murphy surveillait Underhill, et lorsque Michael et Maggie eurent atteint le terminal il s'adressa à ses hommes sans les regarder.

– Emmenez-les à part.

L'un des policiers prit Michael par le bras que ne tenait pas Maggie et le conduisit vers la vitre qui se trouvait à côté de la porte. Un autre policier tenta de les séparer, mais Maggie refusa de lâcher le bras de Michael, et c'est donc encadrés de deux policiers qu'ils se dirigèrent vers un espace vide devant la vitre. On avait tendu une corde sur le côté de la porte, et des gens s'agglutinaient derrière pour les regarder. Derrière Murphy, invisibles des passagers descendant la passerelle, se tenaient deux policiers en uniforme avec des fusils.

Lorsque Tim Underhill déboucha dans le terminal, Murphy s'avança vers lui, et procéda à son arrestation pour le meurtre d'Anthony Pumo ; puis il tira un papier de sa poche et lui lut la liste de ses droits en matière pénale. Le policier qui avait mis Maggie à l'écart vint palper Tim sur les flancs, la poitrine et le long des jambes. Tim parvint à sourire.

– Nous comptions vous appeler dès notre retour, dit Michael.

Murphy l'ignora.

Les passagers de leur vol s'avancèrent lentement en direction des cordes. Beaucoup étaient revenus sur leurs pas pour ne rien perdre du spectacle. L'équipage et le personnel de cabine étaient rassemblés en haut de la passerelle et conversaient à voix basse. La plupart des passagers, une fois arrivés à hauteur des cordes, posaient leur bagage et regardaient ce qui se passait.

Le visage de Murphy s'empourpra. Il se retourna et se mit à crier.

– Allez, dégagez ! Dégagez cet endroit, s'il vous plaît !

On ne savait s'il s'adressait à ses hommes ou aux passagers agglutinés derrière les cordes.

– S'il vous plaît, passez au-delà des cordes, dit un inspecteur en manteau bleu marine et chapeau mou à larges bords, qui faisaient un contraste comique avec le vieux manteau et le grand chapeau de Tim.

La plupart des passagers ramassèrent leur sac et se dirigèrent vers l'ouverture ménagée entre les cordes. On eût dit que l'on donnait un cocktail dans le terminal.

– Lieutenant... dit Michael.

– Taisez-vous, docteur Poole, coupa Murphy. Vous et la fille êtes également en état d'arrestation. Vous aurez tout le loisir de vous expliquer par la suite.

– Que croyez-vous que nous sommes allés faire à Milwaukee ? A votre avis ?

– Je préfère ne pas imaginer ce que font les gens. Même à Milwaukee !

– Croyez-vous que Maggie Lah se serait rendue là-bas ou accepterait de faire quoi que ce soit avec le meurtrier de Tina Pumo ? Cela vous semblerait-il logique ?

Murphy adressa un signe de tête au dandy qui s'avança derrière Tim et lui passa les menottes.

– Tim Underhill était encore à Bangkok lorsque Tina Pumo a été tué. Vérifiez sur les listes de passagers.

Maggie ne put se contenir plus longtemps.

– Moi j'ai vu l'homme qui a tué Tina. Il ne ressemblait en rien à Timothy Underhill. Quelqu'un s'est moqué de vous, lieutenant. Comment avez-vous appris que nous étions sur ce vol ?

– Un tuyau anonyme.

Le visage de Murphy était toujours cramoisi.

– C'est Harry, dit Michael en regardant Maggie.

– Regardez mon passeport, lieutenant, dit Tim d'une voix calme et mesurée. Il est dans la poche de mon manteau.

– Prenez son passeport, dit Murphy au dandy.

L'inspecteur fouilla dans la poche du long manteau de Tim et en retira un petit livret vert foncé.

– Ouvrez-le, dit Murphy.

Le jeune inspecteur se mit à feuilleter les pages. Le passeport était chargé de tampons. L'inspecteur finit par trouver la page des dernières entrées ; il l'examina un instant puis tendit le passeport à Murphy.

– Je suis revenu avec Beevers et le Dr Poole, dit Tim. J'ai réussi jusqu'à maintenant à ne pas me livrer à trop de massacres.

Massacres ! Massacres ! Les mots se répandirent dans la foule qui se pressait contre les cordes.

Murphy devenait de plus en plus écarlate en examinant le passeport. Il tourna les pages en arrière, à la recherche d'une entrée antérieure aux États-Unis. A la fin, il laissa retomber les bras le long du corps et se mit à contempler la foule d'un œil distrait. Les gens se pressaient toujours contre les cordes, tandis que des policiers se tenaient au milieu des sièges en plastique vides. Murphy demeura silencieux pendant un long moment. Un éclair de flash : un touriste venait de prendre une photo.

– Vous avez beaucoup de choses à m'expliquer, finit-il par dire. (Il glissa le passeport dans la poche de son manteau.) Passez les menottes aux deux autres aussi !

Les deux policiers en uniforme refermèrent leurs menottes sur les poignets de Michael et Maggie.

– Ce M. Underhill est-il revenu de Bangkok avec vous, Beevers et Linklater ?

Michael acquiesça.

– Et vous me l'avez caché. Vous êtes venus dans mon bureau, et vous m'avez laissé rechercher un autre homme.

– Je le regrette, dit Michael.

– C'est pourtant vous qui avez posé ces affichettes dans tout Chinatown !

– Parce que Koko se servait du nom d'Underhill.

– Vous vouliez le retrouver vous-mêmes ? Demanda Murphy comme s'il venait seulement de comprendre.

– C'est Harry Beevers qui le voulait. Nous, nous n'avons fait que le suivre.

– Vous n'avez fait que le suivre... répéta Murphy en secouant la tête. Et où est Beevers, à présent ?

– Mikey ! s'écria une voix de l'autre côté des cordes.

– Nous avions rendez-vous ici avec Conor Linklater.

Murphy se tourna vers les policiers en uniforme.

– Amenez-moi cet homme !

Les policiers se précipitèrent vers l'ouverture ménagée dans les cordes et l'atteignirent en même temps que Conor et Ellen Woyzak qui fendaient la foule.

– Amenez-les par ici !

Murphy se dirigea à grands pas en direction de la foule qui se mit à reculer.

– Nous sommes allés à Milwaukee pour essayer de retrouver Koko, lui lança Michael. Nous ne l'avons pas trouvé, mais maintenant nous savons qui c'est. Laissez-moi aller chercher quelque chose dans le coffre de ma voiture, et je vous expliquerai tout.

Murphy se retourna, fusilla du regard Michael et Maggie, puis, avec plus de mépris encore, Tim Underhill.

– Hé, vous ne pouvez pas les arrêter ! s'exclama Conor. Celui que vous recherchez s'appelle Victor Spitalny... c'est celui qu'ils sont allés chercher là-bas...

– Non, Conor, dit Michael, ça n'est pas Spitalny.

Conor le considéra un instant avec stupéfaction, puis il s'avança vers Murphy et tendit les poignets.

– Passez-moi les menottes.

Ellen Woyzak émit un son qui tenait à la fois du grondement et du cri strident.

– Allez, passez-les-moi ! dit Conor. Je n'ai pas de certificat de moralité. J'ai fait exactement la même chose qu'eux... je suis donc aussi responsable qu'eux. Allez-y !

– Ferme-la, Conor, dit Ellen.

Murphy semblait sur le point de se couvrir le visage de ses mains.

Ses collègues en uniforme le considéraient d'un air inquiet, comme ils l'auraient fait d'un fauve.

Finalement, Murphy indiqua du doigt Maggie, Tim et Michael :

– Ces trois-là avec moi!

Et il chargea en direction de la foule comme un taureau dans une arène. Nouvelle salve de flashes. Lorsqu'il atteignit l'ouverture dans la barrière de cordes, la foule s'écarta devant lui.

– Mettez-les dans la voiture du lieutenant, dit le dandy. Moi je prends Harry Truman.

Le visage toujours empourpré mais plus calme que dans le terminal, Murphy fit ôter leurs menottes avant de les faire monter en voiture. L'un des jeunes policiers conduisait, et Murphy, installé devant, se tourna pour les écouter. La radio de bord crachouillait sans cesse des messages, et un courant d'air froid passait par les fenêtres aux joints défectueux. Un autre policier conduisait la voiture de Michael, récupérée au parking de l'aéroport.

– Dans l'avion? demanda Murphy.

Sa colère avait disparu, mais sa méfiance demeurait.

– C'est ça, dit Michael. Je crois que jusque-là, Maggie et moi croyions toujours être partis à la recherche de Victor Spitalny. Je crois que je savais la vérité mais que je ne la voyais pas... ou plutôt que je refusais de la voir. Nous avions toutes les preuves dont nous avions besoin, tous les éléments, mais nous n'avions pas encore reconstitué le puzzle.

– Jusqu'au moment où j'ai parlé de Babar, dit Maggie. Alors, tous les deux, nous nous sommes rappelé.

Michael acquiesça. Il ne comptait pas parler au policier de son rêve où Robbie tenait une lanterne le long d'une route sombre.

– Qu'est-ce que vous vous êtes rappelé?

– La chanson, dit Maggie. Michael m'a raconté ce que l'homme de Singapour et l'hôtesse de l'air lui avaient dit, et... j'ai su ce qu'ils avaient entendu.

– L'homme de Singapour? L'hôtesse?

Michael évoqua alors Lisa Mayo et le propriétaire du bungalow où les Martinson avaient été tués.

– L'homme de Singapour avait entendu Koko chanter quelque chose qui ressemblait à *rip-a-rip-a-rip-a-lo*. Lisa Mayo, elle, avait entendu le voisin de Clement Irwin, dans l'avion, chanter quelque chose de très semblable. Tous deux avaient entendu la même chose, mais leur souvenir n'était pas très exact.

– Et moi je savais ce que c'était, dit Maggie. La chanson des éléphants, dans *Le roi Babar*. Tenez... regardez ça.

Michael lui montra le livre qu'ils avaient pris dans sa voiture.

– Qu'est-ce que c'est que ça ? demanda Murphy.

– C'est là que Koko a pris son nom, dit Tim. Je crois qu'il y a d'autres significations, mais celle-ci est la première. La plus importante.

Murphy regarda la page que l'on avait ouverte sous ses yeux.

– C'est là qu'il a pris son nom, dites-vous ?

– Lisez les paroles, dit Michael en montrant la page où était inscrite la chanson.

Patali dirapata
Cromda cromda ripalo
Pata pata
Ko ko ko

Murph y lut les paroles imprimées sur la page jaune.

– Alors nous avons compris, dit Michael. C'était Dengler. Nous le savions probablement depuis longtemps déjà. Nous avions dû le comprendre dès que nous étions entrés dans la maison de sa mère.

– Seulement votre théorie présente un sérieux inconvénient, dit Murphy. C'est que le soldat de première classe Manuel Orosco Dengler est mort depuis 1969. Son corps a été identifié par l'armée. Et après l'identification, son corps a été rapatrié par bateau pour être inhumé aux États-Unis. Croyez-vous que ses parents auraient accepté un autre corps ?

– Son père était déjà mort, dit Michael et sa mère était suffisamment folle pour accepter le corps d'un singe si on le lui avait envoyé. En outre, en raison des mutilations atroces subies par son fils, l'armée avait vivement conseillé à la mère de se contenter de l'identification réalisée par ses services. En fait, elle n'a jamais vu le corps.

– Alors qui était-ce ? demanda Murphy. Le soldat inconnu ?

– Victor Spitalny, dit Tim. La première victime de Koko. J'avais déjà écrit tout le scénario à l'avance... j'avais expliqué ce qu'il fallait faire, et comment il fallait le faire. C'est une histoire que j'ai appelée « La fuite du sanglier ». Dengler a réussi à convaincre Spitalny de le rejoindre à Bangkok, il l'a tué, a échangé les papiers et les plaques d'identité, et a fait en sorte qu'il soit tellement mutilé que toute identification soit impossible, et il a profité de la confusion pour s'enfuir.

– Vous voulez dire que c'est vous qui lui avez mis cette idée dans la tête ? demanda Murphy.

– Si je n'avais pas raconté cette histoire, dit Tim, il aurait trouvé autre chose. Mais je crois que s'il s'est servi de mon nom, c'est qu'il me doit l'idée de déserter après avoir tué Spitalny. Il a souvent utilisé mon nom après ça, et il a été à l'origine de nombreuses rumeurs me concernant.

– Mais pourquoi a-t-il fait ça? demanda Murphy. Pourquoi, à votre avis, a-t-il tué ce Spitalny? Pour déserter sous un autre nom?

Tim et Michael échangèrent un regard.

– Eh bien, c'est en partie pour ça, dit Tim.

– C'est probablement la raison principale, dit Michael. Le reste, nous ne le savons pas vraiment.

– Quel reste?

– Quelque chose qui s'est passé pendant la guerre, dit Michael. Il n'y avait que trois personnes présentes: Dengler, Spitalny et Harry Beevers.

– Parlez-moi un peu de la fuite du sanglier, dit Murphy.

2

Dès que Michael, Tim et Maggie eurent atteint le haut de l'escalier, un homme installé sur une chaise devant le bureau de Murphy, un cigare éteint au coin des lèvres, se précipita vers eux. L'homme avait le front creusé de rides profondes, et un air de bon droit outragé. Il ôta le cigare de sa bouche, s'approcha d'eux et regarda derrière eux, dans l'escalier, le deuxième groupe qui approchait. Il regarda Murphy, impatient de voir arriver les autres.

Ellena Woyzak, Conor et le jeune inspecteur au manteau bleu atteignirent à leur tour le palier et se dirigèrent vers le bureau du lieutenant. L'homme se pencha à nouveau par-dessus la rampe.

– Hé! Où est-il?

Murphy, d'un geste, invita tout le monde à entrer dans son bureau, puis se tourna vers l'homme au cigare.

– Monsieur Partridge? Par ici, je vous prie.

Michael l'avait pris tout d'abord pour un policier, mais il se rendait compte à présent qu'il n'en était rien. L'homme avait l'air furieux, comme si on lui avait volé son portefeuille.

– Que se passe-t-il? Vous aviez dit qu'il serait là, mais je ne le vois pas! s'exclama M. Partridge.

Murphy maintint la porte ouverte. Partridge haussa les épaules et pénétra à son tour dans le bureau du lieutenant. En entrant, il dévisagea Michael et les autres comme s'il les avait découverts dans son salon. Ses vêtements étaient froissés, il avait des yeux bleu-vert à fleur de tête et un visage aux traits puissants, plutôt désagréable.

– Bon, et maintenant? dit-il en haussant de nouveau les épaules.

– Je vous en prie, asseyez-vous, dit Murphy.

Le jeune inspecteur alla chercher des chaises pliantes derrière un meuble et les disposa dans la pièce. Lorsque tout le monde fut installé, Murphy alla s'asseoir sur le coin de son bureau.

– Je vous présente M. Bill Partridge. Il est l'un des directeurs d'une résidence pour hommes de la YMCA, et je lui ai demandé de venir nous voir ici.

– Ouais, et maintenant il faut que je parte, dit Partridge. Vous n'avez rien pour moi, et moi j'ai du travail.

– Dans la résidence de M. Partridge, reprit Murphy, une chambre a été louée à quelqu'un qui s'est présenté sous le nom de Timothy Underhill.

Murphy s'exprimait avec plus de calme qu'à l'aéroport.

– Et qui a filé! dit Partridge. Après avoir saccagé sa chambre. Et maintenant, l'un de vous, je ne sais pas qui, me doit le loyer de la chambre et le prix des travaux de remise en état.

– Monsieur Partridge, dit Murphy, reconnaissez-vous parmi ces personnes l'homme qui a loué une chambre dans votre résidence sous le nom de Timothy Underhill?

– Vous savez bien que non.

– Eh bien je vous remercie quand même d'être venu, monsieur Partridge, dit Murphy. Je regrette de vous avoir ainsi éloigné de vos obligations, mais j'aimerais tout de même que vous passiez voir notre artiste à l'étage inférieur pour l'établissement du portrait-robot. Si vous estimez que le ministère de l'Intérieur vous est redevable de quelque chose, vous pouvez toujours adresser la note à nos services.

– Vous faites du bon travail, dit Partridge en tournant les talons.

– Monsieur Partridge, dit alors Michael, pourrais-je savoir ce que cet homme a fait dans la chambre?

Partridge fit à nouveau demi-tour.

– Demandez au flic.

Et il sortit sans refermer la porte derrière lui.

Le jeune inspecteur se leva pour aller fermer la porte. En retournant à sa place, il sourit à Maggie. Il avait un large et beau visage, et en souriant, il découvrait sous son épaisse moustache deux rangées de dents éclatantes de blancheur. Michael se dit alors que Murphy et le jeune inspecteur ressemblaient tous deux à Keith Hernandez, le premier *baseman* du Met's.

Murphy jeta un regard sombre à Tim, avec son grand manteau et son chapeau posé sur les genoux.

– Je l'ai fait venir pour une reconnaissance, bien sûr. Timothy Underhill a pris une chambre à la YMCA d'Upper West Side le soir du jour où Clement Irwin a été tué à l'aéroport. Par ailleurs, nous n'avons aucune trace d'une entrée de Timothy Underhill dans le pays au cours du mois de janvier, donc nous savons qu'il a voyagé sous un autre nom.

Nous avons cessé d'examiner les entrées aux États-Unis avant votre retour à tous les trois en compagnie de M. Beevers, parce que nous savions bien que notre homme était déjà dans le pays. (Il secoua la tête.) Partridge nous a appelés dès qu'il a jeté un regard dans la chambre d'Underhill. Dès que nous sommes arrivés là-bas, nous savions que c'était notre homme. Il n'y avait plus qu'à l'attendre. (Il prit une enveloppe dans un tiroir de son bureau.) Mais après une nuit passée à l'attendre, nous avons compris qu'il avait dû voir les voitures de patrouille au moment où elles déposaient nos hommes. Nous ne l'avons raté que de quelques minutes. Tenez, regardez les photos de la chambre.

Il sortit un certain nombre de polaroïds de l'enveloppe et les tendit au jeune inspecteur. Avec un grand sourire, celui-ci les tendit en premier à Maggie.

Maggie lui rendit son sourire et les donna à Michael sans même les regarder.

La chambre offrait un aspect chaotique; partout, des photographies et des articles de journaux étaient épinglés au-dessus d'une fresque en forme de vague ondulant au milieu d'éclaboussures de peinture rouge. Sur une autre photo, on apercevait une photographie en noir et blanc de Tina, découpée dans un journal. Sur la troisième photo, on distinguait mieux la fresque en forme de vague. Michael eut un haut-le-corps. Cette fresque représentait les têtes et les corps d'enfants morts. Poitrines déchiquetées, têtes de guingois sur des nuques brisées. Plusieurs enfants étaient nus, et l'on apercevait clairement des blessures par balle sur les ventres et les poitrines.

Sur un autre mur étaient peintes des inscriptions : UNE SOUFFRANCE ÉTOUFFÉE ENDORMIE ET IMPASSIBLE ET UN HOMME DE DOULEUR ET HABITUÉ À LA SOUFFRANCE.

Michael passa les photos à Tim.

– Je vais vous montrer encore autre chose, dit Murphy. Et vous comprendrez pourquoi je suis venu vous attendre à l'aéroport.

Dans l'enveloppe, il prit une photocopie d'une lettre tapée à la machine et la tendit au jeune inspecteur.

– Cette fois-ci, Dalton, donnez-la directement au docteur Poole.

Dalton adressa un grand sourire à Maggie et donna la feuille de papier à Michael.

– C'est la police de Saint Louis qui l'a trouvée dans son bureau.

C'était donc ainsi qu'il avait convaincu les journalistes de venir le voir : Harry avait eu raison. Michael lut lentement la lettre :

Cher monsieur Martinson,

J'ai décidé qu'il ne m'était plus possible de garder plus longtemps le silence à propos des événements survenus en 1968 dans le village de Ia Thuc, dans la zone opérationnelle du 1er corps d'armée...

Il entendit Murphy dire quelque chose à propos de l'appartement de Roberto Ortiz. L'inspecteur tenait à la main une autre feuille de papier.

– Elle est identique à la lettre adressée à M. Martinson, sauf que M. Ortiz a rendez-vous avec lui dans un endroit appelé... (il regarda la lettre)... appelé Plantation Road, à Singapour. C'est d'ailleurs là que son corps à été retrouvé.

– On n'a retrouvé que ces deux lettres ?

Murphy acquiesça.

– Les autres ont dû suivre ses instructions et détruire les lettres. De toute façon, monsieur Underhill, vous comprendrez qu'avec ces lettres et la chambre de la YMCA nous nous soyons intéressés à vous.

– A votre avis, qui vous a donné ce coup de téléphone anonyme ?

– Et vous, vous avez une idée ?

– Michael, Conor et moi pensons que ce devait être Harry Beevers.

– Mais s'il a obtenu de vos amis qu'ils me mentent à votre sujet, pourquoi m'aurait-il envoyé vous arrêter ?

– Tu sais pourquoi ce connard a appelé la police ? dit Conor à Michael. C'est parce qu'il allait rencontrer Koko, et qu'il ne voulait pas vous avoir dans les jambes.

– Alors où se trouve M. Beevers à présent ? Il essaye de capturer notre homme tout seul ?

Pas de réponse.

– Téléphonez à Beevers ! lança Murphy.

Avec un dernier regard pour Maggie, Dalton se précipita hors de la pièce.

– Si vous me cachez encore quelque chose, reprit Murphy, je vous promets que vous aurez tout le temps de vous en repentir !

Ils n'échangèrent plus une parole jusqu'au retour de Dalton.

– Beevers ne répond pas au téléphone. Je lui ai laissé un message : qu'il vous rappelle dès son retour, et j'ai envoyé une voiture là-bas au cas où il serait chez lui.

– Je crois que notre affaire est en suspens pour l'instant, dit Murphy. J'espère vraiment en avoir fini avec vous. Vous avez de la chance de ne pas vous retrouver en prison. Maintenant je ne veux plus vous retrouver en travers de mon chemin : je veux que vous me laissiez faire mon travail !

– Allez-vous faire des recherches dans Chinatown ? demanda Michael.

– Ça n'est pas votre affaire. Vous trouverez votre voiture garée devant le commissariat, monsieur Poole.

– Y a-t-il à Chinatown un endroit qui ressemble à une grotte ? demanda Tim.

– Il y a plein d'endroits de ce genre à New York, dit Murphy. Et maintenant, sortez! Rentrez chez vous et restez-y. Si vous avez des nouvelles de ce Dengler, appelez-moi immédiatement.

– Je ne comprends pas ce qui se passe, dit Conor. Comment ça, Dengler? Quelqu'un voudrait bien me mettre au courant?

Tim attira Conor vers lui et lui murmura quelques mots à l'oreille.

– Je voudrais vous suggérer quelque chose avant que vous vous en alliez, dit Murphy.

Il était debout derrière son bureau, s'efforçant de dissimuler sa colère.

– A l'avenir, si vous découvrez un détail de cette importance, je vous serais obligé de ne pas me faire un courrier! Et maintenant, s'il vous plaît, laissez-moi faire mon travail!

Il quitta son bureau, Dalton sur ses talons.

– Mikey, tu peux m'expliquer, à propos de Dengler? demanda Conor.

Un policier en uniforme apparut dans l'encadrement de la porte, et leur demanda poliment de sortir.

3

– Il faut que j'appelle Judy, dit Michael en sortant. Nous avons un tas de choses à mettre au point.

Maggie lui suggéra d'appeler du Saigon. Michael regarda sa montre : quatre heures.

– Harry adorait ce bar, dit Conor à Ellen. Il y passait la plupart de ses après-midi.

– Tu en parles comme s'il était mort, dit Ellen.

– Je crois que nous en avons tous peur, dit Tim. Michael lui a dit que notre avion arrivait à deux heures, et je parie qu'il a dû fixer un rendez-vous à Koko vers cette heure-là. Cela fait donc deux heures... si Dengler a appelé Harry pour se rendre, et si Harry a décidé de lui jouer un tour de cochon – et je n'imagine pas Harry agir autrement – alors j'ai bien peur qu'à l'heure qu'il est, plus personne ne puisse le sauver.

– Est-ce que maintenant vous pourriez m'expliquer toute cette histoire à propos de Dengler? demanda Conor.

– Il faudrait faire ça autour d'un verre, dit Tim. Pour toi, pas pour moi.

Michael ouvrit la portière de sa voiture, et Maggie s'installa à côté de lui.

– J'aimerais bien que tu fasses la connaissance de quelqu'un, dit Maggie. Mon parrain.

Il la regarda d'un air étonné, mais elle se contenta de sourire et ajouta :

– Tu crois qu'on tiendra tous dans ta voiture ?

C'était possible.

Tandis que Michael conduisait, Tim raconta à Conor leur voyage à Milwaukee. Tim avait toujours été un bon conteur, et tandis qu'il parlait, Michael revoyait devant ses yeux la triste cuisine des Spitalny, les tentatives de George Spitalny pour séduire Maggie avec une vieille photo de lui ; il revit un homme fou furieux marteler l'arrière d'un bus avec un démonte-pneu, et des amas de neige hauts comme de petites montagnes. *Le joli manchon de Kitty*, et les cheminées crachant des flammes dans la Vallée. L'odeur de l'huile Wesson chauffée dans une poêle, les yeux de chien de Helga Dengler. Le petit M.O. Dengler devant la carcasse d'un cerf qu'il avait lui-même dépouillé et découpé.

– Michael ! hurla soudain Maggie.

Il donna un coup de volant brutal et parvint à éviter un taxi.

– Excusez-moi. J'avais l'impression de me retrouver dans cette terrible maison. Et l'idée de tout laisser tomber maintenant, alors que Harry est peut-être encore en vie, ne me plaît pas du tout.

– Et Dengler aussi, dit Tim. Murphy a dit qu'il y avait à New York plein d'endroits qui ressemblent à des grottes. Dis-moi, Maggie, tu ne verrais pas, à Chinatown, un endroit qui ressemblerait à une grotte : une cave, un sous-sol, je ne sais pas, moi... ?

– Euh... non. Non, pas vraiment. Attends... j'allais bien avec Tina dans un endroit qui se trouve dans une galerie. Dans Chinatown c'est l'endroit qui ressemblerait le plus à une grotte.

Michael demanda où se trouvait cette galerie.

– Sur Bowery, près de Confucius Plaza.

– Eh bien allons y jeter un coup d'œil, dit Tim.

– Tu en as vraiment envie ? demanda Michael.

– Pas toi ?

– Eh bien...

– Tu peux abandonner, maintenant, dit Maggie. Tu as mangé de la mauvaise saucisse dans la cuisine de George Spitalny. Tu as subi l'épreuve du steak Salisbury dans ce restaurant, le Tick Tock...

– Je suis du genre explorateur, dit Michael. Et vous, Conor, Ellen, qu'est-ce que vous en dites ?

– On y va, dit Ellen. Autant essayer.

– On voit qu'elle ne connaît pas Harry, dit Conor.

Alors qu'ils roulaient au milieu de l'intense circulation de Canal Street, Tim s'exclama soudain, à hauteur de Mulberry Street :

– Tenez, regardez. Nos amis sont là en force.

Sur Mulberry Street, des voitures de police étaient rangées le long du trottoir, gyrophares allumés; d'autres gyrophares rouges se reflétaient dans les vitrines de Bayard Street. Puis Michael aperçut un groupe de policiers traverser la rue en courant : on eût dit une section de soldats au combat.

– Ils vont le trouver, dit Conor comme s'il cherchait à se persuader lui-même. Regardez-moi tous ces flics. Et on n'est pas sûr que Harry ait essayé de jouer un sale tour à Koko.

A présent, ils débouchaient dans Mott Street.

– Je ne vois rien par là, dit Michael.

– On dirait qu'il y a deux flics qui font du porte à porte, dit Tim. De toute façon, on n'a pas la preuve que Harry est par là, ou qu'il a essayé de nous doubler et de doubler Dengler.

– Il a quand même fait en sorte que Murphy nous arrête : il ne voulait pas nous voir aller plus loin que l'aéroport, dit Michael. (Il jeta un coup d'œil dans Elizabeth Street, qui était plus vide encore que les autres rues.) Ça prouve quand même quelque chose. Il ne voulait pas nous voir en travers de son chemin.

Michael suivit le flot des voitures en direction des hautes tours blanches de Confucius Plaza.

– C'est là, dit Maggie en désignant l'extrémité de la rue.

Michael jeta un coup d'œil de côté et aperçut une ouverture dans l'alignement des boutiques et des restaurants de Bowery. La lumière ne pénétrait que sur un mètre cinquante de long, environ, puis c'était l'obscurité. Maggie avait raison. Cela ressemblait à une caverne.

Michael trouva une place devant le marché aux poissons de Division Street. En sortant de la voiture, il aperçut sur le trottoir des tripes de poisson gelées et des flaques de glace brillantes.

– Essayons de ne pas marcher sur les plates-bandes de Murphy. Après avoir jeté un œil dans la galerie, on pourra aller au Saigon; là je pourrai réfléchir à l'endroit où je vais m'installer.

Ils se mirent à remonter Bowery, luttant contre le vent froid qui soufflait entre les tours. Un policier fit son apparition au coin de Bayard Street : Michael n'avait aucune envie de le voir pénétrer dans la galerie. Murphy et les autres policiers avaient Mulberry Street, Mott Street, Pell Street... tout ce que Michael voulait, c'était la galerie. Rien de plus.

Le policier se dirigeait vers eux, et Michael reconnut le jeune agent au cou de taureau qui l'avait conduit dans les étages le jour où il était venu au commissariat pour la reconnaissance. L'homme regarda Michael d'un air distrait, puis son regard glissa le long des jambes de Maggie. Puis il leur tourna le dos et se mit à descendre Bayard Street.

– Grouïnk, murmura Maggie.

Le jeune policier s'approcha d'une voiture de patrouille autour de laquelle se trouvaient un groupe d'hommes en uniforme qui regardaient la vitrine d'une épicerie en cherchant à se donner l'air de travailler.

Quelques secondes plus tard, Michael et ses amis se retrouvèrent devant l'entrée de la galerie. Maggie y pénétra la première, suivie des quatre autres qui se déployèrent en éventail.

– Je préférerais être en train de chercher quelque chose de précis, dit Tim.

Il marchait lentement, inspectant chaque centimètre carré de sol.

– Il y a un autre niveau en bas, dit Conor qui marchait avec Ellen du côté droit de la galerie. Allons voir quand on y sera arrivés.

– Je ne comprends pas très bien ce que nous sommes en train de faire, dit Ellen. Tu ne crois pas que ton ami aurait fixé rendez-vous à Koko – ce Dengler – dans un parc, ou à un coin de rue ? Ou dans un bureau ?

Michael, qui regardait dans une vitrine des sous-vêtements féminins poussiéreux, approuva d'un signe de tête.

– S'il avait eu seulement l'intention de le rencontrer, c'est certainement ce qu'il aurait fait. Mais il s'agit de Harry Beevers !

Il passa devant des affiches d'un club de rock, et jeta un regard en arrière vers Conor qui, un bras passé autour des épaules d'Ellen, s'appuyait contre la rampe de l'escalier.

– Et le Grand Paumé ne fera jamais les choses simplement, dit Conor. Il a dû mijoter un plan. Il a dû lui fixer rendez-vous quelque part et essayer de l'intercepter ailleurs. Par surprise.

Ils dépassèrent le coin de la galerie et se retrouvèrent devant Elizabeth Street, froide et grise.

– Koko a dû finir par répondre aux annonces, ou aux affichettes, dit Michael. C'est pas impossible.

– Tina et moi nous répondions toujours à nos annonces, dit Maggie.

– C'est probablement ça qui lui en a donné l'idée, dit Michael.

– D'accord, dit Ellen, mais pourquoi retrouver Koko dans une grotte ? C'est bien pour ça qu'on est ici, n'est-ce pas ? Parce que pour Maggie, c'est l'endroit de Chinatown qui ressemble le plus à une grotte.

Elle regarda chacun des trois hommes, qui ne lui répondirent pas.

– Est-ce que ça n'aurait pas été aussi simple pour lui de lui dire de passer devant tel ou tel immeuble et de lui sauter dessus à ce moment-là ? Ou quelque chose comme ça ?

– Dans la vie de Harry, il s'est passé quelque chose de très important dans une grotte, dit Tim. Il est entré dans cette grotte, et quand il en est ressorti, il était célèbre. Toute sa vie avait changé.

– Allons voir les escaliers, dit Conor. Après ça on pourra entrer au Saigon et attendre que Murphy nous raconte comment ça s'est passé.

Michael acquiesça. Il avait perdu tout espoir. Murphy finirait pas découvrir le cadavre de Harry dans quelque chambre sordide. Il aurait une carte dans la bouche et le visage mutilé.

– Il n'y a pas de lumière, là-dedans? demanda Maggie.

Ils se trouvaient en haut des marches, s'efforçant de scruter l'obscurité.

– L'ampoule a grillé, dit Conor.

Une faible lumière venue d'une boutique de coiffeur éclairait vaguement l'escalier. Plus loin, la lumière d'une autre boutique éclairait tout aussi faiblement le sol du niveau inférieur.

– Non, l'ampoule a été ôtée, dit Maggie. Regardez.

Elle montra la douille vide au plafond du dernier palier de l'escalier.

– Ôtée parce qu'elle était grillée, dit Conor.

– Alors qu'est-ce que c'est, ça? demanda Maggie en montrant du doigt un morceau de cuivre dans le coin de la dernière marche.

– Ça m'a l'air d'un culot d'ampoule, dit Ellen, ce qui veut dire que quelqu'un...

– Pas quelqu'un. Harry! dit Michael. Il a enlevé l'ampoule pour mieux se dissimuler. Descendons voir.

Déjà alignés sur la première marche, ils descendirent l'escalier d'un même pas. Harry s'était caché dans ces escaliers, après s'être arrangé pour les faire arrêter par la police à l'aéroport. Que s'était-il passé, ensuite?

– L'ampoule est entière, dit Maggie. (Elle l'approcha de son oreille et la secoua.) Y a rien qui bouge là-dedans.

– Hé, regardez ça! s'écria Conor.

Il tenait à la main une paire de menottes en acier brillant.

– Là, je commence à vous croire, dit Ellen. Allez, on apporte ces menottes à Murphy et on le ramène ici avec nous.

Elle serra les bras autour d'elle et se rapprocha de Conor.

– Je crois qu'il nous foutrait tous dehors s'il nous voyait ici, dit Conor. C'est Beevers qui a acheté ça, hein?

Tim et Michael hochèrent la tête en signe d'assentiment.

– J'aimerais aller voir quelque chose, dit Maggie.

Elle descendit les dernières marches, l'ampoule toujours à la main, et pénétra dans la boutique du coiffeur.

– Je pense que c'est Dengler qui a enlevé l'ampoule, dit Conor. Je parie que Dengler l'attendait déjà quand Harry est venu ici. Et il a dû ensuite l'emmener quelque part, ce qui veut dire qu'ils ne doivent pas être loin.

Maggie ressortit de la boutique du coiffeur, l'air très excitée.
– Ils l'ont vu ! Les coiffeurs ont remarqué que l'ampoule manquait – ils se sont dit qu'elle était grillée – en début d'après-midi. Plus tard, ils ont vu un Blanc dans les escaliers. Ils ont cru que c'était un policier.
– C'est drôle, dit Michael, Harry a toujours voulu se faire passer pour un flic.
– Ce n'était pas Harry, dit Tim. C'est Dengler qu'ils ont vu.
– Ils ont dit quelque chose à propos de ce type ?
– Pas vraiment. Il est resté là longtemps, et ils n'y ont plus pensé ensuite, et quand ils ont à nouveau regardé, il était parti. Ils n'ont pas vu de bagarre, ni rien d'autre.
– Pas étonnant, dit Michael. Si vous deviez sortir quelqu'un discrètement de la galerie, quel chemin prendriez-vous ?
– Par là, dit Ellen en montrant Elizabeth Street.
– Moi aussi, dit Michael en remontant l'escalier.
– Qu'est-ce que tu comptes faire, Michael ? demanda Ellen derrière lui.
– Chercher encore, dit Michael. Si Dengler a tiré Beevers dans la rue, peut-être a-t-il laissé tomber quelque chose de sa poche. Peut-être que Beevers saignait. Et vu ce qu'il comptait faire, il n'a pas dû venir sans arme. On trouvera peut-être quelque chose.
C'était presque sans espoir, il le savait. Koko avait pu simplement poignarder Harry et traîner son corps dans une voiture. Tout ce que Harry aurait pu laisser tomber, un papier, une boîte d'allumettes, une écharpe, aurait certainement été emporté par le vent.
– Qu'est-ce qu'on cherche ? demanda Maggie tandis qu'ils marchaient sur le trottoir d'Elizabeth Street.
– Quelque chose que Harry aurait pu laisser tomber.
Michael se mit à avancer les yeux baissés.
– Conor, tu veux prendre le milieu de la rue ? Tim, cherche sur l'autre trottoir.
– Conor... s'il te plaît ! dit Ellen.
Tim hocha la tête, et un peu courbé pour lutter contre le vent, traversa la rue et se mit à explorer lentement le trottoir. Maggie alla le rejoindre.
– Conor ? répéta Ellen.
Conor mit un doigt sur ses lèvres et gagna le milieu de la chaussée. Michael, lui, continua de scruter le trottoir à la recherche d'un indice. Son cœur battait à toute allure. Il avait le sentiment que le temps s'échappait : le temps pendant lequel ils pouvaient encore sauver Harry. Il entendit alors Maggie dire quelque chose à Tim, avec un petit rire.

– Et merde! lança Ellen en rejoignant Conor au milieu de la rue. J'espère que si on trouve des doigts coupés ou d'autres bouts de chair humaine, tu ne m'en voudras pas de hurler comme une folle!

Sur son trottoir, Michael trouva deux pièces d'un *cent*, une capsule perforée de protoxyde d'azote et une fiole décapsulée qu'il mit un certain temps à reconnaître : elle avait contenu l'équivalent de dix dollars de crack. Puis une vieille chaussure d'enfant en caoutchouc, et quelque chose qui ressemblait à une boule en peluche et qui ne pouvait être qu'un moineau mort. Son cœur battait comme s'il avait couru un cent mètres, mais il avait le sentiment que cette recherche était sans objet. Cela faisait deux heures que Koko avait attiré Harry dans son piège à rats. Harry devait certainement être mort à présent. Ils poursuivaient une chimère. Pourtant, il ne laissait pas d'être excité. Ils étaient allés droit vers la galerie; ils exploraient une portion de rue que Dengler et Beevers avaient foulée une heure ou deux auparavant. Après avoir parcouru des milliers de kilomètres à la recherche de Koko, il n'en avait jamais été aussi proche. Et il se révoltait à l'idée de faire appel au lieutenant Murphy et au jeune policier au cou de taureau.

– Michael? dit doucement Maggie depuis l'autre trottoir.

– Je sais, je sais, dit Michael.

Il avait envie de se jeter sur le sol et de labourer la pierre avec ses ongles jusqu'à retrouver Koko et Harry.

Si seulement il savait où creuser, s'il en avait la force et la patience, alors peut-être pourrait-il sauver la ridicule existence de Harry Beevers.

– Michael? dit Ellen, comme en écho.

Il cacha son visage derrière ses poings serrés : il les voyait à peine. A l'extrémité d'Elizabeth Street, il aperçut alors la silhouette massive d'un homme vêtu d'un long manteau bleu, qui ressemblait à un bœuf égaré sur une route.

– Allez vous cacher! lança Michael. Ne courez pas, mais ne vous montrez plus.

– Hein...? dit Ellen.

Mais déjà Conor la prenait par la main et se mettait à remonter la rue. Michael, lui, alla se mettre à l'abri dans l'entrée de la galerie, avec l'air du bon citoyen pressé de rentrer chez lui. En se glissant à l'intérieur, il sentit peser sur lui le regard du policier. Un bruit curieux : c'était Conor qui sifflotait. Une fois à l'abri, Michael s'aplatit contre le mur et risqua un regard au-dehors. Le jeune policier trapu regardait toujours dans sa direction. Il semblait intrigué. Michael regarda de l'autre côté de la rue, mais Tim et Maggie avaient disparu dans une entrée d'immeuble.

Le policier posa les mains sur ses hanches... quelque chose semblait le gêner. Peut-être les avait-il reconnus. Il avait l'air de se demander ce qu'ils pouvaient bien faire dans Elizabeth Street. Le policier jeta un coup d'œil vers ses collègues qui se trouvaient dans Bayard Street, puis avança d'un pas en direction de la galerie. Michael retint sa respiration et regarda du côté de l'autre extrémité de la rue. Conor et Ellen exécutaient à présent un numéro tout à fait honorable de touristes égarés dans un quartier douteux. Le jeune policier jeta un regard derrière lui, puis à nouveau vers ses collègues. Puis il adressa un geste au policier qui se tenait devant la voiture de patrouille.

– Et merde! lança Michael d'une voix étouffée.

Un nouveau sifflotement. Conor avait-il repris son imitation de Gary Cooper? De l'autre côté de la rue, il aperçut Tim, qui ressemblait à un épouvantail avec son long manteau et son chapeau aux bords rabattus. Maggie se tenait un peu en arrière, et Michael apercevait une partie de la cour d'immeuble. Avec de grands gestes, comme un agent de la circulation, Tim lui faisait signe de les rejoindre.

Le jeune policier se trouvait toujours à l'extrémité de la rue; il semblait attendre quelqu'un, avec autant d'impatience que Tim. Puis le jeune policier se raidit, et l'inspecteur Dalton apparut à ses côtés.

Michael risqua un coup d'œil : Conor et Ellen avaient tourné le coin et disparu. Dalton ne pouvait rien voir.

Pendant un moment, le jeune policier parla à Dalton, et ce dernier se contenta de scruter Elizabeth Street.

Michael aurait aimé entendre leur conversation.

Vous êtes sûr que vous les avez vus? Les mêmes?

J'en suis sûr. Ils étaient là-bas.

Bon, alors je reviens avec le lieutenant Murphy, dit Dalton. A moins qu'il n'ait dit : *Gardez un œil sur la rue en attendant qu'on en ait fini avec Mulberry Street.*

En tout cas, Dalton disparut, soit qu'il fût allé chercher Murphy soit qu'il eût laissé Cou-de-taureau se débrouiller tout seul. Cou-de-taureau se détourna alors pour observer la foule des Chinois de Bayard Street, et il soupira si fort que Michael crut presque l'entendre.

Nouveau coup d'œil à la rue. Tim semblait sur le point d'exploser, et Maggie avait des yeux immenses dans lesquels il ne parvenait à rien lire. Michael se mit à traverser la rue. Le jeune policier ne faisait pas mine de bouger. Elizabeth Street semblait si large! Michael accéléra le pas, priant le ciel de ne pas heurter une pierre, de ne pas faire de bruit. Le vent semblait rugir autour de lui. Il parvint sur le trottoir d'en face. A l'extrémité de la rue, il lui sembla voir se tourner l'épaule de Cou-de-taureau : le mouvement était lent, maladroit, comme celui d'un automate. Il vola plus qu'il ne courut jusque dans l'entrée de l'immeuble.

– Il m'a peut-être vu, dit Michael, hors d'haleine. Que se passe-t-il?

Sans un mot, Tim s'avança dans une petite cour de briques entourée par les hauts murs des immeubles crasseux. Une odeur de graisse et de sueur flottait dans l'air froid où elle semblait se décomposer.

– On a vu ça par hasard, dit Tim.

Il se dirigeait vers l'une des entrées d'immeuble. A côté d'une porte à la peinture écaillée donnant accès au rez-de-chaussée et à la cage d'escalier, se trouvait une sorte de puits semi-circulaire permettant l'éclairement d'une fenêtre située en sous-sol.

Michael comprit tout de suite. Tim se tenait à côté de la porte et regardait d'un air sombre au fond du puits. Pourvu qu'il ne soit pas en train de regarder le corps de Harry, se dit Michael. Mais ce ne pouvait être que cela. Koko avait tiré Harry hors de la galerie et lui avait tranché la gorge dans l'entrée de l'immeuble. Puis après s'être livré aux diverses opérations qui constituaient sa signature, il avait jeté le corps dans le trou. Ensuite, il s'était évanoui dans la ville.

Pour la première fois, Michael eut peur pour lui-même. Il s'approcha du puits de lumière et regarda.

Il était tellement sûr de ce qu'il allait découvrir que tout d'abord il ne vit rien. Le puits faisait entre deux mètres et deux mètres cinquante de profondeur; au fond, un sol de ciment et une fenêtre peinte en noir. Le sol en ciment était jonché de bouts de papier jaunis et de boîtes de bière. Pas de corps. Il leva les yeux et regarda Tim puis Maggie. Maggie indiqua alors quelque chose au fond du puits.

Un couteau brillait sur un amoncellement de vieux papiers. Il y avait une tache de sang sur la lame.

En relevant les yeux, Michael vit Conor et Ellen pénétrer dans la cour par une autre entrée, ménagée dans la partie ouest des bâtiments. Ils avaient fait le tour du pâté d'immeubles par Mott Street et s'étaient engouffrés dans la première entrée qu'ils avaient vue.

– Le lieutenant Murphy doit être sur nos talons, dit Michael. Je veux rentrer dans l'immeuble.

– Non! dit Maggie. Michael...

– Murphy ne connaît pas Dengler. Moi oui. Et Harry est peut-être toujours vivant.

– Tu connais peut-être Dengler, dit Maggie, mais pas Koko.

La remarque était judicieuse, mais la réponse qui vint immédiatement à l'esprit de Michael était tellement irrationnelle qu'il l'écarta avant même de l'articuler. Koko est à moi, avait-il failli dire, il m'appartient.

– Ça fait probablement des heures qu'il est parti, dit Maggie.

– Je viens avec toi, Michael, dit Tim.

– Si Murphy arrive avant notre retour, dis-lui où nous sommes allés, dit Michael.

Il ouvrit la porte branlante et se retrouva devant un escalier métallique peint en vert qui donnait accès aux étages; le même escalier s'enfonçait également dans l'obscurité du sous-sol. A sa gauche, une porte. Pensant que la personne habitant derrière cette porte avait pu entendre quelque chose, il frappa. Pas de réponse. Il frappa de nouveau. Toujours pas de réponse.

– Allons voir dans le bâtiment, dit-il à Tim.

– Je viens aussi, dit Conor derrière lui.

Michael se retourna et vit Conor qui ôtait doucement les doigts d'Ellen agrippés à son bras.

– Nous serons plus en sécurité si nous y allons tous les trois.

Maggie passa le bras autour de la taille d'Ellen. Michael s'avança et leva les yeux vers les six ou sept étages de la cage d'escalier; puis il s'engagea dans l'escalier menant au sous-sol.

Dès que sa tête se trouva sous le niveau du rez-de-chaussée, l'escalier devint sombre comme un tombeau. Les murs étaient froids et humides. Derrière lui, Tim et Conor se déplaçaient avec un tel silence qu'il entendait encore Maggie et Ellen marcher sur le palier du rez-de-chaussée. Michael avançait lentement. L'air devenait plus froid. Tim devait avoir raison : Koko, qui autrefois avait aimé Babar, avait fui il y a longtemps, et en bas, dans une pièce glacée et sordide, ils découvriraient le cadavre de Harry. Mais Michael voulait le trouver avant la police. Cela ne changerait rien pour Harry, mais il lui devait au moins cela.

Finalement, Michael aperçut un rai de lumière sous une porte, en bas des marches. Il se pencha au-dessus de la rampe et scruta l'obscurité. Un vague halo de lumière éclairait à présent la cage d'escalier.

Il descendit jusqu'au palier inférieur. A travers une fente dans le bois de la porte, il aperçut un pan de mur peint du même vert que l'escalier. Il y avait également des éclaboussures noires et rouges.

Quelqu'un lui serra l'épaule : Conor ou Tim. Devant la porte, Michael remarqua une traînée de sang, de couleur sombre.

Doucement, Michael poussa la porte. Une bouffée d'air humide, plus froid que celui de l'escalier, lui sauta au visage. Dans la lumière immobile de la pièce, il aperçut Harry ligoté sur une chaise face à la porte. Tout un côté de son visage, le chiffon blanc qui le bâillonnait et son chandail étaient inondés de sang. Michael vit tout de suite que son oreille gauche avait été tranchée : il était mort. Puis Harry ouvrit brutalement des yeux brillants de douleur et de terreur.

Sur le sol, autour de lui, des flaques de sang. Les murs étaient recouverts de dessins formant des vagues et de diverses inscriptions. Assis sur le sol, les jambes croisées, dos à la porte, un homme mince semblait abîmé dans la contemplation des fresques murales. Juste devant lui, on apercevait le dessin rudimentaire d'une Vietnamienne aux cheveux noirs qui s'avançait les mains tendues, souriante ou hurlante.

Il émanait une telle tristesse de toute cette scène, que Michael fut pris de vertige. Koko, qui était M.O. Dengler, ou qui avait été M.O. Dengler, paraissait un enfant. Sans réfléchir, Michael dit : « Manny. »

Manuel Orosco Dengler tourna la tête et le regarda.

4

Michael s'avança dans la pièce froide et verte. Jusqu'à cet instant, quelque chose en lui avait refusé de croire tout à fait que Dengler était Koko. En dépit de tout ce qu'il avait dit à Maggie et au lieutenant Murphy, Michael avait le souffle coupé. Il n'avait pas la moindre idée de ce qu'il allait faire. Il lui était encore difficile d'admettre que Dengler pût lui vouloir du mal. Harry émit un son étouffé à travers son bâillon. Tim et Conor entrèrent silencieusement dans la pièce et se placèrent de part et d'autre de lui.

Dengler semblait ne pas avoir du tout vieilli. A côté de lui, Michael se sentait vieux, informe, et presque corrompu par l'expérience de la vie. Il en avait presque honte.

Dengler semblait avoir dix-neuf ans, et devant lui, sur le mur, ce que Michael avait pris pour des vagues était en fait des rangées de têtes d'enfants. Les corps n'avaient été que partiellement peints. Certains avaient les mains levées, d'autres tendaient en avant leurs bras maigres. Des traits de peinture rouge couraient entre les corps comme un écheveau de laine. Dengler pencha son visage juvénile en regardant Michael, ses lèvres s'entrouvrirent comme s'il allait dire... *J'avais raison à propos de Dieu.* Ou bien... *De toute façon, c'était il y a longtemps.*

Sur l'un des murs, en grandes lettres noires, la même inscription que celle que Michael avait vue sur les polaroïds de la police : UNE SOUFFRANCE ETOUFFÉE, ENDORMIE ET IMPASSIBLE. Et en dessous, dans les mêmes lettres noires : LA DOULEUR EST TON ILLUSION.

Michael avait aperçu tout cela le temps d'un battement de cils. Il comprit. Il se trouvait en dehors de tout espace. Il était de retour là-bas. C'était là que Koko vivait tout le temps, dans cette pièce souterraine que Tim et lui avaient visitée deux fois.

Je suis venu t'aider, voulait dire Michael.

Depuis le cœur de sa jeunesse mystérieusement préservée, Dengler lui sourit.

Tu as été méchant? semblait lui demander Dengler. Si *tu n'avais pas...*

Harry gémit à nouveau, et ses yeux roulèrent vers le haut.

– Je suis venu t'aider... dit Michael.

Mais les mots semblaient lui être arrachés, comme dans ces rêves, où le moindre pas requiert un immense effort.

– Viens avec nous, Dengler, dit Conor avec beaucoup de simplicité. De toute façon, c'est ce que tu as envie de faire.

L'enfant souriant, les mains vides tendues devant lui, sembla s'avancer vers Michael comme s'il quittait le fond d'une hutte obscure, et pendant une seconde, il lui sembla entendre un battement d'ailes au-dessus de sa tête.

– Lève-toi et avance vers nous, dit Conor en avançant lui-même d'un pas, la main tendue.

Harry gémit de rage ou de douleur.

Puis on entendit un martèlement de pas dans l'escalier métallique. Michael regarda avec horreur le visage calme et vide de Dengler.

– Stop! hurla-t-il. Nous sommes tous vivants! N'avancez pas plus!

Avant même que Michael eût fini de hurler ses injonctions aux policiers, Dengler s'était levé d'un mouvement fluide. Il tenait à la main un long couteau.

– Dengler, pose ce couteau, dit Underhill.

Dengler s'approcha de l'ampoule qui pendait au plafond. Comme par magie, son visage avait perdu sa stupéfiante innocence, son air juvénile. Il fit éclater l'ampoule d'un coup de manche de son couteau, et la pièce fut plongée dans l'obscurité comme un puits de mine. Instinctivement, Michael s'accroupit.

– Ça va, là-bas? dit une voix dans l'escalier.

– Dengler, où es-tu? chuchota Tim. Essayons de tous sortir vivants de cette histoire, d'accord?

– J'ai un travail à accomplir, dit une voix que Michael ne reconnut pas tout de suite.

La voix semblait venir de partout à la fois.

– Qui y a-t-il dans cette pièce? hurla le lieutenant Murphy. Je veux savoir qui est là, et je veux entendre la voix de tout le monde.

– Poole, lança Michael.

– Underhill.

– Linklater. Et Beevers est là aussi, mais il est blessé et bâillonné.

– Quelqu'un d'autre? cria le lieutenant.

– Oh, oui, dit une voix posée.

– Lieutenant, s'écria Michael, si vous arrivez ici et que vous vous mettez à tirer, vous allez tuer tout le monde. Remontez en haut des marches et laissez-nous sortir. Et il faudrait une ambulance pour Beevers.

– Je veux que vous sortiez un à un. Vous serez tous accueillis par un policier et escortés jusqu'en haut des marches. Si l'homme qui vous retient en bas le désire, je lui propose les services d'un médiateur.

Michael se retint en posant les mains sur le sol. Il était froid et mouillé, et même collant, et Michael se rendit compte qu'il avait mis les mains dans le sang de Harry.

Venu de partout, un hurlement de terreur rebondit sur les murs de la pièce.

– Nous ne sommes pas pris en otages, dit Michael. Nous sommes seulement dans le noir.

– Poole, j'en ai marre de m'adresser à vous et à vous seul. C'est ce Koko que je veux entendre. Quand tout ça sera fini, *docteur* Poole, nous aurons sans nul doute une conversation fort intéressante. Et là, c'est moi qui aurai beaucoup de choses à vous dire ! Monsieur Dengler ! (Sa voix enfla sur ces derniers mots.) Vous ne courez aucun danger tant que vous suivez exactement mes instructions. Je veux que vous relâchiez tout le monde un à un... Ensuite, je veux que vous vous rendiez. Est-ce clair ?

Dengler répéta la phrase qu'il avait prononcée avant de plonger la pièce dans l'obscurité :

– J'ai un travail à accomplir.

– Parfait, dit Murphy.

Puis Michael entendit Murphy dire à l'un de ses collègues : « J'ai un travail à accomplir... qu'est-ce qu'il veut dire ? »

Michael entendit alors chuchoter à son oreille, et la voix était si proche qu'il sursauta.

– Dis-lui de monter en haut des marches.

– Il dit que vous devez monter tout en haut des marches, hurla Michael.

– Qui parle ?

– C'est Poole.

– J'aurais dû m'en douter, dit Murphy d'une voix un peu rassérénée. Si nous remontons en haut de l'escalier, est-ce qu'il vous relâchera tous ?

– Oui, chuchota la voix dans l'oreille de Michael.

– Oui ! hurla Michael.

Il n'avait absolument pas entendu Dengler s'approcher de lui. A présent, Michael entendait des froissements d'ailes, incessants, comme si de nombreuses personnes se déplaçaient autour de lui, chuchotant. Il sentait l'odeur du sang.

– Pas d'autres requêtes ? cria Murphy d'une voix forte et d'un ton sarcastique.

– Tous les policiers dans la cour, chuchota la voix, cette fois devant Michael.

– Il veut que tous les policiers se rassemblent dans la cour.

– C'est entendu, dit Murphy, à condition que les otages soient libérés.

– Conor, ça va ? demanda Michael.

Pas de réponse. Les autres étaient morts, et il était seul dans ce nulle part en compagnie de Koko. Il pataugeait dans le sang de son ami, et Koko virevoltait autour de lui comme une centaine d'oiseaux ou de chauves-souris.

– Conor !

– Oui.

La voix de Conor calma un peu sa terreur.

– Tim ?

Pas de réponse.

– Tim !

– Il va bien, chuchota la voix, mais pour l'instant il ne peut pas parler.

– Tim, tu m'entends ?

Michael sentit comme une brûlure douloureuse au côté droit. Il porta la main à son flanc. Il ne sentit pas de sang, mais il y avait une longue entaille dans le tissu de son manteau.

– Je suis allé à Muffin Street, dit Michael. J'ai parlé à ta mère, Helga Dengler.

– On l'appelle Billes, chuchota la voix quelque part sur sa droite.

– Je sais pour ton père... je sais ce qu'il a fait.

– On l'appelle Sang, chuchota la voix à l'endroit où il avait vu Conor pour la dernière fois.

Michael gardait toujours la main pressée sur son flanc. Maintenant il sentait le sang qui commençait à sourdre à travers le manteau.

– Chante-moi la chanson des éléphants.

De différents endroits dans la pièce, Michael entendit alors des lambeaux d'une chanson sans paroles ni mélodie, une musique qui n'était pas de ce monde, une musique venue d'un nulle part. Parfois, on avait l'impression d'enfants parlant ou pleurant très loin. C'étaient les enfants morts peints sur les murs. Michael comprit à nouveau que peu importait ce qu'il pouvait entendre dans cette pièce : il était seul avec Koko, et le reste du monde se trouvait sur la rive opposée d'une rivière qu'aucun homme ne pouvait traverser vivant.

Tandis que la chanson de Koko s'envolait dans l'obscurité, Michael entendait les policiers remonter l'escalier métallique. Sa blessure lui brûlait le flanc, et il éprouvait le contact poisseux du sang à travers ses vêtements. La pièce s'était élargie aux dimensions du monde, et il s'y trouvait seul avec Koko et les enfants morts.

Puis on entendit la voix de Murphy, à travers un mégaphone.

– Nous sommes dans la cour. Nous resterons là jusqu'à ce que les trois hommes qui sont avec vous aient franchi le seuil de cette porte. Que voulez-vous faire ensuite ?

– Rien n'est perdu dans l'animal, siffla la voix.

Les enfants agonisants gémissaient et pleuraient. Non, se souvint Michael : les enfants étaient morts. C'était Harry Beevers.

– Tu veux que je lui dise que rien n'est perdu dans l'animal ? demanda Michael. De toute façon, d'ici il ne peut pas m'entendre.

– Il peut très bien t'entendre, dit le chuchotement glacé.

Alors Michael comprit.

– C'était la devise de la boucherie, n'est-ce pas ? La Boucherie Dengler de l'agneau de Dieu. Je parie que c'était inscrit sous le nom. Ici, rien n'est perdu dans l'animal.

La chanson absurde, les cris des enfants morts et toutes les voix se turent. Pendant un moment, Michael eut le sentiment que toute la violence contenue dans cette pièce se rassemblait dans l'air froid et vicié, et son cœur faillit s'arrêter. Il entendit des froissements d'étoffe lourde : Tim avait dû s'approcher de la porte. Koko allait à nouveau le poignarder, il le savait, et cette fois-ci il serait tué et Koko lui arracherait la peau du visage, comme il l'avait fait à Victor Spitalny.

– Est-ce que tu crois que c'est lui qui a tué ta vraie mère ? chuchota Michael. Est-ce que tu crois qu'il lui a fixé rendez-vous sur les berges de la rivière et qu'il l'a tuée là ? Moi c'est ce que je crois.

Loin sur sa gauche, il entendit un soupir, un chuchotement, sans mots distincts.

– Conor ?

– Oui.

– Tu le savais aussi, n'est-ce pas ? reprit Michael. (Il avait envie de pleurer à présent, mais ce n'était plus de peur.) Personne ne te l'a dit, mais tu l'as toujours su.

Michael sentait son cœur battre à nouveau normalement. Avant que Koko ne les tue tous, ou avant que la police ne fasse irruption et ne les tue tous également, il voulait lui dire cela.

– Dix jours après ta naissance, Karl Dengler a rencontré Rosita Orosco sur les berges de la rivière. C'était en plein hiver. Il l'a poignardée, puis il l'a dénudée et l'a laissée là. Est-ce qu'il l'a violée après l'avoir tuée ? Ou bien aussitôt avant ? Puis il est entré dans ta chambre, quand tu étais petit garçon, et il t'a fait à toi ce qu'il lui avait fait à elle. Tous les soirs.

– Que se passe-t-il ? demanda la voix de Murphy, déformée par le mégaphone.

– Tous les soirs, répéta Michael. D'une certaine manière, Tim le savait... sans savoir vraiment ce qui s'était passé en réalité, il l'a senti, il a tout senti. Simplement en t'observant, Tim a compris ce qui s'était passé dans ta vie.

– Underhill sort le premier, chuchota Koko derrière Michael.

Un couteau glissa sous l'oreille de Michael, et les enfants gémirent, suppliant qu'on les épargne.

– D'abord Underhill. Ensuite toi. Ensuite Linklater. Moi je sortirai en dernier.

– J'ai raison, n'est-ce pas? demanda Michael.

Sa voix tremblait, et il savait que Koko ne lui répondrait pas... parce qu'il n'avait pas à lui répondre.

– Underhill sort le premier! hurla Michael.

Une seconde plus tard, il entendit la voix de Murphy qui lui parvenait depuis l'autre rive de la grande rivière tumultueuse. Murphy ne savait rien de cette rivière qui entourait cet endroit hors de tout espace et le séparait de l'humanité.

– Faites-le sortir, dit Murphy.

Si Underhill était vivant, se dit Michael, Dengler l'envoyait dehors en premier parce qu'il voulait entendre la suite de l'histoire. Maggie se trouvait de l'autre côté de la rivière, et jamais plus il ne la reverrait, car de son côté à lui, se trouvait la lugubre petite île de la mort.

– Vas-y, Tim, dit Michael. Sors.

Sa voix lui sembla plus étrange que jamais.

La porte s'ouvrit, et Michael, stupéfait, vit Tim, de dos, se glisser sur le palier. La porte se referma lentement derrière lui. Pas lents dans l'escalier.

– Dieu soit loué! s'écria Michael. A qui le tour, maintenant?

Il n'entendit que des grincements et des gémissements qui ressemblaient aux cris lointains des enfants morts.

– C'est ce qui s'est passé dans la grotte, n'est-ce pas? dit Michael. Que Dieu vienne en aide à Harry Beevers.

– Envoyez le suivant, dit Murphy de sa voix rendue nasillarde par le mégaphone.

– Qui est le suivant? demanda Michael.

– C'est différent, ici, maintenant, chuchota Conor.

Et aussitôt, Michael sentit que Conor avait raison. Il ne sentait plus ces frôlements invisibles : l'air froid semblait vide. Ils se trouvaient simplement dans un sous-sol sans lumière... plus d'enfants lointains et plus de rivière.

– Sortons ensemble, dit Michael.

– Toi d'abord, dit Conor. D'accord, Dengler?

Harry protesta par des grognements et des cris étouffés.

– Je serai juste derrière toi, dit Conor. Dengler, on s'en va.

Michael se mit en route vers la porte dont on apercevait vaguement les contours. Il avait l'impression de décadenasser bras et jambes. A chaque pas, sa blessure au côté le faisait souffrir. Il sentait le sang s'échapper de son corps et se répandre sur le sol.

Michael comprit alors ce qui s'était passé : Dengler s'était tranché la gorge. Voilà pourquoi les voix avaient cessé. Dengler s'était suicidé, et son corps reposait dans le noir, sur le sol de sa petite cellule.

– Quelqu'un va bientôt descendre pour te porter secours, Harry, dit Michael. Je regrette d'avoir écouté tout ce que tu as pu dire.

Grincements et gémissements.

Michael atteignit la porte. Il l'ouvrit et l'obscurité se fit moins dense. Il sortit sur le palier. Il leva les yeux vers le halo de clarté qui venait du haut de l'escalier et aperçut deux policiers en uniforme qui le regardaient. Il songea à Dengler, le pauvre fou, qui gisait mort, ou mourant, dans la petite pièce du sous-sol; et il songea à Harry. Il ne voulait plus jamais voir Harry Beevers.

– On arrive, dit-il.

Mais sa propre voix lui sembla faible, étrangère. Dès qu'il y eut un peu plus de lumière, il regarda son flanc. Il dut faire un effort pour ne pas tomber : il avait perdu beaucoup de sang. Koko avait cherché à le blesser grièvement et non à le tuer, mais son gros manteau d'hiver avait bien amorti le coup de couteau.

– Dengler s'est suicidé, dit-il.

Michael jeta un coup d'œil par-dessus son épaule et vit Conor derrière lui. Conor avait les yeux agrandis comme des soucoupes. Michael reprit son ascension.

Lorsqu'il arriva en haut, un policier lui demanda si tout allait bien.

– Ça ne va pas trop mal, mais il me faudra aussi une ambulance.

Dalton s'avança.

– Aidez-le à sortir!

L'un des policiers passa son bras sous l'épaule de Michael et l'aida à traverser la cour. Il semblait faire plus chaud dehors, et la triste petite cour en briques lui sembla magnifique. Maggie poussa un cri; il tourna la tête vers elle et aperçut un peu plus loin Tim, avec son long manteau, la tête penchée. Maggie et Ellen se découpaient sur le fond de la magnifique petite cour, comme si elles avaient été saisies là par un grand photographe. Ces deux femmes étaient magnifiques aussi... superbes, quoique différentes. Michael avait l'impression que sa condamnation à mort avait été commuée au moment où on lui bandait les yeux pour l'exécution. Lorsque Conor apparut, le visage d'Ellen s'empourpra.

– Conduisez-le à l'ambulance, gronda Murphy en abaissant son mégaphone. Beevers et Dengler sont encore en bas?

Michael acquiesça. Avec un petit cri, Maggie se précipita vers lui et lui jeta les bras autour du cou. Elle parlait à toute allure... il ne comprenait pas ce qu'elle disait – parlait-elle seulement anglais ? – mais il n'avait pas besoin de reconnaître les mots pour comprendre le sens de ses paroles. Il l'embrassa sur la joue.

– Qu'est-ce qui s'est passé ? demanda Maggie. Où est Dengler ?

– Je crois qu'il s'est suicidé. Il doit être mort.

– Amenez-le à l'ambulance, dit Murphy. Conduisez-le à l'hôpital et restez avec lui. Ryan, Peebles, descendez là-dedans et voyez ce qui est arrivé aux deux autres.

– Et Harry ? demanda Maggie.

Ellen avait passé son bras autour de la taille de Conor, qui demeurait immobile comme une statue.

– Il est vivant.

Le jeune policier au cou de taureau s'approcha de Michael, une expression de satisfaction stupide sur le visage, et fit mine de vouloir le conduire vers la sortie, vers Elizabeth Street. Michael jeta alors un coup d'œil vers Tim, toujours appuyé contre le mur, à côté du policier qui avait dû l'aider à sortir du sous-sol. Il y avait quelque chose de changé en Tim, mais pas de la façon dont Conor semblait lui aussi changé. Il avait le chapeau baissé sur les yeux, le col du manteau relevé, la tête courbée.

– Tim ? demanda Michael.

Tim s'écarta de quelques centimètres du policier, mais ne regarda pas Michael.

Michael remarqua alors combien Tim semblait petit. On eût dit un Tim Underhill au format de poche. Curieux... d'habitude les gens ne rétrécissent pas. Un sourire, comme un éclair blanc au milieu des plis du col relevé.

Tout le corps de Michael se glaça. Il voulut hurler. Mais la large rivière noire étouffa son cri, et les enfants morts se mirent à gémir.

– Michael, ça ne va pas ? demanda Maggie, inquiète.

Du doigt, Michael montra la silhouette de Tim, avec son manteau et son chapeau.

– Koko ! finit-il quand même par hurler. Là-bas ! Il porte le...

Un couteau apparut dans la main de l'homme au sourire. Il contourna rapidement le policier, lui agrippa le bras et lui plongea le couteau dans le dos.

Le cri de Michael s'étrangla dans sa gorge.

En un éclair, l'homme s'évanouit par la sortie de l'immeuble donnant sur Elizabeth Street.

Le policier s'effondra lourdement sur le sol, le visage vide, l'air stupéfait. Murphy sembla exploser : il envoya quatre hommes à la poursuite de Dengler, puis fit conduire le policier blessé à l'ambulance.

Puis, après un dernier regard furieux sur la petite cour, il se précipita lui aussi vers la sortie.

– Je peux attendre, dit Michael au policier qui voulait le conduire vers l'ambulance. Je veux voir Underhill.

Le policier le regardait sans trop savoir quelle décision prendre.

– Mais enfin, bon sang! Sortez-le du sous-sol, dit Michael.

– Michael, dit Maggie d'un ton suppliant, il faut que tu ailles à l'hôpital. Je vais venir avec toi.

– Ça n'est pas aussi grave que ça en a l'air. Je ne peux pas partir avant de savoir ce qui est arrivé à Tim.

Mais Tim était mort. Koko l'avait tué en silence, avait pris son manteau et son chapeau et était parvenu ainsi à quitter le sous-sol.

Maggie voulut se précipiter vers le sous-sol, mais Michael, puis Dalton la retinrent.

– Descendez là-bas, Dalton, dit Michael. Fichez la paix à mon amie et allez voir là-bas si vous pouvez aider Tim, sans ça je vous écrase la gueule!

Sa blessure le brûlait de façon lancinante. Venant de la rue, on entendait des cris, des bruits de cavalcade.

Dalton fit mine de se diriger vers la rue, puis se ravisa et gagna l'escalier métallique.

– Johnson, allons voir pourquoi ils mettent si longtemps.

L'un des policiers accourut. Ils descendirent tous deux l'escalier.

– Je suis sérieux, ajouta Michael, je vous écrase la gueule...

Ellen et Conor s'approchèrent de Michael et de Maggie.

– Il s'est enfui, dit Conor, d'un ton incrédule.

– Ils vont le rattraper. Il ne peut pas être fort à ce point-là.

– Vraiment, je regrette, Mikey.

– Tu as été superbe, Conor. Tu t'es mieux comporté que nous.

Conor secoua la tête.

– Tim ne faisait aucun bruit. Je ne... Je crois que...

Michael hocha la tête. Lui non plus ne voulait pas le dire.

– La blessure est profonde?

– Pas trop. Mais je crois quand même que je vais m'asseoir.

Il s'appuya le dos au mur et se laissa glisser sur le sol; Maggie et Conor le soutinrent chacun par un coude. Une fois assis, les jambes allongées, il voulut ôter son manteau, mais ce mouvement lui arracha un cri.

Maggie s'agenouilla à côté de lui et lui prit la main.

– Ça n'est qu'un élancement, dit-il. Ça fait un peu mal.

Elle lui étreignit la main.

– Ça va, Maggie. J'ai un peu chaud, c'est tout.

Elle l'aida à faire glisser son manteau le long de ses épaules.

– Ça a vilaine allure, mais ça n'est pas grave, dit-il. Mais c'est le flic qui a été salement blessé. (Il promena le regard autour de lui pour voir s'il apercevait le policier qu'avait poignardé Koko.) Mais où est-il ?

– Ça fait longtemps qu'ils l'ont emmené.

– Il pouvait marcher ?

– Il était sur une civière, dit Maggie. Tu veux monter dans l'ambulance, maintenant ? Il y en a une autre, là.

Des bruits de pas se firent alors entendre dans l'escalier métallique.

Un moment plus tard, Harry fit son apparition, soutenu par deux policiers. Il portait un épais linge blanc fixé par du sparadrap sur le côté du crâne, et semblait sortir d'un combat de rue particulièrement sauvage.

– Où est-il ? demanda Harry d'une voix brisée. Où est ce connard ?

Michael sourit en se disant qu'il devait parler de Koko : après tout il avait bien le droit de poser une telle question.

Mais Harry aperçut Michael, et ses yeux se remplirent de haine.

– Connard ! lança Harry. T'as tout foutu par terre ! Qu'est-ce que t'es venu foutre en bas ? Tu voulais nous faire tous massacrer ?

Il tenta d'échapper aux policiers qui le soutenaient pour se précipiter vers Michael.

– Pourquoi me rendre responsable de tout, hein ? T'as tout foutu par terre, Poole ! T'as foutu la merde ! Je le tenais presque, et tu l'as laissé s'enfuir !

Michael cessa d'écouter les divagations de Harry : Tim Underhill venait d'apparaître en haut des marches, soutenu par Dalton et un policier noir taillé comme une armoire à glace. Tim claquait des dents, et son visage avait pris une teinte bleuâtre. Du côté gauche, son chandail était découpé et trempé de sang... au premier coup d'œil, comme pour Michael, on avait l'impression qu'on avait tenté de le couper en deux.

– Salut, Michael.

– Salut, Timothy. Dis-moi, pourquoi n'as-tu rien dit, en bas, quand Dengler t'a enlevé ton manteau ?

– Installez-moi à côté de Poole, dit Tim.

Dalton et l'agent en uniforme lui firent traverser doucement la cour et l'assirent avec précaution sur le sol. Un autre policier à qui Dalton avait fait signe accourut avec une couverture qu'il disposa sur les épaules de Tim.

– Il m'avait bâillonné, dit alors Tim. Je pense que c'était avec la chemise de Harry. Ce cher Harry avait-il sa chemise quand il est sorti ?

– Je ne pourrais pas te le dire.

Le lieutenant Murphy fit alors irruption dans la cour. Il avait toujours le visage cramoisi, mais cela était autant dû à l'épuisement qu'à la colère... un vrai visage d'Irlandais, se dit Michael. Lorque Murphy aurait soixante ans, son visage aurait cette couleur de façon permanente. Lorsque le lieutenant aperçut Michael et Tim assis par terre, les jambes allongées, il ferma les yeux et sa bouche ne fut plus qu'un trait mince barrant son visage.

– Vous ne pourriez pas trouver une ambulance pour ces deux imbéciles ? Ce n'est pas une maison de repos, ici !

– Mais le Dr Poole ne voulait pas partir avant d'avoir vu M. Underhill, dit Dalton. Et lorsque Beevers a été conduit dans l'ambulance, il a menacé de traîner tout le monde devant les tribunaux si on ne l'emmenait pas immédiatement à l'hôpital. Alors...

Murphy le fusilla du regard.

– Euh... oui.

Et Dalton quitta la petite cour.

– Vous l'avez rattrapé ? demanda Michael.

Murphy ignora la question, traversa la cour et se pencha au-dessus du puits d'éclairement, comme s'il pouvait encore rester quelqu'un.

– Allez chercher ce couteau, dit-il à l'un des policiers en uniforme.

– Alors, vous l'avez attrapé ?

Murphy continua de l'ignorer.

Quelques secondes plus tard, ils entendirent le long miaulement d'une sirène d'ambulance. Lorsque l'ambulance fut arrivée devant l'immeuble, le bruit de la sirène cessa.

Dalton revint leur demander s'ils voulaient des civières.

– Non, dit Michael.

– Ah bon ? dit Tim. Les civières ne sont plus efficaces, de nos jours ?

– Comment va le policier que Dengler a poignardé ? demanda Michael.

Dalton et le policier noir le remettaient doucement sur ses pieds, tandis que Maggie lui tenait la main et l'encourageait.

– Je viens d'apprendre qu'il est mort avant d'arriver à l'hôpital, dit Murphy.

– C'est affreux, dit Michael.

– Oui. Mais ne vous en faites pas, on ne vous accuse pas de l'avoir tué. A part ça, on n'a pas encore retrouvé votre ami Dengler. Il s'est débarrassé du chapeau et du manteau au coin de la rue, et il a filé dans Mott Street comme un lapin. Il a dû se réfugier dans un immeuble quelque part. Mais on l'aura, Poole, ne vous inquiétez pas pour ça. Il n'ira pas très loin.

Murphy ne cessait de serrer et desserrer les mâchoires.

– J'irai vous voir à l'hôpital, vous et votre copain.

– Si je regrette qu'un de vos hommes soit mort, dit Michael, ça n'est pas parce que j'y serais pour quelque chose.

Murphy leva les yeux au ciel d'un air exaspéré et tourna les talons.

– Il y a des gens qui ne comprennent pas qu'on puisse être simplement compatissant, dit Tim tandis qu'on les emmenait tous les deux vers l'ambulance.

5

Aux Urgences, un interne au visage poupin leur posa des points de suture et jugea leurs blessures « tout à fait glorieuses » : elles laisseraient des cicatrices de belle taille, mais ne mettaient pas leurs vies en danger. Cela, Michael le savait déjà, au moins en ce qui le concernait. On les conduisit ensuite dans une chambre à deux lits, et le policier qui les avait accompagnés dans l'ambulance leur annonça alors qu'ils y passeraient la nuit. Le policier s'appelait LeDonne, et il avait une moustache bien taillée et un regard gentil.

– Je resterai derrière la porte, ajouta LeDonne.

– Mais nous n'avons pas besoin de passer la nuit à l'hôpital, dit Michael.

– Le lieutenant préférerait vraiment que vous restiez là, dit LeDonne.

Le policier leur signifiait de manière polie qu'ils avaient l'ordre de rester au moins une nuit à l'hôpital.

Trois heures après leur installation dans la chambre, Maggie fit son apparition en compagnie de Conor et d'Ellen ; ils avaient passé ces trois heures en compagnie du lieutenant Murphy. Ils lui avaient inlassablement répété comment ils en étaient venus à explorer les abords d'Elizabeth Street, et le lieutenant en avait conclu qu'ils n'étaient coupables que de folle imprudence et n'avait demandé aucune inculpation contre eux.

Maggie apprit également à Tim et Michael, un peu abrutis par les antalgiques, que Koko avait réussi à semer les policiers dans Chinatown, mais que Murphy était certain de le capturer avant la tombée de la nuit.

Conor et Ellen partirent ensuite pour Grand Central prendre un train du Metro North ; Ellen embrassa les deux hommes et dut presque tirer Conor par le bras pour lui faire quitter la chambre. Michael avait l'impression qu'il regrettait de ne pas avoir été lui aussi blessé de façon à pouvoir rester avec eux. Maggie resta leur tenir compagnie.

– Où ont-ils mis Harry ? demanda Michael.

– Trois étages au-dessus de vous, dit Maggie. Tu veux aller le voir ?

– Je crois que je ne veux plus jamais voir Harry Beevers, dit Michael.

– Il a perdu une oreille.

– Il lui en reste une autre.

Les lumières de l'hôpital devenaient presque brumeuses, et Michael songea au halo de lumière grise qui l'avait enveloppé en haut des escaliers quand il avait quitté la cellule de Koko.

Une infirmière vint lui faire une autre piqûre, bien qu'il affirmât bien fort ne pas en avoir besoin.

– Je suis médecin, vous savez.

– Maintenant, vous n'êtes qu'un patient comme les autres, dit-elle en lui enfonçant l'aiguille dans la fesse gauche.

Ensuite, Tim et lui discutèrent longuement de Henry James. Par la suite, Michael ne se rappela qu'un seul détail de cette conversation nébuleuse : Tim lui avait décrit un rêve qu'avait fait Henry James à un âge déjà avancé; un être terrifiant tentait de s'introduire dans la chambre de l'écrivain, mais celui-ci finissait par contre-attaquer et réussissait à le chasser.

Ce jour-là, ou le lendemain – car Murphy leur avait ordonné de demeurer encore vingt-quatre heures à l'hôpital – Judy apparut sur le seuil quelques instants avant la fin des heures de visite. Pat Caldwell se tenait derrière elle. Michael avait toujours bien aimé Pat, mais à présent il ne savait plus s'il avait toujours bien aimé sa femme.

– Je n'entrerai que si *cette personne* sort, dit Judy.

Cette personne était Maggie, qui se mit immédiatement à rassembler ses affaires. Michael lui fit signe de rester.

– Dans ce cas tu ne rentreras pas, dit-il. Mais je trouve que ça serait dommage.

– Tu ne veux pas aller voir Harry ? dit Pat. Il a dit qu'il a beaucoup de choses à vous dire, à tous les deux.

– Pour l'instant, je n'ai pas très envie de parler à Harry, dit Michael. Et toi, Tim ?

– Plus tard, peut-être.

– Michael, ne veux-tu pas dire à *cette fille* de sortir ? demanda Judy.

– Non, je n'en ai pas l'intention. Rentre donc, Judy, comme ça nous ne serons pas obligés de crier pour nous entendre.

Sans un mot, Judy tourna les talons.

– C'est marrant, les hôpitaux, dit Michael. On a toute sa vie qui apparaît devant soi.

Le lendemain soir, alors que Michael était suffisamment lucide pour sentir la souffrance de sa blessure, le lieutenant Murphy vint leur rendre visite. Il souriait et semblait calme et maître de lui, comme l'homme que Beevers avait admiré à l'enterrement de Tina.

– Bon, vous n'êtes plus en danger à présent, alors j'envoie LeDonne prendre un peu de repos. Vous pourrez quitter l'hôpital demain matin.

Il se mit à se balancer d'un pied sur l'autre, cherchant visiblement la meilleure façon de leur annoncer la deuxième nouvelle. Il finit par se décider pour un mélange d'optimisme et d'agressivité.

– Il ne peut plus nous échapper maintenant. Grâce à vous deux et à M. Beevers, nous n'avons pas pu l'arrêter à Chinatown, mais je vous avais dit que nous finirions par l'avoir, eh bien c'est ce qui va se produire.

– Vous savez où se trouve Dengler ? demanda Tim.

Murphy acquiesça.

– Eh bien alors où est-il ? demanda Michael.

Murphy secoua la tête.

– Cela, je ne peux pas encore vous le dire.

– Mais pour l'instant, vous ne pouvez pas l'arrêter.

Murphy secoua la tête.

– Mais c'est comme s'il était déjà arrêté, croyez-moi. Vous n'avez pas à vous inquiéter.

– Mais je ne m'inquiète pas, dit Michael. Il est dans un avion ?

Murphy acquiesça, d'un air surpris.

– Vous n'aviez pas des policiers à l'aéroport ?

A présent, Murphy semblait agacé.

– Bien sûr que si ! J'avais des hommes dans toutes les stations de métro qu'il aurait pu utiliser, nous avions des hommes dans les gares d'autocars et aux aéroports Kennedy et La Guardia. (Il s'éclaircit la gorge.) Mais il a réussi à gagner La Nouvelle-Orléans avant que nous ne l'ayons identifié. Le temps que nous trouvions le nom qu'il utilisait et sa destination, il avait déjà pris l'avion à La Nouvelle-Orléans. Mais maintenant nous savons quel vol il a pris. Pour lui c'est fini.

– Où est-il parti ?

Murphy finit par leur révéler sa destination.

– A Tegucigalpa.

– Au Honduras, dit Michael. Pourquoi le Honduras ? Oh ! A cause de Roberto Ortiz. Vous avez dû trouver le nom en épluchant les listes des passagers. Dengler avait encore le passeport de Roberto Ortiz.

– Je n'ai rien à vous apprendre, n'est-ce pas ?

– J'espère que cette fois-ci vous allez l'arrêter.

– On ne peut pas s'enfuir d'un avion. Et je ne crois pas qu'il va nous jouer les D.B. Cooper. L'avion doit atterrir dans quatre heures à Tegucigalpa, et là-bas, il y a une petite armée pour l'accueillir. Ces gens-là n'ont qu'une envie, c'est de nous faire plaisir. Il suffit qu'on claque des doigts et ils sont à nos pieds. Ils vont le cueillir tellement vite qu'il n'aura même pas le temps de poser le pied par terre. (Murphy en arrivait même à sourire.) On ne peut pas le manquer. C'est peut-être un sanglier qui fuit, selon vos propres termes, messieurs, mais cette fois-ci il fonce tête baissée dans un traquenard.

Murphy leur souhaita au revoir et sortit ; puis, se ravisant, il se pencha à l'intérieur.

– Demain matin je vous dirai comment ça s'est passé. A cette heure-là, votre petit copain sera de retour ici. (Un sourire.) Enchaîné. Et probablement avec un certain nombre d'ecchymoses et quelques dents en moins.

Et Murphy s'en alla pour de bon.

– Et voilà l'idole de Harry Beevers, dit Tim.

Une infirmière vint leur faire une nouvelle piqûre.

Michael s'endormit en songeant avec inquiétude à sa voiture qu'il avait laissée devant un parcmètre dans Division Street.

Dès son réveil le lendemain matin, Michael appela le commissariat du 10e district. Sur sa table de nuit se trouvait un vase avec des iris et des lis tigrés, et à côté du vase *Les ambassadeurs* et les deux *Babar*. Au cours de la nuit, Maggie avait réussi à sauver sa voiture. Michael demanda au policier qui prit la communication si le lieutenant Murphy comptait venir ce matin à l'hôpital Saint Luke.

– Autant que je sache, ça n'est pas prévu, dit le policier, mais ça n'est pas à moi qu'il faut demander ça.

– Le lieutenant est là ?

– Non, il est en réunion.

– Est-ce que les Honduriens ont arrêté Dengler ? Est-ce que ça au moins vous pouvez me le dire ?

– Je regrette, je ne peux pas vous donner cette information. Il faudra vous adresser directement au lieutenant.

Et il raccrocha.

Quelques minutes plus tard, un médecin vint leur annoncer qu'ils pouvaient quitter l'hôpital, et qu'une jeune femme était passée le matin pour leur laisser des vêtements de rechange. Une infirmière leur apporta ensuite deux sacs à provisions en papier brun contenant des sous-vêtements propres, des chaussettes, une chemise, un chandail et un jean. Les vêtements de Tim étaient ceux qu'il avait laissés au Saigon, mais ceux de Michael étaient neufs. Maggie avait choisi les tailles au jugé : l'encolure de la chemise était trop petite et elle avait pris du 36 au lieu de 34 pour le jean, mais cela n'avait guère d'importance. Au fond du sac, il trouva un petit mot : *Je n'ai pas pu vous acheter de manteaux parce que je n'avais plus d'argent. Le médecin m'a dit que vous pourriez partir vers 9 h 30. Pourriez-vous passer au Saigon dès votre sortie ? Ta voiture est au garage en face de l'hôpital. Je t'aime. Maggie.*

Agrafée au papier, se trouvait une carte du garage.

– Pas de manteaux, dit Michael. Le mien est fichu et le tien doit probablement servir de pièce à conviction. Mais ne t'inquiète pas... on trouvera quelque chose. Les gens laissent toujours des vêtements dans les hôpitaux.

Dans les bureaux, ils signèrent un nombre impressionnant d'imprimés. Un jeune planton, le Wilson Manly de Saint Luke, leur trouva, comme Michael l'avait prévu, deux manteaux ayant appartenu à deux gentlemen sans famille qui étaient morts dans la semaine.

– Ils sont vraiment moches, dit le planton. Si vous aviez pu attendre un jour ou deux, on vous aurait probablement trouvé quelque chose de mieux.

Avec son long manteau crasseux, Tim avait l'air d'un clochard entre deux âges; quant au manteau de Michael, c'était un vieux Chesterfield avec un col en velours râpé, qui lui donnait l'air d'un vagabond de toute petit taille.

Avant de s'engager sur la Septième Avenue, Michael demeura un certain temps immobile au volant. Il avait mal au côté, et son manteau sentait la vinasse et la fumée de cigarette. Il ne savait trop où aller. Conduire sans jamais s'arrêter ? Il s'arrêta au premier feu rouge et se rendit compte alors qu'il pouvait aller où bon lui semblait. Pendant un moment il ne fut plus ni médecin, ni mari, ni amant de Maggie : il était avant tout responsable de la voiture qu'il conduisait.

– Tu comptes me ramener au Saigon ? demanda Tim.

– Oui. Mais d'abord nous allons rendre visite à notre policier préféré.

6

Le lieutenant Murphy ne pouvait pas les recevoir tout de suite. Il leur fit dire qu'ils pouvaient l'attendre s'ils voulaient, mais qu'il était occupé à d'autres affaires; non, il n'y avait pas d'informations à propos de M.O. Dengler.

Le jeune policier qui se trouvait derrière la vitre en plexiglas à l'épreuve des balles refusa de les laisser pénétrer dans les bureaux du commissariat, et au bout d'un certain temps évita leurs regards et leur tourna le dos, feignant d'être absorbé par sa tâche à un bureau voisin.

– Est-ce qu'on l'a arrêté à sa descente d'avion ? demanda Michael. Est-ce qu'il revient chargé de chaînes et couvert d'ecchymoses ?

Pas de réponse.

– Il ne s'est pas enfui, n'est-ce pas ?

Michael parlait si fort qu'il n'était pas loin de crier.

– Je crois qu'il y a eu quelques problèmes sur le vol, dit le jeune policier d'une voix à peine audible.

Après qu'ils eurent attendu une demi-heure, l'inspecteur Dalton finit par avoir pitié d'eux et les fit entrer dans le commissariat. Il les accompagna en haut de l'escalier et leur ouvrit la porte du bureau B.

– Je vais lui demander de venir.

Puis, en souriant à Michael, il ajouta :

– Il me plaît beaucoup votre manteau.

– Je l'échange contre le vôtre.

Dalton disparut. Une minute plus tard, le lieutenant Murphy fit son apparition. Son teint avait un peu perdu de cette flamboyance coléreuse qui lui donnait un air de si bonne santé, et ses épaules étaient voûtées. Il adressa un signe de tête aux deux hommes, jeta un dossier sur le bureau, puis se jeta lui-même sur la chaise la plus proche.

– Bon... je ne veux pas que vous croyiez que je vous évite. Je ne voulais pas vous appeler avant d'avoir tous les éléments disponibles.

Il étendit les mains comme s'il avait déjà dit tout ce qu'il avait à dire.

– L'avion n'a pas atterri ? demanda Michael. Qu'est-ce qu'il a fait, il l'a détourné ?

Murphy s'affala un peu plus sur sa chaise.

– Non, l'avion a atterri. Mais plusieurs fois, en fait. Et c'est ça le problème.

– Il a fait une escale imprévue ?

– Pas vraiment.

A présent, Murphy parlait lentement, avec réticence.

– Apparemment, les vols vers Tegucigalpa en provenance des État-Unis font toujours escale à Belize. Nous avions des hommes là-bas pour le cas où Dengler essayerait de nous jouer un tour. C'est du moins ce que nous ont dit les autorités de Belize.

Michael se pencha pour dire quelque chose, mais Murphy l'arrêta d'un signe de la main.

– L'avion s'arrête également de façon régulière dans un patelin appelé San Pedro de Sula, au Honduras : là, les Honduriens ont vérifié l'identité de tous les gens qui débarquaient. Et maintenant attendez, docteur, je vais vous dire ce qui s'est passé. Enfin, ce qui à mon avis s'est passé. Entre San Pedro de Sula et Tegucigalpa, il y a encore une escale prévue. (Il s'efforça de sourire.) Un endroit appelé l'aéroport Goloson, dans un petit trou perdu : La Cieba... L'avion ne reste à terre qu'une dizaine de minutes. Seuls les passagers des vols intérieurs descendent dans cette ville... leurs cartes d'embarquement n'ont pas la même couleur que celles des passagers des vols internationaux, en sorte qu'il n'y a pas de confusion possible. Les voyageurs des lignes intérieures n'ont pas à passer par les services d'immigration, la douane, tout ça... Il y avait quelques soldats honduriens postés à Goloson, mais ils n'ont vu descendre que des voyageurs des lignes intérieures.

– Mais à l'arrivée à Tegucigalpa, il n'était pas dans l'avion, dit Michael.

– C'est ça. D'ici, il est difficile de l'affirmer, mais il semble bien qu'effectivement il n'ait pas mis les pieds à Tegucigalpa. (Il se mit à renifler.) Qu'est-ce que ça sent, ici ?

– Le policier qui était en bas au bureau nous a dit qu'il y avait eu un problème sur le vol, dit Tim. Ça me rappelle un peu ce qui s'est passé à l'aéroport Kennedy.

Murphy le regarda sans sourciller.

– Il y a eu un problème, on pourrait appeler ça comme ça. Quand le personnel de cabine a inspecté l'avion, ils se sont rendu compte qu'un passager n'avait pas quitté son siège. Il dormait, un magazine sur la poitrine. Mais quand ils ont ôté le magazine, ils se sont rendu compte qu'il était mort. La nuque brisée. (Il secoua la tête.) On attend encore l'identification.

– Alors il peut être n'importe où, dit Michael. C'est ce que ça veut dire. Il a pu prendre un autre avion dès qu'il a quitté celui-là.

– Nous avons des hommes à l'aéroport Goloson, dit Murphy. Enfin... ils ont envoyé des hommes là-bas.

Il s'écarta de la table et se leva.

– Je crois que c'est tout ce que j'avais à vous dire, messieurs. Nous resterons en contact.

Il se dirigea vers la porte.

– En d'autres termes, on ne l'a pas encore retrouvé. Nous ne savons même pas le nom qu'il utilise.

Il ouvrit la porte...

– Je vous appelle dès que j'ai d'autres nouvelles.

... et s'enfuit.

Dalton entra une seconde plus tard, comme s'il attendait derrière la porte.

– Vous connaissez l'histoire, maintenant ? Je vous raccompagne en bas. Mais ne vous inquiétez pas : toute la police du Honduras le recherche. Les Honduriens se mettraient en quatre pour nous complaire, croyez-moi, et notre homme sera arrêté d'ici un jour ou deux. Je suis heureux que vos blessures n'aient pas été trop graves. Dites-moi, docteur, vous pouvez dire à votre belle amie que si un jour elle en a assez de...

Ils se retrouvèrent sur le trottoir, avec leurs manteaux d'hommes morts.

– A quoi ça ressemble, le Honduras ? demanda Michael.

– Tu n'as pas entendu ? Ils nous adorent, là-bas.

Huitième partie

TIM UNDERHILL

Et que se passa-t-il?
Rien.
Il ne se passa rien.
Cela fait deux ans que Michael Poole et moi avons quitté le commissariat pour nous rendre ensuite au Saigon, l'ancien restaurant de Tina Pumo, et deux ans que nous n'avons entendu parler ni de Koko ni de M.O. Dengler, sous quelque identité qu'il se cache à présent. Parfois – quand tout se passe bien dans ma vie – je sais qu'il est mort.
Il est vrai que Koko a dû souhaiter la mort – dans son esprit, il devait faire à ses victimes un don : il les libérait de l'éternité effrayante qu'il percevait tout autour de lui. « *Je suis Esterhaz* », avait-il écrit dans un petit mot à Michael, et d'une certaine façon, il voulait dire que ce qui était arrivé sur les berges glacées de la Milwaukee n'avait jamais cessé de lui arriver, en dépit du grand nombre de fois où il avait tué pour que cela cessât. L'expression « *du début à la fin* » signe la marque d'une éternité devenue intolérable à l'homme qui y était enfermé.
Le lieutenant Murphy a finalement envoyé des tirages de certaines photos récupérées dans la chambre de la YMCA. Il s'agissait de photos d'hommes accusés de plusieurs meurtres, ou déjà condamnés pour cela, que Dengler avait découpées dans des journaux et des magazines. Ted Bundy, Juan Corona, John Wayne Gacy, Wayne Williams, David Berkowitz... au-dessus de chaque tête, Dengler avait dessiné un halo doré : une auréole. C'étaient les instruments de l'éternité, et dans mes pires moments, je me dis que Koko nous voyait, nous les membres de la section de Harry Beevers, de la même façon : comme des anges du mal,

comme les instruments du passage d'une forme d'éternité à une autre. *J'ai un travail à accomplir*, avait dit Koko dans ce sous-sol d'Elizabeth Street, et le fait que nous n'ayons pas eu de nouvelles de lui ne signifie nullement que ce travail a été accompli ni qu'il y a renoncé.

Un an après que Koko se fut perdu au Honduras, j'ai terminé le livre que j'écrivais. Mon ancien éditeur, Gladstone House, l'a publié sous le titre *Le feu secret*; les critiques ont été bonnes, et les ventes un peu moins, mais elles m'ont tout de même permis d'écrire ce que je croyais être mon prochain livre, un « roman non imaginaire » à propos de M.O. Dengler et de Koko. A présent je sais que je suis incapable d'écrire ce livre; je ne sais pas ce qu'est un « roman non imaginaire ». On ne peut pas atteler ensemble un aigle et un cheval de labour sans que tous les deux en souffrent.

Mais dès que j'en ai eu les moyens, j'ai pris le vol de Tegucigalpa qu'avait pris Koko alors que Michael et moi étions cloués sur notre lit à l'hôpital Saint Luke. Et grâce à l'incertitude momentanée de l'écrivain, *j'ai vu*, comme *j'ai vu* la fille qu'il avait tenté de tuer à Bangkok, ce qui s'était passé dans cet avion. J'ai vu comment cela avait pu se passer, et alors je l'ai vu se passer.

Voici une version de l'arrivée de Koko au Honduras.

L'avion est petit, et si vieux qu'il tremble de partout; peu de Nord-Américains à bord. Les passagers centro-américains ont le cheveu noir, la peau couleur brique, ils sont bavards et exotiques, et Koko a dû se sentir immédiatement à l'aise parmi eux. Lui aussi venait du sous-sol, lui aussi laissait derrière lui, dans le sous-sol, les enfants de Ia Thuc et la fille de Patpong, et à présent une autre langue se faisait entendre autour de lui. Je crois qu'il ferme les yeux et voit une large place dans une petite ville écrasée par le soleil, puis il voit la place recouverte de morts et d'agonisants. Sur les marches de la cathédrale, des corps sont étendus, tordus, les bras en croix, les doigts recroquevillés dans les paumes de main, les yeux encore ouverts, qui regardent. Le soleil est très proche, c'est un grand disque blanc semblable à un halo. Beaucoup de mouches. Koko transpire – il s'imagine transpirer, au centre de la place, sa peau picote sous la chaleur.

L'avion atterrit à Belize, et deux personnes descendent dans une lumière aveuglante et déchiquetée qui les dévore instantanément. A l'arrière de l'avion, les passagers aperçoivent deux hommes en uniforme marron qui descendent quelques valises par une soute ouverte. Ciment blanc, dure réverbération de la lumière.

Un quart d'heure plus tard, ils sont de retour dans ce monde au-dessus du monde, au-dessus des nuages et de la pluie, là où Koko se sent libéré de la pesanteur et proche... de quoi ? De Dieu, de l'immortalité, de l'éternité ? De tout cela à la fois, peut-être. Lorsqu'il ferme les yeux il voit un large trottoir bordé de cafés. Des tables blanches avec des parasols colorés, devant lesquelles sont déployées des rangées de chaises également blanches; dans l'encadrement des portes ouvertes se tiennent des serveurs en gilet et pantalon noirs. Puis la musique de l'éternité s'enfle dans son esprit, et il voit des corps sanglants s'affaler sur les chaises, les serveurs s'effondrer morts dans les embrasures de porte, le sang couler dans les caniveaux et descendre lentement la rue en pente...

Il voit des enfants nus à la peau brune, de robustes enfants de paysans aux mains épaisses et au dos large, brûlés dans un fossé.

Des images qui courent en apesanteur, incohérentes, sur une bobine de film.

J'ai un travail à accomplir.

A l'arrivée à San Pedro de Sula, une demi-douzaine d'hommes et de femmes impatients se bousculent dans l'allée centrale de la carlingue, avec à la main des paniers et des bouteilles de whisky achetées hors taxes. Les hommes ont la cravate de travers et le visage luisant de sueur. Lorsqu'ils parlent ils grondent comme des chiens, car ils descendent du chien comme d'autres descendent du singe et d'autres du rat et de la souris, et d'autres encore de la panthère, ou du chat sauvage, et d'autres de la chèvre, du serpent, et certains de l'éléphant ou du cheval. Par le hublot, Koko aperçoit un bâtiment administratif, triste et blanc : le terminal. Un drapeau avachi, à moitié décoloré par la lumière, pend au-dessus du bâtiment.

Pas ici.

Après que ces passagers ont quitté l'avion, un homme seul y monte, une carte d'embarquement orange à la main, et va s'installer sur un siège au dernier rang. Il est hondurien, il habite San Pedro de Sula, il est vêtu d'une veste de sport brune, mal coupée, et d'une chemise marron, et sa carte d'embarquement orange est le signe qu'il voyage sur les lignes intérieures.

Avant que l'avion redécolle, Koko se lève, adresse un signe de tête à l'hôtesse (qui l'a ignoré jusque-là) et remonte l'allée centrale pour aller s'installer à côté du nouveau passager.

« *Buen'dia* », dit l'homme, et Koko répond par un signe de tête et un sourire.

Un moment plus tard, l'avion s'éloigne lentement du terminal cubique à l'allure de bâtiment administratif. Dans un bruit de ferraille secouée, l'avion quitte la terre et pénètre dans le monde en dehors du temps. Il y a vingt minutes de vol avant le prochain atterrissage, et à un moment au cours de ces vingt minutes, peut-être au moment où l'hôtesse disparaît soit dans les toilettes soit dans la cabine de pilotage, Koko se lève et gagne l'allée centrale. Son sang circule à toute allure dans ses veines, et en lui-même il éprouve une urgence à la fois douce et nécessaire. L'éternité retient son souffle. En souriant, Koko montre du doigt le sol de la carlingue. « C'est vous qui avez perdu cet argent ? » dit-il. L'homme à la veste brune coule un regard en biais à Koko, puis se penche vers le sol. Koko se penche à son tour, passe les deux bras autour du cou de l'homme et tire brutalement de côté. Il se produit un craquement couvert par le bruit des réacteurs, et l'homme s'effondre au fond de son siège. Koko se rassoit. A présent, ses sentiments me sont impénétrables. Il y a cette question que le monde des civils pose à jamais aux anciens combattants, ouvertement ou silencieusement : *quel effet ça fait de tuer quelqu'un ?* Mais en cet instant, les sentiments de Koko lui sont trop personnels, sont trop liés à sa terrible histoire, et il y a là une obscurité que je ne peux percer.

Disons : il entend l'âme de l'homme à ses côtés s'échapper du corps, et c'est une âme malheureuse, stupéfaite d'être ainsi libérée.

Ou alors disons : Koko regarde à travers le toit de l'avion et voit son père assis sur un trône d'or, dans toute sa gloire, qui lui adresse un signe de tête fermement approbateur.

Ou : il sent instantanément que l'être du mort, son essence, se glisse dans son propre corps par ses yeux ou sa bouche ou par l'ouverture au bout de son pénis, et c'est comme si Koko avait mangé cet homme, car ses pensées et ses souvenirs s'enflamment dans l'esprit de Koko, et Koko voit une famille et reconnaît son frère, sa sœur.

Il voit une petite maison blanchie à la chaux au bord d'une route poussiéreuse, avec une voiture rouillée devant.

Il sent l'odeur des tortillas en train de frire sur une plaque noircie...

Assez.

Koko va chercher la carte d'embarquement orange dans la poche de l'homme et la remplace par la sienne. Puis il prend le portefeuille dans la poche intérieure de la veste. Il ouvre le portefeuille : il est curieux de savoir qui il est à présent, qui il a mangé et en qui il vit ; il lit son nouveau nom. Enfin, il place sur le visage du mort un magazine tiré de la poche du siège de devant, et lui croise les mains sur les genoux. Maintenant l'homme mort est en train de dormir, et l'hôtesse n'osera pas le secouer avant que tout le monde ait quitté l'avion.

Alors l'avion amorce sa descente vers le petit aéroport de La Cieba...

Dans un instant nous arriverons à La Cieba.

Imaginez que nous ne sommes pas en Amérique centrale mais au Vietnam. C'est la saison des pluies, et à l'intérieur des tentes de Camp Crandall, les casiers en métal vert sont luisants de condensation. La fumée douce de la marijuana flotte dans l'air, enveloppant la musique que nous écoutons. Spanky Burrage, qui est à présent conseiller en matière de toxicomanie en Californie, nous fait écouter des bandes sur son gros magnétophone Sony, acheté un bon prix à Saigon, la ville, pas le restaurant. Dans un gros fourre-tout vert posé au pied du lit de camp de Spanky, se trouvent trente ou quarante bandes de musique enregistrée par ses amis de Little Rock, dans l'Arkansas. Il n'y a presque que du jazz, et sur les boîtes en carton des bandes se trouvent collées des étiquettes rédigées à la main : *Ellington, Basie, Parker, Rollins, Coltrane, Clifford Brown, Peterson, Tatum, Hodges, Webster...*

C'est la tente du frère, et ici il y a toujours de la musique. M.O. Dengler et moi y sommes admis parce que nous adorons le jazz, mais à la vérité, Dengler, que tout le monde aime dans le camp, serait le bienvenu ici même s'il croyait que Lawrence Welk dirige un excellent orchestre de jazz.

Ici, la musique sonne différemment de ce qu'elle ferait dans le monde : ici, elle a d'autres choses à dire, et il nous faut l'écouter avec beaucoup d'attention.

Spanky Burrage connaît parfaitement bien ses bandes. Il sait exactement où commencent presque tous les morceaux, et peut les trouver sur la bande du début à la fin. Sa mémoire lui permet donc de faire passer de longues séquences du même morceau interprété par différents musiciens. Spanky adore faire ça. Il passe une version de « The Sunny Side of the Street » jouée par Art Tatum, puis une autre de Dizzy Gillespie et Sonny Rollins; « Indiana » par Stan Getz, puis une autre version avec les mêmes accords mais une mélodie différente, et intitulée « Donna Lee », jouée par Charlie Parker; « April in Paris » par Count Basie, puis par Thelonious Monk; parfois cinq versions d'affilée de « Stardust », six de « How High The Moon », une dizaine de blues, tout le monde puisant au même puits mais en tirant une eau différente.

Spanky en revient toujours à Duke Ellington et Charlie Parker. Plus d'une vingtaine de fois je me suis retrouvé assis devant les haut-parleurs du Sony en compagnie de M.O. Dengler, tandis que Spanky faisait suivre le « Koko » de Duke Ellington par le thème de Charlie Parker qui porte le même nom. *Le même nom...*

« ... mais c'est tellement différent », dit Spanky. Et il enroule la bande sur la bobine jusqu'à ce que le bon numéro apparaisse sur le compteur (bien qu'il ne le regarde même pas), puis, tirant sur une longue cigarette roulée avec la meilleure herbe de Si Van Vo, il appuie sur STOP et puis sur PLAY.

Au Vietnam, voici ce que nous écoutons. D'abord le « Koko » d'Ellington.

C'est une musique de menace, et c'est une musique qui soutient un véritable univers. De longues notes inquiétantes au saxophone baryton sourdent en contrepoint des éclats des trombones. Une mélodie vacillante, oscillante et inquiète s'élève de la section des saxophones. Dans l'obscurité, deux trombones se mettent à crier *oua ouaaaa oua ouaa* comme des voix humaines à la limite de la parole. Ces bruits jaillissent des haut-parleurs et s'avançent comme un père fou au milieu de la nuit. Le piano plaque des accords de cauchemar qui sont à moitié engloutis par la cacophonie de l'orchestre, et à la fin, la contrebasse de Jimmy Blanton traverse la musique à pas feutrés comme un voleur; comme un sapeur infiltré dans nos lignes. Il ne nous venait pas à l'esprit qu'il pouvait y avoir quelque chose de délibérément théâtral, et même de comique, dans cette menace.

« Bon, dit Spanky, et maintenant le Bird. » Il ôte la bande d'Ellington avec un bruit sec, et place celle de Parker. Spanky Burrage révère le Bird, Charlie Parker. Il ajuste la bande, avance jusqu'au bon numéro, mais encore une fois sans presque regarder le compteur. Spanky sait où commence « Koko ». STOP. PLAY.

Nous sommes instantanément dans un autre monde, aussi menaçant mais infiniment plus moderne... un monde qui est encore le nôtre. Ce « Koko » a été enregistré en 1945, cinq ans après celui d'Ellington, et la modernité avait fini par gagner le jazz. Le « Koko » de Parker est fondé sur la chanson « Cherokee », écrite par le chef d'orchestre anglais Ray Noble, mais l'on ne peut s'en rendre compte que si l'on reconnaît la trame harmonique.

Le morceau commence par des passages improvisés d'une grande complexité, urgents, pour en arriver à un fragment du thème, brutalement extrait de « Cherokee », et aussi peu sentimental qu'un portrait de Dora Maar par Picasso ou un paragraphe de Gertrude Stein. Ce n'est pas une affirmation collective comme le morceau d'Ellington, mais un témoignage farouchement individuel. Tout le premier chorus est habité par un sentiment d'imminence, voilà pourquoi nous sommes si bien préparés.

Car Charlie Parker se met soudain à *chanter*, ne faisant plus qu'un, de façon presque magique, avec son instrument, les harmonies du morceau et son imagination. Il déborde, et c'est délibérément qu'il bégaye au début d'une phrase musicale, une phrase qui dit, *j'ai un travail à accomplir*. Il le redit immédiatement, mais plus passionnément, et cette fois-ci, c'est *j'ai un travail à accomplir!* Tout au long de la première partie de son solo, il joue avec une fluidité totale sur un rythme implacable et tendu.

Puis il se passe quelque chose de stupéfiant. Lorsque Parker atteint le pont du morceau, ce chant à gorge déployée qui vise à conjurer la menace se mue en un éblouissement de gloire et d'imagination. Parker modifie la pulsation qui l'entoure en sorte qu'il semble accélérer, et toute l'urgence s'engouffre dans la grâce de ses pensées, qui sont devenues mozartiennes et sont empreintes d'un calme et d'une beauté infinis.

Ce que Charlie Parker fait sur le pont de « Cherokee » me rappelle le rêve de Henry James, celui que j'ai raconté à Michael lorsque nous étions à l'hôpital. Un être frappe à la porte de sa chambre. Terrifié, Henry James empêche cet être d'entrer dans sa chambre. Imminence, menace. Dans son rêve, Henry James fait alors une chose extraordinaire. Mû par une soudaine hardiesse, il ouvre la porte et affronte son attaquant. Mais l'être a déjà fui, il n'est plus qu'une petite tache qui diminue dans le lointain. C'est un rêve de soulagement et de triomphe, un rêve de gloire.

Voilà ce qu'en cette année 1968, dans une tente humide, au Vietnam, nous écoutions, M.O. Dengler, Spanky Burrage et moi. On pourrait dire que nous entendions... la peur dissipée par la maîtrise.

Vous voyez, je me souviens de l'ancien M.O. Dengler. Je me souviens de l'homme que nous aimions. Dans ce sous-sol d'Elizabeth Street, si j'avais eu le choix entre le tuer et le laisser partir, et à moins que le tuer eût été le seul moyen de sauver ma vie, je l'aurais laissé partir. Il voulait se rendre. *Il voulait se rendre*, et si Harry Beevers ne l'avait pas trahi, il se serait rapproché de notre univers et de sa morale. Je le crois parce que je dois le croire, et parce que je sais que dans ce sous-sol, Koko aurait pu facilement nous tuer tous les trois. Il a choisi de ne pas le faire. Il s'était suffisamment approché de notre univers pour nous laisser vivre. Voilà pourquoi Michael et moi avons ces mêmes cicatrices qui ont fait de nous des frères – ces cicatrices sont la preuve que Koko avait choisi de nous laisser vivre. Il avait un travail à accomplir, un *travail* à accomplir, et peut-être ce travail consistait-il à...

Je ne peux pas encore le dire.

Six mois après que Koko nous eut relaché du sous-sol, Harry Beevers prit une chambre dans un grand hôtel qui venait d'ouvrir sur Times Square : un de ces hôtels avec une fontaine, et un atrium en guise de hall. Il obtint la suite qu'il demanda, prit l'ascenseur en forme de bulle de verre, donna dix dollars au chasseur qui avait porté sa valise, ferma sa porte, ouvrit sa valise, but de la vodka au goulot de la bouteille d'un litre qui était un des deux objets se trouvant dans la valise, se déshabilla, s'allongea sur le lit, se masturba, tira de la valise le Police Special calibre 38 qui était l'autre objet qui s'y trouvait, appuya le canon contre sa tempe et pressa la détente. Sur le drap, près de sa tête, on trouva une carte à jouer ; la force du coup de feu avait dû la faire sauter de sa bouche. Sa vie lui était devenue inutile, et il l'a jetée.

Harry a ouvert la porte et a laissé entrer l'être sombre. Il n'avait pas de travail, peu d'argent, et son imagination lui avait fait défaut. Ses illusions étaient la seule imagination qu'il possédait... pauvreté féroce.

Peut-être qu'un jour, désespéré comme Harry, Koko a ouvert la porte et a laissé entrer l'être sombre.

Michael Poole se rend tous les jours dans le Bronx, où il pratique ce qu'il appelle « une médecine de première ligne » dans un dispensaire. Maggie prend des cours à l'université de New York, mais bien qu'elle ait l'allure de quelqu'un qui s'est fixé un but, elle refuse d'évoquer ses projets. Michael et Maggie semblent très heureux. L'année dernière, nous avons construit un nouvel appartement pour eux au-dessus de l'ancien appartement de Tina, où Vinh, Helen et moi vivons à présent. Je mène une existence tranquille et régulière au milieu d'eux, et parfois, à six heures, je descends prendre un verre unique avec Jimmy, le frère de Maggie, qui officie derrière le bar du Saigon. Jimmy est un personnage odieux, et maintenant que je connais si peu de personnages odieux et que j'ai cessé d'en être un moi-même, j'éprouve pour lui une manière d'affection.

Je pense que Koko voulait aller au Honduras. Je pense que l'Amérique centrale l'attirait, peut-être à cause de Rosita Orosco, peut-être parce qu'il imaginait que là-bas il pourrait trouver sa mort. Il ne serait pas difficile de trouver une façon de mourir, au Honduras. C'est peut-être ce qui s'est passé, et depuis deux ans Koko repose dans une tombe creusée à la hâte, tué par la police ou une bande de voleurs ou la milice ou un paysan soûl ou un gamin effrayé armé d'un pistolet. Il avait un travail à accomplir, et il est possible que ce travail eût été de trouver sa propre mort. Peut-être cette fois-ci la foule l'a-t-elle rattrapé, mis en pièces et a-t-elle dispersé son cadavre dans un terrain vague.

STOP.

PLAY.

J'ai pris l'avion jusqu'à La Nouvelle-Orléans et je me suis rendu au comptoir où l'homme qui se faisait appeler Roberto Ortiz avait pris un aller simple pour Tegucigalpa. J'ai pris un billet pour Tegucigalpa. Deux heures plus tard je suis monté dans le petit avion et trois heures après nous atterrissions à Belize. La chaleur a envahi la carlingue quand les quelques passagers pour Belize ont quitté l'avion. Tandis que les hommes en uniforme marron ouvraient les soutes à l'arrière de l'avion pour y prendre quelques valises, une lumière dure et uniforme frappait le ciment blanc et se réverbérait directement dans la cabine. On referma les portes de l'avion et nous nous envolâmes pour San Pedro de Sula, où je vis le terminal blanc en forme de boîte avec son drapeau avachi. Des Honduriens munis de cartes d'embarquement orange montèrent à bord. Nous nous envolâmes à nouveau et presque aussitôt redescendîmes vers La Cieba.

Je sortis mon sac du casier à bagages et remontai l'allée centrale. L'hôtesse indifférente ouvrit la porte, je descendis les marches de la passerelle et pénétrai dans le monde que Koko avait choisi. Chaleur, poussière, lumière immobile. De l'autre côté de la piste, une plate-forme semblable à un appontement, et sur cette plate-forme un édifice en planches grises, qui ressemble à un bar ou à un hôtel fermé. C'était le terminal. Koko avait traversé cette piste pour gagner le terminal, et je la traversai moi aussi.

Les filles aux cheveux noirs en uniforme bleu de la compagnie aérienne sont assises sur des caisses, leurs belles jambes tendues devant elles. Koko aussi est passé devant ces filles nonchalantes. Un tout jeune soldat tenant un fusil presque aussi grand que lui lui accorde à peine un regard; ce n'est pas un Nord-Américain blanc qui va le tirer de son ennui. Il ne regarde même pas ma carte d'embarquement. Son mépris pour les *gringos* est inébranlable : nous lui sommes invisibles. Je me demande : Koko fait-il demi-tour à présent, et que voit-il ? Des anges, des démons, des éléphants à chapeau ? Je pense qu'il voit un vide immense et prometteur dans lequel il pourrait recommencer à guérir. Après être passé devant le soldat, je me retrouvai dans la partie arrière du terminal; quelques marches encore et j'ouvris une porte : j'étais dans le terminal proprement dit.

Nous nous trouvions dans un espace tout en longueur, rempli de monde, et où il faisait très chaud. Tous les sièges étaient occupés : partout de grosses mères de famille à la peau brune et de gros bébés à la peau brune. Devant un bar poussiéreux se tenaient quelques hommes, des Latino-Américains en chapeaux à larges bords; de jeunes soldats aux yeux vides s'étiraient en bâillant, un couple de Nord-Américains roses levèrent les yeux, les détournèrent. Nous ne sommes plus là, nous avons disparu.

Devant moi mais avant moi, Koko franchit les portes de l'aéroport Goloson et retrouve l'écrasante lumière du soleil. Il cligne des yeux; il sourit. Lunettes de soleil ? Non, pas encore, son départ a été trop précipité pour des lunettes de soleil. Je prends les miennes dans la poche de ma chemise : les verres en sont ronds, de la taille d'un *quarter*; je glisse l'extrémité souple des branches métalliques derrière mes oreilles. Les nuances sont assombries, mais je vois ce qu'a vu Koko – le paysage qui l'a réclamé. Il s'éloigne du terminal avec simplicité et décontraction, sans un regard en arrière. Il ne sait pas qu'à un peu plus d'un an de là, je l'observe marcher en confiance sur cette étroite route de campagne. Devant nous s'étend un paysage plat en raccourci, un endroit de nulle part, très vert et très chaud. A moins de deux kilomètres, une ligne de collines basses, partiellement boisées, s'élève au-dessus de la plaine. Je songe à Charlie Parker, penché comme s'il voulait accueillir l'étreinte du monde qui l'entoure; je songe à Henry James, vieux et gros, ouvrant brutalement la porte et se précipitant au-dehors; je voudrais inonder mes pages avec la joie complexe de ces images. Les longues branches des jacarandas, presque dépourvues de feuilles, ploient sous la punition de la chaleur. C'est la forêt de nulle part, de la non-signification en elle-même : simplement la forêt qui croît au flanc des collines basses, et vers laquelle se dirige la petite et fine silhouette, pas à pas.

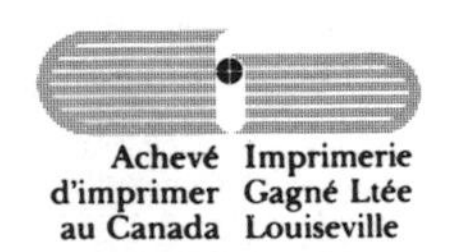

Dépôt légal : janvier 1990
N° d'édition : 32225 - N° d'impression : 13267

Tous les grands romans de

Robert Ludlum

sont publiés dans la collection
"BEST-SELLERS"

LA MÉMOIRE DANS LA PEAU

LA MOSAÏQUE PARSIFAL

LE CERCLE BLEU
DES MATARESE

LE WEEK-END OSTERMAN

LA PROGRESSION AQUITAINE

L'HÉRITAGE SCARLATTI

LE PACTE HOLCROFT

LA MORT DANS LA PEAU

UNE INVITATION
POUR MATLOCK

SUR LA ROUTE DE GANDOLFO

L'AGENDA ICARE

Couverture : dessin de Robert Korn.